Herder-Lesebuch

Lesebücher für unsere Zeit

Begründet von Walther Victor

Herder

Ein Lesebuch für unsere Zeit

Aufbau-Verlag
Berlin und Weimar
1989

Auswahl von Günter Mieth und Ingeborg Schmidt
Einleitung von Walter Dietze

13. Auflage 1989

Einbandgestaltung Wolfgang Kenkel
Typographie Gisela Fischer
Karl-Marx-Werk, Graphischer Großbetrieb, Pößneck V 15/30
Printed in the German Democratic Republic
Lizenznummer 301. 120/150/89
Bestellnummer 611 957 6
00650

ISBN 3-351-00131-2

Johann Gottfried Herder 1785

Inhaltsverzeichnis

Geschichte der Menschheit – eine „Folge aufsteigender Kräfte“

Humanität – der „Charakter der Menschheit“

Über Johann Gottfried Herder

Herder und seine Zeit

Johann Gottfried Herder am 25. August in Mohrungen (1800 Einwohner; heute Morąg/VR Polen) geboren. Der Vater, Gottfried Herder, Sohn eines schlesischen Ackerbürgers, ist Elementarlehrer in Mohrungen; die Mutter, Anna Elisabeth Herder, geborene Peltz, stammt aus der Familie eines Mohrunger Handwerkers.	1744
In Preußen regiert Friedrich II. (1740–1786), in Österreich Maria Theresia (1740–1780), in Frankreich Ludwig XV. (1715 bis 1774), in Rußland Elisabeth Petrowna (1741–1762), in England Georg II. (1727–1760). In Europa herrscht Krieg (Schlesische Kriege und Österreichischer Erbfolgekrieg, 1740 bis 1748).	
„Vom Geist der Gesetze" von Charles de Secondat Baron de Montesquieu (1689–1755) erscheint.	1748
Von Friedrich Gottlieb Klopstock (1724–1803) erscheinen die drei ersten Gesänge des „Messias".	
Johann Wolfgang Goethe geboren (gest. 1832).	1749
Voltaire (1694–1778) in Berlin (bis 1753).	1750
Denis Diderot (1713–1784) und Jean-Baptiste le Rond d'Alembert (1717–1783) geben die aufklärerische „Enzyklopädie oder Kritisches Wörterbuch der Wissenschaften, der Künste und der Gewerbe" heraus (bis 1772).	1751
Immanuel Kant (1724–1804) veröffentlicht die „Allgemeine Naturgeschichte und Theorie des Himmels", die, im Wesen materialistisch und dialektisch, das alte metaphysische Weltbild erschüttert. Johann Joachim Winckelmann (1717–1768) veröffentlicht seine „Gedanken über die Nachahmung der griechischen Werke in der Malerei und Bildhauerkunst".	1755
Gotthold Ephraim Lessings (1729–1781) „Miß Sara Sampson" uraufgeführt.	
Im Siebenjährigen Krieg (1756–1763) sucht Preußen, vor dem Hintergrund der Auseinandersetzung zwischen Frankreich und England, den Raub Schlesiens zu sichern.	1756
Christoph Friedrich Nicolai (1733–1811) gibt die „Bibliothek der schönen Wissenschaften und der freien Künste" heraus (bis 1761).	1757

1758 Russische Truppen besetzen Mohrungen.

1759 Friedrich Schiller geboren (gest. 1805).
„Briefe, die neueste Literatur betreffend" von Nicolai, Lessing, Moses Mendelssohn (1729–1786) und Thomas Abbt (1738–1766) erscheinen (bis 1765).
Lawrence Sternes (1713–1768) „Leben und Meinungen des Herrn Tristram Shandy" erscheinen (bis 1767).

1760 James Macpherson (1736–1796) gibt seine genialen Fälschungen „Fragmente der alten hochschottischen Dichtkunst" (1765 mit weiteren Proben gesammelt als „Ossians Werke") heraus. Hugh Blair (1718–1801) tritt 1763 mit seiner „Kritischen Abhandlung über die Gedichte Ossians" für die Echtheit der Dichtungen ein.

1761 *Herder lebt als Schreiber bei dem Diakon der Mohrunger Stadtkirche Sebastian Friedrich Trescho (1733–1804), einem aufklärerischen Vielschreiber, dessen Bibliothek er frei benutzen kann.*

Jean-Jacques Rousseau (1712–1778) veröffentlicht den Briefroman „Julie oder Die neue Héloise".

1762 *Herder reagiert auf den Frieden zwischen Preußen und Rußland und preist in seinem heimlich nach Königsberg geschickten „Gesang an Cyrus" Peter III. von Rußland als Friedensbringer. Der Arzt eines in Mohrungen stationierten Regiments, Johann Christian Schwartz-Erla, erkennt Herders Begabung, nimmt ihn mit nach Königsberg und ermöglicht ihm das Studium der Theologie. Herder hört Vorlesungen bei Kant, der ihn auf Hume und Rousseau weist, und schließt Freundschaft mit Johann Georg Hamann (1730–1788), der ihn mit Shakespeare und der englischen Sprache bekanntmacht.*

Der in Rußland auf den Thron gelangte Peter III. wird von seiner Frau gestürzt. Katharina II. regiert anfangs als aufgeklärte Monarchin, bekämpft aber nach der Französischen Revolution jede progressive Regung.
„Der Gesellschaftsvertrag oder Grundlagen des Staatsrechts" und „Emile oder Über die Erziehung" von Rousseau erscheinen.
Hamann veröffentlicht „Kreuzzüge eines Philologen".
Christoph Martin Wielands (1733–1813) Shakespeare-Übersetzung erscheint (bis 1766).

1763 *Herder erhält auf sein Gesuch das „Hochgräflich-Dohnasche" Stipendium. Beteiligung an der Preisaufgabe der Schweizerischen Patriotischen Gesellschaft „Wie können die Wahrheiten der Philosophie zum Besten des Volkes allgemeiner und nützlicher werden?".*

Gedichte und Rezensionen Herders. Erste Schulrede: „Über den Fleiß in mehreren gelehrten Sprachen“. Ab November ist Herder Kollaborator an der städtischen Domschule in Riga (über 20 000 Einwohner; unter russischer Oberhoheit). 1764

Kants „Beobachtungen über das Gefühl des Schönen und Erhabenen“ erscheinen.
Winckelmann veröffentlicht sein Hauptwerk, die „Geschichte der Kunst des Altertums“.

Herder erhält feste Lehranstellung und Predigerstelle in Riga. 1765

Joseph II. wird deutscher Kaiser (bis 1790).
Nicolai gibt die „Allgemeine Deutsche Bibliothek“ heraus (bis 1806).
Thomas Percy (1729–1811) veröffentlicht „Reste altenglischer Poesie“.

„Über die neuere deutsche Literatur, Fragmente“ (1. und 2. Sammlung) erscheinen anonym (3. Sammlung 1767). Christian Adolf Klotz (1738–1771), Professor in Halle, deckt die Anonymität auf und greift Herder an. 1766

Der Engländer James Hargreaves erfindet die periodisch arbeitende Mehrfachwagen-Spinnmaschine (Spinning-Jenny).
Heinrich Wilhelm von Gerstenbergs (1737–1823) „Briefe über Merkwürdigkeiten der Literatur“, auch „Schleswigsche Literaturbriefe“, erscheinen (bis 1767; 1770 fortgesetzt); sie fordern Originalität, Leidenschaft, Genie, Empfindung und feiern Shakespeare. Mit dem „Gedicht eines Skalden“ eröffnet Gerstenberg die sogenannte Bardendichtung.
Wieland publiziert mit der „Geschichte des Agathon“ den ersten deutschen Bildungsroman.
Lessings „Laokoon oder Über die Grenzen der Malerei und Poesie“ erscheint.

Herder erhält einen Ruf an eine Petersburger Schule, dem er aber nicht folgt; er ist Prediger an zwei Rigaer Kirchen; Eintritt in die Freimaurerloge; Beiträge für die „Rigischen Anzeigen“. 1767

Lessing beginnt mit der Veröffentlichung der „Hamburgischen Dramaturgie“ (bis 1769), seine „Minna von Barnhelm“ wird uraufgeführt.
James Watt konstruiert seine verbesserte Dampfmaschine.

„Über Thomas Abbts Schriften“. Auf Nicolais Aufforderung hin Mitarbeit Herders an der „Allgemeinen Deutschen Bibliothek“ (bis 1773 etwa 40 Rezensionen). 1768

1768 Sternes „Yoricks empfindsame Reise" erscheint.

1769 *„Kritische Wälder oder Betrachtungen, die Wissenschaft und Kunst des Schönen betreffend" erscheinen anonym. Am 5. Juni bricht Herder überraschend nach Frankreich auf (Gedicht „Als ich von Livland aus zu Schiffe ging") und trifft Mitte Juli in Nantes ein; Studium der französischen Sprache und Literatur (Literarischer Niederschlag im „Journal meiner Reise im Jahr 1769", erst 1846 veröffentlicht). Am 4. November begibt er sich nach Paris; Bekanntschaft mit d'Alembert. Herder soll den Erbprinzen Peter Friedrich Wilhelm von Holstein-Gottorp drei Jahre auf Reisen begleiten, reist im Dezember über Brüssel, Antwerpen, Amsterdam, Hamburg nach Eutin, der Residenz des Fürsten; dort verbringt er die nächsten Monate. In Hamburg Bekanntschaft mit Lessing, Johann Joachim Christoph Bode (1730–1793), Johann Bernhard Basedow (1723–1790), Hauptpastor Johann Melchior Goeze (1717–1786) und Matthias Claudius (1740–1815).*

Gerstenbergs „Ugolino" in Berlin uraufgeführt.

1770 *Abreise im Gefolge des Prinzen; erste Stationen sind Hannover, Kassel, Göttingen, hier Bekanntschaft mit Heinrich Christian Boie (1744–1806), dann längerer Aufenthalt in Darmstadt. Bekanntschaft mit Johann Heinrich Merck (1741–1791); Herder lernt durch ihn Maria Karoline Flachsland (1750 bis 1809) kennen. Abreise über Mannheim nach Straßburg. Herder wird als Hauptprediger und Konsistorialrat (Nachfolger Abbts) nach Bückeburg berufen, daraufhin Abschied vom Eutiner Hof. In Straßburg Bekanntschaft mit Goethe, den er auf Homer, Pindar, Ossian, Shakespeare, Hamann und die Volksdichtung aufmerksam macht. Gemeinsam beschäftigen sie sich mit Sterne, Goldsmith, Winckelmann, Klopstock, Shaftesbury, Rousseau, Voltaire, Holbach. Bis zum Frühjahr 1771 bleibt Herder in Straßburg, um sich einer Operation und langwierigen (letztlich erfolglosen) Behandlung seines kranken Auges zu unterziehen.*

Paul Heinrich Dietrich Baron von Holbachs (1723–1789) „System der Natur" (deutsch 1843), Hauptwerk des französischen mechanischen Materialismus, erscheint.

1771 *„Abhandlung über den Ursprung der Sprache" von der Berliner Akademie preisgekrönt (1772 publiziert; von Hamann kritisiert). Im April geht Herder nach Bückeburg (2000 Einwohner).*

Goethes „Zum Shakespeares Tag" erscheint; die „Geschichte Gottfriedens von Berlichingen mit der eisernen Hand. Drama-

tisiert" liegt Herder in erster, handschriftlicher Fassung zur Beurteilung vor.
Klopstocks „Oden" erscheinen. 1771

Herder, Goethe und Merck edieren die „Frankfurter Gelehrten Anzeigen", das kritische und programmatische Organ deutscher bürgerlich-oppositioneller Intelligenz (15–20 Rezensionen von Herder zu Geschichtsschreibung, Philosophie und Religion). 1772

Wieland wird Prinzenerzieher in Weimar.
Lessings „Emilia Galotti" in Braunschweig uraufgeführt.
Johann Georg Forster (1754–1794) nimmt an Cooks Weltumsegelung teil, 1777 erscheint seine „Reise um die Welt" (englisch).
Verehrer Klopstocks (Johann Heinrich Voß, Ludwig Heinrich Christoph Hölty, Johann Anton Leisewitz, Friedrich Leopold von Stolberg) gründen den Göttinger Hainbund. Organ ist der von Boie herausgegebene „Göttinger Musenalmanach".
Erste Teilung Polens durch Österreich, Rußland und Preußen (zweite Teilung 1793, dritte Teilung 1795).

Herder gibt „Von deutscher Art und Kunst", eine für den Sturm und Drang programmatische Aufsatzsammlung, heraus; darin von ihm die Aufsätze „Auszug aus einem Briefwechsel über Ossian und die Lieder alter Völker" und „Shakespeare", von Goethe „Von deutscher Baukunst". Rezensionen von Klopstocks „Oden" und Lessings „Vermischten Schriften" für die „Allgemeine Deutsche Bibliothek". 1773
Am 2. Mai Heirat mit Karoline Flachsland.
Herder zieht eine zweiteilige Sammlung von Volksliedern aus Scheu vor den tonangebenden Kritikern zurück; er entwirft ein „Drama für die Musik", „Brutus" (von Johann Christoph Friedrich Bach vertont), „Alte Fabeln mit neuer Anwendung" entstehen.

Wielands „Teutscher Merkur" (Mitarbeiter u. a. Goethe, Herder, Schiller) erscheint (bis 1810).
Claudius gibt den „Wandsbecker Boten" heraus (bis 1775), Mitarbeiter sind Goethe, Herder, Gottfried August Bürger (1747–1794).
Karl Friedrich Bahrdts (1741–1792) freie Verdeutschung des Neuen Testaments mit scharfen aufklärerischen Angriffen gegen die Orthodoxie „Die neuesten Offenbarungen Gottes in Briefen und Erzählungen" erscheint.

Herder veröffentlicht den ersten Band der „Ältesten Urkunde des Menschengeschlechts" (2. Band 1776). Anonym erscheinen 1774

„Auch eine Philosophie der Geschichte zur Bildung der Menschheit“ und „An Prediger. Fünfzehn Provinzialblätter“.

1774 *Am 28. August Geburt eines Sohnes, die anderen Kinder werden 1776, 1778, 1779, 1781, 1783, 1787 und 1790 geboren.*

Jakob Michael Reinhold Lenz (1751–1792) publiziert „Anmerkungen übers Theater nebst angehängten übersetzten Stücken Shakespeares“ und verfaßt den „Hofmeister“.
„Die Leiden des jungen Werthers“ von Goethe erscheinen.

1775 *„Erläuterungen zum Neuen Testament aus einer neu eröffneten morgenländischen Quelle“. Abhandlung „Ursachen des gesunknen Geschmacks bei den verschiednen Völkern, da er geblühet“ von der Berliner Akademie preisgekrönt. Konflikte mit dem Grafen; eine Berufung nach Göttingen kommt wegen der ablehnenden Haltung der dortigen Orthodoxie nicht zustande.*

Beginn des amerikanischen Unabhängigkeitskrieges (1775 bis 1783).
Die erste vollständige Shakespeare-Übersetzung (Prosa) von Johann Joachim Eschenburg (1743–1820) erscheint (bis 1782).
Goethe ab November in Weimar.
Johann Kaspar Lavaters (1741–1801) „Physiognomische Fragmente zur Beförderung der Menschenkenntnis und Menschenliebe“ mit kleineren Beiträgen Herders erscheinen 1775–1778 (ab 1780 distanziert sich Herder von Lavaters religiösem Mystizismus).

1776 *Goethe erwirkt Herders Berufung als Generalsuperintendent und Oberkonsistorialrat nach Weimar (6000 Einwohner). Enger Kontakt zu Karl Ludwig von Knebel (1744–1834), Johann August von Einsiedel (1754–1837) und Wieland, für dessen „Teutschen Merkur“ Aufsätze über Hutten, Kopernikus, Reuchlin, Savonarola, Sulzer, Winckelmann und Lessing entstehen.*

Bürger veröffentlicht „Aus Daniel Wunderlichs Buch“ in Boies „Deutschem Museum“.
Friedrich Maximilian Klingers (1752–1831) Schauspiel „Sturm und Drang“ erscheint.
Einsiedel beginnt mit der Niederschrift materialistisch-atheistischer „Ideen“ (nur in Abschriften Herders überliefert).

1777 *„Von Ähnlichkeit der mittlern englischen und deutschen Dichtkunst“ im „Deutschen Museum“ publiziert.*

Nicolai gibt seine Parodie auf die Bemühungen um das Volkslied heraus, „Eyn feyner kleyner Almanach vol schönerr echterr liblicherr Volckslieder“.

Abhandlung „Über die Würkung der Dichtkunst auf die Sitten der Völker in alten und neuen Zeiten" von der Bayrischen Akademie der Wissenschaften preisgekrönt, 1781 veröffentlicht. „Volkslieder nebst untermischten andern Stücken" (2. Teil 1779; ab 1807 unter dem Titel „Stimmen der Völker in Liedern"). „Plastik" und letzte Fassung des Aufsatzes „Vom Erkennen und Empfinden der menschlichen Seele" sowie die „Lieder der Liebe. Die ältesten und schönsten aus Morgenlande, nebst vierundvierzig alten Minneliedern" erscheinen; darin auch die Übersetzung des Hohenliedes Salomons.	1778
Bürgers „Gedichte" erscheinen. Lessing schreibt den „Anti-Goeze" gegen den Vertreter der reaktionären Orthodoxie, Hauptpastor Goeze.	
Lessings „Nathan der Weise" veröffentlicht.	1779
„Vom Einfluß der Regierung auf die Wissenschaften und der Wissenschaften auf die Regierung" in Berlin preisgekrönt und publiziert. „Briefe, das Studium der Theologie betreffend". Freundschaft mit Johann Georg Müller (1759–1819).	1780
Lessing veröffentlicht „Die Erziehung des Menschengeschlechts" und „Ernst und Falk. Gespräche über Freimäurer".	
Kaiser Joseph II. hebt die Leibeigenschaft in Böhmen, Mähren und Schlesien auf. Voß veröffentlicht seine Übersetzung des „Odyssee" („Ilias"-Übersetzung 1793). Kants „Kritik der reinen Vernunft" erscheint. Am 15. Februar stirbt Lessing (geb. 1729).	1781
Im Märzheft des „Teutschen Merkur" erscheint Herders Nachruf „Lessings Tod" anonym.	
„Vom Geist der ebräischen Poesie" erscheint (2. Teil 1783).	1782
Johann Karl August Musäus (1735–1787) veröffentlicht „Volksmärchen der Deutschen" (1782–1785). Friedrich Schillers „Räuber" uraufgeführt.	
Reise Herders nach Hamburg; er lernt Klopstock kennen, besucht Claudius, Karl Wilhelm Jerusalem (1709–1789) in Braunschweig, Johann Wilhelm Ludwig Gleim (1719–1803) in Halberstadt. Wiederannäherung an Goethe, nachdem sich ihr Verhältnis zueinander Ende der siebziger Jahre abgekühlt hatte; Beginn der Freundschaft mit Friedrich Heinrich Jacobi (1743–1819).	1783
„Ideen zur Philosophie der Geschichte der Menschheit" (2. Teil 1785, 3. Teil 1787, 4. Teil 1791); sie ziehen scharfe Kritik Kants nach sich. Beschäftigung mit Spinoza. Jacobi besucht Herder in Weimar.	1784

1784 Der Engländer Edmund Cartwright baut den ersten brauchbaren mechanischen Webstuhl; erste Dampfmaschine in Deutschland aufgestellt.
Freimaurer- und Illuminatenverbot in Bayern und Württemberg.
Kants Aufsatz „Beantwortung zur Frage: Was ist Aufklärung?" veröffentlicht.
Goethe entdeckt den Zwischenkieferknochen beim Menschen und erbringt den naturhistorisch und ideologisch-weltanschaulich bedeutsamen Beweis der anatomischen Zugehörigkeit des Menschen zur Gattung der Wirbeltiere.
Schillers „Kabale und Liebe" uraufgeführt.
Kants Aufsatz „Idee zu einer allgemeinen Geschichte in weltbürgerlicher Absicht" erscheint.

1785 *Bis 1793 erscheinen fünf Sammlungen „Zerstreute Blätter" (1797 eine sechste, darin die Legenden oder Paramythien) mit eigenen poetischen Werken und Neuabdrucken der „Merkur"-Beiträge, darunter die „Blumen, aus der griechischen Anthologie gesammlet". Beteiligung an der Schulreform in Weimar.*

Der Erziehungsroman „Anton Reiser" von Karl Philipp Moritz (1756–1793) erscheint (bis 1790).
Jacobi publiziert „Über die Lehre des Spinoza in Briefen an den Herrn Moses Mendelssohn" und eröffnet den Spinoza-Streit, der für die weltanschaulich-philosophische Differenzierung deutscher Intellektueller im Ausgang des 18. Jahrhunderts von Bedeutung wird.

1786 *Kur in Karlsbad.*

Italienreise Goethes (bis 1788); er vollendet „Egmont" und die Versfassung von „Iphigenie auf Tauris".
„Die Hochzeit des Figaro" von Wolfgang Amadeus Mozart (1756–1791) in Wien uraufgeführt.

1787 *Herder wird Ehrenmitglied der Berliner Akademie der Wissenschaften. „Gott. Einige Gespräche", eine Auslegung und Verteidigung Spinozas, erscheint. Herder verfaßt ein „Buchstaben- und Lesebuch" für den Elementarunterricht. Entwurf der „Idee zum ersten patriotischen Institut für den Allgemeingeist Deutschlands" für den Markgrafen Karl Friedrich von Baden, der die Gründung einer literarisch-wissenschaftlichen Akademie plant (bleibt unausgeführt).*

Schillers „Dom Karlos, Infant von Spanien" uraufgeführt.
Schiller in Weimar, Bekanntschaft und Gespräche mit Herder.

1788

Einrichtung eines Lehrerseminars in Weimar auf Herders Initiative hin. Ab 6. August begleitet Herder den Domherrn zu Trier und Worms, Johann Friedrich Hugo von Dalberg, auf dessen Italienreise. In Rom findet er Anschluß an die Gesellschaft der gleichfalls dort weilenden Herzogin Anna Amalia von Sachsen-Weimar-Eisenach.

Kants „Kritik der praktischen Vernunft“ erscheint.
Am 21. Juni stirbt Hamann.

1789

Neapel (Pompeji, Vesuv-Besteigung) hinterläßt bei Herder einen besseren Eindruck als Rom („Angedenken an Neapel“). Rückkehr nach Rom, Freundschaft mit Angelika Kauffmann (1741–1807); Bekanntschaft mit Wilhelm Tischbein (1751 bis 1829) und Heinrich Meyer (1760–1832), die ihn durch Rom führen. Rückkehr im Mai über Florenz, Venedig, Mailand. Nach Beförderung und Erhöhung seines Gehalts lehnt Herder einen Ruf nach Göttingen ab. Der russische Schriftsteller und Historiker Nikolai Karamsin (1766–1826) besucht Herder.

Am 14. Juli Beginn der Französischen Revolution mit dem Sturm auf die Bastille und der Deklaration der Menschen- und Bürgerrechte, daraufhin Unruhen der Bauern und Handwerker besonders in Baden, der Pfalz, Sachsen und den Rheinstädten; bürgerliche deutsche Intellektuelle (Klopstock, Wieland, Schiller, Forster, Hölderlin, Kant) begrüßen die Revolution.

Offenkundige Sympathien Herders für die Französische Revolution.

Schiller hält seine Jenaer Antrittsvorlesung „Was heißt und zu welchem Ende studiert man Universalgeschichte?“
Goethe vollendet den „Torquato Tasso“.

1790

Goethes „Metamorphose der Pflanzen“ und „Faust. Ein Fragment“ erscheinen.
Kants „Kritik der Urteilskraft“ veröffentlicht.
Edmund Burke (1729–1797) veröffentlicht „Betrachtungen über die Französische Revolution“, in denen er die These von gewaltloser, „organischer“ Evolution vertritt und revolutionäre Bewegungen als historisch ungerechtfertigt ablehnt.
Alexander Radistschew (1749–1802) verarbeitet Anregungen Herders in seiner „Reise von Petersburg nach Moskau“.

1791

Kur in Karlsbad.

„Ansichten vom Niederrhein“ und „Sakontala“ (Übersetzung eines indischen Schauspiels von Kalidasa) von Forster erscheinen.
Mozarts „Zauberflöte“ in Wien uraufgeführt.

1792 *Kur in Aachen. Arbeit an „Briefen, die Fortschritte der Humanität betreffend", die sich mit der Französischen Revolution beschäftigen (nicht publiziert). „Tithon und Aurora" entsteht. Der Aufsatz „Über ein morgenländisches Drama", eine begeisterte Reaktion auf Forsters „Sakontala", erscheint.*

Schiller, Klopstock und Joachim Heinrich Campe (1746–1818) werden Ehrenbürger der Französischen Republik.
Die zweite Phase der Französischen Revolution, in der die Großbourgeoisie die Macht übernimmt, beginnt; Gefangennahme Ludwigs XVI., Einberufung des Nationalkonvents. Beginn der Intervention, die bis zur Offensive der Revolutionstruppen bei Valmy erfolgreich ist.

1793 *Die „Briefe zu Beförderung der Humanität" (10 Sammlungen) beginnen zu erscheinen (1793–1797 jährlich zwei Sammlungen).*

Ludwig XVI. wird hingerichtet. Mit der Kriegserklärung Frankreichs an England beginnt der Kampf der französischen und englischen Bourgeoisie um die Vormacht in Europa.
Proklamation der Mainzer Republik.
Die Französische Revolution tritt in ihre dritte Phase, Beginn der Jakobinerdiktatur; Dekret über entschädigungslose Abschaffung der Feudallasten.
Johann Gottlieb Fichte (1762–1817) publiziert „Beiträge zur Berichtigung der Urteile des Publikums über die Französische Revolution".
Knebel kritisiert in den „Philosophischen Briefen" Kant und begründet eine materialistische Erkenntnis- und Seinslehre.
Goethes „Bürgergeneral" erscheint.
Jean Paul (Friedrich Richter; 1763–1825) veröffentlicht erste Erzählungen.
Forsters „Parisische Umrisse" erscheinen anonym, die „Darstellung der Revolution in Mainz" wird erst 1843 veröffentlicht.

1794 *„Christliche Schriften" (bis 1798).*

Polnischer Aufstand unter Kościuszko.
Sturz der Jakobinerdiktatur im Interesse der Bourgeoisie.
Goethes „Reineke Fuchs" veröffentlicht.
Fichtes „Wissenschaftslehre" erscheint.

1795 *Anonyme Veröffentlichung der Übersetzung der lateinischen Dichtungen Jacob Baldes (1604–1668) in „Terpsichore" (zwei Teile) mit einer Abhandlung über Natur und Wirkung der lyrischen Dichtkunst.*

Mitarbeit an Schillers Zeitschrift „Die Horen". Der Beitrag „Homer, ein Günstling der Zeit" löst eine Polemik Friedrich August Wolfs (1759–1824) aus. 1795

Herrschaft des Direktoriums in Frankreich (bis 1799).
Kants Traktat „Zum ewigen Frieden" und Schillers „Briefe über die ästhetische Erziehung des Menschen" erscheinen.
Jean Paul wird mit seinem Roman „Hesperus" berühmt.

Wachsende Entfremdung von Goethe; wirtschaftliche Not der Familie Herder. „Iduna oder Der Apfel der Verjüngung", ein „Horen"-Beitrag, reizt Schiller zum Widerspruch. Beginn der Freundschaft mit Jean Paul. 1796

Die bürgerliche und plebejische Opposition (besonders in Süddeutschland) erhält durch die anrückenden Franzosen Auftrieb; die Erwartungen der revolutionären Demokraten werden jedoch durch Frankreich nicht erfüllt.
Schiller publiziert „Über naive und sentimentalische Dichtung".
Goethe beendet „Wilhelm Meisters Lehrjahre".
Die „Xenien" von Goethe und Schiller erscheinen.
Jean Paul veröffentlicht den Roman „Siebenkäs".

„Der deutsche Nationalruhm", als Beschluß der 9. Sammlung der „Briefe zu Beförderung der Humanität" gedacht, wird von Herder zurückgehalten, veröffentlicht erst 1812. Die „Neger-Idyllen" erscheinen in der 10. Sammlung. 1797

Ausrufung der Cisrhenanischen Republik, deren Territorium jedoch de facto und später auch formell (1801) von Frankreich annektiert ist.
Frieden von Campo Formio zwischen Österreich und Frankreich, dessen Geheimklausel die Abtretung der linksrheinischen Gebiete an Frankreich vorsieht.
August Wilhelm Schlegel (1767–1845) beginnt mit der Herausgabe seiner Shakespeare-Übersetzung (bis 1810).
Goethes „Hermann und Dorothea" erscheint.
Friedrich Hölderlin (1770–1843) veröffentlicht den ersten Teil des „Hyperion oder Der Eremit in Griechenland" (2. Teil 1799).
Friedrich Wilhelm Joseph Schellings (1775–1854) „Ideen zu einer Philosophie der Natur" erscheinen.
Bis 1800 weilt Jean Paul häufig bei Herder. 1798
Beginn des Rastatter Kongresses über die Abtretung des linken Rheinufers an Frankreich.
Beseitigung bäuerlicher Feudallasten und Zehnten im Linksrheinischen, Abschaffung der Adelstitel und der Zünfte; der Rhein wird deutsch-französische Zollgrenze.

1798 August Wilhelm und Friedrich Schlegel (1772–1829) geben die Zeitschrift „Athenäum", das Organ der Frühromantik, heraus.
Schiller beendet den „Wallenstein".

1799 *„Verstand und Erfahrung. Eine Metakritik zur Kritik der reinen Vernunft", eine Polemik gegen Kant, erscheint in zwei Bänden.*

Napoleon errichtet im Interesse der Großbourgeoisie die Militärdiktatur.

1800 *Von Jean Paul, Wieland und Knebel ermutigt, setzt sich Herder in der „Kalligone" mit Kants „Kritik der Urteilskraft" auseinander.*

Jean Pauls „Titan" erscheint (bis 1803).

1801 *Herders Zeitschrift „Adrastea" (bis 1803 sechs Bände) erscheint, deren Beiträge er, bis auf wenige Artikel Knebels, allein verfaßt; Herder wird Präsident des Oberkonsistoriums und erhält das Adelsdiplom, wodurch seinem Sohn der Grundbesitz erhalten bleibt. Sein Augenleiden und andere Beschwerden verschlimmern sich.*

Frieden von Lunéville zwischen Frankreich und Österreich.

1802 *Badekur in Aachen. Arbeit an der Übersetzung des Romanzenzyklus um den spanischen Nationalhelden Cid aus spanischen und französischen Quellen. „Der Cid" erscheint vollständig erst 1805. Dramenentwurf „Der gefesselte Prometheus".*

Novalis' (eigtl. Friedrich von Hardenberg, 1772–1801) Romanfragment „Heinrich von Ofterdingen" erscheint.

1803 *Neuauflage der „Sakontala"-Übersetzung Forsters durch Herder.*
Schwere Erkrankung; Kur in Eger. Im September Rückkehr nach Weimar, scheinbar erholt. Bald darauf erleidet Herder mehrere Schlaganfälle und stirbt am 18. Dezember.

Reichsdeputationshauptschluß in Regensburg. Entschädigung deutscher Fürsten für den Verlust linksrheinischer Territorien; im rechtsrheinischen Gebiet Beseitigung von 112 Reichsständen, darunter fast aller geistlichen Fürstentümer. Ein Großteil des Reiches wird französischem Einfluß unterworfen (das Heilige Römische Reich Deutscher Nation endet de jure am 6. August 1806, als Franz II. die Kaiserwürde niederlegt).

Einleitung

Johann Gottfried Herder zählt zu den bedeutendsten Autoren deutscher Sprache aus der zweiten Hälfte des achtzehnten Jahrhunderts. Seine literarische Hinterlassenschaft ist vielgestaltig, hochinteressant und umfangreich (die zwischen 1877 und 1913 zustande gekommene Ausgabe seiner „Sämtlichen Werke" hat 33 Bände). Als unmittelbarer Nachfolger und Fortsetzer Gotthold Ephraim Lessings und anderer deutscher Aufklärungspoeten, zugleich aber auch als Zeitgenosse und Anreger, Mitstreiter und Kritiker fast aller Großen der klassischen deutschen Literatur und Philosophie, hat er mit seinen gedankenreichen und tiefgründigen Schriften auf Mitwelt und Nachwelt einen kaum zu überschätzenden, weitreichenden Einfluß ausgeübt.

Geistiges Profil, Schreibweise und Ausdrucksvermögen des hervorragenden Mannes weisen indessen einige charakteristische Eigenarten auf, die heutzutage den Zugang zu seiner Gedankenwelt nicht eben erleichtern. In vielen seiner Darlegungen und Erörterungen präsentiert sich Herder als ein faszinierender, aber auch als ein schwieriger, anspruchsvoller Schriftsteller. Das wertvolle Erbe, das er hinterließ, wartet darauf, daß wir es uns aneignen. Es schließt in besonders starkem Maße die Herausforderung ein, die historischen und die aktuellen Momente dieses Erbes in dialektischem Zusammenhang zu begreifen.

Ein grundsätzlicher Wesenszug Herders ist die Universalität seines Denkens. Ungemein fleißig und aufnahmebereit, kenntnisreich wie kaum einer, bemächtigte er sich, den durchschnittlichen Erkenntnisstand seiner Zeit weit überflügelnd, so vieler Gebiete und Gegenstände, daß er bald ein nahezu enzyklopädisches Wissen sein eigen nennen konnte. Literatur und Ästhetik, Musik und bildende Kunst, Philologie und Rhetorik, Theologie und Philosophie, Pädagogik und Psychologie, Medizin und Ethnologie durchdringt er mit souverän sich bewegender Urteilskraft.

Mit diesem wahrhaft faustischen Wissensdrang überragt Herder alle seine Kampfgefährten – Goethe vielleicht ausgenommen –, die gleich ihm um die politische und ideologische Emanzipation des Bürgertums aus den Fesseln des Feudalismus bemüht waren. Dabei unterscheidet er sich von den Repräsentanten aufklärerischer, klassischer und romantischer deutscher Literatur dadurch, daß er nur über ein höchst bescheidenes, auch selbstkritisch immer wieder gering eingeschätztes poetisches Talent verfügte; trotz vieler Versuche, vor allem auf lyrischem und dramatischem Felde, ist es ihm nie recht gelungen, seinen fruchtbaren Gedanken in Form einer Dichtung gültige Gestalt zu verleihen. Im Vergleich zu den wichtigsten Vertretern klassischer deutscher Philosophie wiederum fällt bei Herder ein Mangel an äußerer Systematisierung seiner Gedankenvielfalt auf; gleich sein Erstlingswerk trägt das Wort „Fragment" im Titel, viele der späteren Schriften bleiben fragmentarisch, und sogar die Hauptwerke, die „Ideen" und die „Humanitätsbriefe", sind nie ganz in dem Sinne abgerundet und zu Ende geführt worden, wie es ihrem Schöpfer als Bedingung ihrer Vollendung vor Augen geschwebt haben mochte.

Zu alledem gesellen sich einige unübersehbare stilistische Eigenarten. Ernsthaft und energisch war Herder bestrebt, seinen Gegenstand immer so anschaulich wie möglich darzustellen. Da er eindringliche Wirksamkeit als Hauptfunktion seiner Schriftstellerei betrachtete, war es ihm unmöglich, sich in seinen Formulierungen und in seiner Diktion ruhig und leidenschaftslos zu verhalten. So kommt es, daß sich in seiner Schreibweise philosophische Logik und dichterische Phantasie mitunter störrisch durchkreuzen, dann wieder friedlich vereinigen oder ergänzen. Phantasievolle, zuweilen sogar parabolische oder allegorische Ausdrucksformen mischen sich mit streng begrifflicher Induktion, Deduktion oder Definition. Ausrufe, nicht zu Ende geführte Sätze, eingeschobene lyrische Passagen, seltene Metaphern und eigenwillige grammatische Konstruktionen lassen die meisten Herder-Texte gefühlsbeladen und lebendig, manchmal freilich aber auch schwer verständlich erscheinen.

Nun wäre es jedoch ganz falsch, sich von all diesen Eigenarten und Besonderheiten zu der Annahme verleiten zu lassen, als fehle dem Lebenswerk Herders auch jede innere Geschlossenheit und Systematik. Vielmehr zeichnet es sich in einer Weise, die für die deutsche Literatur- und Philosophiegeschichte des achtzehnten Jahrhunderts einmalig ist, durch das nie erlahmende Bestreben aus, gerade der Totalität und Vielgestaltigkeit der Welt auf die Spur zu kommen. Will man daher nach einer Bezeichnung suchen, die das umfangreiche, in seinen gewaltigen Dimensionen und vielen Verästelungen beinahe unüberschaubare Schaffen Herders so umfassend wie nötig und so präzise wie möglich charakterisiert, so scheint es angebracht, ihn einen Kulturhistoriker zu nennen. Denn nicht weniger als dies: die Geschichte der menschlichen Kultur in ihrer Gesamtheit, in Vergangenheit, Gegenwart und Zukunft – das war recht eigentlich Thema und Programm, Streitobjekt und Ziel, das war der Inbegriff der Lebensleistung Johann Gottfried Herders.

I

Den äußeren Bedingungen nach teilt sich Herders Leben in zwei recht unterschiedliche, deutlich voneinander getrennte Abschnitte. Der erste ist gekennzeichnet durch Armut, Unstetigkeit, häufigen Ortswechsel, intensives Suchen nach Beruf und Berufung, nach sinnvoller, der eigenen Begabung entsprechender Tätigkeit; der zweite verläuft in bescheidenem Wohlstand, in vergleichsweise größerer Ruhe, in stiller, kontinuierlicher, energisch betriebener Amtswirksamkeit. So hat das Jahr seiner Übersiedlung nach Weimar, 1776, für Herder die Bedeutung einer Wendemarke, eines wichtigen Neubeginns.

Andrerseits läßt sich eine derartige Zweiteilung für die geistige Entwicklung Herders im mindesten nicht erkennen. Im Gegenteil. Seine Gedankenwelt zeichnet sich gerade durch einen festen Zusammenhalt der Hauptideen, durch innere Folgerichtigkeit und durch die bewußte, ständig neu in Angriff genommene Weiterentwicklung ihrer früh schon befestigten Prinzipien und Maximen aus. Was in den äußeren Bedingungen des Lebens als ein Nacheinander zweier verschiedener Etappen erscheint, verdeutlicht sich im geistigen Profil dieses Denkers als zusammengehörige Stufen von Vorbereitung und Abschluß, von Beginn und Vollendung.

Kindheit und Jugend liegen in den zwei Jahrzehnten zwischen 1744 und 1764. Daß Herder der Geborgenheit eines geliebten Elternhauses und dem Zwangsbetrieb einer ungeliebten Schule in dem kleinen ostpreußischen Städtchen Mohrungen entrissen wurde, hat er einem Zufall zu verdanken. Der Regimentsarzt eines aus dem Siebenjährigen Kriege zurückkehrenden russischen Truppenteils nimmt den begabten Jüngling mit nach Königsberg und ermöglicht ihm dort das Studium der Theologie. Herder hat seine Eltern niemals wiedergesehen.

Jedoch auch Königsberg bleibt nur eine kurze, auf kaum zwei

Jahre begrenzte Episode. Zweifellos hat sie, wenn auch unter denkbar miserablen materiellen Bedingungen, dazu beigetragen, den Bildungshorizont des jungen Menschen zu erweitern und seine philosophischen Interessen zu wecken, ihm wertvolle Bekanntschaften zu vermitteln, darunter die mit Johann Georg Hamann, der sein Freund, und die mit Immanuel Kant, der sein Lehrer war. Aber wirklich zu sich selbst findet Herder erst in Riga, wo er in den fünf Folgejahren als Lehrer und Pastor an der Domschule beschäftigt ist. Hier erwirbt er gesellschaftliche Erfahrungen, die bestimmend werden sollten für sein gesamtes Leben und Denken.

Riga, damals unter russischer Oberhoheit stehend, hat aus seiner traditionsreichen Vergangenheit als alte Hansestadt eine Art ständisch-republikanischer Selbstverwaltung retten können. Herder empfindet den Kontrast zwischen drückendem preußischem Despotismus, den er nur allzu oft am eigenen Leibe hatte spüren müssen, und einem freieren öffentlichen Leben, in dem rege Entfaltung eines aufklärerischen Wirkens verhältnismäßig leicht möglich ist, als wohltuend und anspornend. Er tritt sogleich mit einigen umfangreicheren Schriften hervor („Über die neuere deutsche Literatur, Fragmente"; 1767, 3 Bände. – „Kritische Wälder oder Betrachtungen, die Wissenschaft und Kunst des Schönen betreffend"; 1769, 3 Bände), die ihn rasch als selbständigen Fortsetzer aufklärerischen Geistes und aufklärerischer Geister, vornehmlich Lessings, bekannt machen.

Bald aber erschließen sich ihm auch andere, kompliziertere und widerspruchsvollere Wirklichkeitsbereiche. Die geschichtliche Entwicklung Rußlands, die sich hier gewissermaßen vor seinen Augen abspielt, läßt erste, noch ungenau konturierte politische Reformpläne Herders entstehen. Persönliche Begegnungen mit dem sozialen Elend und der kulturell-künstlerischen Produktivität einheimischer (lettischer und estnischer) Bauern fordern Mitgefühl und Aufmerksamkeit heraus. Methoden der Unterdrückung und Ausbeutung, schonungslos von deutschen Junkern betrieben, bleiben ihm nicht verborgen. Unter all diesen Eindrücken bilden sich fundamentale Positionen des Herderschen Denkens heraus, die von nun an im Kern beibehalten und stets erneut auf die Zeit aktiv zurückprojiziert werden: gegenwärtige, erfahrungsmäßig angeeignete Wirklichkeit als Ausgangspunkt; Parteinahme für das Volk und Hochschätzung der schöpferischen Rolle der Volksmassen als moralischer Impuls; historisch-genetische Anschauung und Deutung der Welt als Methode; Suchen nach konstruktiven Möglichkeiten ihrer Veränderung als Ziel und Perspektive. Auch wenn manche dieser Prinzipien noch nicht voll ausgearbeitet, noch ungenügend definiert hervortreten – von keinem anderen der Zeitgenossen Herders läßt sich behaupten, daß er so früh und so entschieden zur grundsätzlichen Sinngebung seines Wirkens vorgestoßen wäre.

Zu dieser Sinngebung gehört auch die jähe Wendung, die 1769 vollzogen wird. Zwei unruhige Wanderjahre führen Herder nach Dänemark und Frankreich, in die Niederlande und nach Hamburg, endlich nach Darmstadt und Straßburg. Gründe für den unvermittelten, fluchtartigen Aufbruch aus Riga hatte es genug gegeben. Ärger im geistlichen und pädagogischen Amt, Scherereien mit Behörden, religiöse Skrupel und Zweifel, unerquickliche literarische Fehden – das alles war zusammengekommen, um Herder an der „Scheinrepublik" im Baltikum verzweifeln zu lassen. Unzufrieden mit nur theoretischer Anhäufung seines Wissens, gierig suchend nach realen Anwendungsmöglichkeiten für seine Pläne und Projekte, wagt er sich kühn in die Welt. Literarische Dokumentation und unmutige philosophische Bilanz dieser Stimmungen ist das „Journal meiner Reise im Jahr 1769", niedergeschrieben größtenteils in Nantes und Paris.

Das Umherirren endet in einem der vielen bedeutungslosen deutschen Zwergfürstentümer, in Bückeburg, wo die Grafen von Schaumburg-Lippe residieren. Die fünf niederdrückenden Jahre, die Herder hier verbringen mußte, sind mit Recht als ein Exil bezeichnet worden. Nur blanke materielle Not und die inzwischen klar erkannte Aussichtslosigkeit, sich als freier Schriftsteller eine gesicherte Existenz begründen zu können, veranlassen ihn damals, die kärglich besoldete Hofpredigerstelle anzunehmen. 1773 heiratet er Karoline Flachsland. Mit Zorn, Unmut und Resignation bemerkt er, wie seine Schaffenskraft eintrocknet, seine Kräfte erlahmen, sein Gemüt sich verdüstert in einer banalen, von Schikanen und Klatsch angefüllten Kleinstadtatmosphäre. Sehr bald sieht er sich in eine Schaffenskrise verstrickt, versucht mehrfach vergebens, anderswo einen Brotherrn zu finden, unterliegt quietistisch-religiösen Stimmungen, die seine in Riga erworbenen konzeptionellen Positionen zu gefährden drohen.

Beträchtlichen Gewinn und Förderung seiner schriftstellerischen Projekte hat Herder während der Wanderjahre und der Bückeburger Zeit allein aus einer Reihe persönlicher Bekanntschaften gezogen. In Paris war er mit französischen Philosophen wie d'Alembert und Diderot, in Hamburg mit deutschen Poeten wie Claudius und Lessing zusammengetroffen. Gegen Ende des Jahres 1770 aber kommt in Straßburg die entscheidende Begegnung seines Lebens zustande, die mit Goethe. Die beiden genialen jungen Männer verbinden und verbünden sich sofort in einem Freundschaftsbund exemplarischer Art, sie entwickeln ihren regen Gedankenaustausch weiter zu einer Kampfgenossenschaft für die ideologische Emanzipation des deutschen Bürgertums. In ihrem Bestreben, eine fortschrittliche, volksverbundene Theorie der Literatur auszuarbeiten, werden sie zu Wortführern der neuen literarischen Bewegung des Sturm und Drang. Als wichtigstes, kräftig ausstrahlendes Ergebnis dieser Zusammenarbeit erscheint 1773 die programmatische Artikelsammlung „Von deutscher Art und Kunst". Sie wirkt epochemachend auf die weitere Entwicklung deutscher Literatur. Goethe hat später in markanter Formulierung den Springpunkt all der Auffassungen zu bezeichnen verstanden, die Herder damals der jungen Generation vermittelte, indem er sie gelehrt habe, die Dichtkunst als „eine Welt- und Völkergabe" aufzufassen, nicht als „Privaterbteil einiger feinen, gebildeten Männer".

Goethe ist es auch, der 1776 dann die Berufung Herders nach Weimar durchsetzt, übrigens gegen den erbitterten Widerstand der Hofkamarilla und der Geistlichkeit des Landes. Voll Tatendrang und Optimismus arbeitet sich der Zweiunddreißigjährige in mehrere Ämter ein: er wird Oberpfarrer der Stadtkirche St. Peter und Paul, Oberkonsistorialrat und Kirchenrat, Generalsuperintendent und Hofprediger. Er bringt Ordnung in die Kirchenfinanzen, qualifiziert die seelsorgerische Praxis in Stadt und Land, sucht das materielle und ideelle Niveau im Schulwesen zu verbessern. Sehr bald muß er feststellen, daß sich, trotz herzoglicher und Goethescher Protektion, alle von ihm beabsichtigten Reformen nur mühevoll und stückweise durchsetzen lassen, daß sich überhaupt die Verhältnisse in Weimar nur graduell, nicht prinzipiell von denen in Riga oder Bückeburg unterscheiden. Im Briefverkehr mit Vertrauten und Freunden pressen ihm Unmut und Unzufriedenheit manchen Seufzer ab.

Dennoch bleibt Weimar bis zum Ende seines Lebens nicht nur Wohnsitz, sondern auch geistiges Domizil. Abgesehen von einigen kürzeren Reisen (eine davon führte ihn 1788/89 nach Italien), hat Herder diese Stadt nicht wieder verlassen. Spontan auftauchende Pläne, sie abermals mit einem neuen Wirkungsbereich zu vertauschen, hat es wohl mehrfach gegeben, aber sie werden stets nur mit halbem Herzen verfolgt und schnell wieder fallengelassen. Hier in Weimar erklimmt Herder den Zenit seiner schriftstellerischen Laufbahn. Mit bewunderungswürdiger Energie ringt er seinem arbeitsüberhäuften Alltag so viel Zeit und Kraft ab, daß er zwei seiner großen, als Botschaften zu verstehenden Werke veröffentlichen kann. Ende der siebziger Jahre liegt seine Volksliedsammlung gedruckt vor, zwischen 1784 und 1791 erscheinen die vier Teile seiner „Ideen zur Philosophie der Geschichte der Menschheit". Nach Lessings Tode (1781) gilt er, von wachsendem Ruhm umstrahlt, eine Zeitlang als einer der ersten Schriftsteller Deutschlands.

Das letzte Lebensjahrzehnt ist durch einen langsamen, aber stetig fortschreitenden Prozeß der Isolierung und Vereinsamung gekennzeichnet. Lange bewährte Freundschaften, wie die mit Goethe, gehen hoffnungslos in die Brüche. Neue Partnerschaften, wie die mit Schiller, erweisen sich auf die Dauer als nicht haltbar. Krankheiten machen den Alternden zusehends griesgrämig, übelnehmerisch, cholerisch. In den neunziger Jahren beginnt der Ruhm Goethes und Schillers den seinen zu überstrahlen. Allerlei Feindseligkeiten und Streitigkeiten verdunkeln den Lebensabend Herders.

Die demokratischen Tendenzen seiner politischen Haltung waren am Weimarer Hofe immer verdächtig und mehr als einmal Stein des Anstoßes gewesen. Herder haßte den Fürstendienst, den erblichen Absolutismus und die Privilegien des Adels. Als er – der oberste Kirchenbeamte des Landes! – 1789 seine Sympathien für die Französische Revolution ziemlich unverhohlen bekundet, vergelten ihm der Herzog und die Seinen diesen Affront mit kleinlichen Schikanen. Etwa gleichzeitig vollziehen sich in der klassischen deutschen Literatur und Philosophie Wendungen und Neuentwicklungen, denen Herder nicht mehr folgen mochte und denen er teils mit kritischer Skepsis, teils mit heftiger Polemik begegnet. Gegen den Goethe-Schillerschen Freundschaftsbund und das aus ihm entspringende Konzept einer ästhetischen Erziehung hält er viele Einwände bereit; gegen Kants idealistische Transzendentalphilosophie und Ästhetik tritt er streitbar, jedoch mit ungenügend durchdachten Argumenten auf („Verstand und Erfahrung. Eine Metakritik zur Kritik der reinen Vernunft", 1799; „Kalligone", 1800). In den Jahren 1801 bis 1803 veröffentlicht er nochmals ein großes Sammelwerk mit dem Titel „Adrastea", dessen sechs Bände in lockerer Form zusammengereihte Betrachtungen über historische Ereignisse und „Charaktere des vergangenen Jahrhunderts" enthalten. Auch diese Sammlung zeugt von einem Nachlassen seiner geistigen Spannkraft und schriftstellerischen Lebendigkeit.

Nur einmal noch gelingt ihm in dieser letzten Schaffensphase ein großer Wurf. In unmittelbarer Anknüpfung an die „Ideen" ziehen die „Briefe zu Beförderung der Humanität", die als fiktiver Dialog angelegt sind und zwischen 1793 und 1797 in zehn Folgen erscheinen, eine beeindruckende Bilanz der Herderschen Humanitätsauffassungen. In gewissem Sinne stellt diese Schrift, die in einem großangelegten Friedensprogramm gipfelt, trotz und wegen der ihr innewohnenden Widersprüche ein geistiges Testament, eine beschwörende Abschlußbotschaft dar.

II

Auf nichts Geringeres richtet sich Herders universaler Denkansatz als auf die Rolle der Individuen und der Völker im menschheitsgeschichtlichen Entwicklungsprozeß. Alles, was er gedacht und geschrieben hat, ist letztlich auf dieses zentrale Anliegen orientiert und behandelt, wenngleich nicht immer sofort erkennbar, die verschiedensten Teilaspekte dieses Problems.

Überraschend modern mutet der theoretisch-methodologische Ausgangspunkt seines Unternehmens an. Wer geschichtliche Vorgänge erforschen wolle, dem dürfe es nicht darauf ankommen, eine „Reihe von Königen, Schlachten, Kriegen, Gesetzen oder elenden Charakteren" ins Auge zu fassen. Im Mittelpunkt seiner Aufmerksamkeit hätten vielmehr „die Hauptveränderungen und Revolutionen jedes Volks" zu stehen, und zwar „um seinen jetzigen Zustand zu erklären". Herdersches Selbstverständnis vom Amte des Historikers ist undenkbar ohne diese dialektische Verschränkung von Historizität und Aktualität, deren vornehmste Funktion darin besteht, sämtliche aus der Geschichte gewonnenen Erkenntnisse im Interesse des Volkes auf die Gegenwart anzuwenden.

Soziale und politische Basis für einen solchen Ausgangspunkt war Herders Demokratismus, untrennbar verbunden mit dem Denken und Fühlen, den Wünschen und Sehnsüchten des Volkes. Freilich ist auch dieser Demokratismus manchen Wandlungen unterworfen. In einem frühen Essay aus dem Jahre 1763, der die aufklärerisch-radikale Frage beantworten wollte, „wie die Wahrheiten der Philosophie zum Besten des Volkes allgemeiner und nützlicher werden" können, war der kühne Gedanke einer revolutionären Bündnispartnerschaft zwischen fortschrittlichen Intellektuellen und einfachem Volk entworfen worden: „Du Philosoph und du Plebejer! macht einen Bund, um nützlich zu werden." Später, unter dem Druck der

Realitäten im Heiligen Römischen Reich Deutscher Nation, hat Herder geglaubt, sich zu Abschwächungen und Dämpfungen dieser radikalen Konzeption verstehen zu müssen. Zeitweilig bewegen sich auch seine Vorstellungen in der Nähe jenes kompromißhaften Arrangements zwischen „aufgeklärtem" Feudaladel und progressiver bürgerlicher Avantgarde, wie es, unmittelbar vor seinen Augen, in Weimar von Goethe und Schiller praktiziert werden sollte. Herder jedoch hat zeitlebens versucht, in seinem gesamten Denken den Interessen des Volks einen Vorrang einzuräumen, trotz aller unlösbaren Konflikte, in die er dabei geriet. Seine politischen Grundpositionen weisen auch nach 1776 einen hohen Grad unmittelbarer Volksverbundenheit auf und werden nur geringfügig dadurch negativ beeinflußt, daß sie gelegentlich dem bürgerlichen Intellektuellen nur die Rolle des Fürsprechers der Volksinteressen zuerkennen.

Auf schöne und ausdrucksstarke Weise spiegeln sich diese demokratischen Überzeugungen dort wider, wo Herder die nach seiner Auffassung charakteristischen Lebensäußerungen des Volkes entdeckt: in der „Volkspoesie". Diesen Begriff faßt er keineswegs einseitig auf und hütet sich, ihn in die Nähe einer gönnerhaften, von oben herab urteilenden Volkstümelei geraten zu lassen. „Volkspoesie" kann in seinen Augen auch ohne weiteres gedruckte Literatur einschließen, sofern sie soziale oder ethnische Eigenarten eines Volkes ästhetisch erfaßt und dadurch einen bestimmten Nationalcharakter zum Ausdruck bringt – im Unterschied zu poetischen Konzeptionen und Werken, die sich als Literatur eines bestimmten Standes begreifen. In dieser Hinsicht sprengt Herders Konzeption der Volkspoesie bereits die Grenzen eines aufklärerischen Verständnisses von Literatur und Literaturtheorie und bahnt Wege zu Verallgemeinerungen an, die einen sehr viel weiteren und zugleich auch differenzierteren Begriff künstlerischer Kultur voraussetzen. Als unmittelbaren, unverfälschten Ausdruck der Volkspoesie, schlechthin als ihre Inkarnation, betrachtet Herder das Volkslied.

Mehr als drei Jahrzehnte lang hat er sich damit beschäftigt, Volkslieder zu sammeln, zu übersetzen und zu interpretieren. In einer letzten, noch von ihm vorbereiteten, aber erst nach seinem Tode erschienenen Ausgabe (1807) erhielt diese Sammlung den treffenden, heute allgemein bekannten Titel „Stimmen der Völker in Liedern". Teils aus alten Aufzeichnungen, teils aus mündlicher Überlieferung schöpfend, hat er hier deutsche, englische, schottische, spanische, italienische, französische und skandinavische Lieder zusammengestellt, aber auch Proben aus altgriechischer und lateinischer Poesie eingestreut. Als etwas völlig Neues bekundet die Sammlung eine kenntnisreiche und liebevolle Zuwendung zur reichen Folklore slawischer und baltischer Völker. Sogar poetische Zeugnisse der Lappländer, der grönländischen Eskimos und der peruanischen Indianer sind in einzelnen Proben vorgestellt. Allein schon diese Materialfülle läßt den universalen Charakter ahnen, den Herder dem Begriff der Volkspoesie unterlegte, und verschafft seiner Anthologie den Rang und den Glanz einer echten Pioniertat.

Auf der gleichen Linie liegen seine bahnbrechenden Leistungen als Übersetzer und Nachdichter. Charakteristisch für Herder, wie er, fremde Literatur ins Deutsche übertragend, das ihm eigene Talent feinfühliger Nachempfindung mit wohlüberlegten theoretischen Prinzipien zu verbinden wußte. Für Volkslied-Übersetzungen (fast alle Stücke in seiner umfangreichen Sammlung übertrug er selbst) konzentrierte er sich besonders auf das emotionale Kolorit, auf die lyrisch-musikalische Eigenart des Originals. Da er ältere und neuere formale Mittel künstlerischer Gestaltung (Reimanordnung, Versmaß, Rhythmus) genau kannte und souverän anzuwenden verstand, gelang es ihm wie keinem anderen vorher, in seinen meisterhaften Verdeutschungen ebenjene Besonderheiten fremdsprachiger Volkslieder zu bewahren, die deren Wesen als Volkspoesie ausmachen: lyrische Sprunghaftigkeit, Wiederholungen, bilderreiche Symbolik, freie Rhythmik und naive, „volksartige" Eindringlichkeit. Der „Ton" dieser Nachdichtungen ist so echt, so aufrichtig, daß in ihm die ganze Vielgestaltigkeit und Widersprüchlichkeit, das Allgemein-Menschliche und das National-Besondere des Volkslebens aufersteht in Schmerz und Freude, in Scherz und Ernst, in Trauer und Zuversicht. Herders demokratische, mitunter „plebejische" Parteinahme scheut dabei nicht davor zurück, inmitten der schlichten Unmittelbarkeit und innigen Natürlichkeit dieser Volksüberlieferungen auch Züge der sozialen Unterdrückung und der feudalen Tyrannei deutlich hervortreten zu lassen.

Jedoch reicht das Interesse des Übersetzers und Nachdichters weit über die Sphäre der eigentlichen Volksdichtung hinaus, wie sie sich für ihn vornehmlich in Liedern, Sprichwörtern, Rätseln und verwandten kleinen Gattungen dokumentierte. In ununterbrochener geistiger Anstrengung befaßte sich Herder mit noch vielen anderen Werken oder Problemen außerdeutscher Literaturen, so daß manches davon, einmal niedergeschrieben, gar nicht immer sofort publiziert werden konnte. Erst relativ spät fand sich die Möglichkeit, die Früchte dieses intensiven Studiums in sechs Sammlungen unter dem Titel „Zerstreute Blätter“ (1785–1797) gedruckt vorzulegen. Auch sie erschlossen dem deutschen Leser viele bisher unbekannte Pfade zum Reichtum älterer, vor allem auch orientalischer Literatur.

Unter den neuen Entdeckungen, die die Abhandlungen und Nachdichtungen dieser „Zerstreuten Blätter“ in sich bergen, lassen sich deutlich drei große, sachlich voneinander geschiedene und doch ideell eng miteinander zusammenhängende Bereiche erkennen. Seit etwa 1780 war Herders Interesse verstärkt auf verschiedene Formen antiker Poesie gerichtet gewesen. Er hatte, jedesmal in den Versmaßen des Originals, Horazische Oden aus dem Lateinischen und Epigramme aus dem Griechischen übersetzt und mit ausführlichen Kommentaren versehen. Nach der Jahrhundertwende schuf er, auf eine französische Quelle zurückgreifend, einen Zyklus von Romanzen mit dem Titel „Der Cid“ (1805 erschienen), in dem er Leben und Abenteuer des berühmten spanischen Helden aus einem Volksepos des zwölften Jahrhunderts schildert; diese Nachdichtung, die sich einerseits eng an Stil und Struktur spanischer Romanzen hält, andrerseits eine leichte Tendenz moralisierend-humanistischer Modernisierung aufweist, erfreute sich unter den Zeitgenossen vorübergehend einer beträchtlichen Popularität.

Chronologisch zwischen der Übersetzung antiker und spanischer Dichtung liegt in den achtziger und neunziger Jahren Herders eingehende Beschäftigung mit orientalischen Literaturen. Vor allem befaßte er sich mit den lyrisch-didaktischen Spruchdichtungen der Inder, Araber und Perser, so zum Beispiel mit Sa'dis „Golestan“ („Der Rosengarten“; aus dem dreizehnten Jahrhundert). Voller begeisterter Zustimmung äußerte er sich über die Verdeutschung des altindischen Dramas „Sakontala“, die 1791 von Georg Forster vorgelegt wurde; später, nach Forsters Tode, besorgte er eine Neuauflage von dessen Übersetzung (1803).

Um nichts anderes als um die Aneignung älterer Poesie in historisch-vergleichendem Sinne handelt es sich nach Herders Auffassung auch dann, wenn es um das Studium der Bibel und anderer christlicher Schriften geht. Vorgänger und Anreger in dieser Richtung war der englische Theologe Robert Lowth gewesen. In einer seiner Abhandlungen über die heilige Poesie der Hebräer („De sacra poesi hebraeorum“, 1753) hatte er sich bemüht, das Buch der Bücher als Kunstwerk zu verstehen und seine Schönheiten mit der klassischen Gestalt der Werke Homers verglichen. Herder nimmt diese Anregung auf, ergänzt sie aber durch historisches Denken, dem Lowth' abstrakte Analogien ziemlich ferngestanden hatten, und macht sie dadurch erst fruchtbar. Mit der ihm eigenen Konsequenz verfolgt er das Problem in vielen seiner theologisch inspirierten Schriften weiter, zumal in der Abhandlung „Vom Geist der ebräischen Poesie" (1782/83, 2 Bände). Unumwunden faßt er das Alte Testament als Nationaldichtung der Hebräer auf, als künstlerischen Ausdruck der Mentalität eines patriarchalischen Volkes, das „Hirten- und Landespoesie" hervorgebracht habe. Im Hohenlied offenbart sich ihm vor allem die Liebe eines „armen reinen Landmädchens", weswegen er die Verfasserschaft Salomos in Zweifel zieht; eine Reihe von Fragmenten aus dem „Lied der Lieder" überträgt er selbst in freie Verse und entwirft eine Geschichte der wichtigsten deutschen Übersetzungen dieser Dichtung, wobei er die Luthers ihrer eindrucksvollen Schlichtheit wegen lobend hervorhebt. Ausführlich kennzeichnet er die poetische Sprache der Bibel, die er ihres Empfindungsreichtums und ihrer Anschaulichkeit wegen bewundert. Mit größtem Interesse verfolgt er, wie sich in den verschiedenen biblischen Texten unterschiedliche Gattungen der Poesie entfalten: die Epik der historischen Schriften, die Lyrik der Schlacht- und Siegeslieder, die Hymnik der Psalmen, die Elegik im Jeremias, die erotische Poesie im Hohenliede. Für Herder gilt als ausgemacht, daß es sich hier um die „älteste, einfachste, herzlichste Poesie der Erde" handle. Zweifellos nimmt dieses Bibel-Verständnis in der Geschichte der Theologie einen wichtigen Platz ein. Noch größere Bedeutung hat es allerdings für die Geschichte deutscher Literatur, weil es mit philologisch-historischer Akribie und feinstem Kunstverstand die ästhetischen Werte der Bibel aufschließt und fortschrittlichem bürgerlichem Denken anverwandelt.

III

Indessen wäre Herder nie in der Lage gewesen, derart fruchtbare, zukunftsträchtige Gedanken zu entwickeln, stünden sie isoliert und vereinzelt innerhalb eines Interessenbereiches, der sich ausschließlich auf Literatur und Ästhetik zu richten gedachte. Ganz im Gegenteil: Herder wirkt als Theoretiker der Literatur deshalb so fruchtbar nach, weil sich seine Überlegungen innerhalb eines größeren Zusammenhangs entfalten, weil sie nur einen Teil (wenn auch einen wesentlichen Teil) seines allumfassenden Historismus darstellen. Sein Universalismus basiert auf diesem Historismus. Und so hat Herder auch für die Geschichte der Philosophie keine geringe Bedeutung, weil er zu denjenigen Denkern zählte, die im achtzehnten Jahrhundert entscheidende Beiträge zur Philosophie der Geschichte lieferten.

Zu einer übersichtlichen, in sich geschlossenen Gesamtdarstellung seiner Geschichtsphilosophie hat Herder mehrfach angesetzt. In vollendeter, ganz und gar abgerundeter Form ist sie dennoch nicht zustande gekommen. So stellen sich diese Versuche dar als eine sich durch sein gesamtes Lebenswerk ziehende Kette von ständig wiederholten, ständig erneuerten, ständig weitergetriebenen Ansätzen. Umfangreiche Notizen und Materialsammlungen aus den Königsberger und Rigaer Jahren sind noch relativ ungeordnet. Im Reisejournal von 1769 und in einer problematischen polemischen Abhandlung aus der Bückeburger Zeit („Auch eine Philosophie der Geschichte zur Bildung der Menschheit. Beitrag zu vielen Beiträgen des Jahrhunderts"; 1773 verfaßt, 1774 anonym veröffentlicht) lassen sich wichtige Zwischenstufen erkennen. Erst in den „Ideen" und in den „Humanitätsbriefen" gelingt Herder eine breit ausladende, nahezu allseitige Darlegung seiner geschichtsphilosophischen Anschauungen.

Beide Werke gehören insofern zusammen, als sie gemeinsam die Geschichte des Menschengeschlechts von den ältesten Zeiten bis ins achtzehnte Jahrhundert hinein schildern. Aber nicht nur, daß sie ein beeindruckendes Panorama natürlicher und gesellschaftlicher Prozesse entwerfen. Innerer Gehalt, Gedankenreichtum und gesellschaftliche Bedeutung dieser beiden Glanzstücke aus Herders Feder verdeutlichen sich vor allem in der philosophischen Tragweite der Herderschen Ideen. Streng logisch vorgehend, Begründungen und Folgerungen sorgsam abwägend, hat ihnen ihr Autor mit seiner eindringlichen Sprache eine eigentümliche, bis heute lebendige Überzeugungskraft verliehen.

Indem er Konkretes und Abstraktes, Besonderes und Allgemeines ständig miteinander verbindet, nähert er sich einer geschichtsphilosophischen Theorienbildung, die über mehrere dialektische Denkelemente verfügt. Mindestens vier dieser Elemente deuten in der geistigen Auseinandersetzung des achtzehnten Jahrhunderts einen eminenten Fortschritt an und erweisen sich als gewichtige Beiträge zur Profilierung klassischer deutscher Literatur und Philosophie: die Historisierung des Entwicklungsbegriffs, die Herausarbeitung entwicklungsgeschichtlicher Gesetzmäßigkeiten, die Auffassung der Widerspruchsproblematik und die Konkretisierung der Humanitätsphilosophie. Der Zusammenhang dieser vier Elemente ist offensichtlich. Sie bedingen einander, sind voneinander abhängig und wirken gegenseitig aufeinander ein.

Die Historisierung des Entwicklungsbegriffs beginnt mit einer sehr allgemeinen Überlegung. Herder geht davon aus, daß es einen unlösbaren Grundzusammenhang zwischen dem Wesen und allen Erscheinungsformen der anorganischen und organischen Materie gibt, und begreift diesen ganzen Prozeß als „eine Reihe aufsteigender Formen und Kräfte". „Entwicklung" ist demzufolge eine Kategorie, die nicht nur die Existenz der Natur, sondern auch das Wesen der menschlichen Gesellschaft bestimmt: ohne Entwicklung sind beide nicht vorstellbar. Wie die Natur, so durchläuft auch die Gesellschaft einen allumfassenden, stufenweise sich aufwärtsbewegenden Gang geschichtlicher Evolution und Revolution.

An den allgemeinen Ausgangspunkt knüpft sich eine polemische Abgrenzung. Wach und frappierend sicher wendet sich Herder sofort gegen linear-mechanistische Vorstellungen geschichtlichen Progressierens, als ob „alles hübsch in gerader Linie ginge und jeder folgende Mensch und jedes folgende Geschlecht in schöner Progression" aus dem jeweils vorhergehenden Kettenglied der allgemeinen Entwicklung entstünde. Damit ist Herder einer der ersten, der innerhalb historischer Prozesse größten Wert auf die möglichst saubere Unterscheidung einzelner Etappen und Phasen legt. Dies setzt ihn in die Lage, deren Verbindung untereinander im Sinne einer dialektischen Verschränkung aufzufassen: als Wechselverhältnis von Kontinuität und Diskontinuität. In dieser Hinsicht alle seine Vorgänger überragend, gelingt es ihm, die relativ selbständige Bedeutung jedes einzelnen Entwicklungsabschnittes plastisch und überzeugend herauszuarbeiten. Es war nicht zuletzt dieses methodologische Rüstzeug, das ihn befähigte, auch gegen einseitige und verabsolutierende Einschätzungen mancher geschichtlicher Perioden energisch Front zu machen, sowohl (um ausgewählte Beispiele zu nennen) gegen eine bloße Abwertung des Mittelalters als auch gegen alle übertriebenen, unkritischen Hochschätzungen der griechisch-römischen Antike.

Diese Gedanken konsequent weiter verfolgend, gelangt Herder zur Herausarbeitung historischer Gesetzmäßigkeiten. Für die Art und Weise der Fortentwicklung von Natur, Gesellschaft und Humanität (diese drei sind immer als Einheit gesehen, gewissermaßen als unheilige Dreieinigkeit) veranschlagt er determinierende Faktoren, welche den allgemeinen Charakter, die Hauptrichtung und das Tempo dieser Entwicklung verursachen, „und zwar nach inneren Naturgesetzen einer sich aufklärenden Vernunft und Staatskunst". Subjektive und objektive Faktoren, Gesichtspunkte der Freiheit und Notwendigkeit werden schlüssig miteinander in Verbindung gebracht. Frage und Antwort lauten folgendermaßen: „Was ist das Hauptgesetz, das wir bei allen großen Erscheinungen der Geschichte bemerkten? Mich dünkt dieses: daß allenthalben auf unserer Erde werde, was auf ihr werden kann, teils nach Umständen und Gelegenheiten der Zeit, teils nach dem angeborenen oder sich erzeugenden Charakter der Völker."

Die historischen Begrenzungen, die solche Denkbahnen auszeichnen, liegen auf der Hand. Nach allgemeingültigen, zuverlässigen Bestimmungen für die Begriffe „Gesetz" und „Gesetzmäßigkeit" suchend, sieht sich Herder genötigt, bei einer Behelfskonstruktion Zuflucht zu nehmen. Zu qualitativen Differenzierungen beider Begriffe nicht in der Lage, läßt er es bei einer unzulässigen Gleichsetzung bewenden. Die Geschichte der Menschheit erscheint als unmittelbare, wesensmäßig sich nicht unterscheidende Fortsetzung aller Entwicklung in der Natur. Herder teilt diese Beschränkung seiner Erkenntnisfähigkeit mit vielen bedeutenden Denkern seines Jahrhunderts. Da sie die wirklichen materiellen Triebkräfte der geschichtlichen Entwicklung noch nicht zu erkennen vermögen, behelfen sie sich mit einer These der Allgemeingültigkeit von Naturgesetzen und zeigen sich außerstande, spezifische Aspekte für die Entwicklung der menschlichen Gesellschaft genügend zu berücksichtigen.

Unter diesem Mangel leiden auch Herders Auffassungen vom Widerspruch als philosophischer Kategorie. Ein Paradoxon, aber doch ein erklärbares: gerade Herder, der in der Praxis sein Denken sehr zielstrebig auf die Erklärung der Welt in all ihrer Widersprüchlichkeit eingerichtet hatte, kam in der Theorie mit dieser Problematik nie recht zu Rande. Einerseits hinderte ihn seine allseitig historische, stets um Konkretheit bemühte Betrachtungsweise, die Frage nach der Rolle des Widerspruchs im Erkenntnisprozeß aufzuwerfen, sozusagen abstrakt und damit gewissermaßen „enthistorisiert" abzuhandeln. Andrerseits verstellte ihm eine Theorie der organischen Kräfte, mit der er alle Entwicklung in Natur und Gesellschaft erklären wollte, den Blick auf die objektive Seite der Sache, auf den Widerspruch als entwicklungsverursachende und entwicklungsfördernde Kraft.

Gleichwohl bleibt erstaunlich, wie Herders scharfsinniger Geist trotz dieser Hindernisse das Problem aufspürt und zu lösen sucht. Er veranschlagt eine „Kontrareität" der Kräfte und schreibt diesem Prinzip eine allumfassende, aktive Wirkung zu. „Alles Leben", so argumentiert er, „entspringt aus Tod ..., alles Ganze der Ordnung und des Plans aus Licht und Schatten, aus divergenten, sich einander entgegengesetzten Kräften, wo das höhere, positive Gesetz, das beide einschränkt und aufhebt, ... beginnet und anstimmt ... Im Menschen, dünkt mich, ist ... diese Kontrareität nur am meisten offenbar, etwa weil er das geistigste, entwickeltste Wesen unsrer Welt, Zusammendrang und Mittelpunkt unsrer Schöpfung ist." Abermals eine Behelfslösung; sie tastet sich zwar sehr nahe an ein wirkliches Verständnis der Dialektik heran, vermag aber ihren Charakter begrifflich wie terminologisch doch nur unpräzise und vorläufig zu erfassen. Worin das „höhere Gesetz" besteht, das die einander entgegengesetzten Kräfte sowohl „einschränkt" als auch „aufhebt", ist nicht deutlich, es wird mehr geahnt denn auf den Begriff gebracht.

Alle bisher erwähnten dialektischen Denkelemente in der Philosophie Herders führen mit Notwendigkeit zu der Frage, wie Stellung und Rolle des Menschen im einheitlichen Ganzen von Natur und Gesellschaft zu bestimmen wären. Was der Mensch sei, worin das Wesen der Menschheit und der Menschlichkeit bestehe, was es mit den „natürlichen" Veranlagungen des Menschen auf sich habe, wie sie sich am besten entfalten könnten und wie die Bedingungen aussehen müßten, damit eine solche Entfaltung das jeweils mögliche historische Optimum erreichen könne – all diese Probleme rücken, je weiter Herders kritischer Verstand fortschreitet, desto stärker ins Zentrum seiner Überlegungen. Daß die Humanitätsproblematik den Dreh- und Angelpunkt seines weitgespannten, universalistischen Denkens ausmache, ist ihm spätestens seit Mitte der achtziger Jahre auch subjektiv vollkommen bewußt. Mit der eindeutigen Konzentration auf dieses Problem befindet sich Herder in Übereinstimmung mit den Hauptbestrebungen klassischer deutscher Philosophie und Literatur seiner Epoche. Das Eigentümliche und Spezifische seiner Leistung aber besteht in einer vielfältigen Konkretisierung des Humanitätsbegriffs.

Die Definition dieses Begriffs, eingegliedert in die „Briefe zu Beförderung der Humanität", faßt verschiedene Aspekte wie in einem Prisma zusammen. „Der Name Menschenrechte", so heißt es dort, „kann ohne Menschenpflichten nicht genannt werden; beide beziehen sich aufeinander, und für beide suchen wir ein Wort. So auch Menschenwürde und Menschenliebe ... Alle diese Worte enthalten Teilbegriffe unseres Zwecks, den wir gern mit einem Ausdruck bezeichnen möchten. Also wollen wir bei dem Wort Humanität bleiben, an welches unter Alten und Neuern die besten Schriftsteller so würdige Begriffe geknüpft haben. Humanität ist der Charakter unsres Geschlechts, er ist uns aber nur in Anlagen angeboren und muß uns eigentlich angebildet werden ..."

IV

Bei alledem ist zu bedenken, daß dieser große Humanist ein gläubiger Christ war und den überwiegenden Teil seines bewußten Lebens in kirchlichen Ämtern verbracht hat. Es war ganz unvermeidlich, daß die Bemühungen dieses philosophischen Denkers, die Entwicklung von Natur und Gesellschaft als unzerreißbare Einheit zu sehen, zu seiner Religiosität in konfliktreiche Widersprüche geraten mußten.

Herders Verhältnis zur Religion ist von aufklärerischem Geist geprägt. Von klerikaler Dogmatik und theologischem Dogmatismus weit entfernt, versteht er sich niemals zu eng orthodoxen Auslegungen, gewährt heterodoxen und überkonfessionellen Auffassungen breiten Raum und wird sehr früh schon, auch darin seinem großen Bruder im Geiste Lessing ebenbürtig, ein entschiedener Vorkämpfer religiöser Toleranz. In den siebziger Jahren bewegt sich Herder auf deistischen Positionen. Erst in den achtziger Jahren, in Verbindung mit dem sogenannten Spinoza-Streit, entsteht dann sein eigenartiger, später nur noch geringfügig modifizierter Pantheismus.

Dennoch bleibt in all diesen Wandlungen der gedankliche Kern der Herderschen Religiosität auffällig konstant: eine (in sozialer Beziehung höchst differenzierte) Auffassung des Christentums als historischer Erscheinung. Hochschätzung der Ursprünge des Christentums, begleitet von Worten herzlicher Verehrung und demütiger Gläubigkeit – und eine mit empfindlicher Leidenschaft vorgebrachte Verurteilung christlicher Klerikalität in allen ihren Erscheinungsformen. Kein Zweifel: auch und gerade die Religiosität Herders ist zutiefst von seinem Historismus und Demokratismus erfüllt.

So vermag er die Gesamtheit der Lehren Christi kaum jemals anders zu sehen denn unter „vermenschlichtem", im Grunde bereits stark säkularisiertem Aspekt. Die theoretischen und praktischen Aktivitäten des Heilands faßt der Seelsorger Herder als Programmatik humaner Gesinnungen und edler Wertvorstellungen auf, die unter ganz bestimmten historischen Bedingungen entstanden sind. Das hilfreiche Eintreten Jesu Christi für die Armen und Bettler, die Knechte und Sklaven, die Notleidenden und Bedrückten hält er für einen entscheidenden Maßstab, an dem christliche Gesinnungen zu messen wären.

Selbstredend bringen ihn historische Erklärungen mit derartig eindeutiger sozialkritischer Stoßrichtung sofort in direkten Gegensatz zu allen dogmatischen Offenbarungstheorien. Die Kontroverse verschärft sich noch erheblich angesichts der kompromißlos formulierten Bemerkungen Herders darüber, wie sich seiner Meinung nach der ursprüngliche Sinn christlichen Gedankengutes in sein Gegenteil verkehrte. Mit beredten Worten prangert er die dogmatische Verfälschung christlicher Ideen und ihre unheilvolle Verschmelzung mit machtpolitischen Zielen des feudalabsolutistischen Staates an. Zu gnadenloser Unerbittlichkeit steigert sich seine Anklage, wenn er über die Funktion christlicher Ideologie im Dienste brutaler Kolonialpolitik reflektiert (ein Aspekt, der besonders in seinem Spätwerk hervortritt; so enthalten etwa die „Gespräche über die Bekehrung der Inder durch unsre europäischen Christen" – publiziert innerhalb der „Adrastea" – einige Dialogpassagen, die gerade diese Verquickung von Kolonialismus und Christentum attackieren).

Aber Herder nähert sich dem Problem auch von der entgegengesetzten Seite her. Immer dann – und es geschieht dies häufig –, wenn er es unternimmt, die Vielzahl mittelalterlicher Ketzerbewegungen polemisch als „wahre Kirche" und als Repräsentanten eines „wahren" Christentums zu verteidigen und gegen Verleumdungen in Schutz zu nehmen, stellt er sich mutig in die große aufklärerische, antiabsolutistische und antidespotische Tradition fortschrittlicher, sozial und ethisch motivierter Religionskritik. Hatten schon einige seiner geistigen Gewährsmänner (Spinoza und Rousseau, in anderer Weise auch Hamann) auf diesem Felde Beträchtliches geleistet, so läßt sich Herder durch ihre Impulse doch zu ganz eigenständigen Urteilen anregen und gelangt damit in die Nähe des (auch von Goethe hochgeschätzten) Gottfried Arnold, der versucht hatte, mit seiner „Unparteiischen Kirchen- und Ketzerhistorie" (1699–1700) diese Tradition in Deutschland zu begründen. Nachdem Herder einen nicht geringen Teil seiner Bückeburger Auffassungen, in denen diese Sozialkritik gemildert und teilweise zurückgenommen war, verworfen und wieder radikalisiert hatte, steht er in den achtziger und neunziger Jahren hinsichtlich der Unnachsichtigkeit und einwandfreien Begründung seiner Einschätzung an der vorderen Front religionskritisch-philosophischer Bestrebungen in Deutschland. Auch diese prononcierte Position gehört zu Herders geistigem Profil. In dieser Beziehung erweist er sich als würdiger und streitbarer Nachfolger eines Hermann Samuel Reimarus und eines Gotthold Ephraim Lessing und übertrifft in sozialkritischer Hinsicht sogar noch Goethes ausgeprägt antiklerikale Haltung.

Mit seinen Überlegungen unternimmt Herder einen kühnen ideologischen Vorstoß: er steht im Begriffe, Religionsgeschichte als Geschichte menschlicher Mythenbildung aufzufassen. Indem er erheblich dazu beiträgt, Religionen und Mythen ihres angeblich ewigen und zeitlosen Charakters zu entkleiden, ihnen den Schein göttlich geoffenbarter Absolutheit abzustreifen und ihr Entstehen und Vergehen aus historischen Gesichtspunkten zu erklären, erweisen sie sich vor seinen Augen mehr und mehr als notwendige Formen menschlicher Einbildungskraft und Selbstverständigung. Aus dieser Einsicht folgt eine fortschreitende Relativierung aller unter religiösen Vorzeichen verkündeten Wahrheitswerte. Religionen und Konfessionen bringen zwar, auf jeweils genau feststellbaren Stufen der geschichtlichen Entwicklung, bestimmte Teilwahrheiten des menschlichen Erkenntnisvermögens zum Ausdruck, aber es ist ganz unsinnig, anzunehmen, irgendeine Religion oder Konfession allein besitze ein für allemal „die“ Wahrheit schlechthin.

Offensichtlich führt ein solcher Denkschritt noch lange nicht zu atheistischen Konsequenzen. Wohl aber bereitet er jene weitgehend antiklerikale, von unbekümmerter Freigeisterei und beinahe „heidnischer“ Souveränität geprägte Haltung vor, die von den Repräsentanten klassischer deutscher Literatur als eine der wichtigsten Vorbedingungen für ihr ästhetisches Programm aufgefaßt wurde. Schiller hat in einem Epigramm, betitelt „Mein Glaube“, derartige Erwägungen aufs knappste zusammengefaßt:

> Welche Religion ich bekenne? Keine von allen,
> Die du mir nennst! „Und warum keine?“ Aus Religion.

Ähnlich betont Goethe des öfteren, daß er gar nicht daran denke, sich mit einer bestimmten, genau profilierten, sozusagen „alleinseligmachenden“ Gottesvorstellung zu begnügen: als Naturforscher sei er Pantheist, als Künstler Polytheist, und als moralischer Mensch glaube er an die „Wahrheit“ eines persönlichen Gottes. Es ist leicht zu sehen, daß innerhalb solcher Definitionen die Ausdrücke „Religion“ oder „Gott“ ziemlich vollständig ihre fideistische Funktion verlieren und nur noch als Vehikel diverser Arten von „Weltfrömmigkeit“ in Frage kommen, mit christlicher Dogmatik jedoch rein gar nichts mehr zu tun haben. Wenn man will, kann man eine Ironie der Geschichte darin sehen, daß es ein beamteter Geistlicher gewesen war, der solchen areligiösen oder sogar religionskritischen Tendenzen entscheidend Vorschub geleistet hatte.

Zu schriftlich überlieferten Zeugnissen christlicher Herkunft verhält sich Herder denn auch auf eine sehr weltliche, sehr freisinnige Art. In seinen „Briefen, das Studium der Theologie betreffend“ (1780) meint er, man müsse die Bibel menschlich lesen, denn sie sei „ein Buch, durch Menschen für Menschen geschrieben“. Überhaupt gedachte Herder ein recht eigensinniges und vollkommen unorthodoxes Studium der Heiligen Schrift zu betreiben und ließ sich durch keine der vielen Querelen und Anfeindungen von diesem Vorhaben abbringen. Sein Bibelverständnis richtet sich nur sehr zurückhaltend auf Wort- oder Sinnexegese und schon gar nicht auf konfessionelle Haarspaltereien, es stellt nicht den religiösen, sondern den poetischen Gehalt der Bibel in den Vordergrund oder setzt wenigstens eine Gleichwertigkeit beider Aspekte voraus.

Zum Bilde des Kirchenmannes Herder gehört schließlich seine Wirksamkeit als Prediger und Redner. Als solcher hat er einen eigenen, einfachen, unkomplizierten, auf nüchterne Überzeugungskraft ausgerichteten Stil entwickelt. Daß er deswegen bei seiner Gemeinde, bei seinen Vorgesetzten im geistlichen Amt, erst recht bei Hofe häufig Anstoß erregte und sich dem einen oder anderen Vorwurf ausgesetzt sah, störte ihn wenig. Die Verständigen unter seinen Zeitgenossen haben mit Lob und Anerkennung nicht gespart. Schillers Urteil, eine gewiß unvoreingenommene Bekundung, kann als ein Zeugnis für viele gelten. Es steht in einem Briefe an Christian Gottfried Körner, datiert vom 12. August 1787: „Am vorigen Sonntag hört ich Herdern zum erstenmal predigen. Der Text war der ungerechte Haushalter, den er mit sehr viel Verstand und Feinheit auseinandersetzte ... Die ganze Predigt glich einem Diskurs, den ein Mensch allein führt, äußerst plan, volksmäßig, natürlich. Es war weniger eine Rede als ein vernünftiges Gespräch. Ein Satz aus der praktischen Philosophie, angewandt auf gewisse Details des bürgerlichen Lebens – Lehren, die man ebensogut in einer Moschee als in einer christlichen Kirche erwarten könnte. Einfach wie sein Inhalt ist auch der Vortrag, keine Gebärdensprache, kein Spiel mit der Stimme, ein ernster und nüchterner Ausdruck. Es ist nicht zu verkennen, daß er sich seiner Würde bewußt ist ..."

Diese würdige, um Einfachheit, Überzeugungskraft und Volksnähe bemühte Haltung, die Schiller hier beobachtet hat, kennzeichnet Herder sehr genau. Wo immer er in geistlichen oder weltlichen Ämtern tätig wurde, hat er beharrlich versucht, Predigerfunktion oder Lehrerberuf jenem Ideal eines Volksschriftstellers anzugleichen, das ihm zeitlebens vorschwebte. Stets sieht er sich als Sittenlehrer, als Erzieher des Volkes, als Philosoph des gesunden Menschenverstandes. „Was ich sage", schreibt er im Herbst 1781 an einen Freund, „ist schreiende Wahrheit. Ich hasse die feige Heuchelei oder Altweiberklugheit unter dem Gewande meines Standes ..." In der Abweisung theologischer Mißerklärungen und dogmatischer Verdrehungen konnte er ungemein scharf und rabiat vorgehen. Gegen unverbindliche, rein gefühlsmäßig begründete Stimmungen geistlicher Andacht, gegen allzu feierliches Getue bei religiösen Handlungen, gegen ein bloß konventionelles „Kirchengefühl" zog er mehr als einmal rücksichtslos vom Leder. Gegenüber dem Jugendfreunde Hamann aber hat er von Weimar aus in einer resignativen Stunde das Geständnis abgelegt: „Die Kirchenmauer, die gerade vor mir steht, scheint mir unaufhörlich die wahre Bastille, und ich habe von jeher mein Haus, groß und verschnitzelt, unbewohnbar, und wo es bewohnt wird, eingeklemmt und drückend, als das wahre Symbol meines Amts angesehen."

So kommt es, daß wir die gesammelten Predigten und Schulreden Herders aus seiner Königsberger, Rigaer und Weimarer Zeit (wo die Aufsicht über das Gymnasium zu seinen Amtspflichten gehörte) als wichtige, zur Grundsubstanz seines schriftstellerischen Wirkens gehörige Zeugnisse ansehen müssen. Ihr tendenziell sehr diesseitiger Charakter zeigt einen Apostel weltlicher Weisheit und menschlicher Philosophie („Dämopädie" hat er diese Wirkungsabsicht gelegentlich genannt), der sich weitgehend darüber im klaren ist, daß er eigentlich Weltfrömmigkeit verkündet und diese nur „mit Religion überkleidet". Daß er dabei, je weiter sich seine Humanitätsphilosophie ausbildete, desto stärker mit vielen Dogmen christlicher Religionsausübung in permanenten Konflikt geriet und die „Kontrareitäten zwischen sich und seinen Ämtern" immer stärker zu fühlen begann, war unvermeidlich, hat ihn aber niemals veranlassen können, wegen dieser Mißhelligkeiten von der Grundrichtung seiner seelsorgerischen und pädagogischen Tätigkeit abzuweichen.

V

So ungewöhnlich, vielgestaltig und weit ausufernd sich die vielen Bereiche der geistigen Wirksamkeit Herders auch präsentieren, ihre wichtigste Funktionsbestimmung bleibt immerfort konstant. Stets handelt es sich darum, Humanismus und Humanität möglichst real anzuschauen, die Möglichkeiten und Bedingungen ihrer Existenz ohne Illusionen zu ergründen.

In ihrem gedanklichen Zentrum erweisen sich diese Herderschen Realvorstellungen als eine volksverbundene Anthropologie, aus deren sozialem Inhalt drei Hauptkomponenten der Humanität entwickelt werden: eine antifeudale, eine prorevolutionäre und eine demokratische. Ihre Zusammenfassung und Krönung erfahren all diese Teilaspekte im Programm eines ewigen Friedens.

Vergegenwärtigt man sich den langen und schwierigen Weg, den Herder in seiner geistigen Entwicklung gegangen ist, so fällt auf, zu welch frühem Zeitpunkt schon und mit welch unbestechlicher Klarheit er den Kerngedanken seiner Humanitätsauffassungen zu formulieren wußte. „Wie können die Wahrheiten der Philosophie zum Besten des Volkes allgemeiner und nützlicher werden?“ So hatte im Jahre 1763, als der junge Student gerade begann, sich an der Königsberger Universität einzurichten, eine Preisaufgabe gelautet, ausgeschrieben von einer schweizerischen Patriotischen Gesellschaft in Bern. Das Bemerkenswerteste an der Antwort, die Herder damals entwarf, war ihre volksverbundene Anthropologie. Viel zu sicher ist sich der kaum Zwanzigjährige dieser Antwort, als daß er sie je in seinen ferneren Überlegungen wieder verworfen oder auch nur eingeschränkt hätte. Vielmehr verfestigen sich die zwei Grundthesen, aus denen die Antwort besteht, sehr rasch zu Leitbildern und Parolen eines sich zusehends konsolidierenden Gedankenreiches. Sie heißen: „Soll die Philosophie den Menschen nützlich werden, so mache sie den Menschen zu ihrem Mittelpunkt . . .“ Und: „Alle Philosophie, die des Volks sein soll, muß das Volk zu seinem Mittelpunkt machen, und wenn man den Gesichtspunkt der Weltweisheit in der Art ändert, wie aus dem Ptolemäischen das Kopernikanische System ward, welche neue fruchtbare Entwickelungen müssen sich hier nicht zeigen, wenn unsre ganze Philosophie Anthropologie wird.“

Bestand die „kopernikanische“ Wendung, die Herder sah und herbeiwünschte, zunächst einmal theoretisch, nämlich in einer fällig gewordenen Umorientierung alles bisherigen Philosophierens auf das Wohl des Menschen und der Menschheit, so vollzog er selbst, die Möglichkeiten des geschichtlichen Augenblicks voll ausschöpfend, diese Wendung höchst praktisch und mit aller ihm eigenen Konsequenz. Zuvörderst, indem er dem Feudalismus in seinem Wesen und in seinen Erscheinungsformen den Rang und die Würde einer humanistischen Gesellschaftsordnung absprach, seine Methoden physischer und geistiger Unterdrückung der Menschen geißelte. Sodann, indem er die gesetzmäßige gesellschaftliche Bewegung zum Humanismus hin als allgemeine Revolution zu verstehen sich anschickte und deren Anerkennung folgerichtig im Sinne einer erkenntnistheoretischen Notwendigkeit und einer moralischen Tugend propagierte. Und schließlich, indem er den demokratischen Charakter dieses Prozesses hervorhob, feudale Despotie und Tyrannei bekämpfte und auch bürgerliche Machtpositionen angriff, wo immer sie nicht im Interesse des Volkes gebraucht wurden. Es ist offensichtlich, daß im Kontext solcher Gedankenführungen viele Elemente zu finden sind, die auch über die Epoche der bürgerlichen Aufklärung hinaus, selbst bei kritischer Sichtung, sehr viel an gültiger, beherzigenswerter Bedeutung behalten haben. Sie vor allem waren es, die der Herderschen Humanismuskonzeption „klassische" Gestalt verschafften.

Angesichts dieser großen Leistung Herders gilt es, dem Mißverständnis vorzubeugen, als habe sich in seiner anfänglich begeisterten, später immerhin noch zustimmenden, endlich aber abwehrenden Haltung gegenüber den politischen Zeitereignissen in Frankreich sein ganzes Revolutionsverständnis erschöpft und gleichsam außerhalb seines Philosophierens vollzogen. Derartige Simplifikationen verstellen jeden gerechten Blick auf den Mann und sein Werk. Mag er auch vor einer Erkenntnisschranke verharrt oder gar kapituliert haben, wenn er sich außerstande sah, bestimmte Ereignisse oder politische Entscheidungen in den Klassenkämpfen des Jahrhunderts als gelungene Probe aufs Exempel Humanität anzusehen (im einzelnen ist er dabei durchaus nicht immer im Unrecht!), so hat er jedenfalls nie gezögert, revolutionäre Veränderungen als notwendige Kettenglieder der allgemeinen gesellschaftlichen Entwicklung aufzufassen und positiv zu werten. „Das Maschinenwerk der Revolutionen", so heißt es in den „Ideen", „... ist unserm Geschlecht so nötig wie dem Strom seine Wogen, damit er nicht ein stehender Sumpf werde."

Freilich konnte sich Herder zu solch uneingeschränkter Anerkennung eines revolutionären Prinzips nur verstehen, nachdem er für sich selbst das theoretische Verhältnis von Evolution und Revolution in bestimmter Weise modifiziert und für den Zweck seines Philosophierens zurechtgelegt hatte. Den Ausdruck „Revolution" verwendet er in doppelter Bedeutung: einmal im Sinne einer qualitativen Umwälzung, eines Sprungs; zum andern aber auch im Sinne einer allmählich sich vollziehenden Umkehrung, einer zyklischen Bewegung (dabei die ursprüngliche Bedeutung einer „revolutio" aus dem Wortgebrauch der Astronomie berücksichtigend). Beides gilt ihm als „Revolution". Unschärfe der Begriffe? Ausweichen vor einer alternativen Fragestellung? Oder auch hier eine erste Ahnung vom dialektischen Zusammenhang zwischen Evolution und Revolution? Es ist schwer zu entscheiden, welche Motive Herder veranlaßt und welche inneren Kämpfe ihn gequält haben mögen, als er sich zu dieser – streng logisch nicht schlüssigen – Erweiterung des Revolutionsbegriffs entschloß. Ihm jedoch Pharisäertum oder allzu kompromißfreudigen Opportunismus vorwerfen zu wollen wäre töricht. Denn dieser Revolutionsbegriff wird nun immer und überall eindeutig, zielbewußt und parteilich angewandt: nämlich weitgehend synonym zum Begriff einer „Humanisierung" des Menschengeschlechts.

Ungleichheit unter den Menschen, Unterdrückung des Menschen durch den Menschen, Behinderung einer freien Entfaltung menschlicher Wesenskräfte sind für Herder unannehmbare, weil „unmenschliche" Verhältnisse. Intensiv und leidenschaftlich sucht er nach Mitteln und Wegen, denen in der gesellschaftlichen Praxis humanisierende Funktion zukommen könnte. Probleme der Staatsmacht, der Verfassung, der Regierungsform rücken in sein Blickfeld. Er weicht diesen Fragen nicht aus, wohl wissend, daß sich gerade vor ihnen alles abstrakte Theoretisieren in letzter Instanz werde rechtfertigen müssen. Auch darin ist Herders Humanismuskonzeption hochaktuell, daß sie sich – trotz aller anderen Einschränkungen und Unzulänglichkeiten – tendenziell als eine Form politischen Denkens und Handelns versteht.

Die wenigen Äußerungen, die Herder zur Theorie des Staates hinterlassen hat, nehmen meist rousseauistische oder naturrechtliche Auffassungen vom Gesellschaftsvertrag zum Ausgangspunkt. Bei seinen Reflexionen über Entstehung und Funktion des Staates gelangt Herder zu der Einsicht, daß jede staatliche Machtausübung, zu welcher Zeit und an welchem Ort auch immer, auf Gewalt und Unterdrückung beruhe. Den Staatsapparat vergleicht er mit einer Maschine, die, einmal in Gang gesetzt, bestenfalls fehlerfrei funktionieren kann, bis sie sich abgenutzt hat, jedoch niemals die Fähigkeit besitzt, Vernunft zu erwerben, „so vernunftähnlich sie auch gebauet sein möge“. Wünschenswert erscheint ihm deshalb die Auflösung oder Aufhebung des Staates, nicht nur des feudalen und monarchischen, sondern auch des bürgerlichen und konstitutionellen, ja des Staates überhaupt. Ähnliches müßte seiner Meinung nach für alle Regierungsformen (innerhalb von Klassengesellschaften) gelten. Volksherrschaft erscheint als einzig reales, wirklich erstrebenswertes Ziel. Zwei große Geister klassischer deutscher Literatur begegnen sich in der Verkündung dieser Maxime. Goethe: „Welche Regierung die beste sei? Diejenige, die uns lehrt, uns selber zu regieren.“ Herder: „Der beste Regent ist der, der, so viel er kann, dazu beiträgt, daß Regenten dem Menschengeschlecht einmal (wann wird es sein?) völlig unnütz werden ... Das Volk braucht einen Herrn, solange es keine eigne Vernunft hat; je mehr es diese bekommt und sich selbst zu regieren weiß, desto mehr muß sich die Regierung mildern oder zuletzt verschwinden.“

Volksherrschaft aber ist in den Augen Herders zugleich Voraussetzung und Folge einer Gewinnung und Bewahrung des Friedens. Im Prozeß des friedlichen und freundschaftlichen Zusammenlebens der Menschen und Völker könnten sich alle Hoffnungen und Sehnsüchte, alle strategischen Überlegungen und praktischen Vorhaben verwirklichen lassen, die an den Begriff der Humanität geknüpft sind. Herder rekapituliert die lange Geschichte der Herausbildung und Entwicklung humanistischer Friedensideen in Europa. Er stellt sich bewußt in diese Tradition und ruft einige ihrer bedeutendsten Repräsentanten wiederholt zu Zeugen und Gewährsmännern an: den Italiener Giambattista Vico, den Tschechen Jan Amos Komenský, den Deutschen Johann Valentin Andreä, den Angelsachsen William Penn, den Franzosen Abbé de Saint Pierre. Unter den Zeitgenossen aber wählt Herder auch diesmal wieder keinen Geringeren als Immanuel Kant, um sich mit ihm im geistigen Wettstreit zu messen.

„Zum ewigen Frieden“ – so heißt die Überschrift, die Kant im Jahre 1795 seinem berühmten Traktat gab und die Herder im gleichen Wortlaut wenig später einem Abschnitt in seinen „Briefen zu Beförderung der Humanität“ voranstellte. Beide Texte behandeln, bei vollkommen identischer Zielstellung, die gleiche Thematik unter verschiedenen Aspekten und mit unterschiedlichen Methoden. Dem Königsberger Philosophen kommt es auf juristische und staatsrechtliche Gesichtspunkte an, er beobachtet die Aufeinanderfolge von Präliminar- und Definitivartikeln in der Logik seiner Erörterungen peinlich genau und verwendet viel Scharfsinn auf die vertragsmäßige Absicherung des Friedens gegen den Krieg. Der Weimarer Historiker geht von ethischer Besinnung und moralischen Postulaten aus, kleidet seine Darlegungen, einer Fabel mit anschließender Nutzanwendung ähnlich, in die anschauliche Erzählung eines Missionars über nordamerikanische Indianerstämme und hält alle Verträge, wie die Erfahrung lehre, für nutzlos, „solange der Baum des Friedens nicht mit festen, unausreißbaren Wurzeln von innen heraus den Nationen" blühe. Für Kant steht am Ende seiner Schlußfolgerungen die Notwendigkeit eines Völkerbundes, ausgehandelt und gesichert durch diplomatische Vereinbarungen. Herder hält es für ausgemacht, daß es die durch Erziehung der Menschen gewonnenen Gesinnungen sind, die allein als eine dauerhafte, zuverlässige Garantie des Friedens zu wirken vermögen. Beiden Schriftstellern gilt jedoch ein friedlicher Bund der Völker als Vollendung aller humanistischen Entwürfe, als Erfüllung der besten Träume der Menschheit.

Gemeinsam ist beiden Strategien auch das Appellative ihrer Ausdrucksweise, nur daß es sich bei Kant mehr an die Regierungen, bei Herder mehr an die Volksmassen richtet. Divergierend wiederum das Vertrauen auf doch recht unterschiedliche menschliche Vermögen, denen zugemutet werden kann, künftige Realisierungen des Friedens zustande zu bringen und aufrechtzuerhalten: auf praktische Vernunft hier, auf abstraktere Gesinnungsethik dort. Jedes dieser Elemente für sich genommen, isoliert gesehen, ist partieller ideologiegeschichtlicher Fortschritt und zugleich auch Ausdruck der politischen Schwäche des deutschen Bürgertums im ausgehenden achtzehnten Jahrhundert. Daß die Isolierung damals nicht aufgehoben, die Vereinigung nicht vollzogen werden kann, setzt tragische Akzente in der geistigen Begegnung zwischen Kant und Herder. Daß sich aber ihre Ideen auf dieser höchsten Stufe ihrer Auseinandersetzung konfliktlos und beinahe so, als seien sie aufeinander angewiesen, wechselseitig ergänzen, ist ein Umstand, der, trotz aller gegenseitigen Diatriben, tiefe geistige Verwandtschaften erkennen läßt. Kant und Herder ausschließlich als einander feindliche, sich bekämpfende, sich zerstreitende Kontrahenten zu sehen wäre ein oberflächliches Urteil. Denn geradezu paradigmatisch verkörpert sich in ihren Diskussionen und Fehden noch etwas anderes, nicht minder Wichtiges: der objektiv komplementäre Charakter einiger Ideen, wie sie damals etwa zur gleichen Zeit – manchmal unabhängig voneinander, manchmal in direkter oder vermittelter Abhängigkeit – einerseits von der klassischen deutschen Philosophie, andrerseits von der klassischen deutschen Literatur entwickelt werden.

In diesem komplizierten Zusammenspiel nimmt Herder eine deutlich markierte Sonderstellung ein. Im Ensemble der Weimarer und Jenenser Literaten (zu dem zeitweilig auch philosophische Köpfe par excellence wie Fichte und Hegel gehörten) ist er der einzige, der sich auf dem Felde der Literatur wie auf dem der Philosophie genauestens auskennt und souverän bewegt. In beiden Metiers dilettiert er nicht nur, sondern bereichert sie um viele sachkundige Beiträge. Als schöpferischer Philosoph überragt er alle philosophierenden Dichter seiner Umgebung; nicht Lessing oder Wieland, nicht Hölderlin oder Schiller, nicht Goethe oder Friedrich Schlegel, nicht Seume oder Forster kommen ihm da gleich. Es ist unmöglich, sich den Denkansatz, die Hauptentwicklungsrichtung und die verschiedenen Etappen, die klassische deutsche Literatur wie klassische deutsche Philosophie durchlaufen haben, ohne den Beitrag Herders vorzustellen. Und wenn die klassische Phase bürgerlicher deutscher Kultur, Kunst und Philosophie eine bedeutende Ausstrahlungskraft, auch über die Grenzen Deutschlands hinaus, besitzt, so hat gerade er daran maßgeblichen Anteil.

VI

Herders universaler Humanismus hat eine mächtige Breiten- und Tiefenwirkung gehabt. Deutliche oder auch später wieder verwischte, zugeschüttete Spuren davon finden sich im kulturellen Leben vieler Nationen und Völker.

Dennoch fällt auf, daß Herders Gedanken seit seinem Tode doch sehr unterschiedlich rezipiert wurden. Zunächst regional unterschiedlich: während er bis spät ins neunzehnte Jahrhundert hinein in Frankreich, England und Amerika so gut wie unbekannt bleibt, wirkt er in Österreich, im Baltikum und in den meisten Bereichen der slawischen Welt tief und dauerhaft. Sodann aber auch sachlich unterschiedlich: während die literarischen und literaturtheoretischen Anregungen Herders meist unmittelbar, direkt und offen (daher auch leicht erkennbar) „weitergereicht" werden, kommt es häufig vor, daß aus dem Ensemble seiner philosophischen und gesellschaftstheoretischen Überlegungen manches nur vermittelt, indirekt und verborgen (daher mitunter auch schwer nachweisbar) adaptiert wird.

Daß Herder, der dem historischen Denken im achtzehnten Jahrhundert wie kaum ein anderer den Weg gebahnt hat, oft geplündert, aber wenig zitiert, häufig als Quelle in Anspruch genommen, aber nur selten als Autorität akzeptiert wurde, hängt offensichtlich mit dem geschichtlichen Ort seines Philosophierens zusammen. Einerseits sind viele seiner Gedanken von so schlagender, so eindringlicher Evidenz, daß sie jeden Hinweis auf seine geistige Urheberschaft überflüssig zu machen scheinen: es ist, als ob ein anderes, nämlich mehr oder weniger unhistorisches Denken, das vor ihm dominierte, ganz und gar unmöglich sei und überhaupt nicht existiert habe. Andrerseits haftet vielen seiner Gedanken die Besonderheit an, daß sie nur die keimhafte, embryonale Form eines tatsächlich wissenschaftlichen Denkens zum Ausdruck bringen, noch nicht fertige Ergebnisse, sondern nur Vorahnungen sind, daß sie eher – und oft allerdings in genialer Weise! – fruchtbare Denkrichtungen anzeigen als abschließende Resultate formulieren.

Insonderheit war Herder historisch gleichsam dazu verurteilt, immer dann auf einer Vorstufe zu verharren, wenn es um das Eindringen in die Probleme der dialektischen Denkmethode ging. So hat zum Beispiel seine ausgeprägte Oppositionshaltung gegen Kants (und auch gegen Fichtes) Idealismus die doppelte Folge, daß Herder bei Lebzeiten immer zugleich von mehreren Seiten angegriffen wird und daß nach seinem Tode eine deutlich differenzierte Rezeption seines philosophischen Denkens einsetzt. Während einerseits revolutionäre Demokraten wie Georg Forster oder Wilhelm Ludwig Wekhrlin den Vorwurf erhoben, Herder habe die antireligiöse Stoßrichtung spinozistischer Traditionen abgestumpft oder gar verfälscht, war Schiller der Überzeugung, daß der gleiche Herder „äußerst zum Materialismus neige“. Später steht Herder bei materialistischen Denkern verhältnismäßig hoch im Kurs (in Deutschland etwa bei Ludwig Feuerbach, in Rußland bei Alexander Radistschew), während ihn der große idealistische Dialektiker Georg Wilhelm Friedrich Hegel in seinem umfangreichen Werk nicht ein einziges Mal namentlich erwähnt, obwohl er in der weiteren Ausarbeitung der Entwicklungstheorie mehr oder weniger unverhüllt an ihn anknüpft. In ähnlich „unterirdischer“ Weise hat Herder dann auch auf andere Philosophen und Historiker gewirkt.

Mindestens gleichstark sind die Impulse, die von Herders gänzlich neuem Begriff der Volkspoesie, ja der Literatur überhaupt ausgehen. Von hierher rührt eine Erneuerung deutscher Dramatik, an der Herder zwar als Autor von Komödien oder Tragödien selbst nicht beteiligt ist, die aber ohne seine grundsätzlichen Anregungen, zumal ohne die von ihm inspirierte realistische Shakespeare-Rezeption, nicht denkbar wäre; vor allem die neuen künstlerischen Qualitäten, die im historischen Drama bei der Gestaltung des Verhältnisses Held–Volk von Goethe bis Büchner hervorgebracht werden, haben einige von Herder inaugurierte Schaffensprinzipien zur unmittelbaren Voraussetzung.

Die gleichen Prinzipien verursachen und fördern eine Erneuerung deutscher Lyrik. Mit gleichsam elementarer Gewalt wird für sie jetzt ein bewußtes, schöpferisches Anknüpfen an Volkslied- und Balladentraditionen ermöglicht. Dieser Prozeß, der zu einer ungemeinen Bereicherung des subjektiven lyrischen Ausdrucksvermögens führt, beginnt schon in der Bewegung des Sturm und Drang bei Goethe und Gottfried August Bürger, setzt sich in der deutschen Klassik bei Goethe und Schiller, in der deutschen Romantik bei Clemens Brentano, Ludwig Uhland, Wilhelm Müller und Joseph von Eichendorff fort und beeinflußt noch das Werk Adelbert von Chamissos und Heinrich Heines. Unmittelbar Herderscher Vorläuferschaft verpflichtet, veröffentlichen Ludwig Achim von Arnim und Clemens Brentano 1806–1808 „Des Knaben Wunderhorn", die erste umfangreiche deutsche Volkslied-Anthologie nach gedruckter und mündlicher Überlieferung.

Unübersehbar sind die tiefen Spuren, die Herder auf dem Felde der Literaturtheorie hinterlassen hat. Was er um 1770 als Wortführer und entscheidender theoretischer Kopf einer neuen literarischen Generation verkündet hatte, erzeugte sofort mannigfaches Echo, etwa in Goethes enthusiastischer Rede „Zum Shakespeares Tag" (1771) oder in den „Anmerkungen übers Theater" (1774) von Jakob Michael Reinhold Lenz. Was Herder später, in den achtziger und neunziger Jahren, an konzeptionellen Gesichtspunkten und methodologischen Prinzipien zur Erforschung multinationaler Literaturen ausarbeitet, findet im Traditionsbewußtsein und theoretischen Reservoir der deutschen Romantik teils kontinuierliche, teils diskontinuierliche Nachfolge. So schließen sich zum Beispiel August Wilhelm Schlegels „Vorlesungen über dramatische Kunst und Literatur" (1809–1811) sachlich wie methodisch noch eng an Herders Auffassungen an, wenngleich mit einer bereits hier auftretenden Tendenz, historische Aspekte zurückzudrängen zugunsten mehr formaler, ästhetisierender Momente, während dann in Friedrich Schlegels „Geschichte der alten und neuen Literatur" (1815) katholisierende, regressive Interpretationen zu überwiegen beginnen. In vermittelter Form schließlich ist auch das ostentative Interesse der deutschen Romantik an der Sammlung und Erschließung von Märchen, Sagen und Legenden (vornehmlich bei den Brüdern Grimm) aus Herderschen Anregungen entsprungen.

Kurzum: was den Entwicklungsgang deutscher Literatur an der Wende vom achtzehnten zum neunzehnten Jahrhundert angeht, so müssen für ihn fast alle der konzeptionellen Überlegungen, die Herder beisteuerte, als richtungweisend und konstitutiv angesehen werden. Gerade auf sie lassen sich viele der unverwechselbaren Eigenarten, der ideellen Profile und poetischen Schönheiten dieser Literatur zurückführen, und es ist dabei relativ gleichgültig, ob es sich im Einzelfalle um aufklärerische, klassische oder romantische Dichtungen handeln mag. Aber nicht genug damit. Herders Gedankenwelt besitzt so viel innere Energie, daß sie fähig ist, die Grenzen des deutschsprachigen Raumes weit zu überschreiten.

Viele Faktoren haben im achtzehnten Jahrhundert dazu beigetragen, daß eine außerordentlich fruchtbare Verbindung zwischen aufklärerisch-klassischer Literatur in Deutschland und der geistigen Entwicklung mehrerer slawischer Nachbarvölker zustande kommen und sich entfalten konnte. Im Falle Herders ergeben sich schon aus seiner Herkunft, Kindheit und Jugend einige günstige Voraussetzungen. Teils aus eigener Anschauung, teils aus früh erwachtem wissenschaftlichem Interesse, vor allem aber aus sozialem Mitgefühl hatte er sich recht außergewöhnliche, auf konkreten Vorstellungen beruhende Kenntnisse von der Lebensweise und Kultur, den Eigenarten und Mentalitäten der Slawen angeeignet. Sehr bald kennt er die gesamte einschlägige Literatur des achtzehnten Jahrhunderts. In der provinziellen Enge Rigas und Königsbergs entwirft er großangelegte Pläne aufklärerischen Wirkens in Rußland und will für Katharina II. ein Buch „über die wahre Kultur eines Volks und insonderheit Rußlands“ verfassen. Später nutzt er seine Freundschaft mit dem versierten Rigaer Buchhändler und Verleger Hartknoch, um alle ihm wichtig erscheinenden Schriften über Rußland und andere slawische Länder systematisch zu sammeln. Schwerlich verfügte im Weimar jener Jahre ein anderer über exaktere Kenntnis auf diesem Gebiet als Herder. Hauptsächlich durch seine Vermittlung wurden seit der Mitte der siebziger Jahre die Schriften zumal der russischen Aufklärungsbewegung in den Bezirken klassischer deutscher Literatur bekannt und fruchtbar aufgenommen.

Keine Frage, daß die Lebensumstände und die Bildungsambitionen Herders sein besonders intimes, besonders aufmerksames Verhältnis zu den slawischen Völkern begünstigten. Die entscheidende, qualitativ höchste Stufe erreicht dieses Verhältnis jedoch erst später. Sie kommt in dem Augenblick zustande, als Herder, abermals Neuland betretend, die Geschichte der slawischen Völker einzuordnen sucht in den historischen Reigen der Völker Europas. Jetzt vereinigen sich prägende Jugendeindrücke, innere Anteilnahme, wissenschaftliche Erkenntnis und philosophische Konzeption: und es entsteht ein ganz neues, in seiner Originalität und Weitsicht imponierendes Bild.

Die Rede ist von dem berühmt gewordenen Kapitel „Slawische Völker“, dem vierten im sechzehnten Buche der „Ideen zur Philosophie der Geschichte der Menschheit“. Es beschreibt in großen Zügen Lebensumwelt, Sitten und Gebräuche, Lieder und Sagen, Wirtschaft und Kultur der Slawen, beleuchtet verschiedene Phasen ihrer geschichtlichen Entwicklung teils überblickartig, teils detailliert und hebt ihren Fleiß, ihre Friedfertigkeit und ihre Schöpferkraft hervor. Eine liebevolle, zudem mit Sachverstand und stilistischem Schwung geschriebene Schilderung.

Die kulturgeschichtliche Bedeutung dieser parteiergreifenden Stellungnahme kann schwerlich überschätzt werden. In der deutschsprachigen Literatur der Zeit steht sie einzig da. Innerhalb weniger Jahre ruft sie einen weitreichenden, kräftigen Widerhall hervor. Gleich nach dem Druck findet das „Slawenkapitel“ häufige Erwähnungen, Zustimmungen, Rezensionen und Annotationen, es wird ins Tschechische, Polnische, Russische und sogar ins Lateinische übersetzt und erfährt in einem großen Sonett-Zyklus („Die Tochter des Ruhms“, 1824) des slowakischen Dichters Jan Kollár poetische Paraphrasierung. Das „Slawenkapitel“ hilft den Weg bahnen für eine beinahe allseitige Rezeption Herderscher Gedanken im geistigen Leben der slawischen Völker.

In Polen haben vor allem geschichtsphilosophische Auffassungen Herders stark gewirkt, sowohl in der Literatur (unter anderen bei Adam Mickiewicz und Zygmunt Krasiński) als auch bei Historikern. Enthusiastisch nahmen einige Wortführer der „nationalen Wiedergeburt“ bei den Tschechen und Slowaken Herdersche Ideen auf und beriefen sich auf Herder als Gewährsmann für ihre politischen Kampfziele und kulturellen Projekte. Den nachhaltigen Einfluß, den Herders frühe Schriften auf die Entwicklung sorbischer Musikfolklore ausgeübt haben, bezeugen sowohl die erstmalige Publikation einiger Volkslieder durch den Gymnasiallehrer Jan Hórocanski (1782/83) wie auch die ausgedehnte Sammeltätigkeit des Dichters Handrij Zejler und die klassische Volksliedsammlung von J. A. Smoler-Schmaler und L. Haupt („Volkslieder der Wenden in der Ober- und Niederlausitz", Grimma 1841–1843). Noch ungenügend erforscht sind Wirkungen Herders bei einigen südslawischen Völkern, etwa im Slowenischen, Serbischen und Kroatischen.

Schon früh und dann lange anhaltend war Herders Name im literarischen Leben Rußlands populär. Nikolai Karamsin hatte 1789 in Weimar eine persönliche Begegnung mit Herder gehabt und berichtet darüber in seinen „Briefen eines russischen Reisenden" (1791 im „Moskauer Journal"). Karamsin, Shukowski und Dershawin waren von Herders Antike-Rezeption, von seiner Geschichtsphilosophie und von seiner Hinwendung zum künstlerischen Volksschaffen begeistert. Mehrfach übersetzten sie kleine Dichtungen Herders oder ausgewählte Passagen aus den umfangreicheren Prosawerken. Alexander Radistschew bekundete bereits 1790 bei seinen Verhören in der Peter-Pauls-Festung, Herders Schriften hätten zu den Anregungen gehört, aus denen seine „Reise von Petersburg nach Moskau" (1790) entstanden wäre; während der Zeit seiner Verbannung nach Ilimsk schrieb er ein philosophisches Traktat („Vom Menschen, von seiner Sterblichkeit und Unsterblichkeit"; 1792), in dem er sich abermals in weitgehender Übereinstimmung mit politischen und erkenntnistheoretischen Positionen Herders zeigte. Während der zwanziger, dreißiger und vierziger Jahre des neunzehnten Jahrhunderts lassen sich auffällige Nachwirkungen Herders bei nahezu allen wesentlichen Exponenten der russischen fortschrittlichen Literatur bemerken: bei Alexander Herzen und Timofej Granowski, bei Wissarion Belinski und Nikolai Tschernyschewski. Hier und da werden auch naturwissenschaftliche Fragestellungen durch Herdersche Ideen inspiriert und bereichert. Der Dekabrist Wilhelm Küchelbecker gedachte Herders in einem Gedicht „An Prometheus" (1820), Nikolai Gogol würdigte ihn als Historiker in seinen „Arabesken" (1835). Und noch im zweiten Teil des zweiten Buches von Lew Tolstois „Krieg und Frieden" (1868/69) dreht sich eines der entscheidenden philosophischen Gespräche zwischen Pierre Besuchow und Andrej Bolkonski gerade um „die Lehre Herders" ...

VII

Die geistigen Errungenschaften, die aus dem Herderschen Denken auf uns gekommen sind, und die Widersprüche, die es durchkreuzen, kennzeichnen in dialektischer Einheit sowohl den historischen Ort seiner Entfaltung wie die aktuellen Möglichkeiten seiner kritischen Aneignung.

Zum unauslöschlichen Bilde des bewundernswerten Mannes gehört, daß er geistige Auseinandersetzungen und härtesten Kampf nicht scheute, wenn es galt, für die Würde des Menschen zu streiten. Die Freundschaften und Feindschaften seines Lebens, begleitet von ständig sich erneuernden Konfliktsituationen, legen beredtes Zeugnis davon ab, wie er sich edlen humanistischen Zielvorstellungen von der Entwicklung der Menschheit, und lägen sie auch in noch so ferner Zukunft, stets unbeirrt verpflichtet weiß. Müde Verzagtheit und Kleinmut waren auch Widersprüchen gegenüber, die unauflösbar schienen, nicht Herders Sache. Wieviel Kraft und Mut, wieviel Zuversicht und wieviel Fähigkeit zu ständiger moralischer Regeneration mögen dazu gehört haben, in diesen geistigen Kämpfen nicht zu kapitulieren, stets erneut das Wagnis der Erkenntnissuche zu beginnen, um der Würde des Menschen zu dienen! Vielleicht ist es unbemerkt und dennoch nachhaltig in erster Linie diese Standhaftigkeit gewesen, diese aufrechte Haltung eines kühnen Neuerers, die den besten seiner Werke und Gedanken jene phänomenale, bis in unsere Tage wirkende Ausstrahlungskraft und Dauer sicherte, wie sie, jedenfalls, was das deutsche achtzehnte Jahrhundert angeht, selten genug ist und ungewöhnlich.

Streitbar trat Herder auch dann hervor, wenn es sich um Meinungsverschiedenheiten im eigenen Lager, um Auseinandersetzungen mit Freunden und Gleichgesinnten handelte. Intellektuellen Hochmut ebenso verabscheuend wie Spiegelfechtereien, bei denen es nur um Worte, nicht um die Sache ging, zögerte er keinen Augenblick, seinen Standpunkt zu befestigen und zu verteidigen, wenn er meinte, er könne durch andere Auffassungen untergraben oder angegriffen werden. So auch in seiner Auseinandersetzung mit Goethe und Schiller. Denn die unablässig schwelenden, immer wieder aufbrechenden Konflikte zwischen diesen dreien in Weimar können eben weder als persönliche Reibereien noch als belanglose Scharmützel um Unwesentliches angesehen werden; sie waren sachlich und konzeptionell bedingt. Herder einerseits, Goethe und Schiller andrerseits: das bedeutet, neben mancherlei anderen Unterscheidungen, auch eine substantielle Differenzierung im Humanitätsbegriff klassischer deutscher Literatur. Gemeinsamkeiten und Übereinstimmungen finden sich hier ebenso wie weitgehende Abweichungen voneinander und konträre, kontradiktorische Auffassungen.

Bildlich gesprochen, fühlen sich Herder, Goethe und Schiller der einheitlichen Begriffstriade vom Guten, Wahren und Schönen gleichermaßen verpflichtet. Keinem kommt es in den Sinn, zu bestreiten, daß diese programmatische Losung kulturpolitisch anwendbar sei. Keiner bezweifelt die sich in ihr ausdrückende Zusammengehörigkeit von moralischen, philosophischen (erkenntnistheoretischen) und ästhetischen Maximen. Alle drei akzeptieren sie als gültige Zielvorstellung. Im einzelnen aber werden die Akzente doch sehr unterschiedlich gesetzt. Zumal über den Anteil und die Funktion subjektiver Faktoren, die geeignet sein könnten, Humanität herauszubilden und zu befestigen, gehen die Ansichten weit auseinander.

Herder stellt die Rolle des aktiven, des tätigen Menschen in den Vordergrund. Humanität reduziert sich seiner Meinung nach nicht darauf, daß jeder Mensch sich nur um seiner selbst willen Verstand und Vernunft, Bildung und Wissen, Gefühls- und Empfindungsreichtum für alles Gute und Schöne aneignet. Herder meint, daß erst in der Anwendung, in der aktiven und schöpferischen Entäußerung solches menschlichen Vermögens die natürliche Bestimmung der Humanität sich erweise. Herder gelangt zu dem Schluß, daß der Mensch durch die Ausbildung seiner Anlagen, die ihm die Natur gebe, sich selbst in den Stand setze, Natur und Gesellschaft zu verändern. Es zeigt sich, daß dieser Humanitätsbegriff im Gefüge des allgemein-philosophischen Theorie-Praxis-Verhältnisses zutiefst dialektisch gesehen ist.

Schiller und Goethe schlagen andere Denkrichtungen ein. Zwar ist auch ihnen der Gedanke einer Beherrschung der Natur und Gesellschaft durch den Menschen nicht fremd, aber sie bringen ihn, wenigstens zu Lebzeiten Herders, nicht so eng und direkt wie dieser mit dem Humanitätsproblem in Verbindung. Schiller begnügt sich damit, „Arbeit" als Arbeitsamkeit, im Sinne einer bürgerlichen Tugend („Das Lied von der Glocke", 1799), als einen zwar nicht unwichtigen, aber auch nicht als einen entscheidenden Teil der Humanität anzuschauen. Deren Verwirklichung erblickt er nicht so sehr in schöpferischen Verwandlungs- und Umgestaltungsprozessen als vielmehr in der Harmonie zwischenmenschlicher Beziehungen, in Freundschaft und Freundestreue, im Lobpreis des „Seid umschlungen, Millionen!" Auch Goethe – hier ist freilich nur vom Goethe der achtziger und neunziger Jahre die Rede! – legt auf das ungestörte, nicht von gewaltsamen Umwälzungen bedrohte gesellschaftliche Leben größten Wert, gibt Evolutionen gegenüber Revolutionen den Vorzug und verknüpft das Problem der Humanität vordringlich mit dem Akt einer Willensentscheidung des menschlichen Subjekts.

Vor allem aber: Goethe und Schiller empfinden die (bürgerliche) Arbeitsteilung als ganz entscheidende Bedrohung für jedes ganzheitlich ausgebildete Individuum, sie räumen deshalb einer abstrakten Vorstellung möglichst allseitig ausgebildeter Harmonie den höchsten Stellenwert innerhalb ihres humanistischen Programms ein. Diese Harmonie wird von ihnen als kaum erreichbares, aber ständig präsentes Ideal aufgefaßt. Real werden kann es, wenn nicht im Leben selbst, so doch im Reich des Schönen. Das Ideal ihres Humanitätsbegriffes ist primär ästhetisch bestimmt.

Herder betont, indem er geschichtliche Prozesse untersucht, eher die Disharmonien als die Harmonie. Ohne prinzipiell zu negieren, daß „Humanität" auch als abstrakte Vorstellung, als Ideal erscheinen könne, interessiert er sich viel lebhafter für die Fragestellung, wie Menschenwürde und Menschenliebe, Menschenrechte und Menschenpflichten im realen geschichtlichen Prozeß Dauer und Gestalt würden gewinnen können. Ein Primat des Ästhetischen bleibt für ihn in diesem Zusammenhang unannehmbar. Diese Einseitigkeit zurückweisend, entwirft Herder eine Realvorstellung von Humanität, die sich primär philosophisch artikuliert.

Freilich gibt es auch in der Herausbildung und Befestigung dieses Humanismus-Konzepts mehrere Durchgangsstadien, in denen pessimistische und skeptische Töne anklingen. Der Grundtenor aber bleibt stets unverändert: ein starker, kaum gedämpfter Optimismus. Dank seiner historischen Fundierung erweist er sich einer ehemals aufklärerisch-„optimistischen" Denkhaltung (wie sie seinerzeit etwa von Leibniz ziemlich uneingeschränkt behauptet und von Voltaire so gnadenlos verspottet worden war) himmelhoch überlegen und befreit sich mit permanenter Kritikbereitschaft von dem Irrtum, in gegenwärtiger oder künftiger bürgerlicher Kultur und Zivilisation einen letzten Gipfel oder den Endzweck aller geschichtlichen Entwicklung zu sehen. Abermals ein Widerspruch: gemessen an ihrer ideologischen Funktion reichen manche Momente dieser Humanismus-Konzeption schon über den Rahmen der bürgerlichen Gesellschaft hinaus, treten als geniale Vorahnungen eines realen Humanismus in Erscheinung, können jedoch im entferntesten noch nicht in ihren wirklichen Klasseninhalten bestimmt werden.

Wie andere, nicht minder kühne Perspektiventwürfe klassischer deutscher Literatur und Philosophie tragen infolgedessen auch Herders Ansichten von der endlichen Realisierungsmöglichkeit humanistischer Zielsetzungen notwendig einen allein auf die Zukunft ausgerichteten, seinem Wesen nach utopischen Charakter. Es gehört zur Größe Herders, daß er dennoch die unverbrüchliche Gewißheit dieser Perspektiven niemals preiszugeben gesonnen war. Im unmittelbaren Anschluß an Gedanken Lessings, wie sie 1780 in den Paragraphen 85 bis 91 der „Erziehung des Menschengeschlechts" niedergelegt worden waren, werden solche Hoffnungen im Schlußkapitel des fünfzehnten Buchs der „Ideen" optimistisch und frei von jeder Anfechtung ausgesprochen. „Es ist keine Schwärmerei", so heißt es dort, „zu hoffen, daß, wo irgend Menschen wohnen, einst auch vernünftige, billige und glückliche Menschen wohnen werden: glücklich, nicht nur durch ihre eigene, sondern durch die gemeinschaftliche Vernunft ihres ganzen Brudergeschlechtes."

Dergestalt stoßen manche der Herderschen Überlegungen zu ungewöhnlichen, kühnen Vorschlägen für Problemlösungen vor, die Niveau und Qualität idealistisch-dialektischer Erklärungen bereits hinter sich lassen, ohne schon Niveau und Qualität materialistisch-dialektischer Wissenschaftlichkeit erreichen zu können. Letzteres war zu Herders Zeiten ebenso unmöglich wie ersteres erstaunlich und bemerkenswert. Franz Mehring hat diesen Sachverhalt 1903 folgendermaßen ausgedrückt: „Will man Verdienst und Verfehlen Herders in einem Satz zusammenfassen, so vertrat er das Prinzip der historischen Entwicklung in einer Zeit, deren Aufgabe darin bestand, die historischen Trümmer einer überlebten Vergangenheit niederzureißen. Er gehörte zur bürgerlichen Aufklärung, aber wie ihr böses Gewissen; er besaß gerade die Fähigkeiten, die sie nicht hatte und auch nicht haben konnte, aber die sie hätte haben müssen, um zu siegen."

Ein neues, wahrhaft modernes Verständnis der umfangreichen, in sich widerspruchsvollen, beeindruckenden Lebensleistung Herders wird sich alle zukunftsträchtigen Elemente des Herderschen Werkes um so produktiver aneignen können, je mehr es sich anstrengt, den großen Humanisten vor allem als eine Gestalt des Übergangs und Neubeginns zu begreifen. Im Sinne einer schöpferischen Aufhebung und Weiterführung können von dem exponierten historischen Platz, den Herder in der Geschichte des fortschrittlichen bürgerlichen Denkens einnimmt, viele vitale Impulse auch auf das geistige Leben in unserem sozialistischen Heute und Morgen einwirken.

Walter Dietze

Philosophie zum „Besten des Volkes“ und Volkspoesie

AUS: WIE DIE PHILOSOPHIE ZUM BESTEN DES VOLKES ALLGEMEINER UND NÜTZLICHER WERDEN KANN

... Freilich muß unsre Philosophie sich von den Sternen zu den Menschen herablassen; der abstrakte Teil muß für sich unangetastet, unverstümmelt bleiben. Aber gibt's nicht außer ihm eine Philosophie, die unmittelbar nützlich ist für das Volk, eine Weltweisheit des gesunden Verstandes? Ich muß zu dem Volke in seiner Sprache, in seiner Denkart, in seiner Sphäre reden. Seine Sprache sind Sachen und nicht Worte; seine Denkart lebhaft, nicht deutlich, gewiß, nicht beweisend; seine Sphäre wirklicher Nutzen in Geschäften, Grundlagen zum Nutzen oder lebhaftes Vergnügen. – Siehe! das muß die Philosophie tun, um eine Philosophie des gemeinen Volks zu sein. Wer erkennt unsre bei diesem Gemälde?

Statt Logik und Moral bildet sie mit philosophischem Geist den Menschen im Selbstdenken und im Gefühl der Tugend; statt Politik bildet sie den Patrioten, den Bürger, der da handelt; statt unnütze Wissenschaft der Metaphysik legt sie ihm wirklich Ergötzendes vor, das unmittelbar. Siehe! was ich leisten muß, um, was ich will, gesagt zu haben; und das meiste zum Glück Aussichten, die mir schon längst Lieblingsplane waren ...

Nein, o Volk! du bleibst ehrwürdig, ohne durch Philosophie dir Federn zu schmücken; aber auch der Philosoph bleibt für einen Ehrwürdigen, mit der Salbung der Wissenschaften ausgerüstet. Er, der die höchste Stufe erstieg, zu der sich der menschliche Geist vielleicht erhebt, der, um seine Seele auszubilden, so vielem Vergnügen entsagte, der, um ein Vergnügen des Verstandes zu genießen, sich den Genuß des Lebens entzog, er ist für dich ehrwürdig.

Aber nicht bloß ein Monstrum der Seltenheit soll er bewundern, sondern als einen Märtyrer der Wahrheit bete seinen Schatten an. Wenn er so beschwerliche Bahnen durchlief, um dich über Blumen zu führen; wenn er auf den Straßen, die er so übel vor sich fand, gelehrt dachte, um dich davon zu befreien; wenn er seinem eignen

Herzen die Rührung schwerer machte, durch ein Gespinst von Spekulation, um deine Sache zu rechtfertigen; wenn er die ersten Gründe der Politik aufgrub, damit du das aufgegrabene Gold zum Schmuck deiner Rathäuser anwenden könntest; wenn er metaphysisches Feld durchirrte, um in den Erfahrungen der Naturlehre genauer zu unterscheiden: so küsse ihm den Schweiß von der Stirne, er ist für dich Märtyrer. Eine Zeder stürzt man nicht; wenn sie auch fällt, so braucht sie den Raum von Kolossen und stürzt viele kleine Gesträuche. ...

Alles, was die Philosophen lehren und nicht tun können, tun die, welche der Natur am nächsten sind, die einfältigen Landbewohner. Diese sind die größten Beobachter der Natur, in ihrer Knechtschaft die freiesten Leute, die die Tyrannen der Ehre verachten, die das Urteil andrer nie über das ihrige kommen lassen – kurz, o Philosoph, gehe auf das Land und lerne die Weise der Ackerleute; verfeinige dies Bild zum Ideal und stürze die unphilosophische Lebensart, stürze den Götzen, der dir die Philosophie als Verderben der Welt zeigt, aber nicht durch die Philosophie. – ...

Wir haben schon seit undenklicher Zeit das Publikum verloren: das Volk der Bürger und das Volk der Gelehrsamkeit. Solange als unsere Vorfahren Krieger waren, sangen ihre Barden Geschichte der vergangenen Zeiten; diese wurden Gesetzgeber, da sie sich in Städte mehr bildeten – und wer kann von dieser Metamorphose an alle die Überschwemmungen und Umbildungen zählen, die uns das Wort *Volk* entrissen haben. Es ist entrissen den Theaterpoeten, und die Holbergische Komödie auf der schlechten, die Diderotsche und Gellertsche hingegen auf der guten Seite zeigen die Herablassung, die man zu unserm Parterre versucht hat. Noch mehr aber bekräftiget das bürgerliche und das weinerliche Trauerspiel, wie sehr wenig wir an dem Pathos des alten Volks teilnehmen. Es ist ausgestorben für die Philosophen, sobald diese einen eignen Ameisenhaufen haben errichten müssen und sobald die Unterscheidung galt, daß die intellektualische Welt der Himmel, die Republik des Volks Erde sei – gleichsam zwei Seiten einer und derselben Münze.

Alle Philosophie, die des Volks sein soll, muß das Volk zu seinem Mittelpunkt machen, und wenn man den Gesichtspunkt der Weltweisheit in der Art ändert, wie aus dem Ptolemäischen das Kopernikanische System ward, welche neue fruchtbare Entwickelungen müssen sich hier nicht zeigen, wenn unsre ganze Philosophie Anthropologie wird. Vielleicht werden einige sein, die zur Beantwortung des Problems, darüber ich schreibe, bloß Sachen erwarteten, die ich in diesen Abschnitt fassen will, und ich muß also diesen ein Gnüge zu tun suchen.

AN JOHANN GEORG HAMANN

Riga, Juli 1765

Wertester Freund,

ohne auf eine Beantwortung meines letzten Briefes zu warten, schreibe ich bei Gelegenheit des Schreibens, das ich nebst meiner Odenabhandlung[1] aus Mitau erhalte. Ich sage: *bei Gelegenheit*; denn vieles darin habe schon vorher beantwortet; daß dieser Brief mir also meistens nur Winke zu Gesprächen geben wird; und Geliebte, Zauberer und Helden verstehen sich mit dem Winken sehr gut.

Meine Handschrift habe sogleich durchlaufen wie ein Vater sein verlornes Kind; aber ich sage es Ihnen noch einmal, daß vielleicht bloß der Name desselben bei der Firmelung[2] bleiben soll, die ich ihm zu geben gedenke; nur wenn weiß ich noch nicht. Da ich immer mehr meine hiesige Situation, den Genius dieses Orts und meine eigne Projekte kennenlerne, so mehren sich meine Arbeiten, meine Einsichten und meine Melancholien: es ist ein elend, jämmerlich Ding um das Leben eines Literatus – und insonderheit in einem Kaufmannsort; ein *Prophet* sagt wohl freilich immer: Dies ist die *Last* über *Tyrus*![3] – aber dazu wird auch wirklich die Myopie eines Philosophen erfodert, um diese Last nicht zu sehen. Ich suche also mein Amt abzuwarten[4] und nicht zu singen, sondern zu arbeiten.

Die Anmerkungen, die Sie über meine Schreibart säen, sollen auf ein gutes Land fallen, nur hören Sie, was ich dagegen habe. Ich weiß, Sie nehmen das Wort Stil so, als Winckelmann das Wort *Geschichte* nehmen will[5]; und darauf antworte ich, wenn man von sich selbst urteilen kann oder soll oder will: Ich selbst bin noch immer unreif; ein pomum praecox[6] zu einem Amte, zu einer Schulstelle, zu einem *gesetzten* Umgange, Stil. Meine ganze Bildung ge-

1 Sie wurde nicht separat veröffentlicht, ging aber teilweise in die „Fragmente" ein. – 2 Hier: Bekräftigung. – 3 Anspielung auf Jesaja 23,1 im Alten Testament, wo es heißt: Heulet, . . . denn Tyrus ist zerstört, daß kein Haus mehr da ist. – 4 meine Amtspflichten zu erfüllen. – 5 Winckelmann wie auch Hamann benutzen die jeweiligen Begriffe in einem umfassenden Sinne, der sich gegen formalisierende Einseitigkeit richtet. – 6 (lat.) eine vorzeitige Frucht.

Herders Geburtshaus in Mohrungen

(heute Morąg/VR Polen)

hört zu der widernatürlichen, die uns zu Lehrern macht, da wir Schüler sein sollten. Haben Sie Mitleiden mit mir, bester Freund, daß mich das Schicksal in einem pedantischen Mohrungen hat geboren werden lassen; daß ein *einseitiger* Trescho meinen ersten Funken weckte; daß ich in Königsberg mit dem Zepter des korinthischen Dionys mir meine Galgenfrist zum Studieren habe erwuchern müssen. Hätte ich außer einem Kant *noch Pedanten* hören können, die meine Hitze hätten abkühlen und mir *Schulmethode* hätten lehren sollen; hätte ich durch den Umgang mir den Weltton angewöhnen können; hätte ich mehr Uniformes mit der Universität und dem Gros meines Stabes angenommen: so würde ich vielleicht *anders* denken, aber auch nicht dasselbe denken. Ein siebenmonatlicher Embryon muß viele Nachbildung und Wartung haben, ehe er sich zur Luft der Menschen gewöhnet, und ich gestehe gern, daß ich das Phlegma eines homme d'esprit[1] noch gar nicht mit dem Enthusiasmus des *Genies* zu verbinden weiß.

Meine Studien sind wie Zweige, die durch Ungewitter *mit einmal* ausgetrieben worden; meine Gedichte gehören zur Zeit des hohen Stils, der sich plötzlich aus dem Chaos emporschwang und die Grazie noch nicht kannte; aber wissen Sie auch, daß ich noch nicht im Alter der *Reife*, sondern der *Blüte* bin: eine jede hält eine ganze Frucht in sich, aber viele fallen freilich auf die Erde. Wollen Sie an einem jungen Baum lieber abschneiden oder einpropfen? Spornen Sie mich also an, vieles zu entwerfen, nichts aber als Autor vor die Ewigkeit ausführen zu wollen: es kommen immer Jahre, da unsre Augen nicht mehr zeichnen, sondern ausmalen.

Stellen Sie sich meine Pein vor, die ich haben muß, um einen Gedanken auszubilden, zehn jüngere zu verlieren; und hingegen die *Zeugungsbrunst* eines Schriftstellers, der, was er *säet*, Menschen, und was er schreibt, *Gedanken* werden sieht. Ein Jüngling wird bloß *Vater* um sein selbst willen, weil die Brunst des Tiers ihn treibt; und erst einen Greis muß seine junge Gattin zu diesem Liebeswerke anfeuren, daß er sich dadurch bei der Nachwelt verewigt. Ich mag mit Kalibanen[2] des Shakespeares oder mit Puppen die Welt bevölkern, ich will nicht umsonst Mann sein.

Gnug von mir, dem Schriftsteller – denn ich glaube doch nicht, daß Sie mich, den Briefsteller, beurteilen. – Noch zwei Worte von mir, dem Scholastikus[3] und einem Collaboureur[4] des hiesigen Gottesackers. Sie kennen mich zu wenig von dieser Seite; indessen wenn

1 Hier: Gleichmut eines unschöpferischen Brotgelehrten. – 2 Kaliban, primitives Ungeheuer aus Shakespeares „Sturm". – 3 Hier: Schulmann. – 4 Hier: Lehrer.

Ihre Lektion irgendwo gilt, so gilt sie hier dreifach, wo man die lose Kunst, die Sie anstechen, gleich jener hält, Linsen zu werfen, und wo man alles mit Maß, Zahlen und Gewicht mißt, selbst in denen Wissenschaften: Sie sehen, daß ich an einem solchen Orte meiner Lieblingsseite eine Lähmung des Schlages anwünschen muß, um mit der andern zu arbeiten. Die Amazonen brennen sich die Brust ab, um zu fechten.

Sie sehen aus dem ganzen Ton dieses Briefes, daß ich jetzt eine zu unruhige Laune habe und gar zu sehr mit mir beschäftigt bin, um sogleich von Ihrem so treuen Beitrage Trauben lesen zu können: ich lege den Brief in das heilige Archiv meiner Grundrisse und Projekte, um, wenn meine ganze Seele lebt, ihn zu genießen. . . .

Sie fahren noch in Ihrem Stöhnen fort; unglücklicher Hamann! Wozu wird uns der Himmel machen! Tun Sie, was Ihnen Ihr Genius sagt, wählen Sie aber dazu nicht einen *κακοδαιμων*[1]. Geht's drauflos, so strecke beide Hände nach Ihnen aus, mein Freund, und bleibe bis zu einem baldigen Briefe Ihr

ici – à présent[2]

Herder.

AUS: ÜBER DIE NEUERE DEUTSCHE LITERATUR FRAGMENTE

VON DEN LEBENSALTERN EINER SPRACHE

So wie der Mensch auf verschiedenen Stufen des Alters erscheinet, so verändert die Zeit alles. Das ganze Menschengeschlecht, ja die tote Welt selbst, jede Nation und jede Familie haben einerlei Gesetze der Veränderung: vom Schlechten zum Guten, vom Guten zum Vortrefflichen, vom Vortrefflichen zum Schlechtern und zum Schlechten; dieses ist der Kreislauf aller Dinge. So ist's mit jeder Kunst und Wissenschaft: sie keimt, trägt Knospen, blüht auf und verblühet. So ist's auch mit der Sprache. Daß man dies bisher so wenig als möglich unterschieden, daß man diese Zeitalter beständig verwirret, werden die Plane zeigen, die man so oft macht, um eine Stufe aus der andern ausbilden zu wollen. Man reifet das Kind zu früh zum Milchhaar des Jünglings, den muntern Jüngling fesselt

1 (griech.) böser Geist. – 2 (franz.) hier und jetzt.

man durch den Ernst des Mannes, und der Greis soll wieder in seine vorige Kindheit zurückkehren, oder gar eine Sprache soll auf einmal die Tugenden aller Alter an sich haben. Verkehrte Versuche, die schädlich würden, wenn nicht die Natur mit vielen nachteiligen Entwürfen einen Grad von Schwäche verbunden hätte, der sie zurückhält. Ein junger Greis und ein Knabe, der ein Mann ist, sind unleidlich, und ein Ungeheuer, das alles auf einmal sein will, ist nichts ganz.

Eine Sprache in ihrer Kindheit bricht wie ein Kind einsilbichte, rauhe und hohe Töne hervor. Eine Nation in ihrem ersten wilden Ursprunge starret wie ein Kind alle Gegenstände an; Schrecken, Furcht und alsdenn Bewunderung sind die Empfindungen, derer beide allein fähig sind, und die Sprache dieser Empfindungen sind Töne – und Gebärden. Zu den Tönen sind ihre Werkzeuge noch ungebraucht, folglich sind jene hoch und mächtig an Akzenten. Töne und Gebärden sind Zeichen von Leidenschaften und Empfindungen, folglich sind sie heftig und stark, ihre Sprache spricht für Auge und Ohr, für Sinne und Leidenschaften, sie sind größerer Leidenschaften fähig, weil ihre Lebensart voll Gefahr und Tod und Wildheit ist, sie verstehen also auch die Sprache des Affekts mehr als wir, die wir dies Zeitalter nur aus spätern Berichten und Schlüssen kennen; denn sowenig wir aus unsrer ersten Kindheit Nachricht durch Erinnerung haben, sowenig sind Nachrichten aus dieser Zeit der Sprache möglich, da man noch nicht sprach, sondern tönete, da man noch wenig dachte, aber desto mehr fühlte und also nichts weniger als schrieb.

So wie sich das Kind oder die Nation änderte, so mit ihr die Sprache. Entsetzen, Furcht und Verwunderung verschwand allmählich, da man die Gegenstände mehr kennenlernte; man ward mit ihnen vertraut und gab ihnen Namen, Namen, die von der Natur abgezogen waren und ihr, soviel möglich, im Tönen nachahmten. Bei den Gegenständen fürs Auge mußte die Gebärdung noch sehr zu Hülfe kommen, um sich verständlich zu machen, und ihr ganzes Wörterbuch war noch sinnlich. Ihre Sprachwerkzeuge wurden biegsamer und die Akzente weniger schreiend. Man sang also, wie viele Völker es noch tun und wie es die alten Geschichtschreiber durchgehends von ihren Vorfahren behaupten. Man pantomimisierte und nahm Körper und Gebärden zu Hülfe. Damals war die Sprache in ihren Verbindungen noch sehr ungeordnet und unregelmäßig in ihren Formen.

Das Kind erhob sich zum Jünglinge, die Wildheit senkte sich zur politischen Ruhe, die Lebens- und Denkart legte ihr rauschendes Feuer ab, der Gesang der Sprache floß lieblich von der Zunge herunter, wie dem Nestor[1] des Homers, und säuselte in die Ohren. Man nahm Begriffe, die nicht sinnlich waren, in die Sprache, man nannte sie aber, wie von selbst zu vermuten ist, mit bekannten sinnlichen Namen; daher müssen die ersten Sprachen bildervoll und reich an Metaphern gewesen sein.

Und dieses jugendliche Sprachalter war bloß das poetische: Man sang im gemeinen Leben, und der Dichter erhöhete nur seine Akzente in einem für das Ohr gewählten Rhythmus; die Sprache war sinnlich und reich an kühnen Bildern, sie war noch ein Ausdruck der Leidenschaft, sie war noch in den Verbindungen ungefesselt, der Periode[2] fiel auseinander, wie er wollte. Seht, das ist die poetische Sprache, der poetische Periode. Die beste Blüte der Jugend in der Sprache war die Zeit der Dichter, jetzt sangen die *ἀοιδοί* und *ῥαψῳδοί*[3]; da es noch keine Schriftsteller gab, so verewigten sie die merkwürdigsten Taten durch Lieder, durch Gesänge lehrten sie, und in den Gesängen waren nach der damaligen Zeit der Welt Schlachten und Siege, Fabeln und Sittensprüche, Gesetze und Mythologie enthalten. Daß dies bei den Griechen so gewesen, beweisen die Büchertitel der ältesten verlornen Schriftsteller, und daß es bei jedem Volk so gewesen, zeugen die ältesten Nachrichten.

Je älter der Jüngling wird, je mehr ernste Weisheit und politische Gesetztheit seinen Charakter bildet, je mehr wird er männlich und hört auf, Jüngling zu sein. Eine Sprache in ihrem männlichen Alter ist nicht eigentlich mehr Poesie, sondern die schöne Prose. Jede hohe Stufe neiget sich wieder zum Abfall, und wenn wir einen Zeitpunkt in der Sprache für den am meisten poetischen annehmen, so muß nach demselben die Dichtkunst sich wieder neigen. Je mehr sie Kunst wird, je mehr entfernet sie sich von der Natur. Je eingezogener und politischer die Sitten werden, je weniger die Leidenschaften in der Welt wirken, desto mehr verlieret sie an Gegenständen. Je mehr man am Perioden künstelt, je mehr die Inversionen abschaffet, je mehr bürgerliche und abstrakte Wörter eingeführet werden, je mehr Regeln eine Sprache erhält, desto vollkommener wird sie zwar, aber desto mehr verliert die wahre Poesie.

Jetzt ward der Periode der Prose geboren und in die Runde gedrehet, durch Übung und Bemerkung ward diese Zeit, da sie am

1 Ältester der griechischen Helden vor Troja, dessen Redekunst gerühmt wurde. – 2 Mehrteiliges Satzgefüge, bei Herder männlichen Geschlechts. – 3 (griech.) Sänger und Rhapsoden.

besten war, das Alter der schönen Prose, die den Reichtum ihrer Jugend mäßig brauchte, die den Eigensinn der Idiotismen[1] einschränkte, ohne ihn ganz abzuschaffen, die die Freiheit der Inversionen mäßigte, ohne doch noch die Fesseln einer philosophischen Konstruktion über sich zu nehmen, die den poetischen Rhythmus zum Wohlklang der Prose herunterstimmte und die vorher freie Anordnung der Worte mehr in die Runde eines Perioden einschloß. Dies ist das männliche Alter der Sprache.

Das hohe Alter weiß statt Schönheit bloß von Richtigkeit. Diese entziehet ihrem Reichtum, wie die lazedämonische Diät die attische Wollust[2] verbannet. Je mehr die Grammatici den Inversionen Fesseln anlegen, je mehr der Weltweise die Synonymen zu unterscheiden oder wegzuwerfen sucht, je mehr er statt der uneigentlichen eigentliche Worte einführen kann, je mehr verlieret die Sprache Reize, aber auch desto weniger wird sie sündigen. Ein Fremder in Sparta siehet keine Unordnungen und keine Ergötzungen. Dies ist das philosophische Zeitalter der Sprache.

IN DER DICHTKUNST IST GEDANKE UND AUSDRUCK WIE SEELE UND LEIB UND NIE ZU TRENNEN

Jetzt bitte ich einige Dichter etwas beiseit, mit denen ich ein Wort zu sprechen habe. Wenn bei sinnlichen Begriffen, bei Erfahrungsideen, bei einfachen Wahrheiten und in der klaren Sprache des natürlichen Lebens der Gedanke am Ausdrucke so sehr klebt, so wird für den, der meistens aus dieser Quelle schöpfen muß, für den, der gleichsam der Oberherr dieser Sphäre gewesen (wenigstens in der alten sinnlichen Zeit der Welt), für ihn muß der Gedanke zum Ausdrucke sich verhalten nicht wie der Körper zur Haut, die ihn umziehet, sondern wie die Seele zum Körper, den sie bewohnet, und so ist's für den Dichter. Er soll Empfindungen ausdrücken; Empfindungen durch eine gemalte Sprache in Büchern ist schwer, ja an sich unmöglich. Im Auge, im Antlitz, durch den Ton, durch die Zeichensprache des Körpers – so spricht die Empfindung eigentlich und überläßt den toten Gedanken das Gebiet der toten Sprache. Nun, armer Dichter, und du sollst deine Empfindungen aufs Blatt

1 Charakteristische Besonderheiten einer Sprache. – 2 Die strenge Lebensführung der Spartaner, deren Stadt auch Lazedämon heißt, wird in Gegensatz zu dem ungebundenen, dem Genuß aufgeschlossenen Leben der Athener in Attika gesetzt.

malen, sie durch einen Kanal schwarzen Safts hinströmen, du sollst schreiben, daß man es fühlt, und sollst dem wahren Ausdrucke der Empfindung entsagen, du sollst nicht dein Papier mit Tränen benetzen, daß die Tinte zerfließt, du sollst deine ganze lebendige Seele in tote Buchstaben hinmalen und parlieren, statt auszudrücken. Hier sieht man, daß bei dieser Sprache der Empfindungen, wo ich nicht sagen, sondern sprechen muß, daß man mir glaubt, wo ich nicht schreiben, sondern in die Seele reden muß, daß es der andre fühlt – daß hier der eigentliche Ausdruck unabtrennlich sei. Du mußt den natürlichen Ausdruck der Empfindung künstlich vorstellen, wie du einen Würfel auf der Oberfläche zeichnest; du mußt den ganzen Ton deiner Empfindung in dem Perioden, in der Lenkung und Bindung der Wörter ausdrücken; du mußt ein Gemälde hinzeichnen, daß dies selbst zur Einbildung[1] des andern ohne deine Beihülfe spreche, sie erfülle und durch sie sich zum Herzen grabe; du mußt Einfalt und Reichtum, Stärke und Kolorit der Sprache in deiner Gewalt haben, um das durch sie zu bewürken, was du durch die Sprache des Tons und der Gebärden erreichen willst. Wie sehr klebt hier alles am Ausdrucke, nicht in einzelnen Worten, sondern in jedem Teile, im Fortgange derselben und im Ganzen. Daher rührt die Macht der Dichtkunst in jenen rohen Zeiten, wo noch die Seele der Dichter, die zu sprechen und nicht zu plappern gewohnt war, nicht schrieb, sondern sprach und auch schreibend lebendige Sprache tönete; in jenen Zeiten, wo die Seele des andern nicht las, sondern hörte und auch selbst im Lesen zu sehen und zu hören wußte, weil sie jeder Spur des wahren und natürlichen Ausdrucks offen stand. Daher rühren jene Wunder, die die Dichtkunst geleistet, über die wir staunen und fast zweifeln, die aber unsre süße Herren verspotten und närrisch finden; daher rührt alles Leben der Dichtkunst, was ausstarb, da der Ausdruck nichts als Kunst wurde, da man ihn von dem, was er ausdrücken sollte, abtrennete; der ganze Verfall der Dichterei, daß man sie der Mutter Natur entführte, in das Land der Kunst brachte und als eine Tochter der Künstelei ansah; der Fluch, der auf dem Lesen der Alten ruhet, wenn wir bloß Worte lernen oder den Inhalt historisch durchwandern oder ästhetische Regeln suchen oder Beispiele ausklauben – kurz, wenn wir Gedanken und Worte in ihnen abgetrennt betrachten, nicht das schöpferische Ohr haben, das die Empfindung in seinem Ausdrucke, in vollem Tone höret, nicht jenes dichterische Auge haben, das den Ausdruck als einen Körper erblickt, in welchem

1 Vorstellungskraft.

sein Geist denket und spricht und handelt. Daher rührt das ästhetische Gewäsche, wo immer Gedanke vom Ausdrucke abgesondert behandelt wird, daher rührt jener Unsegen, daß es uns schwer wird, wie die Alten zu denken, weil man das Denken ohne Ausdruck erhaschen wollte, und wie die Alten zu sprechen, weil man wiederum den Ausdruck vom Gedanken abgesondert betrachtete. Je mehr ich der Sache nachdenke, daß man es für nützlich, ja für notwendig habe halten können, in Poesien Gedanke und Ausdruck unverbunden zu behandeln, in Poetiken unverbunden zu lehren und in Alten unverbunden zu zergliedern, desto fremder kömmt mir diese Zerreißung vor. ...

AN IMMANUEL KANT

Riga, November 1768

Sie haben, ich weiß und hoffe es, einen zu gütigen Begriff von meiner Denkart, als daß Sie mein bisheriges Stillschweigen für Saumseligkeit oder etwas noch Ärgeres halten sollten. Bloß meine Geschäfte, die wegen ihrer Inkommensurabilität insonderheit lästig fallen, eine Menge Zerstreuungen und dann insonderheit jene uneasiness[1] der Seele, die Locke für die Mutter so vieler Unternehmungen hält, ist bei mir eine Zeitlang die Mutter einer gelähmten Ruhe gewesen, aus der ich jetzt kaum wieder erwache.

Ich kann nicht sagen, wie sehr mich Ihr Brief erfreut hat. Das Andenken meines Lehrers, der so freundschaftliche Ton, der darin herrscht, der Inhalt selbst – alles machte mir denselben so sehr zum Geschenke, als mir keiner von denen Briefen wird, die mich oft aus Deutschland und von den würdigsten Leuten daselbst, bis von der Schweiz aus, aufsuchen. Um so mehr war er mir teuer, da ich Ihre Ungeneigtheit zum Briefschreiben, von der ich auch etwas geerbet, kenne – doch was hilft's, ein Vergnügen demonstrativisch aufzählen zu wollen?

Sie sind so gütig, meiner Autorschaft[2] in einem Tone zu erwähnen, in dem ich an sie nicht denke. Ich nenne dieselbe wenig mehr als einen leichten Schritt der Jugend, der mir freilich nicht zum Schaden oder im ganzen zur Unehre gereicht hat, den ich aber in manchem Betracht zurückwünsche. Nicht, als wenn ich soviel Un-

1 (engl.) Unbehagen, Unruhe. – 2 Herder bezieht sich auf die anonym erschienenen „Fragmente".

Johann Gottfried Herder um 1774

verantwortliches geschrieben; sondern vornehmlich, weil mein Name dabei so bekannt und auf manchen Lippen dabei so abusiert[1] worden, daß Ihr guter Wirt und mein Freund, Herr Kanter, mir ohne seinen Willen dabei den übelsten Streich und das auf Reihen von Vorfällen hinaus gespielt hat, indem er die erste Ursache dieser Bekanntmachung geworden. Mein fester Vorsatz, und ich schreibe dies kaltblütig hin, war, völlig ohne Namen zu schreiben, bis ich die Welt mit einem Buche überraschen könnte, das meines Namens nicht unwürdig wäre. Hiezu und aus keiner andern Ursache war's, daß ich unter einer Blumendecke eines verflochtenen Stils schrieb, der mir nicht eigen ist, und Fragmente in die Welt sandte, die bloß Vorläuferinnen sein wollen, oder sie sind unleidlich.

Von meiner Seite werde ich mein namenloses Stillschweigen fortsetzen, aber was kann ich dafür, daß die unzeitige Güte meiner Freunde mir bei diesem Stillschweigen den Plan verdorben? Sie, mein Teurer, müssen einer derer sein, die es wissen, daß Materien der Art wie in meinen bisherigen Bändchen wohl nicht der Ruhesitz meiner Muse sein sollten; warum sollte ich aber mein bißchen Philosophie eben bei den Modematerien unseres halbviertel Jahrhunderts anwenden, wo die Anwendung, wie ich mir schmeichelte, einer *gesunden* Philosophie so vieles berichtigen konnte? Ich weiß nicht, wie sehr unsre Philosophie und Kritik und Studium des Altertums in das Mark einer nahrhaften Kürze zurücktreten müßte, wenn überall Philosophen philosophierten und kritisierten und die Alten studierten. Schade aber, daß dies Wort anfängt, in Deutschland beinahe zum Gespött zu werden, und Studien die Modewissenschaften werden, wo die unphilosophischsten Köpfe schwatzen.

Doch ich schreibe ja beinahe schon wieder als Kunstrichter und Fragmentist und breche also um so kürzer und härter ab.

Das Feld, mein geschätzter Freund, das Sie mir auf meine künftigen Lebensjahre hinter einem Montaigne, Hume und Pope anweisen, ist, wenn die Hoffnung darüber zu schmeichelhaft ist, wenigstens (doch mit einer kleinen Abbeugung des Weges) der Wunsch meiner Muse. Es ist für mich die Beschäftigung mancher süßen Einsamkeiten gewesen, Montaignen mit der stillen Reflexion zu lesen, mit der man den Launen seines Kopfes folgen muß, um jede Geschichte, die er im Zuge anführt, jeden losen und schlüpfenden Gedanken, den er verrät, zu einer Naturproduktion oder zu einem Kunstexperiment der menschlichen Seele zu machen. Welch ein Mann wäre es, der über Baumgartens reiche Psychologie mit eines

1 mißbraucht.

Montaigne Seelenerfahrung redete! – Hume konnte ich, da ich noch mit Rousseau schwärmte, weniger leiden; allein von der Zeit an, da ich es allmählich mehr inne ward, daß, es sei wes Weges es sei, der Mensch doch einmal ein geselliges Tier ist und sein muß – von da aus habe ich auch den Mann schätzen gelernt, der im eigentlichsten Verstande ein Philosoph menschlicher Gesellschaft genannt werden kann. Ich habe in der Schule die „Britannische Geschichte" meistens auch deswegen angefangen, um mit dem größten Geschichtschreiber unter den Neuern auch seine Geschichte durchweg durchräsonieren zu können, und ich ärgere mich, daß sein neuer Abriß von Großbritannien einem so halbklugen Übersetzer in die Hände gefallen, der weit ist, wenn er uns auch an manchen Orten halbklug läßt.

Aber warum vergessen Sie, mein liebenswürdiger Philosoph, zu Ihrem Paar den dritten Mann, der ebensoviel gesellige Laune, ebensoviel menschliche Weltweisheit hat – den Freund unsers alten Leibniz, dem dieser ungemein viel schuldig ist und den er sehr gern gelesen – den philosophischen Spötter, der mehr Wahrheit herauslacht als andre heraushusten oder -geifern – kurz, den Grafen Shaftesbury? Es ist ein Elend, daß die Sittenlehren desselben und seine Untersuchungen über die Tugend und neuerlich seine Abhandlungen über den Enthusiasmus und die Laune in so mittelmäßige Hände gefallen sind, die uns halb an ihn verekeln, wohin ich insonderheit das Mischmasch von langen und tollen Widerlegungen des neuesten Übersetzers rechne. Aber sonst, ob mir gleich das Kriterium der Wahrheit bei ihm, das bei ihm Belachenswürdigkeit ist, selbst lächerlich scheint, sonst ist dieser Autor mein so lieber Gesellschafter, daß ich sehr gern auch Ihre Meinung für ihn hätte.

Lassen Sie doch ja das dunkle rauhe Gedicht[1], an das Sie gedenken, in seiner Nacht umkommen. Ehe Pope in ihm sein sollte, ehe ist in unserm Lindner der scharfbestimmte Aristoteles und in meinem Schlegel das Muster aller Urbanität.

Sie geben mir von Ihrer werdenden Moral[2] Nachricht, und wie sehr wünschte ich, dieselbe schon geworden zu sehn. Fügen Sie in dem, was *gut* ist, ein solches Werk zur Kultur unsers Jahrhunderts hinzu, als Sie es getan in dem, was *schön* und *erhaben*[3] ist. Über die letzte Materie lese ich jetzt mit vielem Vergnügen ein Werk eines

1 Herders Versifizierung einer Kantschen Vorlesung. – 2 Kants „Grundlegung zur Metaphysik der Sitten", 1785 erschienen. – 3 Anspielung auf Kants „Beobachtungen über das Gefühl des Schönen und Erhabenen" (1764).

sehr philosophischen Briten, das Sie auch französisch haben können. Hier ist, weil es eben vor mir liegt, sein Titel: „Recherches philosophiques sur l'origine des Idées, que nous avons du Beau et du Sublime"[1]. Er dringt in manchen Stellen tiefer, so wie Sie auf manchen Seiten unsre Aussichten mehr zu generalisieren und zu kontrastieren wissen, und es ist eine Wollust, zween so originale Denker jeden seinen Weg nehmen zu sehen und sich wechselsweise wieder zu begegnen.

Wie manches hätte ich Ihnen zu sagen, wenn ich wüßte, daß Sie Geduld haben würden, mir zu antworten. Zweifel wider manche Ihrer philosophischen Hypothesen und Beweise, insonderheit da, wo sie mit der Wissenschaft des Menschlichen grenzen, sind mehr als Spekulationen; und da ich aus keiner andern Ursache mein geistliches Amt angenommen, als weil ich wußte und es täglich aus der Erfahrung mehr lerne, daß sich nach unserer Lage der bürgerlichen Verfassung von hier aus am besten Kultur und Menschenverstand unter den ehrwürdigen Teil der Menschen bringen lasse, den wir Volk nennen, so ist diese menschliche Philosophie auch meine liebste Beschäftigung. Ich müßte ungerecht sein, wenn ich mich darüber beklagte, daß ich diesen Zweck nicht erreichte; wenigstens machten auch hierin die guten Anlässe, die ich sehe, die Liebe, die ich bei vielen Guten und Edeln genieße, das freudige und willige Zudringen des bildsamsten Teils des Publikums, der Jünglinge und Damen – alles dieses machet mir zwar keine Schmeichelei, aber desto mehr ruhige Hoffnung, nicht ohne Zweck in der Welt zu sein.

Da aber die Liebe von uns selbst anfängt, so kann ich den Wunsch nicht bergen, die erste beste Gelegenheit zu haben, meinen Ort zu verlassen und die Welt zu sehn. Es ist Zweck meines Hierseins, mehr Menschen kennenzulernen und manche Dinge anders zu betrachten, als Diogenes sie aus seinem Fasse sehen konnte. Sollte sich also ein Zug nach Deutschland vorfinden (ich binde mich selbst kaum an meinen Stand), so weiß ich nicht, warum ich nicht dem Zuge folgen sollte, und nehme es mir selbst übel, den Ruf nach Petersburg[2] ausgeschlagen zu haben, welche Stelle, wie es der Anschein gibt, sehr leidig besetzt ist. Jetzt suche ich, wie eine rückgehaltene Kraft, nur wenigstens eine lebendige Kraft zu bleiben, ob ich gleich nicht sehe, wie der Rückhalt meine innere

1 „Die philosophische Frage nach dem Ursprung unserer Ideen über das Erhabene und das Schöne" von Edmund Burke (1756). – 2 Herder hatte im Frühjahr 1767 das Amt eines Inspektors der Unterrichts- und Erziehungsanstalt der lutherischen Gemeinde Petersburg ausgeschlagen.

Tendenz vermehren sollte. – Doch wer weiß das? und wo komme ich hin?

Lieben Sie mich, mein liebster, hochgeachteter Kant, und nehmen Sie die Unterschrift meines Herzens an.

Ihr
Herder

AUS: KRITISCHE WÄLDER

ÜBER HERRN KLOTZ' HOMERISCHE BRIEFE

... Wie nun? Ist's wohl so leicht, Homer *zu tadeln*? ich meine so leicht *für uns*, in unsrer Zeit, Denkart und Sprache? Es sollte scheinen. Denn sind wir nicht in Gelehrsamkeit und Wissenschaft und Stufe der Kultur ungleich höher als das Zeitalter Homers? Ist die Welt nicht dreitausend Jahr älter und also auch vielleicht dreitausendmal erfahrner und klüger geworden? Kniet also nicht der Altvater Homer vor dem Geschmacke und Urteile unsers Zeitalters wie vor dem Tribunal des Jüngsten Gerichts? Und wie denn nicht vor einem Vorsitzer und Geheimen Rate desselben? Ich sollte fast glauben! oder beinahe nicht glauben: denn unser Jahrhundert mag in allem, was Gelehrsamkeit heißt, so hoch gekommen sein, als es will und ist, so ist's doch in allem, was zur poetischen *Beurteilung Homers* gehört, nicht höher; ja ich behaupte, daß es hierin dem Jahrhunderte geborner Griechen, die Homers Zeitgenossen oder wenigstens Landsleute und Brüder einer Sprache mit ihm waren, weit hintennach sei. Wir sind nicht nur nicht höher hinauf, wir sind gewissermaßen *aus der Welt hinaus* gerückt, in der Homer dichtete, schilderte und sang.

Homers Sprache ist nicht die unsre. Er sang, da dieselbe noch bloß in dem Munde der artikuliert sprechenden Menschen, wie er sie nennet, lebte, noch keine Bücher-, noch keine grammatische und am wenigsten eine wissenschaftliche Sprache war. Er bequemte sich also den Artikulationen der Zunge seiner Menschen, den Beugungen und dem Wortgebrauche der lebenden Welt, in aller Unschuld und Einfalt seines Zeitalters. Wer kann ihn nun hören, als ob er spräche? Tausend Wörter haben ihren Sinn allmählich umwandeln oder sich in ihrem Gebrauche seitwärts biegen und verfeinern *müssen. Müssen*, ohne daß es jemand wollte und bemerkte; denn der

Geist der Zeit veränderte sich. Man behielt immer das Wort, man glaubte auch immer, denselben Begriff zu haben; denn in der gemeinen Sprache des Umganges wechselt man klare und nicht deutliche Ideen: und doch so, wie sich Lebensart und der Geist des Jahrhunderts änderte, so hatte sich auch der inwohnende Geist vieler Wörter verändert. Sehr spät endlich ward die Sprache wissenschaftlich. Der Wörtersammler, der die Begriffe auseinandersetzen, deutlich machen sollte, fand einige vielleicht schon gar nicht in seiner lebenden Sprache; er mußte raten, und die Muse gebe, daß er unter Hunderten nur einmal übel geraten hätte. Bei einem andern definierte er nach dem Begriffe *seiner* Zeit: wie aber, wenn dieser bloß ein jüngerer, ein abstammender Begriff gewesen wäre? Bei einem dritten nahm er vielleicht gar nur eine verfeinernde Bedeutung des Philosophen, eine Nebenbestimmung dieser und jener Schule, Provinz, Sekte, Menschengattung und trug sie ein. Nun komme nach dreitausend Jahren ein Mensch aus einer fremden Sprache, aus einer ganz andern Welt, urteile und richte und mäckle Wörter, sicherer würde er die Bücher der kumäischen Sibylle[1] in Ordnung bringen!

Wer mir nicht glaubt, lese hierüber die Vorrede des arbeitsamen Johnsons zu seinem englischen Wörterbuche, und er wird vor einer Kritik zittern, die ihn dreitausend Jahre zurück, in einen so frühen Zeitpunkt der griechischen Sprache, als in welchem der Dichter ihrer Jugend, Homer, sang, werfen will. Wenn schon zur Zeit Aristoteles' geborne Griechen über einzelne Wörter Homers zweifelhaft waren: werden wir alsdenn nicht weit öfter, wenn es insonderheit auf Würde der Wörter ankommt, in der Sprache des ehrlichen Sancho Pansa sagen müssen: Gott weiß, wie Homer hätte dichten sollen. Ich rede nicht von dem *Sinne desselben*, sondern von dem Gefühle seiner epischen Würde in der Sprache: und zum Behufe des letztern, reichen die vielen Hülfsmittel unter den Griechen selbst da zu, Homer beurteilen zu wollen?

Ich gebe ein Beispiel, das ich brauchen werde. Das Wort *γελοιον* hieß in den Zeiten der alten griechischen Einfalt überhaupt, was Freude, was Lachen erwecket, ohne daß dies Lachen der Freude noch ein Gelächter des Spottes sein dorfte. Das *γελοιον* in einem Menschen war der Charakter eines süßen innigen Gefallens: das *γελοιον* in einer Sache, in einer Rede, in einem Auftritte war Annehmlichkeit. Je mehr die Zeiten von dieser unschuldigen Einfalt abwichen, desto mehr wurde der Begriff des „Lächerlichen" daraus.

1 Die Sibyllinischen Bücher, eine Orakelsammlung in Rom, die angeblich von der Sibylle aus Cumae stammen sollte.

Das *γελοιον* in einem menschlichen Charakter ward das „Piquante" des Witzlinges und endlich ganz die Narrenkappe eines Gecken: das *γελοιον* in einem Auftritte ward das „Lächerliche" und endlich das „Belachenswürdige". Welche Umwandlung von Ideen! Wer nun in einem alten Dichter der Einfalt das *γελοιον* allemal für eine Possenreißerei nehmen will, weil etwa in der lateinischen Übersetzung „ridiculum" steht, und darnach einen Menschencharakter in Homer längelang beurteilen und tadeln und verdammen wollte, der könnte freilich sein Wörterbuch und seine Übersetzung und die Meinung einiger alten Grammatiker auf seiner Seite haben, nicht aber darum auch den ursprünglichen Homer. Über den muß man nicht aus Übersetzung und Wörterbuche, sondern aus dem lebendigen Gebrauche seiner Zeit urteilen oder das sicherste Wort wählen: *οὐκ οἶδα*![1]

Zweitens. Wenn die tote, die körperliche Natur, die Homer malet, sich seit ihm schon sehr verändert hat, wie viel mehr die Natur der Menschen, die Manier der Charaktere, die Nuancen, in denen sich Leidenschaften äußern! Eine griechische Seele war gewiß von andrer Gestalt und Bauart als eine Seele, die unsre Zeit bildet. Wie verschieden die Eindrücke der Erziehung, die Triebfedern des Staats, die Begriffe der Religion, die Einrichtung des Lebens, der Anstrich des Umganges! Wie verschieden also das Urteil über die Würde der Menschheit, über die Beschaffenheit des Patrioten, über die Natur der Götter, über die Erlaubnisse des Vergnügens, über Anstand und Zucht – wie verschieden damals und jetzt! So weit Athen von Berlin, so weit müssen sich die Jugendeindrücke Homers hierüber von dem Urteile eines seiner heutigen Kunstrichter entfernen. Wer die Geschichte des menschlichen Geistes in allen Zwischenzeiten zwischen Homer und uns kennet, wer den Umwandlungen und Vermischungen der Begriffe von menschlicher Natur, Religion, Gelehrsamkeit, bürgerlichem Interesse, Sittsamkeit und Wohlstande in allen diesen Zeiten nachgespüret, wer Augen hat, um den Ort zu sehen, auf welchen ihn die zusammengesetzten Kräfte so vieler Zwischenjahrhunderte geworfen haben, der wird in allem, was Charakter einer Menschenseele ist, ungemein rückhaltend sein. Er wird Homer, den Schöpfer menschlicher Charaktere, studieren; er wird in den Zeiten desselben nach der damaligen Gestalt dieser so wichtigen Begriffe forschen: aber wie ein Areopagit[2] im Finstern urteilen? Kaum!

Der Verfolg wird Beispiele liefern, wie schielend es sei, über den

1 (griech). Ich weiß nicht! – 2 Mitglied des antiken athenischen Staatsgerichtshofs, der, allmählich entmachtet, nur die Blutgerichtsbarkeit behielt.

Übelstand Homerischer Götter und Helden und Menschen nach den Begriffen unsrer Zeit zu urteilen. – Jetzt will ich nur fragen, ob Homer habe fehlen können, daß er sich nach den Sitten seiner Zeit bequemte, und nach welchen er sich denn hätte richten sollen.

Homer mußte sich nach den Sitten der Zeit *vor ihm* bequemen: denn aus dieser schilderte er seine Helden, und was er also in derselben für Begriffe von Heldengröße, Heldenklugheit und Wohlstand fand, ward die Basis seines Gedichts. Wenn diese Heldengröße ohne Leibesstärke, ohne Schnelligkeit, ohne Wildigkeit der Leidenschaft, ohne eine edle Einfalt in klugen Anschlägen, ohne eine kühne Rauhigkeit nicht bestehen konnte: so wurden auch alle diese Charaktere seinem Gedichte eigen.

Auf solcher Grundlage stand sein Gebäude: *ein Gedicht für seine Zeit.* Die Vorstellungen der verflossenen Jahrhunderte sollten in der Sprache seines Zeitalters, nach dem Gefühle eines Sängers, der in diesem Zeitalter gebildet war, nach dem Augenmerke einer Welt von Zuhörern, die nach ihrer Zeit dachten, vorgestellet werden: so sang Homer, und anders konnte er nicht singen – *ein Barde voriger Zeiten für seine Zeit.* Wer sich in diese zurücksetzen kann, in Erziehung und Sitten und Leidenschaften und Charaktere und Sprache und Religion – für den singt Homer, für keinen andern.

Es ist lächerlich, vom Homer fodern, daß er sich nach den Sitten einer künftigen Zeit hätte richten sollen. Dazu gehört Gabe der Weissagung und noch was mehr, die Gabe, unmögliche Dinge zu tun. Wenn wir fodern, daß Homer für unsre Zeit und Denkart hätte schreiben sollen, so hätte es ein alter Indianer und Perser, der Homeren in seiner Sprache las, auch fodern können! So auch ein scholastischer Mönch des funfzehenten Jahrhunderts, wenn er über Homer kam! so auch ein hottentottischer Kunstrichter, wenn einmal der Genius der Wissenschaften Europa verlassen und mit Homeren in der Hand nach dem Vorgebirge der Guten Hoffnung ziehen wird! so auch ein jeder Tor von Einsiedler, der auf einer Säule, wie Simon der Stylite, alt und grau wurde! Alle werden alsdenn im vereinigten Chore mit unserm lateinischen Perrault anstimmen können: „Homerum dormitasse aliquoties, apparet. Quod iis in locis inprimis patere existimo, ubi . . . suae aetatis moribus inservit nondum politis satis, et cum simplicitate rusticum aliquid et asperum habentibus."[1] Und was würde aus Homer, wenn er sich nach jedem Kunstrichter hätte richten wollen?

1 (lat.) Es ist offenbar, daß Homer mehr als einmal geschlafen hat. Dies, glaube ich, zeigt sich vornehmlich an jenen Stellen, wo . . . er den Sitten und Gebräuchen seiner Zeit

Nein! mein Homer soll sich nicht nach meinem Zeitalter gerichtet haben, die Sitten des seinigen mögen so weit abgehen, als sie wollen. Ich bin zu bescheiden, ihn summam vim et mensuram ingenii humani[2] zu nennen: denn wer bin ich, daß ich die gesamten Kräfte der Natur wägen und das Maß erfassen wollte, das die Mensur[3] des menschlichen Geistes enthält? Wer bin ich, daß ich die Linie ziehen könnte: so hoch reicht Homer, und so hoch kann der menschliche Geist reichen! So sehr ich ihn, als die edle Erstgeburt der schönen dichterischen Natur in Griechenland, liebe; so gern ich ihn, als den Vater aller griechischen Dichter, verehre: so blöde bin ich, ihn als den Umfang, als das Maß des menschlichen Geistes zu betrachten, so blöde, es abwägen zu wollen, wie auch *nur die dichterische* Natur ihre Kräfte in ihm erschöpfet. Solange mir Apollo nicht den Wunsch erfüllet, die Metamorphosen des menschlichen Geistes auch in einer solchen Metamorphose *meines* Geistes durchwandeln und durchleben zu können, solange ich nicht mit den Ebräern ein Ebräer, mit den Arabern ein Araber, mit den Skalden ein Skalde, mit den Barden ein Barde wesentlich und durch eine Umwandlung meiner selbst geworden bin, um Moses und Hiob und Ossian in ihrer Zeit und Natur zu fühlen: so lange zittere ich vor dem Urteile: „Homer ist die höchste Masse gesammelter Kräfte des poetischen Geistes, das höchste Maß der dichterischen Natur." Und ist schon bei *einer* einzigen Seite der Natur und des menschlichen Geistes, als dichterisches Genie ist, ist da dies Urteil schon so schwer: wie kann ich den Umfang gesamter Geisteskräfte, das Maß der ganzen Menschennatur in ihm berechnen! Wo weiß ich, ob die Natur bei Bildung eines Alkibiades und Perikles und Demosthenes, als Geschöpfe ihrer Zeit betrachtet, sich nicht mehr erschöpft als bei Homer? Wo weiß ich, ob ein Plato, ein Baco, ein Newton,

– – das Ziel erschaffner Geister,

dieser bildenden Mutter nicht mehr in ihrer Art gekostet als Homer in der seinigen? Ein solcher Lobspruch geht ins Ungeheure; und wenn Homer summa vis, et quasi mensura ingenii humani[4] ist, so wird der, so ihn noch beurteilen und tadeln kann, ein völliger Übermensch! hervorragend über die Schranken des menschlichen Geistes. Da trete ich zurück, um den kritischen Gott anzubeten.

zu Diensten ist, die noch nicht genug verfeinert sind, sondern in ihrer Unbefangenheit etwas Bäurisches und Rauhes haben. – 2 (lat.) die höchste Kraft und das höchste Maß des menschlichen Geistes. Herder selbst merkte zu dieser Stelle an: Ich weiß diesen Ausdruck als gewöhnliche lateinische Phrasis; allein ich mag keine Phrasis, die es ursprünglich nicht war, die keine Wahrheit hinter sich hat. – 3 Beschaffenheit, Maß. – 4 (lat.) die höchste Kraft und gewissermaßen das Maß des menschlichen Geistes.

Ich betrachte Homer bloß als den glücklichsten, poetischen Kopf seines Jahrhunderts, seiner Nation, dem keiner von allen, die ihn nachahmen *wollten*, gleichkommen *konnte*; aber die Anlagen zu seinem glücklichen Genie suche ich nicht außer seiner Natur und dem Zeitalter, das ihn bildete. Je mehr ich dieses kennenlerne, desto mehr lerne ich mir Homer erklären, und desto mehr schwindet der Gedanke, ihn, „als einen Dichter aller Zeiten und Völker", nach dem Bürgerrechte meiner Zeit und Nation zu beurteilen. Nur gar zu sehr habe ich's gelernt, wie weit wir in einem Zeitraume zweier Jahrtausende von der poetischen Natur abgekommen, eine gleichsam bürgerliche Seele erhalten, wie wenig, nach den Eindrücken unsrer Erziehung, griechische Natur in uns wirke! wie weit Juden und Christen uns umgebildet haben, um nicht aus eingepflanzten Begriffen der Mythologie auch über Homers Götter zu denken! wie weit Morgenländer, Römer, Franzosen, Briten, Italiener und Deutsche, wenn ich den Rousseauschen Ausdruck wagen darf, unser Gehirn von der griechischen Denkart weggebildet haben mögen, wenn wir über die Würde der menschlichen Natur, über Heldengröße, über die Ernsthaftigkeit der Epopee[1], über Zucht und Anstand denken! Wie gelehrt muß also ein Auge sein, um Homer ganz in der Tracht seines Zeitalters sehen, wie gelehrt ein Ohr, ihn in der Sprache seiner Nation so ganz hören: und wie biegsam eine Seele, um ihn in seiner griechischen Natur durchaus fühlen zu können. Am sichersten, mein Urteil über ihn sei nicht voreilend, damit ich ihm das nicht für einen Fehler anrechne, was Tugend seiner Zeit war. . . .

(Zweites Wäldchen)

ÜBER RIEDELS THEORIE DER SCHÖNEN KÜNSTE

. . . Haben alle Menschen von Natur Anlage, das Schöne zu empfinden? Im weiten Verstande ja! weil sie alle sinnlicher Vorstellungen fähig sind. Wir sind gleichsam tierartige Geister: unsre sinnlichen Kräfte scheinen, wenn ich so sagen darf, in Maße und Raum genommen, eine größere Gegend unsrer Seele auszufüllen als die wenigen obern; sie entwickeln sich früher; sie würken stärker; sie gehören vielleicht mehr in unsre sichtbare Bestimmung des Daseins als die andern; sie sind, da wir hier noch keine Früchte geben können, die Blume unserer Vollkommenheit. Der ganze Grund unsrer

1 Epopöe, Epos.

Seele sind dunkle Ideen, die lebhaftesten die meisten, die Maße, aus der die Seele ihre feinern bereitet, die stärksten Triebfedern unsers Lebens, der größeste Beitrag zu unserm Glück und Unglück. Man denke sich die Integralteile der menschlichen Seele körperlich, und sie hat, wenn ich mich so ausdrücken darf, an Kräften mehr spezifische Maße zu einem sinnlichen Geschöpf als zu einem reinen Geiste: sie ist also einem menschlichen Körper beschieden; sie ist Mensch.

Als Mensch, nach ihrer Maße von innern Kräften, im Kreise ihres Daseins, hat sie sich eine Anzahl Organe gebildet, um das, was um sie ist, zu empfinden und gleichsam zum Genusse ihrer selbst in sich zu ziehen. Schon die Anzahl dieser Organe und der große Reichtum ihrer Zuströmungen zeigen gleichsam die große Maße des Sinnlichen in der menschlichen Seele. Wir kennen die Tiere zu wenig; ihre Geschlechter sind zu vielartig und die Philosophie über sie zu menschlich, als daß wir es wüßten, wie weit sie in der ganzen Proportion dieser sinnlichen Kräfte von uns abstehen; und zu unserm Zwecke tut's auch wenig.

Wenn keine menschliche Seele mit der andern völlig dieselbe ist: so ist auch bei ihren Wesen vielleicht auch eine unendlich veränderte und modifizierte Mischung von Kräften möglich, die noch alle zu ihrer Summe eine gleiche Anzahl von Realität haben können. Diese innere Verschiedenheit wäre es alsdenn, die sich nachher durch den der Seele harmonisch gebildeten Körper das ganze Leben hin äußert, da bei diesem der Körper über die Seele, bei jenem die Seele über den Körper, bei diesem *der* Sinn über jenen, bei einem andern *die* Kraft über eine andre herrschet. Auch in der ästhetischen Natur ist also die unendliche Mischung und innere Verschiedenheit möglich, die die Schöpfung im Bau aller Wesen bewiesen.

Wir nehmen eine mittlere Größe und treten in die ersten Zeiten zurück, da der Mensch ein Phänomenon unsrer Welt wurde, da er sich aus einem Zustande, wo er nur denkende und empfindende Pflanze gewesen war, auf eine Welt wand, wo er ein Tier zu werden beginnet. Noch scheint ihm keine Empfindung beizuwohnen als die dunkle Idee seines Ich, so dunkel, als sie nur eine Pflanze fühlen kann; in ihr indessen liegen die Begriffe des ganzen Weltall; aus ihr entwickeln sich alle Ideen des Menschen; alle Empfindungen keimen aus diesem Pflanzengefühl, so wie auch in der sichtbaren Natur der Keim den Baum in sich trägt und jedes Blatt ein Bild des Ganzen ist.

Noch empfindet der zum Säuglinge gewordene Embryon alles in sich; in ihm liegt alles, was er auch außer sich fühlet. – Bei jeder Sensation[1] wird er wie aus einem tiefen Traume geweckt, um ihn wie durch einen gewaltsamen Stoß an eine Idee lebhafter zu erinnern, die ihm seine Lage im Weltall jetzt veranlasset. So entwikkeln sich seine Kräfte durch ein Leiden von außen; die innere Tätigkeit des Entwickelns aber ist sein Zweck, sein inneres dunkels Vergnügen, und eine beständige Vervollkommnung sein selbst.

Mit wiederholten gleichen Empfindungen wird das erste Urteil gebildet, daß es *dieselbe* Empfindung sei. Das Urteil ist dunkel und muß es sein; denn es soll lebenslang dauren und als eine ewige Basis in der Seele bleiben. Es muß also die Stärke und sozusagen Konsistenz eines innern Gefühls erhalten: es wird als Empfindung aufbewahret. Der Entstehung nach war's indessen schon Urteil, eine Folge der Verbindung mehrerer Begriffe; nur weil es durch Gewohnheit entstand und die Gewohnheit, es gleich anzuwenden, es aufbewahrte, so verdunkelte sich die Form der Entstehung, nur das Materielle blieb; es ward Empfindung. So bildet sich die Seele des Säuglings: die wiederkommenden Bilder geben eine Menge solcher Vergleichungen, solcher Urteile, und bloß so wird das Gefühl gesichert, daß es *Wahrheit außer uns* gebe.

Wenn man bedenkt, wie viel geheime Verbindungen und Trennungen, Urteile und Schlüsse ein werdender Mensch machen muß, um nur die ersten Ideen von Körper außer sich, von *Figur, Gestalt, Größe, Entfernung* in sich zu lagern: so muß man erstaunen. Da hat die menschliche Seele mehr gewürkt und entwickelt, gefehlt und gefunden als der Philosoph im ganzen Leben seiner Abstraktionen. Wenn man aber wieder von der andern Seite sieht, wie glücklich die mühsame Form aller dieser Urteile und Schlüsse in die Dunkelheit der ersten Dämmerung zurückgewichen ist; wie glücklich jedesmal die Art des Mechanismus im Schatten der Vergessenheit blieb und nur immer der Effekt der Handlung, das Produkt der Tätigkeit nachblieb – nachblieb als simple Empfindung, aber um so lebhafter, stärker, ungeschwächter, unmittelbarer –; wer muß nicht noch mehr erstaunen? Wie viel Weisheiten wären in diesem dunkeln Mechanismus der Seele zu berechnen! wie ungeheuer und schwach die Seele, die hier deutlich handelte! und wie viel ließe sich in der ganzen Bildung der Seele aus diesen so zusammengesetzten Würkungen im Traum der ersten Morgenröte unsres Lebens erklären! Die Summe aller dieser Empfindungen wird die Basis aller objektiven Gewiß-

1 Wahrnehmung, Empfindung.

heit und das erste sichtbare Register des Reichtums unsrer Seele an Ideen.

Die Seele entwickelt sich weiter. Da in ihrem Vorrate von sinnlichen Eindrücken, wie wir's nennen wollen, das Eins und das Mehr als Eins schon ihr eingeprägt; da der Begriff von Ordnung und sinnlicher Wahrheit schon dunkel in ihr ist; wie, wenn sie in ihrer beständigen Würksamkeit, Ideen zu erlangen, zu vergleichen, zu ordnen, darauf kommt, in diesem und jenem den Grund von einem Dritten zu erblicken, anschauend zu erblicken? siehe! da ist die Wurzel zum Begriffe des *Guten*, offenbar durch die zusammengesetzteste Schlußart gebildet. Es lernt dies und jenes unterscheiden, was auf *ihn* diese und jene Zusammenstimmung zum Wohlgefallen hatte, mehr als einmal zu seinem Wohlgefallen hatte: und so lernt's sein Gut erkennen; so bekommt's die Begriffe von *Ordnung, Übereinstimmung, Vollkommenheit* und, da die Schönheit nichts als sinnliche Vollkommenheit ist, den Begriff von *Schönheit*. Alle diese Ideen sind im ersten Zustande unsers Hierseins Entwicklungen unsrer innern Gedankenkraft; weil sie aber alle der Form ihrer Entwicklung nach dunkel sind: so bleiben sie, als Empfindungen, auf dem Grunde unsrer Seele liegen und falten sich so nahe an unser Ich, daß wir sie für angeborne Gefühle halten. Im Handeln ändert diese Meinung nichts: wir können immer auf sie bauen, als wären sie angeborne Gefühle; sie bleiben immer der Stamm unsrer Begriffe, stark, kräftig, prägnant, sicher, von der innersten Gewißheit und Überzeugung, als ob sie Grundkräfte wären. Aber wie anders, wenn sie der zergliedernde Weltweise so nehmen wollte, bloß weil sie ihrem Ursprunge nach dunkel und verworren sind? als ob es nicht seine erste Pflicht wäre, in diese Verwirrung Licht und Ordnung zu bringen.

Unsre Kindheit ist ein dunkler Traum von Vorstellungen, so wie er gleichsam nur auf das Pflanzengefühl folgen kann; aber in diesem dunkeln Traume würkt die Seele mit allen Kräften. Sie ziehet, was sie erfasset, scharf und bis zur innersten Einverleibung in ihr Ich zusammen: sie verarbeitet es zum Saft ihrer Kraft; sie windet sich immer allmählich aus dem Schlafe empor und wird sich zeitlebens mit diesen früh erfaßten Traumideen tragen, sie alle brauchen und gleichsam daraus bestehen. Sich ihres Ursprungs aber erinnern? deutlich erinnern? wie könnte sie das? Sinnlich wird ihr hier und da eine abgerissene Idee, aber nur spätaus, aus den letzten Augenblicken dieser Morgenröte beifallen: dieses Bild, dessen sie sich aus der Kindheit, bewußt oder unbewußt, erinnert, wird sie bis auf den Grund erschüttern; sie wird zurückfahren wie vor einem Abgrunde oder gleichsam, als ob sie ihr Bild sähe. Das alles aber sind nur einzelne kleine Fragmente; die vielleicht nicht alle Seelen, wenigstens nicht in allen Lebensaltern, haben; die sich nur selten, und wenn wir am tiefsten in uns wohnen, zeigen; die durch nichts so sehr als durch leichtsinnige Zerstreuungen verjagt und unmöglich gemacht werden; aus denen sich so erstaunend viel in der menschlichen Seele erklären ließe und noch nichts erklärt ist – – das sind nur Reste dieser Bilder, die uns so flüchtig vorspringen, wie der Schlaf auf betränte Augenlider, und uns schnell wieder verlassen – der wahre, erste, mächtige, lange Traum ist verloren und mußte verloren sein! Nur ein Gott und der Genius meiner Kindheit, wenn er in mich sehen konnte, weiß ihn!

Das Erwachen unsrer Seele geht fort, und mit ihm scheinen sich die Kräfte der Seele voneinander loszutrennen, die wir in uns unterscheiden. Ist ihr gegenwärtiger und voriger Zustand ihr nicht mehr eins; gewöhnet sie sich, gegenwärtige Sensation von der vorhergehenden, die in ihr geblieben, zu unterscheiden: siehe! so tritt sie aus dem Zustande, da ihr alles nur Sensation war; sie gewöhnt sich, eins vor dem andern durch seine „innere Klarheit" zu erkennen; sie ist auf dem dunkeln Wege zur *Phantasie* und zum *Gedächtnis*. Wie oft muß sie darauf gleiten! wie viele Übung, um ihr inners Auge an diesen Unterschied und Stufen und Nuancen der Klarheit des Gegenwärtigen und Vergangnen zu gewöhnen! Ein Kind muß diesen Unterschied noch oft in sich verwirren, es kommt nur durch viel Übung zur Gewißheit, diese Gewißheit aber dauret ewig: so sind Gedächtnis und Phantasie mit ihren ersten, mächtigen, ewigen Formen da. Je näher beide noch an ihrer Mutter, der Sensation, kleben: desto dunkler wieder, aber desto stärker. Die ersten Phantasien eines Kindes werden feurige, ewige Bilder, sie geben seiner ganzen Seele Gestalt und Farbe, und der Philosoph, der sie ganz in ihrer Flammenschrift kennete und übersehen könnte, würde die ersten Buchstaben seiner ganzen Denkart in ihnen sehen. Gewisse wachende Träume, die uns bei spätern Jahren, wenn die Seele noch nicht verlebt ist, anwandeln, dunkle Anerinnerungen, als ob wir dies und jenes Neue, Seltne, Schöne, Überraschende an Ort, Person, Gegend, Schönheit usw. schon gesehen, schon einmal erlebt und genossen hätten, sind ohne Zweifel Stückwerke dieser ersten Phantasien. Zu Tausenden liegen solche dunkle Ideen in uns: sie bilden das Seltne, Eigne und oft so Wunderliche in unsern Begriffen und Gestalten von Schönheit und Vergnügen; sie flößen uns oft Widerwillen und Zug ein, ohne daß wir's wissen und wollen; sie erheben sich in uns, als lang entschlafen gewesne Triebfedern, um mit Sympathie und gleichsam Anerinnerung diese und jene Person plötzlich zu lieben wie jene andre zu hassen; sie sträuben sich oft gegen später erlernte Wahrheit und hellere, aber schwächere Überzeugung, gegen Vernunft und Willen und Gewohnheit; sie sind der dunkle Grund in uns, der die später aufgetragnen Bilder und Farben unsrer Seele oft nur gar zu sehr verändert und nur schattieret. *Sulzer* hat ein paar Paradoxe aus dieser Tiefe des Geistes erkläret: vielleicht werfe ich mit diesen einzelnen Bemerkungen einige Strahlen dahin und wecke wenigstens einen andern Psychologen, mehr Licht hineinzubringen. Ein Kind kann oft nicht Träume und wachende Bilder unterscheiden; es träumt wachend und nimmt oft als geschehen an, was nur ein Traum war: der bildervolle Schlaf dauret fort; die Seele ist gleichsam noch ganz Phantasie, die nahe an der Sensation klebt.

Sie trennen sich immer mehr, je mehr sich der *Scharfsinn* und sein Pendant, der *Witz*[1], entwickeln: *Witz und Scharfsinn* sind die Vorläufer und Vorspiele des *Urteils*; das *Urteil* wird ebenso sinnlich gebildet als seine Vorgänger. Die Form, wie es sich bildete, erlöscht; das Ausgebildete bleibt und wird Fertigkeit, wird Gewohnheit, wird Natur. Und wenn nun unsre Seele sich lange so geübt hat, über Vollkommenheit und Unvollkommenheit der Dinge zu urteilen; wenn das Urteil ihr so geläufig, so evident, so lebhaft wie eine Empfindung geworden: siehe! so ist der *Geschmack* da, „die gewohnte Fertigkeit, in Dingen ihre sinnliche Voll- und Unvollkommenheit so schnell zu beurteilen, als ob man sie unmittelbar empfände". Durch welche lange Auswicklungen und Zusammensetzungen, Fehltritte und Übungen ist also das, was unsre Sentimental-Philosophers Grundgefühl des Schönen nennen, erst *geworden*!

... Sosehr die Ästhetik von seiten der Psychologie und also subjektiv bearbeitet ist, von seiten der Gegenstände und ihrer schönen Sinnlichkeit ist sie noch wenig bearbeitet: und ohne diese kann doch nie eine fruchtbare „Theorie des Schönen in allen Künsten" überhaupt erscheinen. Jede Kunst hat ihre Originalbegriffe und jeder Begriff gleichsam sein Vaterland in *einem* Sinne. Sowenig diese zu vergleichen sind, sowenig Auge und Ohr und Gefühl einerlei ist: so kann es auch nicht gleichviel sein, wo ich jeden Begriff herhole und zergliedere; jeder wird nur in seinem Hauptsinn, in seiner

1 Verstand.

Hauptkunst deutlich. Und so muß jede Theorie des Schönen überhaupt ein Chaos werden, wenn sie nicht ihren Weg zuerst durch die Künste nimmt, jede Idee an ihren Ort stellet, Schönheit in jedem Sinne und jedem Hauptphänomenon jedes Sinnes untersuchet, nie von oben herab schließet in undeutlichen komplexen Begriffen, sondern immer der strengen Analysis folget – – . . .

(Viertes Wäldchen)

AN JOHANN GEORG HAMANN

Nantes, Ende August 1769

An seinen Freund Hamann.

Sie werden einen Brief von mir empfangen haben, den ich als einen postumum[1] nachließ. Nachdem ich Stadt und Kirche gesegnet, nachdem ich Stadt und Vorstadt mit dem letzten Gruße durchkarossiert hatte, verschloß ich mich und gab meine letzten Augenblicke in Riga zwei oder drei lebendigen Freunden, meiner Mutter und Ihnen.

Es wird nicht lohnen, Sie über meinen Rückzug aus Riga aufklären zu wollen. Ein philosophischer Humour[2] und oft ein sophistischer Spleen, wie der Ihrige, weissagt sich selbst Gründe, und noch mehr, läßt sich schwerlich andre sagen. Hier sind indessen die, die *ich* in mir entwickle.

Nichts ist in der Welt peinlicher, als zu groß für seine Sphäre zu scheinen und zu klein für dieselbe zu sein, und das war der Fall mit mir; das gab Kontrarietäten[3] zwischen mir und meinen Ämtern, zwischen den Ämtern an sich selbst und mit andern Sachen. Ich fühlte den Anfang einer *Falte* meines Geistes, die ich zerstören wollte. Ich fing mich an wie eine verstümmelte Büste zu fühlen, wenn ich in den ewigen Kreis meiner Beziehung hätte eingeschlossen bleiben sollen. Ich sahe, daß gewisse Jahre zu nutzen wären, die nicht wiederkommen. Ich sahe, daß ich überraschen müßte, oder ich bliebe sitzen. Ich tat's. Ich überraschte – – Stadt, Kirche, Magistrat, nahm Abschied und traf den Punkt, da mich die Tränen und Wünsche aller begleiteten und man, aus einer Sympathie für die Jugend, in die ich mich stellete und in der man mich selbst bisher nicht gesehen hatte, mich mit Regungen beschenkte, die wenigstens uneigennütziger sind als Geschenke. Ich stürzte mich aufs Schiffe ohne Musen, Bücher und Gedanken, wie wenn ich in Bett und Schlaf sänke, und habe also die ganze sechs Wochen meiner langen,

1 (lat.) Nachlaß. – 2 (engl.) Neigung, Stimmung, Laune. – 3 Gegensätze.

stillen, sanften und recht poetischen Reise nichts anders können als träumen – aber glauben Sie, mein Hamann, Träume nach einer so schleunigen Veränderung, auf einmal wie in ein andres Land und Element geworfen, von Geschäften, Welt und Narrheiten verlassen, die uns [belauerten], bloß sich, dem Himmel und dem Meer übergeben – o Freund, da lehren uns Träume von sechs Wochen mehr als Jahre von Bücherreflexionen und von Hamannischen Pastoralschreiben.

Jetzt bin ich in Nantes, wo ich in weniger, aber vertrauter Gesellschaft französische Sprache, Sitten und Denkart kennenlerne – – kennen-, aber nicht annehmen lerne; denn ich entferne mich immer mehr, je näher ich sie sehe. Einen Jüngling aus dem nordischen Gotlande habe ich hier gefunden, den ich erleuchte und mit dem ich oft in einem schönen Walde, desgleichen ich noch nie gesehen, den Musen opfere. Er kannte mich durch meinen Namen und hat mich hier verraten.

Mein Journal der Reise ist noch zu jung und meine Tristramsche Meinungen[1], die den Mangel der Denkwürdigkeiten ausfüllen müssen, zu unreif und also notwendig noch zu jastreich[2], als sie schreiben zu können. ...

Ich bin an der Enzyklopädie[3], die ich mit Dichtern ablöse und, kurz, das alles lebendig an der Nation zu lernen suche, was ich nur immer im Buchstaben gelesen. Ich bin wie durch den Wurf des Schicksals hiehergekommen; es wird mich wieder herausführen, und ich werde sehen, wozu die Bahn durch Frankreich nützte. Könnte ich nur einen Freund finden und Muße gewinnen und Geld erbeuten, um durch Italien, England und Deutschland reisen und wandern zu können, wie ich wollte.

Wenn Ihr Bruder tot ist, wie ich's wünsche[4], aber nicht hoffe, so geben Sie mir tausend Taler von einer Erbschaft, die Sie nicht brauchen, ich aber sehr nötig habe und nur von Ihnen annehmen würde.

Gott befohlen, mein lieber Hamann. Ich liebe Sie unter dem französischen Himmel und hoffe, Sie unter dem preußischen zu umarmen.

Herder

1 Anspielung auf den Roman „Leben und Meinungen Tristram Shandys“ (1760–1767) von Lawrence Sterne. – 2 in Gärung befindlich. – 3 Die „Enzyklopädie oder Kritisches Wörterbuch der Wissenschaften, der Künste und der Gewerbe“ erschien 1751–1772 in Paris unter der Herausgeberschaft von Diderot und d'Alembert. Sie faßte das zeitgenössische progressive Denken zusammen und war eine der wichtigsten theoretischen Grundlagen der Französischen Revolution. – 4 Der Bruder Hamanns war geisteskrank.

AUS: JOURNAL MEINER REISE IM JAHR 1769

Den 23. Mai/3. Juni reisete ich aus Riga ab, und den 25. [Mai]/ 5. [Juni][1] ging ich in See, um, ich weiß nicht wohin, zu gehen. Ein großer Teil unsrer Lebensbegebenheiten hängt würklich vom Wurf von Zufällen ab. So kam ich nach Riga, so in mein geistliches Amt, und so ward ich desselben los; so ging ich auf Reisen. Ich gefiel mir nicht als Gesellschafter, weder in dem Kreise, da ich war, noch in der Ausschließung, die ich mir gegeben hatte. Ich gefiel mir nicht als Schullehrer; die Sphäre war [für] mich zu enge, zu fremde, zu unpassend und ich für meine Sphäre zu weit, zu fremde, zu beschäftigt. Ich gefiel mir nicht als Bürger, da meine häusliche Lebensart Einschränkungen, wenig wesentliche Nutzbarkeiten und eine faule, oft ekle Ruhe hatte. Am wenigsten endlich als Autor, wo ich ein Gerücht erregt hatte, das meinem Stande ebenso nachteilig als meiner Person empfindlich war[2]. Alles also war mir zuwider. Mut und Kräfte gnug hatte ich nicht, alle diese Mißsituationen zu zerstören und mich ganz in eine andre Laufbahn hineinzuschwingen. Ich mußte also reisen; und da ich an der Möglichkeit hiezu verzweifelte, so schleunig, übertäubend und fast abenteuerlich reisen, als ich konnte. So war's: Den 4./15. Mai Examen; den 5./16. renonciert[3]; den 9./20. Erlassung[4] erhalten; den 10./21. die letzte Amtsverrichtung; den 13./24. Einladung von der Krone[5]; den 17./28. Abschiedspredigt; den 23./3. [Juni] aus Riga; den 25./5. [Juni] in See.

Jeder Abschied ist betäubend. Man denkt und empfindet weniger, als man glaubte; die Tätigkeit, in die unsre Seele sich auf ihre eigne weitere Laufbahn wirft, überwindet die Empfindbarkeit über das, was man verläßt; und wenn insonderheit der Abschied lange dauret, so wird er so ermüdend als im „Kaufmann zu London"[6]. Nur denn aber erstlich siehet man, wie man Situationen hätte nutzen können, die man nicht genutzt hat; und so hatte ich mir jetzt schön sagen: Ei, wenn du die Bibliothek besser genutzt hättest? wenn du in jedem, das dir oblag, dir zum Vergnügen ein System entworfen

1 Die Doppelangaben des Datums sind notwendig, da im russischen Riga noch der Julianische Kalender galt, während im westlichen Europa der Gregorianische Kalender eingeführt war. – 2 Die bekanntgewordene Autorschaft Herders für die „Fragmente" und „Kritischen Wälder" zog langwierige unerfreuliche Streitigkeiten mit Kollegen und Kritikern nach sich. – 3 das Entlassungsgesuch eingereicht. – 4 Entlassung. – 5 Gemeint ist der russische Gouverneur in Riga. – 6 Bürgerliches Trauerspiel von George Lillo (1731).

hättest? In der Geschichte einzelner Reiche – – Gott, wie nutzbar, wenn es Hauptbeschäftigung gewesen wäre! In der Mathematik – – wie unendlich fruchtbar, von da aus, aus jedem Teile derselben, gründlich übersehen und mit den reellsten Kenntnissen begründet, auf die Wissenschaften hinauszusehen! – In der Physik und Naturgeschichte – – wie, wenn das Studium mit Büchern, Kupferstichen und Beispielen so aufgeklärt wäre, als ich sie hätte haben können – und die französische Sprache mit alle diesem verbunden und zum Hauptzwecke gemacht! Und von da aus also die Hénaults, die Vellys, die Montesquieu, die Voltaire, die Saint-Marcs, die Lacombe, die Coyers, die Saint-Réals, die Duclos, die Linguets[1] und selbst die Humes französisch studiert; von da aus die Buffons, die d'Alemberts, die Maupertuis, die La Caille, die Eulers, die Kästners, die Newtone, die Keille, die Mariotte, die Torricelli, die Nollets[2] studiert; und endlich die Originalgeister des Ausdrucks, die Crèbillons, die Sévigné, die Molière, die Ninons, die Voltaire, Beaumelle usw. hinzugetan – das wäre seine Laufbahn, seine Situation genutzt und ihrer würdig geworden! Denn wäre diese mein Vergnügen und meine eigne Bildung nie ermüdend und nie vernachlässigt gewesen! Und mathematische Zeichnung und französische Sprachübung und Gewohnheit im historischen Vortrage dazugetan! – Gott, was verliert man in gewissen Jahren, die man nie wieder zurückhaben [kann], durch gewaltsame Leidenschaften, durch Leichtsinn, durch Hinreißung in die Laufbahn des Hasards!

Ich beklage mich, ich habe gewisse Jahre von meinem *menschlichen* Leben verloren: und lag's nicht bloß an mir, sie zu genießen? Bot mir nicht das Schicksal selbst die ganze fertige Anlage dazu dar? Die vorigen leichten Studien gewählt, französische Sprache, Geschichte, Naturkenntnis, schöne Mathematik, Zeichnung, Umgang, Talente des lebendigen Vortrages zum Hauptzwecke gemacht – in welche Gesellschaften hätten sie mich nicht bringen können, wie sehr den Genuß meiner Jahre nicht vorbereiten können? Autor wäre ich alsdenn gottlob nicht geworden, und wie viel Zeit damit nicht gewonnen, in wie viel Kühnheiten und Vielbeschäftigungen mich nicht verstiegen, wie viel falscher Ehre, Rangsucht, Empfindlichkeit, falscher Liebe zur Wissenschaft, wie viel betäubten Stunden des Kopfs, wie vielem Unsinn im Lesen, Schreiben und Denken dabei entgangen? – Prediger wäre ich alsdenn wahrscheinlicherweise nicht oder noch nicht geworden, und freilich, so hätte ich viele Gelegen-

1 Französische Historiker bzw. Geschichtsphilosophen des 18. Jahrhunderts. – 2 Bekannte Mathematiker und Naturforscher des 18. Jahrhunderts.

heit verloren, wo ich glaube, die besten Eindrücke gemacht zu haben; aber welcher übeln Falte wäre ich auch damit entwichen! Ich hätte meine Jahre genießen, gründliche, reelle Wissenschaft kennen und alles anwenden gelernt, was ich lernte. Ich wäre nicht ein Tintenfaß von gelehrter Schriftstellerei, nicht ein Wörterbuch von Künsten und Wissenschaften geworden, die ich nicht gesehen habe und nicht verstehe; ich wäre nicht ein Repositorium[1] voll Papiere und Bücher geworden, das nur in die Studierstube gehört. Ich wäre Situationen entgangen, die meinen Geist einschlossen und also auf eine falsche intensive Menschenkenntnis einschränkten, da er Welt, Menschen, Gesellschaften, Frauenzimmer, Vergnügen lieber extensiv, mit der edlen feurigen Neubegierde eines Jünglinges, der in die Welt eintritt und rasch und unermüdet von einem zum andern läuft, hätte kennenlernen sollen. Welch ein andres Gebäude einer andern Seele! Zart, reich, sachenvoll, nicht wortgelehrt; munter, lebend, wie ein Jüngling! einst ein glücklicher Mann! einst ein glücklicher Greis! – O was ist's für ein unersetzlicher Schade, Früchte affektieren[2] zu wollen und zu müssen, wenn man nur Blüte tragen soll! Jene sind unecht, zu frühzeitig, fallen nicht bloß selbst ab, sondern zeigen[3] auch vom Verderben des Baums! „Ich wäre aber alsdenn das nicht geworden, was ich bin." Gut, und was hätte ich daran verloren? Wieviel hätte ich dabei gewonnen!

O Gott, der den Grundstoff menschlicher Geister kennet und in ihre körperliche Scherbe eingepaßt hast, ist's allein zum Ganzen oder auch zur Glückseligkeit des einzeln nötig gewesen, daß es Seelen gebe, die, durch eine schüchterne Betäubung gleichsam in diese Welt getreten, nie wissen, was sie tun und tun werden, nie dahin kommen, wo sie wollen und zu kommen gedachten, nie da sind, wo sie sind, und nur durch solche Schauder von Lebhaftigkeit aus Zustand in Zustand hinüberrauschen und staunen, wo sie sich finden? Wenn, o Gott, du Vater der Seelen, finden diese Ruhe und philosophischen Gleichschritt? In dieser Welt? In ihrem Alter wenigstens? Oder sind sie bestimmt, durch eben solchen Schauer frühzeitig ihr Leben zu endigen, wo sie nichts recht gewesen und nichts recht genossen und alles wie in der Eil eines erschrocknen, weggehenden Wandrers erwischt haben, und alsdenn gar durch einen diesem Leben ähnlichen Tod eine neue, ähnliche Wallfahrt anzutreten? Vater der Menschen, wirst du es würdigen, mich zu belehren?

So denkt man, wenn man aus Situation in Situation tritt, und was gibt ein Schiff, das zwischen Himmel und Meer schwebt, nicht für

1 Akten-, Büchergestell. – 2 künstlich hervorbringen. – 3 zeugen.

weite Sphäre zu denken! Alles gibt hier dem Gedanken Flügel und Bewegung und weiten Luftkreis! Das flatternde Segel, das immer wankende Schiff, der rauschende Wellenstrom, die fliegende Wolke, der weite unendliche Luftkreis! Auf der Erde ist man an einen toten Punkt angeheftet und in den engen Kreis einer Situation eingeschlossen. Oft ist jener der Studierstuhl in einer dumpfen Kammer, der Sitz an einem einförmigen, gemieteten Tische, eine Kanzel, ein Katheder – oft ist diese eine kleine Stadt, ein Abgott von Publikum aus dreien, auf die man horchet, und ein Einerlei von Beschäftigung, in welche uns Gewohnheit und Anmaßung stoßen. Wie klein und eingeschränkt wird da Leben, Ehre, Achtung, Wunsch, Furcht, Haß, Abneigung, Liebe, Freundschaft, Lust zu lernen, Beschäftigung, Neigung – wie enge und eingeschränkt endlich der ganze Geist! Nun trete man mit einmal heraus, oder vielmehr ohne Bücher, Schriften, Beschäftigung und homogene Gesellschaft werde man herausgeworfen – welch eine andre Aussicht! Wo ist das feste Land, auf dem ich so feste stand, und die kleine Kanzel und der Lehnstuhl und das Katheder, worauf ich mich brüstete! Wo sind die, für denen ich mich fürchtete und die ich liebte! – O Seele, wie wird dir's sein, wenn du aus dieser Welt hinaustrittst? Der enge, feste, eingeschränkte Mittelpunkt ist verschwunden, du flatterst in den Lüften oder schwimmst auf einem Meere – die Welt verschwindet dir – ist unter dir verschwunden! – Welch neue Denkart, aber sie kostet Tränen, Reue, Herauswindung aus dem Alten, Selbstverdammung! – Bis auf meine Tugend war ich nicht mehr mit mir zufrieden; ich sah sie für nichts als Schwäche, für einen abstrakten Namen an, den die ganze Welt von Jugend auf realisieren lernt! Es sei Seeluft, Einwürkung von Seegerichten, unsteter Schlaf, oder was es sei, ich hatte Stunden, wo ich keine Tugend, selbst nicht bis auf die Tugend einer Ehegattin, die ich doch für den höchsten und reellsten Grad gehalten hatte, begreifen konnte! Selbst bei Besserung der Menschen, ich nehme menschliche Realitäten aus, fand ich nur Schwächung der Charaktere, Selbstpein oder Änderung der falschen Seiten – O warum ist man durch die Sprache zu abstrakten Schattenbildern wie zu Körpern, wie zu existierenden Realitäten verwöhnt! – Wenn werde ich so weit sein, um alles, was ich gelernt, in mir zu zerstören und nur selbst zu erfinden, was ich denke und lerne und glaube! – Gespielen und Gespielinnen meiner Jugendjahre, was werde ich euch zu sagen haben, wenn ich euch wiedersehe und euch auch über die Dunkelheit erleuchte, die mir selbst noch anhing! Nichts als menschliches Leben und Glückseligkeit ist Tugend; jedes

Datum ist Handlung; alles übrige ist Schatten, ist Räsonnement. Zu viel Keuschheit, die da schwächt, ist ebensowohl Laster als zu viel Unkeuschheit; jede Versagung sollte nur Negation sein; sie zur Privation[1] und diese gar zum Positiven der Haupttugend zu machen – wo kommen wir hin? – Gespielin meiner Liebe[2], jede Empfindbarkeit, die du verdammest und ich blind gnug bin, um nicht zu erkennen, ist auch Tugend, und mehr als die, wovon du rühmest und wofür ich mich fürchte. Du bist tugendhaft gewesen: zeige mir deine Tugend auf. Sie ist Null, sie ist nichts! Sie ist ein Gewebe von Entsagungen, ein Fazit von Zeros[3]. Wer sieht sie an dir? Der, dem du zu Ehren sie dichtest? Oder du? Du würdest sie wie alles vergessen und dich so wie zu manchem gewöhnen? O es ist zweiseitige Schwäche von einer und der andern Seite, und wir nennen sie mit dem großen Namen Tugend.

Die ersten Unterredungen sind natürlich Familiengespräche, in denen man Charaktere kennenlernt, die man vorher nicht kannte; so habe ich einen Tracassier[4], einen verwahrloseten Garçon[5] usw. kennengelernt. Alsdenn wirft man sich gern in Ideen zurück, an die man gewöhnt war: und so ward ich Philosoph auf dem Schiffe – Philosoph aber, der es noch schlecht gelernt hatte, ohne Bücher und Instrumente aus der Natur zu philosophieren. Hätte ich dies gekonnt, welcher Standpunkt, unter einem Maste auf dem weiten Ozean sitzend, über Himmel, Sonne, Sterne, Mond, Luft, Wind, Meer, Regen, Strom, Fisch, Seegrund philosophieren und die Physik alles dessen aus sich herausfinden zu können! Philosoph der Natur, das sollte dein Standpunkt sein mit dem Jünglinge, den du unterrichtest! Stelle dich mit ihm aufs weite Meer und zeige ihm Fakta und Realitäten und erkläre sie ihm nicht mit Worten, sondern laß ihn sich alles selbst erklären! Und ich, wenn ich Nollet und Kästner und Newton lesen werde, auch ich will mich unter den Mast stellen, wo ich saß, und den Funken der Elektrizität vom Stoß der Welle bis ins Gewitter führen und den Druck des Wassers bis zum Druck der Luft und der Winde erheben und die Bewegung des Schiffes, um welche sich das Wasser umschließt, bis zur Gestalt und Bewegung der Gestirne verfolgen und nicht eher aufhören, bis ich *mir selbst* alles weiß, da ich *bis jetzt* mir selbst nichts weiß. ...

Die Schiffsleute sind immer ein Volk, das am Aberglauben und Wunderbaren für andern hängt. Da sie genötigt sind, auf

1 Entbehrung, Mangel. – 2 Die Gattin des Kaufmanns Busch, Herders Vertraute in Riga. – 3 Summe von Nullen. – 4 (franz.) Quälgeist, Intrigant. – 5 (franz.) Junggeselle, Bursche.

Wind und Wetter, auf kleine Zeichen und Vorboten achtzugeben, da ihr Schicksal von Phänomenen in der Höhe abhängt: so gibt dies schon Anlaß gnug, auf Zeichen und Vorboten zu merken, und also eine Art von ehrerbietigen Anstaunung und Zeichenforschung. Da nun diese Sachen äußerst wichtig sind, da Tod und Leben davon abhängt: welcher Mensch wird im Sturm einer fürchterlich dunkeln Nacht, im Ungewitter, an Örtern, wo überall der blasse Tod wohnt, nicht beten? Wo menschliche Hülfe aufhört, setzt der Mensch immer, sich selbst wenigstens zum Trost, göttliche Hülfe; und der unwissende Mensch zumal, der von zehn Phänomenen der Natur nur das zehnte als natürlich einsiehet, den alsdenn das Zufällige, das Plötzliche, das Erstaunende, das Unvermeidliche schrecket? O der glaubt und betet, wenn er auch sonst, wie der meinige, ein grober Ruchloser wäre. Er wird in Absicht auf Seedinge fromme Formeln im Munde haben und nicht fragen: „Wie war Jonas im Walfisch?" – denn nichts ist dem großen Gott unmöglich, wenn er auch sonst sich ganz völlig eine Religion glaubt machen zu können und die Bibel für nichts hält. Die ganze Schiffsprache, das Aufwecken, Stundenabsagen ist daher in frommen Ausdrücken und so feierlich als ein Gesang aus dem Bauche des Schiffs. – In allem liegen Data, die erste mythologische Zeit zu erklären. Da man, unkundig der Natur, auf Zeichen horchte und horchen mußte, da war für Schiffer, die nach Griechenland kamen und die See nicht kannten, der Flug eines Vogels eine feierliche Sache, wie er's auch würklich im großen Expansum der Luft und auf der wüsten See ist. Da ward der Blitzstrahl Jupiters fürchterlich, wie er's auch auf der See ist: Zeus rollete durch den Himmel und schärfte Blitze, um sündige Haine oder Gewässer zu schlagen. Mit welcher Ehrfurcht betete man da nicht den stillen silbernen Mond an, der so groß und allein dasteht und so mächtig würkt auf Luft, Meer und Zeiten! Mit welcher Begierde horchte man da auf gewisse hülfsbringende Sterne, auf einen Kastor und Pollux[1], Venus[2] usw., wie der Schiffer in einer neblichten Nacht! Auf mich selbst, der ich alle diese Sachen kannte und von Jugend auf unter ganz andern Anzeigungen gesehn hatte, machte der Flug eines Vogels und der Blitzstrahl des Gewässers und der stille Mond des Abends andre Eindrücke, als sie zu Lande gemacht hatten; und nun auf einen Seefahrer, der, unkundig der See, vielleicht als ein Vertriebner seines Vaterlandes, als ein Jüngling, der seinen Vater erschlagen, ein fremdes Land suchte. Wie kniete der für Donner und

1 Söhne des Zeus, Retter in Seenot. – 2 Hier: Göttin der glücklichen Seefahrt.

Blitz und Adler[1]! Wie natürlich dem, in der obern Luftsphäre den Sitz Jupiters zu sehen! Wie tröstlich dem, mit seinem Gebete diese Dinge lenken zu können! Wie natürlich dem, die Sonne, die sich ins Meer taucht, mit den Farben des fahrenden Phöbus[2] und die Aurora mit aller ihrer Schönheit zu malen. Es gibt tausend neue und natürlichere Erklärungen der Mythologie oder vielmehr tausend innigere Empfindungen ihrer ältesten Poeten, wenn man einen Orpheus, Homer, Pindar, insonderheit den ersten, zu Schiffe lieset. Seefahrer waren's, die den Griechen ihre erste Religion brachten; ganz Griechenland war an der See Kolonie, es konnte also nicht eine Mythologie haben wie Ägypter und Araber hinter ihren Sandwüsten, sondern eine Religion der Fremde, des Meeres und der Haine; sie muß also auch zur See gelesen werden. Und da wir ein solches Buch noch durchaus nicht haben, was hätte ich gegeben, um einen Orpheus und eine „Odyssee" zu Schiff lesen zu können! Wenn ich sie lese, will ich mich dahin zurücksetzen; so auch Damm und Banier und Spanheim[3] lesen und verbessern und auf der See meinen Orpheus, Homer und Pindar fühlen. Wie weit ihre Einbildungskraft dabei gegangen ist, zeigen die Delphinen. Was Schönes und Menschenfreundliches in ihrem Blicke ist nicht; allein ihr Spielen um das Schiff, ihr Jagen bei stillem Wetter, ihr Aufprallen und Untersinken, das gab zu Fabeln derselben Gelegenheit. Ein Delphin hat ihn entführt, ist ebensoviel als: Aurora hat ihn weggeraubt; zwei Umstände kommen zusammen, und sie müssen also die Folge sein voneinander. So ist Virgils verwandelter Mast[4], die Nymphen, Sirenen, Tritonen usw. gleichsam von der See aus leicht zu erklären und wird gleichsam anschaulich. Das Fürchterliche der Nacht und des Nebels usw. Doch ich habe eine bessere Anmerkung, die mehr auf das Wunderbare, Dichterische ihrer Erzählungen führet.

Mit welcher Andacht lassen sich auf dem Schiff Geschichten hören und erzählen, und ein Seemann, wie sehr wird der zum Abenteurlichen derselben disponiert! Er selbst, der, gleichsam ein halber Abenteurer, andre fremde Welten sucht, was sieht er nicht für Abenteuerlichkeiten bei einem ersten stutzigen Anblick! Habe ich dasselbe nicht selbst bei jedem neuen Eintritt in Land, Zeit, Ufer usw. erfahren? Wie oft habe ich mir gesagt: „Ist das das, was du zuerst da sahest?" Und so macht schon der erste staunende Anblick gigan-

1 Der Vogel des Jupiter. – 2 Der griechische Sonnengott Phoibos Apollon auf seinem Sonnenwagen. – 3 Erklärer der griechischen und römischen Mythologie. – 4 In seiner „Aeneis" erzählt Vergil, daß die trojanischen Schiffe in Delphine verwandelt worden seien.

tische Erzählungen[1], Argonautika[2], Odysseen, Lukianische Reisebeschreibungen usw. Das ist das Frappante der ersten Dämmerungsgesichte; was siehet man in ihnen nicht? Ein Schiffer ist auf solche erste Wahrzeichen recht begierig: nach seiner langen Reise, wie wünscht er nicht Land zu sehen! Und ein neues fremdes Land, was denkt er sich da nicht für Wahrzeichen! Mit welchem Staunen ging ich nicht zu Schiff! Sahe ich nicht zum erstenmal alles wunderbarer, größer, staunender, furchtbarer als nachher, da mir alles bekannt war, da ich das Schiff durchspazierte? Mit welcher Neuerungssucht geht man gegen Land! Wie betrachtet man den ersten Piloten[3] mit seinen hölzernen Schuhen und seinem großen weißen Hut! Man glaubt die ganze französische Nation bis auf ihren König Ludwig den Großen in ihm zu sehen. Wie begierig ist man aufs erste Gesicht, auf die ersten Gesichter! Sollten es auch nur alte Weiber sein, sie sind jetzt nichts als fremde Seltenheiten, Französinnen. Wie bildet man sich zuerst Begriffe nach *einem* Hause, nach wenigen Personen, und wie langsam kommt man dahin, zu sagen, ich kenne ein Land! Nun nehme man diese Begierde, Wunder zu sehen, diese Gewohnheit des Auges, zuerst Wunder zu finden, zusammen: wo werden wahre Erzählungen, wie wird alles poetisch? Ohne daß man lügen kann und will, wird Herodot ein Dichter; wie neu ist er und Orpheus und Homer und Pindar und die tragischen Dichter[4] in diesem Betracht zu lesen! –

Ich gehe weiter. Ein Schiffer, lange an solches Abenteuerliche gewohnt, glaubt's, erzählt's weiter; es wird von Schiffern und Kindern und Narren mit Begierde gehört, forterzählt – und nun? Was gibt's da nicht für Geschichten, die man jetzt von Ost- und Westindien, mit halbverstümmelten Namen, und alles unter dem Schein des Wunderbaren, höret! Von großen Seehelden und Seeräubern, deren Kopf nach dem Tode so weit fortgelaufen, und endlich gibt das eine Denkart, die alle Erzählungen vom Ritter mit dem Schwan[5], von John Mandeville usw. glaubt, erzählt, möglich findet, und selbst wenn man sie unmöglich findet, noch erzählt, noch glaubt. Warum? Man hat sie in der Jugend gelesen; da paßten sie sich mit allen abenteuerlichen Erwartungen, die man sich machte; sie weckten also die Seele eines künftigen Seemannes auf, bildeten sie zu ihren Träumen und bleiben unverweslich. Eine spätere Vernunft, der Anschein

1 Abenteuergeschichten, in denen Riesen, Giganten, eine Rolle spielten. – 2 Titel eines Epos von Apollonios von Rhodos (3. Jh. v. u. Z.), das die Fahrt Jasons und seiner Gefährten, der Argonauten, in die Kolchis zum Inhalt hat. – 3 Lotse. – 4 Gemeint sind die attischen Tragiker Aischylos, Sophokles und Euripides. – 5 Die Lohengrinsage aus dem deutschen Volksbuch „Der Schwanenritter".

eines Augenblicks kann nicht Träume der Kindheit, den Glauben eines ganzen Lebens zerstören; jede etwas ähnliche Erzählung, die man als wahr gehört (obgleich von Unwissenden, von halben Abenteurern), hat sie bestätigt; jedes Abenteuer, das wir selbst erfahren, bestätigt – wer will sie widerlegen? Wie schwer ist's zu zeigen, daß es kein Paradies, mit feurigen Drachen bewahrt, keine Hölle Mandevilles, keinen babylonischen Turm gebe! Daß der Kaiser von Siam in seinem Golde das nicht sei, was er in solcher Dichtung vorstelle! Daß die weißen Schwanen und der Ritter mit ihnen Possen sind! Es ist schwer zu glauben, sagt man höchstens und erzählt's fort oder streitet dafür mehr als für die Bibel. Ist aber ein solcher Leichtgläubiger deswegen in jeder Absicht ein Tor, ein dummes Vieh? O wahrhaftig nicht! Solche Träume und geglaubte Possen seines Standes, seiner Erziehung, seiner Bildung, seiner Denkart ausgenommen, und er kann ein sehr vernünftiger, tätiger, tüchtiger, kluger Kerl sein. ...

Man bildet sich ein, daß man auf Meeren, indem man Länder und Weltteile vorbeifliegt, man viel von ihnen denken werde; allein diese Länder und Weltteile siehet man nicht. Sie sind nur fernherstehende Nebel, und so sind auch meistens die Ideen von ihnen für gemeine Seelen. Es ist kein Unterschied, ob das jetzt das kurische, preußische, pommersche, dänische, schwedische, norwegische, holländische, englische, französische Meer ist; wie unsre Schiffahrt geht, ist's nur überall Meer. Die Schiffahrt der Alten war hierin anders. Sie zeigte Küsten und Menschengattungen, in ihren Schlachten redeten Charaktere und Menschen – jetzt ist alles Kunst, Schlacht und Krieg und Seefahrt und alles. Ich wollte den Reisebeschreiber zu Hülfe nehmen, um an den Küsten jedes Landes dasselbe zu denken, als ob ich's sähe; aber noch vergebens. Ich fand nichts als Okularverzeichnisse[1] und sahe nichts als entfernte Küsten. Livland, du Provinz der Barbarei und des Luxus, der Unwissenheit und eines angemaßten Geschmacks, der Freiheit und der Sklaverei, wie viel wäre in dir zu tun! Zu tun, um die Barbarei zu zerstören, die Unwissenheit auszurotten, die Kultur und Freiheit auszubreiten, ein zweiter Zwinglius, Calvin und Luther dieser Provinz zu werden! Kann ich's werden? Habe ich dazu Anlage, Gelegenheit, Talente? Was muß ich tun, um es zu werden? Was muß ich zerstören? Ich frage noch! Unnütze Kritiken und tote Untersuchungen aufgeben, mich über Streitigkeiten und Bücherverdienste erheben, mich zum Nutzen und zur Bildung der lebenden Welt einweihen, das Zu-

1 Verzeichnisse nach dem Augenschein.

trauen der Regierung, des Gouvernements und Hofes gewinnen, Frankreich, England und Italien und Deutschland in diesem Betracht durchreisen, französische Sprache und Wohlstand, englischen Geist der Realität und Freiheit, italienischen Geschmack feiner Erfindungen, deutsche Gründlichkeit und Kenntnisse und endlich, wo es nötig ist, holländische Gelehrsamkeit einsammlen, große Begriffe von mir und große Absichten in mir erwecken, mich meinem Zeitalter bequemen und den Geist der Gesetzgebung, des Kommerzes und der Polizei gewinnen, alles im Gesichtspunkt von Politik, Staat und Finanzen einzusehen wagen, keine Blößen mehr geben und die vorigen so kurz und gut als möglich zu verbessern suchen, Nächte und Tage darauf denken, dieser Genius Livlands zu werden, es tot und lebendig kennenzulernen, alles praktisch zu denken und zu unternehmen, mich anzugewöhnen, Welt, Adel und Menschen zu überreden, auf meine Seite zu bringen wissen – edler Jüngling, das alles schläft in dir, aber unausgeführt und verwahrloset! Die Kleinheit deiner Erziehung, die Sklaverei deines Geburtslandes, der Bagatellenkram deines Jahrhunderts, die Unstetigkeit deiner Laufbahn hat dich eingeschränkt, dich so herabgesenkt, daß du dich nicht erkennest. In kritischen unnützen, groben, elenden Wäldern[1] verlierst du das Feuer deiner Jugend, die beste Hitze deines Genies, die größte Stärke deiner Leidenschaft, zu unternehmen. Du wirst eine so träge, lache[2] Seele wie alle Fibern und Nerven deines Körpers. Elender, was ist's, das dich beschäftigt und was dich beschäftigen sollte und nach Gelegenheit, Anlaß und Pflicht beschäftigen könnte? – Oh, daß eine Eumenide mir in meinen Wäldern erschiene, mich zu erschrecken, mich aus denselben auf ewig zu jagen und mich in die große nutzbare Welt zu bannen! Livland ist eine Provinz, den Fremden gegeben! Viele Fremde haben es, aber bisher nur auf ihre kaufmännische Art, zum Reichwerden, genossen; mir, auch einem Fremden, ist's zu einem höhern Zwecke gegeben: es zu bilden! Dazu sei mein geistliches Amt, die Kolonie einer verbesserten evangelischen Religion zu machen: nicht schriftlich, nicht durch Federkriege, sondern lebendig, durch Bildung. Dazu habe ich Raum, Zeit und Gelegenheit; ich bin ohne drückende Aufsicht; ich habe alle Groß-, Gut- und Edeldenkende, gegen ein paar Pedanten, auf meiner Seite; ich habe freie Hand. Lasset uns also anfangen, den Menschen und menschliche Tugend recht kennen und predigen zu lernen, ehe man sich in tiefere Sachen mischet! Die menschliche Seele, an sich und

1 Anspielung auf die anonym erschienenen „Kritischen Wälder" Herders. – 2 schlaff, kraftlos.

in ihrer Erscheinung auf dieser Erde, ihre sinnlichen Werkzeuge und Gewichte und Hoffnung[en] und Vergnügen und Charaktere und Pflichten und alles, was Menschen hier glücklich machen kann, sei meine erste Aussicht. Alles übrige werde bloß beiseite gesetzt, solange ich hiezu Materialien sammle und alle Triebfedern, die im menschlichen Herzen liegen, vom Schreckhaften und Wunderbaren bis zum Stillnachdenkenden und Sanftbetäubenden, kennen, erwekken, verwalten und brauchen lernen. Hiezu will ich in der Geschichte aller Zeiten Data sammlen; jede soll mir das Bild ihrer eignen Sitten, Gebräuche, Tugenden, Laster und Glückseligkeiten liefern, und so will ich alles bis auf unsre Zeit zurückführen und diese recht nutzen lernen. Das menschliche Geschlecht hat in allen seinen Zeitaltern, nur in jedem auf andre Art, Glückseligkeit zur Summe; wir, in dem unsrigen, schweifen aus, wenn wir wie Rousseau Zeiten preisen, die nicht mehr sind und nicht gewesen sind, wenn wir aus diesen zu unserm Mißvergnügen Romanbilder schaffen und uns wegwerfen, um uns nicht selbst zu genießen. Suche also auch selbst aus den Zeiten der Bibel nur Religion und Tugend und Vorbilder und Glückseligkeiten, die für uns sind: werde ein Prediger der Tugend *deines Zeitalters*! O wieviel habe ich damit zu tun, daß ich's werde! Wieviel bin ich aber, wenn ich's bin! – Welch ein großes Thema, zu zeigen, daß man, um zu sein, was man sein soll, weder Jude noch Araber noch Grieche noch Wilder noch Märtrer[1] noch Wallfahrter sein müsse, sondern eben der aufgeklärte, unterrichtete, feine, vernünftige, gebildete, tugendhafte, genießende Mensch, den Gott auf der Stufe unsrer Kultur fodert. Hier werde alles das Gute gezeigt, was wir in unserm Zeitalter, Künsten, Höflichkeit, Leben usw. für andern Zeitaltern, Gegenden und Ländern haben[2]; alsdenn das Große und Gute aus andern dazugenommen, sollte es auch nur zur Nacheiferung sein, soweit es möglich wäre, es zu verbinden – o was schläft in alledem für Aufweckung der Menschheit! Das ist eine Tugend und Glückseligkeit und Erregung, gesammlet aus mehr als aus Iselins „Geschichte", aus dem lebendigen Vorstellen der Bilder aller Zeiten und Sitten und Völker; und gleichsam daraus die Geschichte eines Agathon[3] in jeder Nation gedichtet! Welch ein großes Studium, für Einbildungskraft und Verstand und Herz und Affekten! Einer aus Judäa und ein Hiob aus Arabien und ein Beschauer Ägyptens und ein römischer Held und ein Pfaffenfreund und ein Kreuzzieher und ein Virtuose unsres

1 Märtyrer. – 2 andern . . . voraus haben. – 3 Anspielung auf den Titelhelden des Erziehungsromans von Christoph Martin Wieland, 1766/67 erschienen.

Jahrhunderts gegeneinander und in allem Geist ihres Zeitalters, Gestalt ihrer Seele, Bildungsart ihres Charakters, Produkt ihrer Tugend und Glückseligkeit: das sind Fragmente über die Moral und Religion aller Völker, Sitten und Zeiten, für unsre Zeit – wie weit lasse ich damit hinter mir die Bruckers und die Postillenprediger und die Mosheimschen[1] Moralien! Ein solches großes Geschäfte, in seiner Vollendung, welch ein Werk würde es für die Welt! Aber was sorge ich für die Welt, da ich für mich und meine Welt und mein Leben zu sorgen und also aus meinem Leben zu schöpfen habe. Was also zu tun? Dies in allen Szenen zu betrachten und zu studieren! Die ersten Spiele der Einbildungskraft der Jugend und die ersten starken Eindrücke auf die weiche empfindbare Seele zu behorchen; aus jenen vieles in der Geschichte unsres Geschmacks und Denkart erklären, aus dieser alles Rührende und Erregende brauchen zu lernen! Das erste Verderben eines guten Jünglings auf seine Lebenszeit; was gibt's auch aus meinem Leben für rührende Züge, die noch jetzt alle meine Tränen locken und so viel homogene ähnliche Verwirrungen und Schwächungen auf mein ganzes Leben würken! Alsdenn das Wunderbare und immer Gute, was jeder Schritt unsres Lebens mit sich bringet; weiter, ein Bild von allen Gesichten und Nationen und merkwürdigen Charakteren und Erfahrungen, die ich aus meinem Leben mich erinnere – was für Geist und Leben muß dies in meine Denkart, Vortrag, Predigt, Umgang bringen! So lernte ich ganz mein Leben brauchen, nutzen, anwenden; kein Schritt, Geschichte, Erfahrung wäre vergebens; ich hätte alles in meiner Gewalt; nichts wäre verlöscht, nichts unfruchtbar; alles würde Hebel, mich weiter fortzubringen. Dazu reise ich jetzt; dazu will ich mein Tagebuch schreiben; dazu will ich Bemerkungen sammlen; dazu meinen Geist in eine Bemerkungslage setzen; dazu mich in der lebendigen Anwendung dessen, was ich sehe und weiß, was ich gesehen und gewesen bin, üben! Wie viel habe ich zu diesem Zwecke an mir aufzuwecken und zu ändern! . . .

AN KAROLINE FLACHSLAND

Straßburg, 22. September 1770

Statt aller Antworten, meine Vortreffliche, Liebe, Beste, die ich Ihnen auf so manche Ihrer Unruhen, Fragen, Zweifel und insonder-

1 Moraltheologen des 18. Jahrhunderts.

heit auf das schöne Gemälde Ihres Schwagers von mir machen könnte, sollte – aber nicht will, sehen Sie hier Szenen aus meinem Leben! Die Wahrheit schreibt sie; die Freundschaft wird sie lesen, glauben und verbrennen!

Ich bin in einer dunkeln, aber nicht dürftigen Mittelmäßigkeit geboren, und von Kindheit auf erinnre ich mich nichts als Szenen entweder der Empfindsamkeit und Rührung oder eines einsamen Gedankentraums, der meistens von Planen des Ehrgeizes belebt wurde, die man in einem Kinde nicht sucht. Ich hatte also, so verwöhnt und mütterlich[1] ich war, so entfernt von Gelehrsamkeit und Bildung ich sein mochte, ich hatte also von meiner Kindheit an Charakter, wahrhaftig Charakter, und ich könnte Ihnen davon sonderbare Proben erzählen!

Aus tausend Vorurteilen wollten meine Eltern mich nicht zur Wissenschaft bestimmen; ein Heuchler[2], der mir auf meine ganze Lebenszeit die Heuchler zu den schwärzesten Leuten gemacht hat und der sich sehr in die Sachen meiner Familie mischte, vermehrte diese Schwürigkeit ins unendliche. Betäubt, unwissend, mußte ich blindlings folgen; ging nach Königsberg, mit einem russischen Oberfeldarzt[3], einem Freunde meiner Eltern, um mein Auge kurieren zu lassen. Zum Glück ward er schnell nach Petersburg gerufen, tat mir die lockendsten Anträge, und ich – ging hin und ließ mich immatrikulieren[4]. Unwissend, einfältig, unbekannt, wie ich war, ohne meiner Eltern Erlaubnis und wider den Willen dessen, dem ich anvertraut war, ja ohne Geld und Aussicht auch nur auf drei Wochen ging ich auf die Akademie. Und noch bis jetzt hat es mich nicht gereuet – raten Sie, ob ich Charakter habe?

Zugleich schrieb ich meinen Eltern, daß ich in meinem ganzen akademischen Leben keinen Schilling von dem Meinigen verlangte! Und ich habe es auch nie verlangt. Ich habe studiert und gelehrt und geschwärmt und mich auf der Akademie in Ansehen gesetzt und diese Jahre zugebracht, daß ich sie mir wieder zurückwünsche – und das alles ohne meiner Eltern Kosten –; raten Sie, ob ich Charakter habe oder nicht?

Mein Vater starb; meine Mutter und Geschwister gerieten durch meine Schwäger in Verwirrung und Verlegenheit; ich ging, durch den leichtsinnigsten Zufall von der Welt, aus dem Lande und hätte also mit Sr. Majestät dem Könige teilen müssen[5] – von allem kurz

1 Von der Mutter beeinflußt. – 2 Gemeint ist der Mohrunger Diakon Sebastian Friedrich Trescho. – 3 Johann Christian Schwartz-Erla. – 4 An der Königsberger theologischen Fakultät. – 5 Nach preußischem Recht hätte Herder nach seiner Übersiedlung ins russische Riga einen Teil seiner Erbschaft an den König von Preußen abtreten müssen.

Karoline Flachsland um 1770

zu kommen, schrieb ich an meine Kuratoren, daß ich mein Erbteil meiner Mutter schenkte. Und weil bald drauf meine ältste Schwester zum Glück im zweiten Jahre einer unglücklichen Ehe starb, so bestimmte ich's gleich nach dem etwanigen Tode meiner Mutter an ihren nachgelassenen unmündigen Waisen.

In Livland besaß ich in kurzer Zeit die ganze Liebe der Stadt, die Freundschaft dreier der würdigsten Leute, die ich kenne, die Hochachtung der originalsten Köpfe, die mir mit in meinem Leben aufgestoßen sind und von denen und ihrem wunderbaren Zutrauen ich Bücher schreiben könnte; auf der andern Seite den Haß der ganzen Geistlichkeit, ohne daß sie gegen mich einen Finger regen wollte oder konnte, und den scheelen Neid einiger kriechenden Geschöpfe. Bei alle dem habe ich in Livland so frei, so ungebunden gelebt, gelehrt, gehandelt – als ich vielleicht nie mehr imstande sein werde zu leben, zu lehren und zu handeln. Sollte dazu nicht *etwas* Charakter gehören? zu allen den Situationen?

Geliebt von Stadt und Gemeine, angebetet von meinen Freunden und einer Anzahl von Jünglingen, die mich für ihren Christus hielten! der Günstling des Gouvernements und der Ritterschaft, die mich weiß Gott zu welchen Ab- und Aussichten bestimmten – ging ich demohngeachtet vom Gipfel dieses Beifalls und aus den Armen einer unglücklichen Freundin, taub zu allen Vorschlägen einer kurzsichtigen Gutherzigkeit; unter Tränen und Aufwallungen aller, die mich kannten, ging ich weg, da mir mein Genius unwiderstehlich zurief: „Nutze deine Jahre und blicke in die Welt!" – Und noch hat's mich keinen Augenblick gereuet!

Ich hatte in Riga Haus gehalten, daß jeder wußte, daß ich mehr ausgab, als meine zwei vereinigte gute Stellen betrugen, und nun wollte ich reisen. Jedermann wunderte sich und riet; jeder hat mißgeraten und sich falsch gewundert – ich bin durch Frankreich und Holland gereiset und hätte noch durch Deutschland, England und Italien reisen wollen; ich bin anständig und verschwenderisch gereiset und bin noch nie in Verlegenheit gewesen. Nicht in Verlegenheit an Kosten und an Aussichten noch weniger.

In Paris bekam ich Briefe zur Reise mit dem Prinzen[1]; ich nahm sie an und genoß die Gnade des Hofes mehr, als es billig war, ohne aber je auf eine Stunde mich zum Sklaven zu machen. Vielmehr war mein tägliches Gespräch die Ahndung, daß ich die Reise nicht vollenden würde. Ich kann sie nicht vollenden. Der erste Ort des Stillstandes zeigt mir, daß sie keine Reise für mich sein würde und

1 Peter von Holstein-Gottorp (1754–1823), 1770/71 Herders Zögling.

ich immer deplaciert bin; entweder hier also eine Änderung, oder ich schleppe mich durch Länder, wo ich gefesselter bin. Was also auch die ganze Welt, was auch meine Liebe zu Italien mir entgegenrede – ich sehe nicht anders, wie ich handeln kann, als so – wie ich handle. Und das muß gehen! Ich handle nach meinem Charakter! und dazu müssen sich Aussichten und Umstände passen.

Ich kenne nicht seit gestern das Frauenzimmer; ich kenne es sogar in einigen der verwickeltsten Auftritte, in der Liebe und in allen Mannigfaltigkeiten der Ehe. Ich habe mehr als *eine* verheiratete Freundin gehabt, die mir keine Seite ihres Herzens verborgen gehalten – – Ich breche hievon ab und setze hinzu, daß, im Fall also ein Mädchen auf mich die Eindrücke machte, die in gewisser Art die ersten und einzigen wären, wenn mein Herz von Seiten belebt wäre, die ich allein mit dem heiligen, göttlichen, süßen, unschuldigen, ewigen Namen Liebe benenne! so wäre es nach meiner Seele unmöglich, mir mit dem ersten Gedanken etwas anders als ewige Szenen der Freundschaft und die reellsten, unveränderlichsten Situationen der Menschheit zu gedenken, die zwo fühlbare, sich einander ergebne Geschöpfe, eins für das andre, zu ihrem und zu der Ihrigen Glück ausbilden können! Mich dünkt, diese Denkart ist von meiner Seele unabtrennlich! Das eigensinnige Schicksal müßte sie denn trennen.

Wenn Lebhaftigkeit Veränderung heißt, so bin ich's, und wehe dem Stande, der Situation, die ein Grab des ewigen Einerlei sein müßte! Aber was ist reicher und unerschöpflicher und mannigfaltiger als die Welt eines menschlichen Herzens? und zweier guten, sich liebenden Herzen? Und was ist unendlicher als der abwechselnde Reichtum der schönen Natur, wenn man nur einmal sein Glück nicht in der Unnatur suchen will? Und wo sind denn die Zwecke, *für die Welt* zu leben, je (wenn man's beides einzurichten weiß) den Zwekken, *für sich* zu leben, *entgegen*? Und wer wollte *einen* Augenblick leben, wenn eins notwendig dem andern *entgegen* sein müßte? Elende, unmenschliche Seelen, die so entartet sind: sie sind nicht Bürger, Menschen, Eheleute, Freunde, nichts!

Und welch eine Welt von immer neuen Reizen kann eine gute, gebildete, zarte weibliche Seele werden? Und welch eine könnten – und werden Sie sein, meine vortreffliche, bescheidne, zarte Freundin! Sie, „der Efeu um etwas, was nur kein Fels ist". – Was soll ich weiter schreiben? O . . .

Herder

AN KAROLINE FLACHSLAND

Bückeburg, 22. August 1772

Noch immer, immer nur Briefe; aber, mein liebes Mädchen, doch auch immer, dünkt mich, bessere und nähere Briefe. Die Ihrigen werden mir von Brief zu Brief so freundschaftlicher, so teilnehmender, daß ich die Feder, die ich sonst ich weiß nicht mit welcher Verzweiflung ergreifen würde, mit Ruhe, mit Munterkeit, mit Freude und Aussicht ergreife.

Ich verdiene den Vorwurf, daß ich von meinem hiesigen Zustande zu *schweigend* bin; aber *rückhaltend*, liebe Freundin, bin ich mit keinem Gedanken. Wie gerne wollt ich Sie *alles* sehen lassen, um mich und in mir! Sie es nur mit *einem* Blick sehen lassen! und wie wollt ich alsdann Ihrem Rat und Einrichtung folgen.

Aber solche Sachen zu schreiben ist teils so weitläuftig, teils mir so lästig, weil ich immer auf unangenehme Ideen mit komme, *an denen ich zum Teil selbst schuld bin,* und immer schielend.

Meine Situation gegen den Grafen[1] ist noch immer dieselbe: unkenntlich, entfernt, nicht füreinander. Da er den Sommer auf einem Landhause ist, so erzeigt er mir meist monatlich die Ehre, mich einen Sonntag hinauszubescheiden; als welche Ehre mir denn allemal die glänzendste Herrlichkeit meiner Seele gewähret. Mich da herausschleppen zu lassen, daß ich vor ihm predige . . ., mich durch eine Predigt zu ehren, die ich vor einem Grafen halten darf . . ., mich gar, wie es meist geschehen, um Abschrift zu ersuchen – – alsdenn von elf morgens bis sechs abend *einerlei* Gänge in Garten und Hain, er und ich, zu promenieren . . ., von keiner wahren Sache, sondern von lauter Spekulation und Metaphysik zu sprechen . . . Sie können glauben, wie ich mich dabei nehme. Ich habe mich ein paarmal herabgelassen, das erbärmlichste Zeug vorzulesen, und da er ungemein gut merkt, lobt er mich nicht mehr. Ich habe, wenn andre auditores[2] mit gebeten waren, mich höchlich über die Ehre erfreuet und mokieret; also wird niemand mehr zu solchem Predigtgastmahl gebeten. Ich kann einen ganzen Nachmittag promenieren, ohne was anders als zu nicken und sanfte Beugungen zu machen – dadurch wird aber im Grunde nichts besser! Ein edler Herr, aber äußerst verwöhnt! ein großer Herr, für sein Land zu groß! ein philosophischer Geist, unter dessen Philosophie ich erliege, und wenn alles, alles – im Lande ist für mich nichts zu tun.

1 Wilhelm von Schaumburg-Lippe (1724–1777), Herders Landesherr in Bückeburg. – 2 (lat.) Zuhörer.

Ein Pastor ohne Gemeine! ein Patron der Schulen ohne Schulen! Konsistorialrat ohne Konsistorium – sehen Sie, was ich bin und sein muß. Alle meine Lieblingsideen von Predigtamt sind zum Teil an diesem Ort vernichtet, werden mir wenigstens immer, wenn ich ihn und meinen Zuschnitt hier ansehe, vernichtet und jede neue Predigt mir schon zum Teil ekel. Ich hab's schon unterstrichen, *an deren vielem ich selbst schuld bin*, und wiederhole es. Der hiesige Zustand des Landes beleidigte mich anfangs so sehr, daß ich mich vielleicht entfernter gemacht habe, als ich sollte, um das versteckte Gute kennenzulernen; aber wenigstens *Betriebnis*, dies kennenzulernen, habe ich wenig. Durch die lange Vakanz habe ich für mich wenig eigne Gemeinde, und den übrigen bin ich gelehrt, fein, ein Hofmann, vornehm. Das hält alles ab; durch den Weg der *Gesellschaft*, der *Sozietät*, etwas kennenzulernen ist hier nicht Ort; auf andern Wegen hab ich keine Talente und, wie gesagt, keinen Ruf. So bleibt's. Das Zeug der elenden Räte sieht mich für einen Mißvergnügten, zu Feinen oder zu Groben, zu Geraden, zu Dreusten und also mit aller Hochachtung als einen Dorn sich im Auge an, für den niemand so leicht Niederträchtigkeit begehen kann, ohne daß er knirschet oder redet. Vom großen Haufen guter Leute bin ich aus angeführten Ursachen und aus andern mehr abgesondert, und einen Mittelstand gibt's hier nicht. Als Republik betrachtet, ein Häufchen äußerst verdorbner und der größten, größten Zahl nach armer und elender Menschen, in einem so glücklichen Lande. Möchte uns der liebe Gott nicht so überflüssig viel und gutes Brot wachsen lassen, so konnten wir von Soldaten und befestigten Inseln[1] leben.

Sie sehen, meine liebste Freundin, das alles ginge eigentlich Sie nicht, wenigstens unmittelbar nicht, an. Vielmehr würde Ihre Anwesenheit hieselbst für mich das einzige, einzige Mittel in der Welt gegen alle diese Übel sein. Auch würde ich keinen Augenblick zweifeln, bei alledem Ihnen Glückseligkeit und Ruhe und Tätigkeit und Freundschaft für mich hier zuzutrauen, im reichsten Grade; denn *wo* ist's, wie man träumt? *wer* kann die Welt ändern? Und es ist nur falsch, daß sich auch in verdorbnen Verfassungen nicht glücklich leben lasse; da, glaub ich, fühlt sich eben die gesunde, stille, wahre Jugend am meisten, am edelsten, am unverdorbensten. Und denn, das meiste ist, wie gesagt, für mich *jetzt* nur so, und mit *Ihnen* ändert sich auch für mich alles! alles! Als Ehemann werde ich

1 Der Graf unterhielt 2000 Soldaten und hatte im Steinhuder Meer Forts errichten lassen.

Freund, Bürger, Mensch; jetzt bin ich ein – Einsamer, ein künstlicher Geist, zu weit von andern abstehend; mein Feuer ist zu subtil, diesen Klumpen Wald zu zünden.

Und also kommt's wieder auf das dumme Ding an, worüber ich schon letztens so dumm und schief mich ausgedrückt habe. Hören Sie also, liebste Freundin, auch darüber lieber geradezu die Wahrheit. Es ist die einzige und wahre Vertraulichkeit, die ich Ihnen damit mehr beweise als durch Biegung und Rückhalt.

Das unermeßliche Zutrauen, das ich zu Ihnen in hundert größern, ungenannten Sachen habe, macht's gewiß nur zur kleinsten, daß Sie mit einem Freunde, bei dem Sie ein gutes Herz und eine Teilgebung seines ganzen Selbst sehen, nicht auch eine Mittelmäßigkeit des Schicksals ertragen und reichlich versüßen könnten. Eben darin ist's, worin ich Ihnen unendlichen Triumph zutraue und ebensosehr auf Ihren Umgang und ewige Freundschaft hoffe, um – ich Verwöhnter! Üppiger! – in die süße Ordnung der Natur geführt zu werden. Also hierin wieder nicht unrecht verstanden! Es kommt also alles nur, meine liebe Flachsland, auf das an, was von mir abhangt, nämlich Sie empfangen zu können! Ihrer Güte und Liebe nur erst Raum, freien Würkungskreis verschaffen zu können – sehen Sie, das bin ich Ihnen, mir, der Welt, allem schuldig. Und das ist das elende, kleine Hindernis, zu dem ich wieder selbst durch meine Unbedachtsamkeit so vieles beigetragen habe. Ich habe vom Prinzen[1] frei und großmütig gehen wollen und mußte also arm von ihm gehen, ohne daß das jemand bedachte. Ich wollte in Livland vom Publikum unabhängig reisen und entsagte also einem Gehalt, das ich ja nicht verdiente. Ich traute Freunden mehr zu, als ich sollte oder verdiente; habe mich an diesem Ort so geirrt – lassen Sie mich nicht in ein Detail eingehen. Geld, was ich mit Michael[2] vorigen Jahrs haben sollte, habe ich noch nicht. Dabei habe ich in meiner Hitze eines Plans hier im Anfange, ehe ich den Ort kannte, weil hier kein Buch zu haben ist, hübsch Bücherschulden gemacht, so manches Lehrgeld geben müssen etc. Sie sehen meine Aufrichtigkeit, meine liebste Freundin, und daß es also von mir eine *Sündenschuld* ist, *die ich von morgen bis abend fühle* und allemal, wenn ich auf meinem Walle jetzt unter dem lieben Mondschein mit großen Schritten spaziere, wenn ich täglich millionenmal die Last meines Nichtssein und meiner Einsamkeit fühle und Dich, holdes Mädchen, zu meiner Führerin, Muse, Freundin und Ordnungstifterin wünsche, reiflich gnug überlege. Harre also noch auf wenige Zeit,

1 Peter von Holstein-Gottorp. – 2 Der Michaelstag, der 29. September.

mein liebes Mädchen. Diese wenige Zeit ist jetzt die *kritischste* auf unser Leben und kann in vielem Betracht uns durch ein kleines Harren so nützlich werden.

Hier aber muß ich nun, ehe ich ein Wort fortschreibe, alles höfliche, demütige, weinerliche und jungfräuliche Gegenkompliment verbitten. Sprichst Du noch davon *ein* Wort, wie so manchmal Murmelungen gewesen, auf die ich nur einmal anfangs in Straßburg geantwortet, nachher nicht weiter – jetzt aber nur *ein* Wort! – so bist Du, liebes Mädchen, ein – Frauenzimmer. Und nun umgekehrt.

Alsdenn habe ich gleich eine große, große Bitte an Dich, mein liebes Weibchen, nämlich mir ein oder ein paar Kinder zu erziehen. Aber nicht solche, wie Sie sich neulich so höflich angeboten haben, sondern den Sohn meiner Schwester, einen Waisen, glaub ich, von fünf oder sechs Jahren, der ohne Mutter und gewiß ohne Erziehung wäre. Meine Mutter rühmt sehr vieles von ihm, und ich kann's glauben, daß er den Namen seines nie gesehnen Onkels vom zweiten Jahr an hat stammlen gelernt. Der kleine Junge wäre mir ein großer Wunsch des Lebens, der uns beiden viel Vergnügen brächte und für den zu sorgen ich doch schuldig wäre etc. Ich besinne mich eben, daß das zweite hier nicht in Bückeburg angeht. – Aber nun, nach alle dem Geschwätz:

aus dem Hause des Geheimerats[1] sollt Du nicht, mein liebes Mädchen;

Dich um Deine Schwester, so sehr sie's verdiene, *aufopfern* oder *Dich unnütz grämen*, sollt Du nicht!

Aber alles tun, was Du kannst, und alles Gute hoffen, was Du verdienst, das sollt! das mußt Du! Siehe, das sind drei Gebote Gottes.

Heil zum Maskenball! Allerdings sind dies die ersten schönen Tage unsrer Bekanntschaft, da ich Ihnen frühmorgens zwischen vier und fünf den ersten Brief schrieb und ich so verwirrt und außer mir im Garten und Wäldchen irrte. O welche süße, träumerische St. Johannsnachtszeiten[2] und Feenmärchen im Gedächtnis! Wie diese schöne, aufbrechende Rosenknospe, für der man zittert und nach der man hin will etc. Sie werden es jetzt, glaub ich, schon immer mehr sehen, warum Sie mich damals bei allem Äußern so *rückhaltend* gefunden, bei allem Zerschmelzen so *dumm verwirrt*. Wie fand ich Sie? wer war ich? wo Ihrer wert? und wo mit Ihnen hin? und wie vieles Eitle steckte dem Knaben im Herzen? etc. etc.

1 Gemeint ist der Schwager Karoline Flachslands. – 2 Die Johannisnacht ist die Nacht vom 24. zum 25. Juni.

Indes bei alle dem Zaubermäßigen liebe ich Dich jetzt noch weit, weit *mehr* als damals; denn ich liebe dich *gründlicher*. Was habe ich in der Zeit von Ihnen genossen? was erkannt? was sind Sie mir nicht gewesen?

Heil dem Ball auf meinem Geburtstage nochmals und unserm Vermählungstage und Ihres unmündigen Tyrannen[1] Namenstage! Heil ihm in aller Gestalt! Aber denn schleiche Dich, o Mädchen, in dieser Zeit wenigstens nur Augenblicke, die muntersten Augenblicke, morgens aus und streue eine Blume, die Du findest, hin, und siehe gen Himmel, und denk an mich, und sei, was Du bist, munter! leicht! lustig! . . .

H.

AUS: ABHANDLUNG ÜBER DEN URSPRUNG DER SPRACHE

. . . *Lücken und Mängel können doch nicht der Charakter seiner Gattung sein*, oder die Natur war gegen ihn die härteste Stiefmutter, da sie gegen jedes Insekt die liebreichste Mutter war. Jedem Insekt gab sie, was und wieviel es brauchte: Sinne zu Vorstellungen und Vorstellungen, in Triebe gediegen[2], Organe zur Sprache, soviel es bedorfte, und Organe, diese Sprache zu verstehen. Bei dem Menschen ist alles in dem größten Mißverhältnis: Sinne und Bedürfnisse, Kräfte und Kreis der Würksamkeit, der auf ihn wartet, seine Organe und seine Sprache. Es muß uns also ein gewisses Mittelglied fehlen, die so abstehende Glieder der Verhältnis zu berechnen.

Fänden wir's, so wäre nach aller Analogie der Natur diese Schadloshaltung seine Eigenheit, der Charakter seines Geschlechts, und alle Vernunft und Billigkeit foderte, diesen Fund für das gelten zu lassen, was er ist, für Naturgabe, ihm so wesentlich als den Tieren der Instinkt.

Ja, fänden wir eben in diesem Charakter die Ursache jener Mängel und eben in der Mitte dieser Mängel, in der Höhle jener großen Entbehrung von Kunsttrieben, den Keim zum Ersatze, so wäre diese Einstimmung ein genetischer[3] Beweis, daß hier die wahre Richtung der Menschheit liege und daß die Menschengattung über

1 Ludwig IX. (1719–1790), ab 1768 Landgraf von Hessen-Darmstadt. – 2 gediehen. – 3 entwicklungsmäßig.

den Tieren nicht an Stufen des Mehr oder Weniger stehe, sondern an Art.

Und fänden wir in diesem neu gefundnen Charakter der Menschheit sogar den notwendigen genetischen Grund zur Entstehung einer Sprache für diese neue Art Geschöpfe, wie wir in den Instinkten der Tiere den unmittelbaren Grund zur Sprache für jede Gattung fanden, so sind wir ganz am Ziele. In dem Falle würde die Sprache *dem Menschen so wesentlich, als – er ein Mensch ist.* Man siehet, ich entwickle aus keinen willkürlichen oder gesellschaftlichen Kräften, sondern aus der allgemeinen tierischen Ökonomie.

Und nun folgt, daß wenn der Mensch Sinne hat, die für einen kleinen Fleck der Erde, für die Arbeit und den Genuß einer Weltspanne den Sinnen des Tiers, das in dieser Spanne lebet, nachstehen an Schärfe, so bekommen sie eben dadurch *Vorzug der Freiheit.* Eben weil sie nicht für *einen* Punkt sind, so sind sie allgemeinere Sinne der Welt.

Wenn der Mensch Vorstellungskräfte hat, die nicht auf den Bau einer Honigzelle und eines Spinngewebes bezirkt sind und also auch den Kunstfähigkeiten der Tiere in diesem Kreise nachstehen, so bekommen sie eben damit *weitere Aussicht.* Er hat kein einziges Werk, bei dem er also auch unverbesserlich handle; aber er hat freien Raum, sich an vielem zu üben, mithin sich immer zu verbessern. Jeder Gedanke ist nicht ein unmittelbares Werk der Natur, aber eben damit kann's sein eigen Werk werden.

Wenn also hiermit der Instinkt wegfallen muß, der bloß aus der Organisation der Sinne und dem Bezirk der Vorstellungen folgte und keine blinde Determination war, so bekommt eben hiemit der Mensch *mehrere Helle.* Da er auf keinen Punkt blind fällt und blind liegen bleibt, so wird er freistehend, kann sich eine Sphäre der Bespiegelung suchen, kann sich in sich bespiegeln. Nicht mehr eine unfehlbare Maschine in den Händen der Natur, wird er sich selbst Zweck und Ziel der Bearbeitung.

Man nenne diese ganze Disposition seiner Kräfte, wie man wolle: Verstand, Vernunft, Besinnung usw. – wenn man diese Namen nicht für abgesonderte Kräfte oder für bloße Stufenerhöhungen der Tierkräfte annimmt, so gilt's mir gleich. Es ist die ganze Einrichtung aller menschlichen Kräfte, die ganze Haushaltung seiner sinnlichen und erkennenden, seiner erkennenden und wollenden Natur, oder vielmehr, es ist die einzige positive Kraft des Denkens, die, mit einer gewissen Organisation des Körpers verbunden, bei den Menschen so Vernunft heißt, wie sie bei den Tieren Kunstfähigkeit wird; die bei ihm Freiheit heißt und bei den Tieren Instinkt wird. Der Unterschied ist nicht in Stufen oder Zugabe von Kräften, sondern in einer ganz verschiedenartigen Richtung und Auswickelung aller Kräfte. Man sei Leibnizianer oder Lockianer, Search oder Knowall, Idealist oder Materialist, so muß man bei einem Einverständnis über die Worte zufolge des Vorigen die Sache zugeben: *einen eignen Charakter der Menschheit*, der hierin und in nichts anders bestehet.

Alle, die dagegen Schwürigkeit gemacht, sind durch falsche Vorstellungen und unaufgeräumte Begriffe hintergangen. Man hat sich die Vernunft des Menschen als eine neue, ganz abgetrennte Kraft in die Seele hineingedacht, die dem Menschen als eine Zugabe vor allen Tieren zu eigen geworden und die also auch, wie die vierte Stufe einer Leiter nach den drei untersten, allein betrachtet werden müsse; und das ist freilich, es mögen es so große Philosophen sagen, als da wollen, philosophischer Unsinn. Alle Kräfte unsrer und der Tierseelen sind nichts als metaphysische Abstraktionen, Würkungen! Sie werden abgeteilt, weil sie von unserm schwachen Geiste nicht auf einmal betrachtet werden konnten; sie stehen in Kapiteln, nicht weil sie so kapitelweise in der Natur würkten, sondern ein Lehrling sie sich vielleicht so am besten entwickelt. Daß wir gewisse ihrer Verrichtungen unter gewisse Hauptnamen gebracht haben, z. E. Witz[1], Scharfsinn, Phantasie, Vernunft, ist nicht, als wenn je eine einzige Handlung des Geistes möglich wäre, wo der Witz oder die Vernunft allein würkt, sondern nur, weil wir in dieser Handlung am meisten von der Abstraktion entdecken, die wir Witz oder Vernunft nennen, z. E. Vergleichung oder Deutlichmachung der Ideen; überall aber würkt die ganze unabgeteilte Seele. Konnte ein Mensch je eine einzige Handlung tun, bei der er völlig wie ein Tier dachte, so ist er auch durchaus kein Mensch mehr, gar keiner menschlichen Handlung mehr fähig. War er einen einzigen Augenblick ohne Vernunft, so sähe ich nicht, wie er je in seinem Leben mit Vernunft denken könne – oder seine ganze Seele, die ganze Haushaltung seiner Natur ward geändert.

Nach richtigern Begriffen ist die Vernunftmäßigkeit des Menschen, der Charakter seiner Gattung, etwas anders, nämlich: die gänzliche Bestimmung seiner denkenden Kraft im Verhältnis seiner Sinnlichkeit und Triebe. Und da konnte es, alle vorigen Analogien zu Hülfe genommen, nichts anders sein, als daß –

1 Verstand, Geist.

wenn der Mensch Triebe der Tiere hätte, er das nicht haben könnte, was wir jetzt Vernunft in ihm nennen; denn eben diese Triebe rissen ja seine Kräfte so dunkel auf einen Punkt hin, daß ihm kein freier Besinnungskreis ward. Es mußte sein, daß –

wenn der Mensch Sinne der Tiere, er keine Vernunft hätte; denn eben die starke Reizbarkeit seiner Sinne, eben die durch sie mächtig andringenden Vorstellungen mußten alle kalte Besonnenheit erstikken. Aber umgekehrt mußte es auch nach eben diesen Verbindungsgesetzen der haushaltenden Natur sein, daß –

wenn tierische Sinnlichkeit und Eingeschlossenheit auf einen Punkt wegfiele, so wurde ein ander Geschöpf, dessen positive Kraft sich in größerm Raume, nach feinerer Organisation, heller äußerte: das, abgetrennt und frei, nicht bloß erkennet, will und würkt, sondern auch weiß, daß es erkenne, wolle und würke. Dies Geschöpf ist der Mensch, und diese ganze Disposition seiner Natur wollen wir, um den Verwirrungen mit eignen Vernunftkräften usw. zu entkommen, *Besonnenheit* nennen. Es folgt also nach eben diesen Verbindungsregeln, da alle die Wörter Sinnlichkeit und Instinkt, Phantasie und Vernunft doch nur Bestimmungen einer einzigen Kraft sind, wo Entgegensetzungen einander aufheben, daß –

wenn der Mensch *kein instinktmäßiges Tier sein sollte*, er vermöge der freier würkenden positiven Kraft seiner Seele *ein besonnenes Geschöpf sein mußte*. – Wenn ich die Kette dieser Schlüsse noch einige Schritte weiter ziehe, so bekomme ich damit vor künftigen Einwendungen einen den Weg sehr kürzenden Vorsprung.

Ist nämlich die Vernunft keine abgeteilte, einzelwürkende Kraft, sondern eine seiner Gattung eigne Richtung aller Kräfte, so muß der Mensch sie im ersten Zustande haben, da er Mensch ist. Im ersten Gedanken des Kindes muß sich diese Besonnenheit zeigen, wie bei dem Insekt, daß es Insekt war. – Das hat nun mehr als ein Schriftsteller nicht begreifen können, und daher ist die Materie, über die ich schreibe, mit den rohesten, ekelhaftesten Einwürfen angefüllet; aber sie konnten es nicht begreifen, weil sie es mißverstanden. Heißt denn vernünftig denken mit *ausgebildeter* Vernunft denken? Heißt's, der Säugling denke mit Besonnenheit, er räsoniere wie ein Sophist auf seinem Katheder oder der Staatsmann in seinem Kabinett? Glücklich und dreimal glücklich, daß er von diesem ermattenden Wust von Vernünfteleien noch nichts wußte! Aber siehet man denn nicht, daß dieser Einwurf bloß einen so und nicht anders, einen mehr oder minder gebildeten Gebrauch der Seelenkräfte und durchaus kein Positives einer Seelenkraft selbst leugne?

Und welcher Tor wird da behaupten, daß der Mensch im ersten Augenblick des Lebens so denke wie nach einer vieljährigen Übung – es sei denn, daß man zugleich das Wachstum aller Seelenkräfte leugne und sich eben damit selbst für einen Unmündigen bekenne? – So wie doch aber dies Wachstum in der Welt nichts bedeuten kann als einen leichtern, stärkern, vielfachern Gebrauch, muß denn das nicht schon dasein, was gebraucht werden, muß es nicht schon Keim sein, was da wachsen soll? Und ist also nicht im Keime der ganze Baum enthalten? – Sowenig das Kind Klauen wie ein Greif und eine Löwenmähne hat, sowenig kann es wie Greif und Löwe denken; denkt es aber menschlich, so ist *Besonnenheit*, d. i. die *Mäßigung aller seiner Kräfte auf diese Hauptrichtung*, schon so im ersten Augenblicke sein Los, wie sie es im letzten sein wird. Die Vernunft äußert sich unter seiner Sinnlichkeit schon so würklich, daß der Allwissende, der diese Seele schuf, in ihrem ersten Zustande schon das ganze Gewebe von Handlungen des Lebens sahe, wie etwa der Meßkünstler nach gegebner Klasse aus einem Gliede der Progression das ganze Verhältnis derselben findet.

„Aber so war doch diese Vernunft damals mehr Vernunftfähigkeit (Réflexion en puissance) als wirkliche Kraft[1]?" Die Ausnahme sagt kein Wort. Bloße, nackte Fähigkeit, die auch ohne vorliegendes Hindernis keine Kraft, nichts als Fähigkeit sei, ist so ein tauber Schall als plastische Formen, die da formen, aber selbst keine Formen sind. Ist mit der Fähigkeit nicht das geringste Positive zu einer Tendenz da, so ist nichts da – so ist das Wort bloß Abstraktion der Schule. Der neuere französische Philosoph[2], der diese Réflexion en puissance[3], diesen Scheinbegriff so blendend gemacht, hat, wie wir sehen werden, immer nur eine Luftblase blendend gemacht, die er eine Zeitlang vor sich hertreibt, die ihm selbst aber unvermutet auf seinem Wege zerspringt. Und ist in der Fähigkeit nichts da, wodurch soll es denn je in die Seele kommen? Ist im ersten Zustande nichts Positives von Vernunft in der Seele, wie wird's bei Millionen der folgenden Zustände würklich werden? Es ist Worttrug, daß der Gebrauch eine Fähigkeit in Kraft, etwas bloß Mögliches in ein Würkliches verwandeln könne – ist nicht schon Kraft da, so kann sie ja nicht gebraucht und angewandt werden. Zudem endlich, was ist beides, eine abgetrennte Vernunftfähigkeit und Vernunftkraft in der Seele? Eines ist so unverständlich als das andre. Setzet den

1 Hier: wirkende Kraft. – 2 Rousseau in seiner „Abhandlung über den Ursprung und die Grundlagen der Ungleichheit unter den Menschen" (1754). – 3 (franz.) Vernunftfähigkeit.

Menschen als das Wesen, was er ist, mit dem Grade von Sinnlichkeit und der Organisation ins Universum: von allen Seiten durch alle Sinne strömt dies in Empfindungen auf ihn los; durch menschliche Sinne? auf menschliche Weise? So wird also, mit den Tieren verglichen, dies denkende Wesen weniger überströmt? Es hat Raum, seine Kraft freier zu äußern, und dieses Verhältnis heißt Vernunftmäßigkeit – wo ist da bloße Fähigkeit? wo abgesonderte Vernunftkraft? Es ist die positive einzige Kraft der Seele, die in solcher Anlage würket – mehr sinnlich, so weniger vernünftig; vernünftiger, so minder lebhaft; heller, so minder dunkel – das versteht sich ja alles! Aber der sinnlichste Zustand des Menschen war noch menschlich, und also würkte in ihm noch immer Besonnenheit, nur im minder merklichen Grade; und der am wenigsten sinnliche Zustand der Tiere war noch tierisch, und also würkte bei aller Klarheit ihrer Gedanken nie Besonnenheit eines menschlichen Begriffs. Und weiter lasset uns nicht mit Worten spielen! –

Es tut mir leid, daß ich so viele Zeit verloren habe, erst bloße Begriffe zu bestimmen und zu ordnen; allein der Verlust war nötig, da dieser ganze Teil der Psychologie in den neuern Zeiten so jämmerlich verwüstet daliegt, da französische Philosophen über einige anscheinende Sonderbarkeiten in der tierischen und menschlichen Natur alles so über- und untereinander geworfen und deutsche Philosophen die meisten Begriffe dieser Art mehr für ihr System und nach ihrem Sehepunkt als darnach ordnen, damit sie Verwirrungen im Sehepunkt der gewöhnlichen Denkart vermeiden. Ich habe auch mit diesem Aufräumen der Begriffe keinen Umweg genommen, sondern wir sind mit einemmal am Ziele! Nämlich:

Der Mensch, in den Zustand der Besonnenheit gesetzt, der ihm eigen ist, und diese Besonnenheit (Reflexion) zum erstenmal frei würkend, hat Sprache erfunden. Denn was ist Reflexion? Was ist Sprache?

Diese Besonnenheit ist ihm charakteristisch eigen und seiner Gattung wesentlich, so auch Sprache und eigne Erfindung der Sprache.

Erfindung der Sprache ist ihm also so natürlich, als er ein Mensch ist! Lasset uns nur beide Begriffe entwickeln: Reflexion und Sprache.

Der Mensch beweiset Reflexion, wenn die Kraft seiner Seele so frei würket, daß sie in dem Ozean von Empfindungen, der sie durch alle Sinnen durchrauschet, eine Welle, wenn ich so sagen darf, absondern, sie anhalten, die Aufmerksamkeit auf sie richten und sich bewußt sein kann, daß sie aufmerke. Er beweiset Reflexion, wenn er aus dem ganzen schwebenden Traum der Bilder, die seine Sinne vorbeistreichen, sich in ein Moment des Wachens sammlen, auf einem Bilde freiwillig verweilen, es in helle, ruhigere Obacht nehmen und sich Merkmale absondern kann, daß dies der Gegenstand und kein andrer sei. Er beweiset also Reflexion, wenn er nicht bloß alle Eigenschaften lebhaft oder klar erkennen, sondern eine oder mehrere als unterscheidende Eigenschaften bei sich anerkennen kann; der erste Actus dieser Anerkenntnis gibt deutlichen Begriff, es ist das erste Urteil der Seele. Und –

wodurch geschahe die Anerkennung? Durch ein Merkmal, was er absondern mußte und was als Merkmal der Besinnung deutlich in ihn fiel. Wohlan! lasset uns ihm das εὕρηκα[1] zurufen! Dies *erste Merkmal der Besinnung war Wort der Seele! Mit ihm ist die menschliche Sprache erfunden.*

Lasset jenes Lamm als Bild sein Auge vorbeigehn, ihm wie keinem andern Tiere. Nicht wie dem hungrigen, witternden Wolfe, nicht wie dem blutleckenden Löwen – die wittern und schmecken schon im Geiste, die Sinnlichkeit hat sie überwältigt, der Instinkt würft sie darüber her. Nicht wie dem brünstigen Schafmanne, der es nur als den Gegenstand seines Genusses fühlt, den also wieder die Sinnlichkeit überwältigt und der Instinkt darüber herwirft; nicht wie jedem andern Tier, dem das Schaf gleichgültig ist, das es also klar-dunkel vorbeistreichen läßt, weil ihn sein Instinkt auf etwas anders wendet. – Nicht so dem Menschen! Sobald er in die Bedürfnis kommt, das Schaf kennenzulernen, so störet ihn kein Instinkt, so reißt ihn kein Sinn auf dasselbe zu nahe hin oder davon ab; es steht da, ganz wie es sich seinen Sinnen äußert: weiß, sanft, wollicht. Seine besonnen sich übende Seele sucht ein Merkmal – das Schaf blöket, sie hat Merkmal gefunden. Der innere Sinn würket. Dies Blöken, das ihr am stärksten Eindruck macht, das sich von allen andern Eigenschaften des Beschauens und Betastens losriß, hervorsprang, am tiefsten eindrang, bleibt ihr. Das Schaf kommt wieder: weiß, sanft, wollicht; sie sieht, tastet, besinnet sich, sucht Merkmal – es blökt, und nun erkennet sie's wieder! „Ha! du bist das Blökende!“ fühlt sie innerlich, sie hat es menschlich erkannt, da sie's deutlich, d. i. mit einem Merkmal, erkennet und nennet. Dunkler? so wäre es ihr gar nicht wahrgenommen, weil keine Sinnlichkeit, kein Instinkt zum Schafe ihr den Mangel des Deutlichen durch ein lebhafteres Klare ersetzte. Deutlich unmittelbar, ohne Merkmal? so kann kein sinnliches Geschöpf außer sich empfinden, da es immer

1 (griech.) Ich hab's gefunden!

andre Gefühle unterdrücken, gleichsam vernichten und immer den Unterschied von zween durch ein drittes erkennen muß. Mit einem Merkmal also? und was war das anders als ein innerliches Merkwort? Der Schall des Blökens, von einer menschlichen Seele als Kennzeichen des Schafs wahrgenommen, ward kraft dieser Besinnung Name des Schafs, und wenn ihn nie seine Zunge zu stammeln versucht hätte. Er erkannte das Schaf am Blöken, es war gefaßtes Zeichen, bei welchem sich die Seele an eine Idee deutlich besann. Was ist das anders als Wort? Und was ist die ganze menschliche Sprache als eine Sammlung solcher Worte? Käme er also auch nie in den Fall, einem andern Geschöpf diese Idee zu geben und also dies Merkmal der Besinnung ihm mit den Lippen vorblöken zu wollen oder zu können, seine Seele hat gleichsam in ihrem Inwendigen geblökt, da sie diesen Schall zum Erinnerungszeichen wählte, und wieder geblökt, da sie ihn daran erkannte – die Sprache ist erfunden! ebenso natürlich und dem Menschen notwendig erfunden, als der Mensch ein Mensch war. ...

(Erster Teil · Zweiter Abschnitt)

Erstes Naturgesetz

Der Mensch ist ein freidenkendes, tätiges Wesen, dessen Kräfte in Progression fortwürken; darum sei er ein Geschöpf der Sprache! ...

Zweites Naturgesetz

Der Mensch ist in seiner Bestimmung ein Geschöpf der Herde, der Gesellschaft; die Fortbildung einer Sprache wird ihm also natürlich, wesentlich, notwendig. ...

Drittes Naturgesetz

So wie das ganze menschliche Geschlecht unmöglich eine Herde bleiben konnte, so konnte es auch nicht eine Sprache behalten. Es wird also eine Bildung verschiedner Nationalsprachen. ...

Viertes Naturgesetz

So wie nach aller Wahrscheinlichkeit das menschliche Geschlecht *ein* progressives Ganze von *einem* Ursprunge in *einer* großen Haushaltung ausmacht, so auch alle Sprachen und mit ihnen die ganze Kette der Bildung. ...

(Zweiter Teil)

AUFSCHRIFT ZU LESSINGS BILDE

Der edle deutsche Mann,
Der Wahrheit liebgewann,
Daß sie ihm, jeglicher Gestalt,
Neu oder alt,
Verachtet oder häßlich gar,
Gleichgültig nimmer war,
Wer – Lessing ist der Mann!

DAS GESCHREI DER KABALE

Und, Damon, grämt dich denn ein Wort
Der kleinen Neidgesellen?
Der hohe Mond – er leuchtet dort
Und läßt die Hunde bellen
Und schweigt und wandelt glänzend fort,
Was Nacht ist, aufzuhellen.

AUS: ALTE FABELN MIT NEUER ANWENDUNG

2.

Ein altes blindes Weib lag krank,
Die Ärzte dokterten sie lang,
Und jeder nahm für jeden Gang
Ein Stückchen Hausrat mit zum Dank.
So ging's ein Weile hin und her,
Das Weib ward sehnd, das Haus war leer.
„Bezahlt uns nun für viele Kunst und Müh!" –
„Ach", sagte sie,
„Trotz meines neuen Angesichts,
Ihr Herrn, seh ich nun – nichts!"

Der alte blinde Mensch liegt krank,
Ihr Herren doktert ihn so lang
Mit Syllogismusarzenei,
Metaphysik, Kritik dabei,

Und nehmt ihm allen Saft und Kraft
Und wo und wie er etwas schafft.
Nun sieht er! Himmel, ei!
Kraft seines neuen Angesichts,
Ihr Herrn, sieht er nun nichts.

3.

Zerstreute hund- und hirtenlose Herde,
Weh dir, da brüllt ein Leu!
„Wo sind nun unsre Hirten?
Ach! wie wir uns verirrten!
Der sel'ge Hund, er war so treu
Und stark dabei,
Und wir ergaben, tumme[1] Herde!
Dem Wolf ihn. Nun vorbei!
Da kommt der Leu.“

Ihr Deutsche, wo ist euer Hus
Und Sickingen und Hutten blieben?
Sind aufgerieben!
Der Deutschen Freiheit Morgengruß!

44.

Zwei Auerstiere ging der Löw einst an.
Sie standen zwei für *einen* Mann.
Da ward nichts draus.
Er ging nach Haus.
Bis er sie, jeden einzeln, fand,
Der Löwe überwand.

Mein Vaterland!
Deutschland!
In allen Welten träuft dein Blut,
Und wem zugut?

1 dumme.

AUS: SHAKESPEARE

Wenn bei einem Manne mir jenes ungeheure Bild einfällt: „Hoch auf einem Felsengipfel sitzend, zu seinen Füßen Sturm, Ungewitter und Brausen des Meers, aber sein Haupt in den Strahlen des Himmels!“, so ist's bei Shakespeare. Nur freilich auch mit dem Zusatz, wie unten am tiefsten Fuße seines Felsenthrones Haufen murmeln, die ihn erklären, retten, verdammen, entschuldigen, anbeten, verleumden, übersetzen und lästern – und die er alle nicht höret!

Welche Bibliothek ist schon über, für und wider ihn geschrieben, die ich nun auf keine Weise zu vermehren Lust habe. Ich möchte es vielmehr gern, daß in dem kleinen Kreise, wo dies gelesen wird, es niemand mehr in den Sinn komme, über, für und wider ihn zu schreiben, ihn weder zu entschuldigen noch zu verleumden, aber zu erklären, zu fühlen, wie er ist, zu nützen und – wo möglich – uns Deutschen herzustellen. Trüge dies Blatt dazu etwas bei!

Die kühnsten Feinde Shakespeares haben ihn – unter wie vielfachen Gestalten! – beschuldigt und verspottet, daß er, wenn auch ein großer Dichter, doch kein guter Schauspieldichter, und wenn auch dies, doch wahrlich kein so klassischer Trauerspieler sei als Sophokles, Euripides, Corneille und Voltaire, die alles Höchste und Ganze dieser Kunst erschöpft. Und die kühnsten Freunde Shakespeares haben sich meistens nur begnüget, ihn hierüber zu entschuldigen, zu retten, seine Schönheiten nur immer mit Anstoß gegen die Regeln[1] zu wägen, zu kompensieren, ihm als Angeklagten das Absolvo[2] zu erreden und denn sein Großes desto mehr zu vergöttern, je mehr sie über Fehler die Achsel ziehen mußten. So stehet die Sache noch bei den neuesten Herausgebern und Kommentatoren über ihn. Ich hoffe, diese Blätter sollen den Gesichtspunkt verändern, daß sein Bild in ein volleres Licht kommt.

Aber ist die Hoffnung nicht zu kühn, gegen so viele große Leute, die ihn schon behandelt, zu anmaßend? Ich glaube nicht. Wenn ich zeige, daß man von beiden Seiten bloß auf ein Vorurteil, auf Wahn gebauet, der nichts ist; wenn ich also nur eine Wolke von den Augen zu nehmen oder höchstens das Bild besser zu stellen habe, ohne im mindesten etwas im Auge oder im Bilde zu ändern, so kann vielleicht meine Zeit oder ein Zufall gar schuld sein, daß ich auf den Punkt getroffen, darauf ich den Leser nun festhalte: „Hier stehe, oder du siehest nichts als Karikatur!“ Wenn wir den großen Knaul

1 Die von Aristoteles theoretisch fixierten Grundregeln des antiken Dramas, die Einheit von Handlung, Zeit und Ort betreffend. – 2 (lat.) Ich spreche frei; die Lossprechungsformel in der katholischen Beichte.

der Gelehrsamkeit denn nur immer auf- und abwinden sollten, ohne je mit ihm weiterzukommen – welches traurige Schicksal um dies höllische Weben!

Es ist von Griechenland aus, da man die Wörter Drama, Tragödie, Komödie geerbet, und so wie die Letternkultur[1] des menschlichen Geschlechts auf einem schmalen Striche des Erdbodens den Weg nur durch die Tradition genommen, so ist in dem Schoße und mit der Sprache dieser natürlich auch ein gewisser Regelnvorrat überall mitgekommen, der von der Lehre unzertrennlich schien. Da die Bildung eines Kindes doch unmöglich durch Vernunft geschehen kann und geschieht, sondern durch Ansehen, Eindruck, Göttlichkeit des Beispiels und der Gewohnheit, so sind ganze Nationen in allem, was sie lernen, noch weit mehr Kinder. Der Kern würde ohne Schlaube[2] nicht wachsen, und sie werden auch nie den Kern ohne Schlaube bekommen, selbst wenn sie von dieser ganz keinen Gebrauch machen könnten. Es ist der Fall mit dem griechischen und nordischen Drama.

In Griechenland entstand das Drama, wie es in Norden nicht entstehen konnte, in Griechenland war's, was es in Norden nicht sein kann. In Norden ist's also nicht und darf nicht sein, was es in Griechenland gewesen. Also Sophokles' Drama und Shakespeares Drama sind zwei Dinge, die in gewissem Betracht kaum den Namen gemein haben. Ich glaube, diese Sätze aus Griechenland selbst beweisen zu können und ebendadurch die Natur des nordischen Drama und des größten Dramatisten in Norden, Shakespeares, sehr zu entziffern. Man wird Genese einer Sache durch die andre, aber zugleich Verwandlung sehen, daß sie gar nicht mehr dieselbe bleibt.

Die griechische Tragödie entstand gleichsam aus *einem* Auftritt, aus dem Impromptu des Dithyramben, des mimischen Tanzes, des Chors. Dieser bekam Zuwachs, Umschmelzung: Äschylus brachte statt einer handelnden Person zween auf die Bühne, erfand den Begriff der Hauptperson und verminderte das Chormäßige. Sophokles fügte die dritte Person hinzu, erfand Bühne[3]. Aus solchem Ursprunge, aber spät, hob sich das griechische Trauerspiel zu seiner Größe empor, ward Meisterstück des menschlichen Geistes, Gipfel der Dichtkunst, den Aristoteles so hoch ehret und wir freilich nicht tief gnug in Sophokles und Euripides bewundern können.

Man siehet aber zugleich, daß aus diesem Ursprunge gewisse Dinge erklärlich werden, die man sonst, als tote Regeln angestau-

1 Die Kultur, die durch Schrift oder Druck verbreitet wird. – 2 Hülse, Schale. – 3 Gemeint ist Bühnenmalerei.

net, erschrecklich verkennen müssen. Jene Simplizität der griechischen Fabel, jene Nüchternheit griechischer Sitten, jenes fort ausgehaltne Kothurnmäßige des Ausdrucks, Musik, Bühne, Einheit des Orts und der Zeit – das alles lag ohne Kunst und Zauberei so natürlich und wesentlich im Ursprunge griechischer Tragödie, daß diese ohne Veredlung zu alle jenem nicht möglich war. Alles das war Schlaube, in der die Frucht wuchs.

Tretet in die Kindheit der damaligen Zeit zurück: Simplizität der Fabel lag würklich so sehr in dem, was Handlung der Vorzeit, der Republik, des Vaterlandes, der Religion, was Heldenhandlung hieß, daß der Dichter eher Mühe hatte, in dieser einfältigen Größe Teile zu entdecken, Anfang, Mittel und Ende dramatisch hineinzubringen, als sie gewaltsam zu sondern, zu verstümmeln oder aus vielen abgesonderten Begebenheiten ein Ganzes zu kneten. Wer jemals Äschylus oder Sophokles gelesen, müßte das nie unbegreiflich finden. Im ersten, was ist die Tragödie als oft ein allegorisch-mythologisch-halbepisches Gemälde, fast ohne Folge der Auftritte, der Geschichte, der Empfindungen, oder gar, wie die Alten sagten, nur noch Chor, dem einige Geschichte zwischengesetzt war. Konnte hier über Simplizität der Fabel die geringste Mühe und Kunst sein? Und war's in den meisten Stücken des Sophokles anders? Sein „Philoktet", „Ajax", vertriebner „Ödipus"[1] usw. nähern sich noch immer so sehr dem Einartigen ihres Ursprunges, dem dramatischen Bilde mitten im Chor. Kein Zweifel, es ist Genesis der griechischen Bühne.

Nun sehe man, wieviel aus der simpeln Bemerkung folge. Nichts minder als: „Das Künstliche ihrer Regeln war – keine Kunst, war Natur!" Einheit der Fabel war Einheit der Handlung, die vor ihnen lag, die nach ihren Zeit-, Vaterlands-, Religions-, Sittenumständen nicht anders als solch ein Eins sein konnte. Einheit des Orts war Einheit des Orts, denn die eine kurze, feierliche Handlung ging nur an einem Ort, im Tempel, Palast, gleichsam auf einem Markt des Vaterlandes vor, so wurde sie im Anfange nur mimisch und erzählend nachgemacht und zwischengeschoben, so kamen endlich die Auftritte, die Szenen hinzu – aber alles natürlich noch *eine* Szene, wo der Chor alles band, wo der Natur der Sache wegen Bühne nie leer bleiben konnte usw. Und daß Einheit der Zeit nun hieraus folgte und natürlich mitging – welchem Kinde brauchte das bewiesen zu werden? Alle diese Dinge lagen damals in der Natur, daß der Dichter mit alle seiner Kunst ohne sie nichts konnte!

Offenbar siehet man also auch, die Kunst der griechischen Dich-

1 Sophokles' „Ödipus auf Kolonos".

ter nahm ganz den entgegengesetzten Weg, den man uns heutzutage aus ihnen zuschreiet. Jene simplifizierten nicht, denke ich, sondern sie vervielfältigten: Äschylus den Chor, Sophokles den Äschylus, und man darf nur die künstlichsten Stücke des letztern und sein großes Meisterstück, den „Ödipus in Thebe"[1], gegen den „Prometheus"[2] oder gegen die Nachrichten vom alten Dithyramb halten, so wird man die erstaunliche Kunst sehen, die ihm da hineinzubringen gelang. Aber niemals Kunst, als vielem ein Eins zu machen, sondern eigentlich aus Einem ein Vieles, ein schönes Labyrinth von Szenen, wo seine größte Sorge blieb, an der verwickeltsten Stelle des Labyrinths seine Zuschauer mit dem Wahn des vorigen Einen umzutauschen, den Knäuel ihrer Empfindungen so sanft und allmählich loszuwinden, als ob sie ihn noch immer ganz hätten, die vorige dithyrambische Empfindung. Dazu zierte er ihnen die Szene aus, behielt ja die Chöre bei und machte sie zu Ruheplätzen der Handlung, erhielt alle mit jedem Wort im Anblick des Ganzen, in Erwartung, in Wahn des Werdens, des Schonhabens (was der lehrreiche Euripides nachher sogleich, da die Bühne kaum gebildet war, wieder verabsäumte!), kurz, er gab der Handlung – eine Sache, die man so erschrecklich mißverstehet – Größe.

Und daß Aristoteles diese Kunst seines Genies in ihm zu schätzen wußte und eben in allem fast das Umgekehrte war, was die neuern Zeiten aus ihm zu drehen beliebt haben, müßte jedem einleuchten, der ihn ohne Wahn und im Standpunkte seiner Zeit gelesen. Eben daß er Thespis und Äschylus verließ und sich ganz an den vielfach dichtenden Sophokles[3] hält, daß er eben von dieser seiner Neuerung ausging, in sie das Wesen der neuen Dichtgattung zu setzen, daß es sein Lieblingsgedanke ward, nun einen neuen Homer zu entwickeln und ihn so vorteilhaft mit dem ersten zu vergleichen, daß er keinen unwesentlichen Umstand vergaß, der nur in der Vorstellung seinen Begriff der Größe habenden Handlung unterstützen konnte – alle das zeigt, daß der große Mann auch im großen Sinn seiner Zeit philosophierte und nichts weniger als an den verengernden kindischen Läppereien schuld ist, die man aus ihm später zum Papiergerüste der Bühne machen wollen. Er hat offenbar in seinem vortrefflichen Kapitel vom Wesen der Fabel[4] keine andre Regeln gewußt und anerkannt als den Blick des Zuschauers, Seele, Illusion[5], und sagt ausdrücklich, daß sich sonst die Schranken ihrer Länge,

1 Sophokles' „König Ödipus". – 2 „Der gefesselte Prometheus" des Aischylos. – 3 Seine an je einem Spieltage aufgeführten Trilogien behandelten im Gegensatz zu Aischylos inhaltlich voneinander unabhängige Stoffe. – 4 Hier: Handlung des Dramas. – 5 Hier: Vorstellungskraft, Phantasie.

mithin noch weniger Art oder Zeit und Raum des Baues durch keine Regeln bestimmen lassen. Oh, wenn Aristoteles wieder auflebte und den falschen, widersinnigen Gebrauch seiner Regeln bei Dramas ganz andrer Art sähe! – Doch wir bleiben noch lieber bei der stillen, ruhigen Untersuchung.

Wie sich alles in der Welt ändert, so mußte sich auch die Natur ändern, die eigentlich das griechische Drama schuf. Weltverfassung, Sitten, Stand der Republiken, Tradition der Heldenzeit, Glaube, selbst Musik, Ausdruck, Maß der Illusion wandelte, und natürlich schwand auch Stoff zu Fabeln, Gelegenheit zu der Bearbeitung, Anlaß zu dem Zwecke. Man konnte zwar das Uralte oder gar von andern Nationen ein Fremdes herbeiholen und nach der gegebnen Manier bekleiden, das tat alles aber nicht die Würkung; folglich war in allem auch nicht die Seele, folglich war's auch nicht (was sollen wir mit Worten spielen?) das Ding mehr. Puppe, Nachbild, Affe, Statue, in der nur noch der andächtigste Kopf den Dämon finden konnte, der die Statue belebte. Lasset uns gleich (denn die Römer waren zu dumm oder zu klug oder zu wild und unmäßig, um ein völlig gräzisierendes Theater zu errichten) zu den neuen Atheniensern Europens[1] übergehen, und die Sache wird, dünkt mich, offenbar.

Alles, was Puppe des griechischen Theaters ist, kann ohne Zweifel kaum vollkommner gedacht und gemacht werden, als es in Frankreich geworden. Ich will nicht bloß an die sogenannten Theaterregeln denken, die man dem guten Aristoteles beimißt, Einheit der Zeit, des Orts, der Handlung, Bindung der Szenen, Wahrscheinlichkeit des Brettergerüstes usw., sondern würklich fragen, ob über das gleißende klassische Ding, was die Corneille, Racine und Voltaire gegeben haben, über die Reihe schöner Auftritte, Gespräche, Verse und Reime, mit der Abmessung, dem Wohlstande, dem Glanze – etwas in der Welt möglich sei. Der Verfasser dieses Aufsatzes zweifelt nicht bloß daran, sondern alle Verehrer Voltaires und der Franzosen, zumal diese edlen Athenienser selbst, werden es geradezu leugnen – haben's ja auch schon gnug getan, tun's und werden's tun: „Über das geht nichts, das kann nicht übertroffen werden!" Und in den Gesichtspunkt des Übereinkommnisses gestellt, die Puppe aufs Bretterngerüste gesetzt, haben sie recht und müssen's von Tag zu Tage, je mehr man sich in das Gleißende vernarrt und es nachäffet, in allen Ländern Europens mehr bekommen!...

1 Gemeint sind die französischen Dramatiker im Zeitalter Ludwigs XIV.

Shakespeare fand vor und um sich nichts weniger als Simplizität von Vaterlandssitten, Taten, Neigungen und Geschichtstraditionen, die das griechische Drama bildete, und da also nach dem ersten metaphysischen Weisheitssatze aus nichts nichts wird, so wäre, Philosophen überlassen, nicht bloß kein griechisches, sondern, wenn's außerdem nichts gibt, auch gar kein Drama in der Welt mehr geworden und hätte werden können. Da aber Genie bekanntermaßen mehr ist als Philosophie und Schöpfer ein ander Ding als Zergliederer, so war's ein Sterblicher, mit Götterkraft begabt, eben aus dem entgegengesetztesten Stoff und in der verschiedensten Bearbeitung dieselbe Würkung hervorzurufen, Furcht und Mitleid[1], und beide in einem Grade, wie jener erste Stoff und Bearbeitung es kaum vormals hervorzubringen vermocht! Glücklicher Göttersohn über sein Unternehmen! Eben das Neue, Erste, ganz Verschiedne zeigt die Urkraft seines Berufs.

Shakespeare fand keinen Chor vor sich, aber wohl Staats- und Marionettenspiele. Wohl, er bildete also aus diesen Staats- und Marionettenspielen, dem so schlechten Leim[2], das herrliche Geschöpf, das da vor uns steht und lebt! Er fand keinen so einfachen Volks- und Vaterlandscharakter, sondern ein Vielfaches von Ständen, Lebensarten, Gesinnungen, Völkern und Spracharten. Der Gram um das vorige wäre vergebens gewesen; er dichtete also Stände und Menschen, Völker und Spracharten, König und Narren, Narren und König zu dem herrlichen Ganzen! Er fand keinen so einfachen Geist der Geschichte, der Fabel, der Handlung; er nahm Geschichte, wie er sie fand, und setzte mit Schöpfergeist das verschiedenartigste Zeug zu einem Wunderganzen zusammen, was wir, wenn nicht Handlung im griechischen Verstande, so Aktion im Sinne der mittlern oder in der Sprache der neuern Zeiten Begebenheit (Evénement), großes Eräugnis nennen wollen. O Aristoteles, wenn du erschienest, wie würdest du den neuen Sophokles homerisieren, würdest so eine eigne Theorie über ihn dichten, die jetzt seine Landsleute, Home und Hurd, Pope und Johnson[3], noch nicht gedichtet haben! Würdest dich freuen, von jedem deiner Stücke Handlung, Charakter, Meinungen, Ausdruck, Bühne, wie aus zwei Punkten des Dreiecks Linien ziehen zu können, die sich oben in *einem* Punkte des Zwecks, der Vollkommenheit begegnen! Würdest zu Sophokles sagen: „Male das heilige Blatt dieses Altars!

1 Nach Aristoteles Ziel der Tragödie; die Erregung von Furcht und Mitleid sollte beim Zuschauer die Katharsis, die Reinigung oder Läuterung, bewirken. – 2 Lehm. – 3 Englische Kritiker und Herausgeber von Shakespeares Dramen.

Und du, o nordischer Barde, alle Seiten und Wände dieses Tempels in dein unsterbliches Fresko!“

Man lasse mich als Ausleger und Rhapsodisten fortfahren, denn ich bin Shakespeare näher als dem Griechen. Wenn bei diesem das Eine einer Handlung herrscht, so arbeitet jener auf das Ganze eines Eräugnisses, einer Begebenheit. Wenn bei jenem ein Ton der Charaktere herrschet, so bei diesem alle Charaktere, Stände und Lebensarten, soviel nur fähig und nötig sind, den Hauptklang seines Konzerts zu bilden. Wenn in jenem eine singende feine Sprache wie in einem höhern Äther tönet, so spricht dieser die Sprache aller Alter, Menschen und Menschenarten, ist Dolmetscher der Natur in all ihren Zungen. Und auf so verschiedenen Wegen beide Vertraute *einer* Gottheit? Und wenn jener Griechen vorstellt und lehrt und rührt und bildet, so lehrt, rührt und bildet Shakespeare nordische Menschen! Mir ist, wenn ich ihn lese, Theater, Akteur, Kulisse verschwunden, lauter einzelne im Sturm der Zeiten wehende Blätter aus dem Buch der Begebenheiten, der Vorsehung, der Welt . . .

Eben da ist also Shakespeare Sophokles' Bruder, wo er ihm dem Anschein nach so unähnlich ist, um im Innern ganz wie er zu sein. Da alle Täuschung durch dies Urkündliche, Wahre, Schöpferische der Geschichte erreicht wird und ohne sie nicht bloß nicht erreicht würde, sondern kein Element mehr (oder ich hätte umsonst geschrieben) von Shakespeares Drama und dramatischem Geist bliebe, so sieht man, die ganze Welt ist zu diesem großen Geiste allein Körper, alle Auftritte der Natur an diesem Körper Glieder wie alle Charaktere und Denkarten zu diesem Geiste Züge – und das Ganze mag jener Riesengott des Spinoza[1], „Pan![2] Universum!“, heißen. Sophokles blieb der Natur treu, da er eine Handlung eines Orts und einer Zeit bearbeitete, Shakespeare konnt ihr allein treu bleiben, wenn er seine Weltbegebenheit und Menschenschicksal durch alle die Örter und Zeiten wälzte, wo sie, nun – wo sie geschehen; und gnade Gott dem kurzweiligen Franzosen, der in Shakespeares fünften Aufzug käme, um da die Rührung in der Quintessenz herunterzuschlucken! Bei manchen französischen Stücken mag dies wohl angehen, weil da alles nur fürs Theater versifiziert und in Szenen schaugetragen wird, aber hier geht er eben ganz leer aus. Da ist Weltbegebenheit schon vorbei, er sieht nur die letzte, schlechteste Folge, Menschen wie Fliegen fallen, er geht hin und höhnt; Shakespeare ist ihm Ärgernis und sein Drama die dummeste Torheit. . . .

1 Der pantheistische Kernsatz des Spinoza lautet: Deus sive natura (Gott ist die Natur). – 2 (griech.) Eins.

AUS: AUSZUG AUS EINEM BRIEFWECHSEL ÜBER OSSIAN UND DIE LIEDER ALTER VÖLKER

... Wissen Sie also, daß je wilder, d. i. je lebendiger, je freiwürkender ein Volk ist (denn mehr heißt dies Wort doch nicht!), desto wilder, d. i. desto lebendiger, freier, sinnlicher, lyrisch handelnder müssen auch, wenn es Lieder hat, seine Lieder sein! Je entfernter von künstlicher, wissenschaftlicher Denkart, Sprache und Letternart[1] das Volk ist, desto weniger müssen auch seine Lieder fürs Papier gemacht und tote Letternverse sein; vom Lyrischen, vom Lebendigen und gleichsam Tanzmäßigen des Gesanges, von lebendiger Gegenwart der Bilder, vom Zusammenhange und gleichsam Notdrange des Inhalts, der Empfindungen, von Symmetrie der Worte, der Silben, bei manchen sogar der Buchstaben, vom Gange der Melodie und von hundert andern Sachen, die zur lebendigen Welt, zum Spruch- und Nationalliede gehören und mit diesem verschwinden – davon, und davon allein hängt das Wesen, der Zweck, die ganze wundertätige Kraft ab, die diese Lieder haben, die Entzückung, die Triebfeder, der ewige Erb- und Lustgesang des Volks zu sein! ...

... Sie lachen über meinen Enthusiasmus für die Wilden beinahe so wie Voltaire über Rousseau, daß ihm das Gehen auf vieren[2] so wohl gefiele; glauben Sie nicht, daß ich deswegen unsre sittlichen und gesitteten Vorzüge, worin es auch sei, verachte! Das menschliche Geschlecht ist zu einem Fortgange von Szenen, von Bildung, von Sitten bestimmt; wehe dem Menschen, dem die Szene mißfällt, in der er auftreten, handeln und sich verleben soll! Wehe aber auch dem Philosophen über Menschheit und Sitten, dem seine Szene die einzige ist und der die erste immer, auch als die schlechteste, verkennet! Wenn alle mit zum Ganzen des fortgehenden Schauspiels gehören, so zeigt sich in jeder eine neue, sehr merkwürdige Seite der Menschheit – und nehmen Sie sich nur in acht, daß ich Sie nicht nächstens mit einer Psychologie aus den Gedichten Ossians heimsuche! Die Ideen wenigstens dazu liegen tief und lebendig gnug in meiner Seele, und Sie würden manches Sonderbare lesen!

Für jetzt: Wissen Sie, warum ich ein solch Gefühl teils für Lieder

1 Schreibart. – 2 Anspielung auf den Vergleich Rousseaus zwischen Mensch und Tier und seine Überzeugung, daß nur die Rückkehr in „natürliche" Zustände eine menschenwürdige Existenz ermögliche.

der Wilden, teils für Ossian insonderheit habe? Ossian zuerst habe ich in Situationen gelesen, wo ihn die meisten immer in bürgerlichen Geschäften und Sitten und Vergnügen zerstreute Leser als bloß amüsante, abgebrochene Lektüre kaum lesen können. Sie wissen das Abenteuer meiner Schiffahrt[1], aber nie können Sie sich die Würkung einer solchen etwas langen Schiffahrt so denken, wie man sie fühlt. Auf einmal aus Geschäften, Tumult und Rangespossen der bürgerlichen Welt, aus dem Lehnstuhl des Gelehrten und vom weichen Sofa der Gesellschaften auf einmal weggeworfen, ohne Zerstreuungen, Büchersäle, gelehrten und ungelehrten Zeitungen, über einem Brette, auf offnem allweiten Meere, in einem kleinen Staat von Menschen, die strengere Gesetze haben als die Republik Lykurgus', mitten im Schauspiel einer ganz andern, lebenden und webenden Natur, zwischen Abgrund und Himmel schwebend, täglich mit denselben endlosen Elementen umgeben und dann und wann nur auf eine neue ferne Küste, auf eine neue Wolke, auf eine ideale Weltgegend merkend – nun die Lieder und Taten der alten Skalden in der Hand, ganz die Seele damit erfüllet, an den Orten, da sie geschahen ...

... Habe ich denn je meine skaldische Gedichte in allem für Muster neuerer Gedichte ausgeben wollen? Nichts weniger! Sie mögen so einförmig, so trocken sein, andre Nationen sie so sehr übertreffen; sie mögen für nichts als Gesänge nordischer Meistersänger oder Improvisatori[2] gelten – was ich mit ihnen beweisen will, beweisen sie. Der Geist, der sie erfüllet, die rohe, einfältige, aber große, zaubermäßige, feierliche Art, die Tiefe des Eindrucks, den jedes so stark gesagte Wort macht, und der freie Wurf, mit dem der Eindruck gemacht wird – nur das wollte ich bei den alten Völkern, nicht als Seltenheit, als Muster, sondern als Natur anführen, und darüber also lassen Sie mich reden.

Sie wissen aus Reisebeschreibungen, wie stark und fest sich immer die Wilden ausdrücken. Immer die Sache, die sie sagen wollen, sinnlich, klar, lebendig anschauend; den Zweck, zu dem sie reden, unmittelbar und genau fühlend; nicht durch Schattenbegriffe, Halbideen und symbolischen Letternverstand (von dem sie in keinem Worte ihrer Sprache, da sie fast keine Abstrakta haben, wissen), durch alle dies nicht zerstreuet, noch minder durch Künsteleien, sklavische Erwartungen, furchtsam schleichende Politik[3] und verwirrende Prämeditation[4] verdorben – über alle diese Schwächun-

1 Herders Seereise im Jahre 1769. – 2 Stegreifdichter. – 3 Hier: Beachtung der konventionellen Regeln. – 4 Vorüberlegung, Klügelei.

gen des Geistes selig unwissend, erfassen sie den ganzen Gedanken mit dem ganzen Worte und dies mit jenem. Sie schweigen entweder oder reden im Moment des Interesse mit einer unvorbedachten Festigkeit, Sicherheit und Schönheit, die alle wohlstudierte Europäer allezeit haben bewundern müssen und – müssen bleiben lassen. Unsre Pedanten, die alles vorher zusammenstoppeln und auswendig lernen müssen, um alsdenn recht methodisch zu stammeln; unsre Schulmeister, Küster, Halbgelehrte, Apotheker und alle, die den Gelehrten durchs Haus laufen und nichts erbeuten, als daß sie endlich, wie Shakespeares Launcelots[1], Polizeidiener und Totengräber, uneigen, unbestimmt und wie in der letzten Todesverwirrung sprechen – diese gelehrte Leute, was wären die gegen die Wilden? Wer noch bei uns Spuren von dieser Festigkeit finden will, der suche sie ja nicht bei solchen; unverdorbne Kinder, Frauenzimmer, Leute von gutem Naturverstande, mehr durch Tätigkeit als Spekulation gebildet, die sind, wenn das, was ich anführete, Beredsamkeit ist, alsdenn die einzigen und besten Redner unsrer Zeit.

In der alten Zeit aber waren es Dichter, Skalden, Gelehrte, die eben diese Sicherheit und Festigkeit des Ausdrucks am meisten mit Würde, mit Wohlklang, mit Schönheit zu paaren wußten; und da sie also Seele und Mund in den festen Bund gebracht hatten, sich einander nicht zu verwirren, sondern zu unterstützen, beizuhelfen, so entstanden daher jene für uns halbe Wunderwerke von ἀοιδοῖς[2], Sängern, Barden, Minstrels, wie die größten Dichter der ältesten Zeiten waren. Homers Rhapsodien[3] und Ossians Lieder waren gleichsam Impromptus, weil man damals noch von nichts als Impromptus der Rede wußte; dem letztern sind die Minstrels, wiewohl so schwach und entfernt, gefolgt, indessen doch gefolgt, bis endlich die Kunst kam und die Natur auslöschte. In fremden Sprachen quälte man sich von Jugend auf, Quantitäten von Silben kennenzulernen, die uns nicht mehr Ohr und Natur zu fühlen gibt; nach Regeln zu arbeiten, deren wenigste ein Genie als Naturregeln anerkennet; über Gegenstände zu dichten, über die sich nichts denken, noch weniger sinnen, noch weniger imaginieren läßt; Leidenschaften zu erkünsteln, die wir nicht haben; Seelenkräfte nachzuahmen, die wir nicht besitzen – und endlich wurde alles Falschheit, Schwäche und Künstelei. Selbst jeder beste Kopf ward verwirret und verlor Festigkeit des Auges und der Hand, Sicherheit des Gedankens und des Ausdrucks, mithin die wahre Lebhaftigkeit und Wahrheit und

1 Diener Shylocks im „Kaufmann von Venedig". – 2 (griech.) Sängern und Dichtern. – 3 Ilias und Odyssee.

Andringlichkeit – alles ging verloren. Die Dichtkunst, die die stürmendste, sicherste Tochter der menschlichen Seele sein sollte, ward die ungewisseste, lahmste, wankendste; die Gedichte fein oft korrigierte Knaben- und Schulexerzitien. Und freilich, wenn das der Begriff unsrer Zeit ist, so wollen wir auch in den alten Stücken immer mehr Kunst als Natur bewundern, finden also in ihnen bald zuviel, bald zuwenig, nachdem[1] uns der Kopf steht, und selten, was in ihnen singt: den Geist der Natur. Ich bin gewiß, daß Homer und Ossian, wenn sie aufleben und sich lesen, sich rühmen hören sollten, mehr als zu oft über das erstaunen würden, was ihnen gegeben und genommen, angekünstelt und wiederum in ihnen nicht gefühlt wird.

Freilich sind unsre Seelen heutzutage durch lange Generationen und Erziehung von Jugend auf anders gebildet. Wir sehen und fühlen kaum mehr, sondern denken und grübeln nur, wir dichten nicht über und in lebendiger Welt, im Sturm und im Zusammenstrom solcher Gegenstände, solcher Empfindungen, sondern erkünsteln uns entweder Thema oder Art, das Thema zu behandeln, oder gar beides – und haben uns das schon so lange, so oft, so von frühauf erkünstelt, daß uns freilich jetzt kaum eine freie Ausbildung mehr glücken würde; denn wie kann ein Lahmer gehen? Daher also auch, daß unsern meisten neuen Gedichten die Festigkeit, die Bestimmtheit, der runde Kontur so oft fehlet, den nur der erste Hinwurf verleihet und kein späteres Nachzirkeln erteilen kann. . . .

. . . Sie glauben, daß auch wir Deutschen wohl mehr solche Gedichte hätten, als ich mit der schottischen Romanze angeführet; ich glaube nicht allein, sondern ich weiß es. In mehr als einer Provinz sind mir Volkslieder, Provinziallieder, Bauerlieder bekannt, die an Lebhaftigkeit und Rhythmus und Naivetät und Stärke der Sprache vielen derselben gewiß nichts nachgeben würden; nur wer ist, der sie sammle, der sich um sie bekümmre, sich um Lieder des Volks bekümmre, auf Straßen und Gassen und Fischmärkten, im ungelehrten Rundgesange des Landvolks, um Lieder, die oft nicht skandiert und oft schlecht gereimt sind? Wer wollte sie sammlen, wer für unsre Kritiker, die ja so gut Silben zählen und skandieren können, drucken lassen? Lieber lesen wir, doch nur zum Zeitvertreib, unsre neuere schöngedruckte Dichter. – . . .

1 je nachdem, wie.

VOLKSLIEDER

DER FLUG DER LIEBE

Deutsch

Wenn ich ein Vöglein wär
Und auch zwei Flüglein hätt,
Flög ich zu dir;
Weil es aber nicht kann sein,
Bleib ich allhier.

Bin ich gleich weit von dir,
Bin ich doch im Schlaf bei dir
Und red mit dir;
Wenn ich erwachen tu,
Bin ich allein.

Es vergeht keine Stund in der Nacht,
Da mein Herze nicht erwacht
Und an dich gedenkt,
Daß du mir vieltausendmal
Dein Herz geschenkt.

DIE DREI FRAGEN

Ein Straßenlied · Englisch

Es war ein Ritter, er reist' durchs Land,
Er sucht' ein Weib sich aus zur Hand.

Er kam wohl vor ein'r Witwe Tür,
Drei schöne Töchter tratn herfür.

Der Ritter, er sah, er sah sie lang;
Zu wählen war ihm das Herz so bang.

„Wer antwort't mir der Fragen drei,
Zu wissen, welch die Meine sei?“

„Leg vor, leg vor uns die Fragen drei,
Zu wissen, welch die Deine sei!“

„Oh, was ist länger als der Weg daher?
Oder was ist tiefer als das tiefe Meer?

Oder was ist lauter als das laute Horn?
Oder was ist schärfer als der scharfe Dorn?

Oder was ist grüner als das grüne Gras?
Oder was ist schlimmer, als ein Weibsbild was?“

Die erste, die zweite, sie sannen nach,
Die dritte, die Jüngste, die Schönste, sprach:

„O *Lieb* ist länger als der Weg daher,
Und *Höll* ist tiefer als das tiefe Meer.

Und *Donner* ist lauter als das laute Horn,
Und *Hunger* ist schärfer als der scharfe Dorn.

Und *Gift* ist grüner als das grüne Gras,
Und der *Teufel* ist ärger, als ein Weibsbild was[1].“

Kaum hatt sie die Fragen beantwort't so,
Der Ritter, er eilt' und wählt' sie froh.

Die erste, die zweite, sie sannen nach,
Indes ihn'n jetzt ein Freier gebrach.

Drum, liebe Mädchen, seid auf der Hut,
Frägt euch ein Freier, antwortet gut.

DIE LUSTIGE HOCHZEIT

Ein wendisches Spottlied

Wer soll Braut sein?
Eule soll Braut sein.
Die Eule sprach

1 war.

Zu ihnen hinwieder, den beiden:
„Ich bin ein sehr gräßlich Ding,
Kann nicht die Braut sein;
Ich kann nicht die Braut sein!"

Wer soll Bräutigam sein?
Zaunkönig soll Bräutigam sein.
Zaunkönig sprach
Zu ihnen hinwieder, den beiden:
„Ich bin ein sehr kleiner Kerl,
Kann nicht Bräutigam sein!
Ich kann nicht der Bräutigam sein!"

Wer soll Brautführer sein?
Krähe soll Brautführer sein.
Die Krähe sprach
Zu ihnen hinwieder, den beiden:
„Ich bin ein sehr schwarzer Kerl,
Kann nicht Brautführer sein;
Ich kann nicht Brautführer sein!"

Wer soll Koch sein?
Wolf soll der Koch sein.
Der Wolf, der sprach
Zu ihnen hinwieder, den beiden:
„Ich bin ein sehr tück'scher Kerl,
Kann nicht Koch sein;
Ich kann nicht der Koch sein!"

Wer soll Einschenker sein?
Hase soll Einschenker sein.
Der Hase sprach
Zu ihnen hinwieder, den beiden:
„Ich bin ein sehr schneller Kerl,
Kann nicht Einschenker sein;
Ich kann nicht Einschenker sein!"

Wer soll Spielmann sein?
Storch soll Spielmann sein.
Der Storch, der sprach
Zu ihnen hinwieder, den beiden:

„Ich hab ein'n großen Schnabl,
Kann nicht wohl Spielmann sein;
Ich kann nicht Spielmann sein!"

Wer soll der Tisch sein?
Fuchs soll der Tisch sein.
Der Fuchs, der sprach
Zu ihnen hinwieder, den beiden:
„Schlagt voneinander meinen Schwanz,
So wird er euer Tisch sein;
So wird er euer Tisch sein!"

LIEDCHEN DER SEHNSUCHT

Deutsch

Der süße Schlaf, der sonst stillt alles wohl,
Kann stillen nicht mein Herz, mit Trauren voll;
Das schafft allein, die mich erfreuen soll!

Kein Speis und Trank mir Lust noch Nahrung geit,
Kein Kurzweil ist, die mir mein Herz erfreut;
Das schafft allein, die mir im Herzen leit!

Kein Gsellschaft ich nicht mehr besuchen mag,
Ganz einzig sitz in Unmut Nacht und Tag;
Das schafft allein, die ich im Herzen trag!

In Zuversicht allein gen ihr ich hang
Und hoff, sie soll mich nicht verlassen lang;
Sonst fiel ich gwiß ins bittern Todes Zwang.

ANS RENTIER

Lappländisch

Kulnasatz, Rentierchen, lieb Rentierchen, laß uns flink sein,
Laß uns fliegen, bald an Stell und Ort sein!
Sümpfe sind noch weit daher,
Und haben fast kein Lied mehr.

Sieh da, dich mag ich leiden, Kaiga-See,
Leb wohl, du guter Kailva-See,
Viel schlägt mir's schon das Herze
Auf 'm lieben Kaiga-See.

Auf, Rentierchen, liebes, auf,
Fliege, fliege deinen Lauf!
Daß wir bald an Stell und Ort sein,
Bald uns unsrer Arbeit freun.

Bald ich meine Liebe seh –
Auf, Rentierchen, blick und sieh!
Kulnasatzlein, siehst du sie
Nicht schon baden?

DER GLÜCKLICHE

Englisch

Gar hochgeboren ist der Mann,
Der seinem Willen leben kann,
Des edler Mut sein Adel ist,
Sein Ruhm die Wahrheit sonder List.

Dem Leidenschaft niemals gebot,
Nicht fürchtet Leben oder Tod,
Weiß seiner Zeit wohl bessern Brauch
Als fürs Gerücht, der Narren Hauch.

Von Hof und Fronen frank und frei,
Von Heuchlern fern und Büberei,
Was soll der Schmeichler bei ihm tun?
Auch fürm Tyrannen kann er ruhn.

Er neidet nicht und hat nicht Neid,
Kennt nicht der Toren Üppigkeit;
Kennt nicht gestürzten Stolzes Schmach,
Was der für Wunden folgen nach.

Der nicht den Staat, nur sich regiert
Und harmlos so den Szepter führt,

Mehr gibt als nimmt und bittet Gott
Um Dankbarkeit und täglich Brot.

Der Mann ist frei und hochgeborn,
Hat Glück und Hoheit nie verlórn,
Vor Höhen sicher wie vorm Fall,
Und hätt er nichts, so hat er's all.

KLAGE ÜBER DIE TYRANNEN DER LEIBEIGNEN

Estnisch

Tochter, ich flieh nicht die Arbeit,
Fliehe nicht die Beerensträucher,
Fliehe nicht von Jaans[1] Lande;
Vor dem bösen Deutschen flieh ich,
Vor dem schrecklich bösen Herren.

Arme Bauren, an dem Pfosten
Werden blutig sie gestrichen.
Arme Bauren in den Eisen,
Männer rasselten in Ketten,
Weiber klopften vor den Türen,
Brachten Eier in den Händen,
Hatten Eierschrift[2] im Handschuh,
Unterm Arme schreit die Henne,
Unterm Ärmel schreit die Graugans,
Auf dem Wagen bläkt das Schäfchen.
Unsre Hühner legen Eier,
Alle für des Deutschen Schüssel;
Schäfchen setzt sein fleckig Lämmchen,
Das auch für des Deutschen Bratspieß,
Unsrer Kuh ihr erstes Öchschen,
Das auch für des Deutschen Felder.
Pferdchen setzt ein muntres Füllen,
Das auch für des Deutschen Schlitten,
Mutter hat ein einzig Söhnchen,
Den auch an des Deutschen Pfosten.

1 Johanns, ihres Mannes. – 2 Bildlicher Ausdruck für Geschenke.

Fegefeur ist unser Leben,
Fegefeuer oder Hölle.
Feurig Brot ißt man am Hofe,
Winselnd trinkt man seinen Becher,
Feuerbrot mit Feuerbrande,
Funken in des Brotes Krume,
Ruten unter Brotes Rinde.

Wenn ich los von Hofe komme,
Komm ich aus der Hölle wieder,
Komm zurück aus Wolfes Rachen,
Komm zurück aus Löwens Schlunde,
Aus des Hechtes Hinterzähnen,
Los vom Biß des bunten Hundes,
Los vom Biß des schwarzen Hundes.

Ei! du sollt mich nicht mehr beißen,
Buntes Hündchen, und du schwarzer!
Brot hab ich für euch, ihr Hunde,
In der Hand hier für den schwarzen,
Unterm Arm hier für den grauen,
In dem Busen für das Hündchen.

BRAUTLIED

Litauisch

Ich hab’s gesaget schon meiner Mutter,
Schon aufgesaget von Sommers Mitte:

„Such, liebe Mutter, dir nur ein Mädchen,
Ein Spinnermädchen, ein Webermädchen.

Ich hab gesponnen gnug weißes Flächschen,
Hab gnug gewirket das feine Linnchen.

Hab gnug gescheuert die weißen Tischchen,
Hab gnug gefeget die grünen Höfchen.

Hab gnug gehorchet der lieben Mutter,
Muß nun auch horchen der lieben Schwieger.

Hab gnug geharket das Gras der Auen,
Hab gnug getragen den weißen Harken.

O du mein Kränzchen von grüner Raute,
Wirst nicht lang grünen auf meinem Haupte!

Ihr meine Flechtchen von grüner Seide,
Sollt nicht mehr funkeln im Sonnenscheine.

O du mein Härlein, mein gelbes Härlein,
Wirst nicht mehr flattern im wehnden Winde.

Besuchen werd ich die liebe Mutter,
Nicht mehr im Kranze, sondern im Häubchen.

O du mein Häubchen, mein feines Häubchen,
Du wirst noch schallen im wehnden Winde.

Und du mein Nähzeug, mein buntes Nähzeug,
Du wirst noch schimmern im Mondenscheine.

Ihr meine Flechtchen von grüner Seide,
Ihr werdet hangen, mir Tränen machen.

Ihr meine Ringchen, ihr goldne Ringchen,
Ihr werdet liegen, im Kasten rosten."

FRÜHLINGSLIED

Lettisch

Komm, o komme, Nachtigallchen!
Komm mit deinem warmen Sommer;
Meine lieben jungen Brüder
Wüßten sonst die Saatzeit nicht.

Liebes Mütterchen, die Biene,
Die so vielen Honig hat,
Allen gibet sie nicht Honig,
Doch der Sommer allen Brot.

Väter, Väter bahnen Wege,
Kinder, Kinder folgen nach;
Gebe Gott, daß unsre Kinder
Unsern Wegen folgen nach.

Füllen mit dem weißen Fuße,
Scheust du dich hindurchzutraben?
Sohn, du mußt durch alles wandern,
Heimzuholen deine Braut.

Gestern nicht, es war schon lange,
Da die Sonne Braut noch war;
Gestern nicht, es war schon lange,
Als der erste Sommer ward.

ERLKÖNIGS TOCHTER

Dänisch

Herr Oluf reitet spät und weit,
Zu bieten auf seine Hochzeitleut;

Da tanzen die Elfen auf grünem Land,
Erlkönigs Tochter reicht ihm die Hand.

„Willkommen, Herr Oluf, was eilst von hier?
Tritt her in den Reihen und tanz mit mir.“

„Ich darf nicht tanzen, nicht tanzen ich mag,
Frühmorgen ist mein Hochzeittag.“

„Hör an, Herr Oluf, tritt tanzen mit mir,
Zwei güldne Sporne schenk ich dir.

Ein Hemd von Seide so weiß und fein,
Meine Mutter bleicht's mit Mondenschein.“

„Ich darf nicht tanzen, nicht tanzen ich mag,
Frühmorgen ist mein Hochzeittag.“

„Hör an, Herr Oluf, tritt tanzen mit mir,
Einen Haufen Goldes schenk ich dir."

„Einen Haufen Goldes nähm ich wohl;
Doch tanzen ich nicht darf noch soll."

„Und willt, Herr Oluf, nicht tanzen mit mir,
Soll Seuch und Krankheit folgen dir."

Sie tät einen Schlag ihm auf sein Herz,
Noch nimmer fühlt' er solchen Schmerz.

Sie hob ihn bleichend auf sein Pferd.
„Reit heim nun zu dein'm Fräulein wert."

Und als er kam vor Hauses Tür,
Seine Mutter zitternd stand dafür.

„Hör an, mein Sohn, sag an mir gleich,
Wie ist dein Farbe blaß und bleich?"

„Und sollt sie nicht sein blaß und bleich?
Ich traf in Erlenkönigs Reich."

„Hör an, mein Sohn, so lieb und traut,
Was soll ich nun sagen deiner Braut?"

„Sagt ihr, ich sei im Wald zur Stund,
Zu proben da mein Pferd und Hund."

Frühmorgen und als es Tag kaum war,
Da kam die Braut mit der Hochzeitschar.

Sie schenkten Met, sie schenkten Wein.
„Wo ist Herr Oluf, der Bräut'gam mein?"

„Herr Oluf, er ritt in Wald zur Stund,
Er probt allda sein Pferd und Hund."

Die Braut hob auf den Scharlach rot,
Da lag Herr Oluf, und er war tot.

EDWARD

Schottisch

Dein Schwert, wie ist's von Blut so rot?
Edward, Edward!
Dein Schwert, wie ist's von Blut so rot,
Und gehst so traurig her? – Oh!
O ich hab geschlagen meinen Geier tot,
Mutter, Mutter!
O ich hab geschlagen meinen Geier tot,
Und keinen hab ich wie er – Oh!

Deins Geiers Blut ist nicht so rot,
Edward, Edward!
Deins Geiers Blut ist nicht so rot,
Mein Sohn, bekenn mir frei – Oh!
O ich hab geschlagen mein Rotroß tot,
Mutter, Mutter!
O ich hab geschlagen mein Rotroß tot.
Und 's war so stolz und treu – Oh!

Dein Roß war alt und hast's nicht not,
Edward, Edward!
Dein Roß war alt und hast's nicht not,
Dich drückt ein ander Schmerz – Oh!
O ich hab geschlagen meinen Vater tot,
Mutter, Mutter!
O ich hab geschlagen meinen Vater tot,
Und weh, weh ist mein Herz – Oh!

Und was für Buße willt du nun tun?
Edward, Edward!
Und was für Buße willt du nun tun?
Mein Sohn bekenn mir mehr – Oh!
Auf Erden soll mein Fuß nicht ruhn,
Mutter, Mutter!
Auf Erden soll mein Fuß nicht ruhn,
Will gehn fern übers Meer – Oh!

Und was soll werden dein Hof und Hall?
Edward, Edward!
Und was soll werden dein Hof und Hall?
So herrlich sonst und schön – Oh!
Ich laß es stehn, bis es sink und fall,
Mutter, Mutter!
Ich laß es stehn, bis es sink und fall,
Mag nie es wieder sehn – Oh!

Und was soll werden dein Weib und Kind?
Edward, Edward!
Und was soll werden dein Weib und Kind,
Wann du gehst über Meer? – Oh!
Die Welt ist groß, laß sie bettlen drin,
Mutter, Mutter!
Die Welt ist groß, laß sie bettlen drin,
Ich seh sie nimmermehr – Oh!

Und was willt du lassen deiner Mutter teur?
Edward, Edward!
Und was willt du lassen deiner Mutter teur?
Mein Sohn, das sage mir – Oh!
Fluch will ich Euch lassen und höllisch Feur,
Mutter, Mutter!
Fluch will ich Euch lassen und höllisch Feur,
Denn ihr, ihr rietet's mir! – Oh!

ZU DEN VOLKSLIEDERN
1778

Mögt immer lachen oder spotten,
Ich bin der Leiermann;
Kunstrichter, werte Hottentotten,
Bellt, blökt mich an.

AUS: URSACHEN DES GESUNKNEN GESCHMACKS BEI DEN VERSCHIEDNEN VÖLKERN, DA ER GEBLÜHET

I. Wenn wir die Ursachen tief forschen, aus denen sich der Geschmack unter den Griechen erzeuget und zu solcher Blüte erhoben, so sind wir auf dem Wege, die Geschichte des verfallenden Geschmacks zu ersehen. Jene Veranlassungen würkten, wie alles unter dem Monde, nicht ewig, es traten andre, schädliche an ihre Stelle, und der Geschmack sank, selbst bei dem Volk, bei dem er am meisten Natur war.

1) Homer entstand im schönen griechischen Ionien, in einem Zeitalter, da er die ersten Schritte der feinern Bildung sah und von den starken Sitten der frühern Welt in lebendigen Sagen hörte. Die Heldenfabeln lebten damals im Munde der Griechen und nahmen in einer Zeit, wo Schrift und Prose noch nicht erfunden war, von selbst dichterische Gestalt an. Der Heldenzug der Griechen vor Troja war Nationalgegenstand wie der Zug der Argonauten, nur heller, stärker, näher; in ihm lagen die Keime abgesonderter Helden- und Freiheitstaaten in jenen großen Bildern ihrer Könige vor Troja, zehn Dichter hatten ihn gesungen. Homer sang ihn auch auf ebenso natürliche, seinem Zeitalter angenehmste, mildeste Weise. Die griechische Sprache schlug damals in asiatischer Himmelsluft[1] in Blüte, die Mythologie verschönte sich zur rundesten Gestalt, die Leidenschaften und die Seele der Menschen war offen – er sang, wie er sie sah und hörte, und seine Gesänge blieben in Ohr und Munde. Lykurg sammlete sie endlich, da eben das Zeitalter der griechischen Bürgerkultur anbrach, und so wurden sie Kodex der Sitten, Gesetze und Geschmackslehre in den Städten, Homer ward Vater des griechischen Geschmacks auf die natürlichste Weise. Eine Reihe schicklicher Veranlassungen bildete ihn und Griechenland für ihn.

2) Ebenso natürlich entstand das griechische Drama in aller Blüte seines Geschmacks. Aus Heldenfabeln, Spielen, Musik, Zeitvertreib, Gottesdienst (alles auf griechische Art gefühlt, gemischt, behandelt) erwuchs die Bühne, auf der Äschylus, Sophokles und Euripides Wunder würkten. Alle Bestandteile, die Aristoteles aufzählet, Handlung, Sitten, Meinungen, Musik, Sprache, Verzierung lagen im Keim der Entstehung und waren kein Schulgeheimnis. Das Wesen

1 Die Küste Kleinasiens war von Griechen ionischer Volksstämme besiedelt.

des Gedichts, Handlung, Vorstellung war Probstein, und was dahin nicht würkte, war Fehler. Jeder edle Mann griechischer Bildung war Richter, wie man aus den Wettstreiten siehet, und auch im Inhalt und in der Würkung war Bühne eine lebendige Angelegenheit eines Publikums, wie Athen war. Das ganze Gesetzbuch Aristoteles'[1] ist dem Munde des Volks entnommen, wie in den nordischen Gerichten erwählte Schiedsrichter der Gemeine jedesmal nach der Natur der Sache erkannten. Das griechische Drama war eine Naturblume der Zeit, der Veranlassungen des damals lebendigen Geschmacks wie Jahrhunderte vorher die Märchen und Rhapsodien der Aoiden[2]. Sophokles entstand wie Homer und Pindar wie alle beide.

3) Die griechische Redekunst nicht anders. Sie war in den Republiken öffentliche Anstalt und Triebfeder; Gemeingeist, öffentliche Ratschlagung, Geschäfte, Freiheit waren ihr Element; da gab's zu Vorträgen wie zu Freiheit und Geschäften natürlich geborne Männer; die Philosophie, Erziehung und Übung ging dahin, aufs Leben der Republik, auf Tätigkeit des Bürgers. Die Sprache war in ihrer schönsten, lebendigen Form; alle äußere Anstalten trieben dahin, weckten, bildeten, belebten. Da gab's also Perikles, Alkibiades und einen Demosthenes noch vor Erlöschung der Flamme. Naturgeist griechischer Republik und Lehre wehete in ihren Reden.

4) Die Kunst endlich, die das weiteste Feld von Veranlassungen hatte, ging eben die Bahn. Die Bildung der Griechen, ihr Gefühl für Wohlgestalt, leichte Handlung, Lust und Freude, Mythologie, Gottesdienst, Liebe zur Freiheit, die ihre tapfren Männer und edeln Jünglinge belohnte, und so viele andre Ursachen, die Winckelmann vortrefflich entwickelt, schufen und entwickelten ihre Kunst zur Blume der Schönheit, sie war lebendige, veredelte griechische Natur wie alle vorige Produkte.

Was folgt aus dem allen? Ein sehr einfacher Satz, den man sich immer gar zu gern als künstlich und vielfach denket, nämlich, der gute Geschmack war bei den Griechen in ihren schönsten Zeiten so eine natürliche Hervorbringung als sie selbst, als ihre Bildung, Klima, Lebensart und Verfassung. Er existierte, wie alles, zu seiner Zeit und an seinem Orte, zwanglos, aus den simpelsten Veranlassungen mit Zeitmitteln, zu Zeitzwecken; und da diese schöne Zeitverbindung auseinanderging, schwand auch das Resultat derselben: der griechische Geschmack. ...

(Zweiter Abschnitt)

1 Seine „Poetik". – 2 Sagenhafte Dichter-Sänger.

III. Aber endlich ist freilich die größte, beste Schule des guten Geschmacks das Leben. Wenn da giftige, unterdrückende Schatten sind, wehe der zarten Sprosse! Wenn da Lustseuchen des guten Geschmacks herrschen, daß die gute Luft gar enge wird – wehe dir, rascher, begehrender Jüngling!

Wie Knechtschaft die Seele unterdrücke, wie die Begierde, reich zu werden, den Geschmack vergifte, wie endlich der Hunger nach Brot alles Edle in den Staub trete und zerknirsche, darüber spricht Longin statt meiner.

Wie Üppigkeit, Sklaverei, Scheu gegen Wahrheit, Mühe, Verdienst und Ehre ein Abgrund sei, aus dem nichts Gutes erwachse, darüber klagt der Verfasser des Gesprächs über den Verfall der Beredsamkeit[1] mit edlem Römerherzen. Was hilft's, unfruchtbar nachklagen?

Wenn in manchen Ständen und Berufsarbeiten der Name Geschmack noch ein Vorwurf ist, eilt hinzu, rottet die Dornen, auch mit blutigen Händen, aus, und der Geschmack wird über neue Provinzen herrschen!

Wenn alte Gewohnheit, Neid und Kabale sich mit Schwefelfakkeln in der Hand vereinigen, auch die Guten lasset sich vereinigen! Das Licht der Sonne ist stärker als die Schwefelfackel.

Wenn verführende Muster des Geschmacks herrschen, sprecht ihnen entgegen, warnt eben an ihren Fehlern, oder vielmehr, wenn ihr könnet, sprecht mit der überwindenden Beredsamkeit des stillen, bessern Musters.

Endlich, da Freiheit und Menschengefühl doch allein der Himmelsäther ist, in dem alles Schöne und Gute keimt, ohne den es hin ist und verweset, so lasset uns mehr nach diesen Quellen des Geschmacks als nach ihm selber streben. Er ist doch nichts als Wahrheit und Güte in einer schönen Sinnlichkeit, Verstand und Tugend in einem reinen, der Menschheit angemessensten Kleide. Je mehr wir also diese auf die Erde rufen, desto tiefer arbeiten wir an Veranlassungen, daß er nie mehr bloße Nachahmung, Mode und Hofgeschmack, auch selbst nicht mehr ein griechisches und römisches Nationalmedium[2], das sich bald selbst zerstöret, sondern, mit Philosophie und Tugend gepaart, ein daurendes Organum[3] der Menschheit werde! . . .

(Dritter Abschnitt)

1 Tacitus in seinem „Dialog über die Redner" (102). – 2 Hier: Ein Mittel, durch Nachahmung der Griechen und Römer eine Nation zu werden. – 3 Werkzeug.

AUS: PLASTIK

Bildhauerkunst und Malerei, warum bekleiden sie nicht mit einem Glücke, nicht auf einerlei Art?

Antwort: Weil die Bildnerei eigentlich gar nicht bekleiden kann und die Malerei immer kleidet.

Die Bildnerei kann gar nicht bekleiden; denn offenbar verhüllet sie gleich unter dem Kleide, es ist nicht mehr ein menschlicher Körper, sondern ein langgekleideter Block. Kleid als Kleid kann sie nicht bilden, denn dies ist kein Solidum[1], kein Völliges, Rundes. Es ist nur die Hülle unsres Körpers der Notwendigkeit wegen, eine Wolke gleichsam, die uns umgibt, ein Schatte, ein Schleier. Je mehr es in der Natur selbst drückend wird und dem Körper Wuchs, Gestalt, Gang, Kraft nimmt: desto mehr fühlen wir die fremde, unwesentliche Last. Und nun in der Kunst ist ein Gewand von Stein, Erz, Holz ja im höchsten Grade *drückend*! Es ist kein Schatte, kein Schleier, gar kein Gewand mehr: es ist ein Fels voll Erhöhung und Vertiefung, ein herabhangender Klumpe. Tue die Augen zu und taste, so wirst du das Unding *fühlen.*

In keinem Lande konnte daher die Bildnerei gedeihen, wo solche Steinklumpen *notwendig* waren, wo der Künstler statt schöner und edler Körper Matratzen bilden *mußte.* In Morgenlande, wo man aus sehr guten Gründen die Verhüllung des Körpers liebte, wo man ihn als Geheimnis betrachtete, von dem nur das Antlitz und seine Boten, Hände und Füße, sichtbar wären, in ihm war keine Bildnerei möglich, ja im jüdischen Lande gar nicht erlaubt. Bei den Ägyptern ging sie daher, trotz des hohen Mechanischen der Kunst, einen ganz andern Weg, seitwärts ab vom Schönen. Bei den Römern konnte sie auch wegen der Toga und Tunika, Thorax[2] und Paludament[3] sich der Nation nie einverleiben, um höher zu steigen: sie blieb griechisch oder ging zurück. In der Geschichte der Mönche und Heiligen konnte sie keine Fortschritte tun, denn Mönch und Nonne waren verschleiert, der Künstler hatte statt Körper faltige Steindecken zu bilden. Sowohl der spanischen als unsrer Tracht mag sich etwa die Malerei, aber wahrlich nicht die Bildsäule erfreuen. Wir haben die spanische zur Ritter-, Priester- und Narrentracht gemacht; die unsre, mit Lappen und Flicken, Spitzen und Ecken, Schnitten und Taschen müßte in Marmor ein wahres *Göttergewand* werden! Ein Held in seiner Uniform, allenfalls noch die Fahne in der Hand und den

1 (lat.) das Feste, Kernhafte. – 2 Brustpanzer. – 3 Soldatenmantel.

Hut auf ein Ohr gedrückt, so ganz in Stein gebildet, wahrlich, das müßte ein Held sein! Der Künstler, der ihn machte, wäre wenigstens ein schöner Kommißschneider[1]. Betaste die Statue in dunkler Nacht, du wirst an Form und Schönheit Wunderdinge in ihr fühlen.

Wie anders die Griechen! Sie, die gebornen Künstler des Schönen, Erzhüllen und Steindecken warfen sie ab und bildeten, was gebildet werden konnte, schöne *Körper.* Apollo[2], vom Siege Pythons kam er unbekleidet? zerbrach der Künstler sich den Kopf, um doch hier einer Armseligkeit des Üblichen treu zu bleiben? Nichts! er stellte den Gott, den Jüngling, den Überwinder mit seinen schönen Schenkeln, freier Brust und jungen Baumeswuchse nackt dar; die Last des Kleides wurde zurückgeschoben, wo sie am wenigsten verbarg, wo sie den Gang des Edlen nicht hindert, wo sie vielmehr seinem hochmütigen Stande wohltut und auch nur als die leichte Beute des Überwinders schwebet. *Laokoon*[3], der Mann, der Priester, der Königssohn, bei einem Opfer, vor dem versammleten Volke, war er nackt? stand er unbekleidet da, als ihn die Schlangen umfielen? Wer denkt daran, wenn er jetzt den Laokoon der Kunst siehet? wer soll daran denken? wer an die vittas[4] denken, sanie atroque cruore madentes[5], da die hier nichts täten, als seine leidende Stirn voll Seufzen und Todeskampfes zum priesterlichen Steinpflaster zu machen? wer an ein Opfergewand denken, das diese arbeitende Brust, diese giftgeschwollenen Adern, diese ringenden und schon ermattenden Vaterhände zu totem Fels schüfe? O der Pedanten des Üblichen, des schön beschreibenden Virgils, die ja nur Priesterfiguren im Holzmantel sehen mögen! – Und immer nur solche sehen sollten! –

Es war vom Griechen Sprüchwort, daß er lieber Fülle als Hülle gab, das ist *schöne* Fülle, denn sonst bekleidete er auch. Philosophen, Cybelen[6], hundertjährige Matronen konnten immer bekleidet dastehn; auch wo es Gottesdienst und Zweck und Eindruck der Bildsäule foderte oder ertrug. Ein Philosoph ist ja nur immer *Kopf*- oder *Brustbild*: wenn er also auch nur, wie Zeno, sein Haupt über der Steinhülle zeiget! er *muß* nicht als Jüngling oder Fechter dastehn. Eine *Niobe,* diese unglückliche Mutter in Mitte ihrer unglücklichen Kinder, die hülflos um sie jammern und alle in ihren

1 Uniformschneider. – 2 Der „Apoll von Belvedere", vermutlich ein Werk des Leochares, Mitte des 4. Jahrhunderts v. u. Z. – 3 Figurengruppe des Hagesandros, Athanodoros und Polydoros, 1. Jahrhundert v. u. Z. – 4 (lat.) Binden. – 5 (lat.) von Geifer und schwarzem Blut triefend (Vergil). – 6 Kybele, eine kleinasiatische Naturgottheit, die im griechischen Mythos der Göttermutter Rheia gleichgesetzt wurde.

Schoß fliehen möchten, wie es die Jüngste tut – sie kniet weit- und reichbekleidet da, denn sie ist *Mutter*, und ihr todesstarres, gen Himmel gewandtes Gesicht samt der Tochter in ihrem Schoße ist Ausdruck gnug, auf den der Künstler hier würkte, und nicht auf kalte, nackte Körperschönheit[1]. Eine Juno Matrona[2], unbekleidet, wäre dem entgegen, was sie ist, was sie selbst vor Paris[3] war; Ehrfurcht soll sie einflößen, nicht Liebe. Das Haupt der Nymphen und Vestalinnen[4], die unsterblich schöne Diana[5] muß bekleidet sein, wie es ihr Stand und Charakter gebietet und die Kunst es zuläßt. Aber eine Gestalt der *Schönheit*, der *Liebe*, des *Reizes*, der *Jugend*, Bacchus und Apollo, Charis und Aphrodite, unter einem Mantel von Stein wäre alles, was sie sind, was sie hier durch den Künstler sein sollten, verschleiert und verloren. Und man kann überhaupt den Grundsatz annehmen, daß, „wo der griechische Künstler auf Bildung und Darstellung eines schönen Körpers ausging, wo ihm nichts Religiöses oder Charakteristisches im Wege stand, wo seine Figur ein freies Geschöpf der Muse, ein substantielles Kunstbild, kein Emblem, keine historische Gruppe, sondern Bild der Schönheit sein sollte, da bekleidete er nie, da enthüllte er, was er trotz dem Üblichen enthüllen konnte".

Wir betrachten hier nicht, was dies Nackte auf die Sitten der Griechen für Einfluß hatte, denn mit solchen Sprüngen von einem Felde ins andre kommt man nicht weit. Nichts ist feinerer Natur als Zucht und das Wohlanständige oder Ärgerliche des Auges: es kommt dabei so viel auf Himmelsstrich, Kleidungsart, Spiele, frühe Gewohnheit und Erziehung, auf den Stand, den beide Geschlechter gegeneinander haben, insonderheit auf den Abgrund von Sonderbarkeiten an, den man *Charakter der Nation* nennet, daß die Untersuchung dessen ein eignes Buch werden dörfte. Es konnte den Goten, die aus Norden kamen, die würklich züchtiger und unter ihrem Himmelsstrich an dichtere Kleider gewöhnt waren, bei denen das weibliche Geschlecht zum männlichen überhaupt anders stand als bei den Griechen und die überdem die Statuen unter einem *verderbten* Volke fanden, das vielleicht seinen Untergang mit von ihnen her hatte – ich sage, diesen Goten konnte (auch ihre neue Religion unbetrachtet) der Anblick der Statuen mit Recht sehr widrig sein, daher die meisten auch so ein unglückliches Ende nahmen, ohne daß man deshalb von Goten auf Griechen geradezu schließen

1 Solche Statuen befinden sich in Florenz. – 2 Die römische Göttermutter. – 3 Die Göttinnen Juno, Minerva und Venus ließen den trojanischen Königssohn Paris entscheiden, wer von ihnen die Schönste sei. – 4 Zur Keuschheit verpflichtete Priesterinnen der Vesta. – 5 Jungfräuliche, keusche Göttin der Natur bei den Römern.

müßte. Wenn unter uns dies nackte Reich der Statuen plötzlich auf Weg und Steg gepflanzt würde, wie einige neuere Schöndenker nicht undeutlich angeraten haben: so muß man von dem Eindruck, den sie da, und dem Pöbel (dem Pöbel *von* und *ohne* Stande) insonderheit *zuerst*, machen würden, nicht so fort auf ein fremdes Volk ganz andrer Sitten und Erziehung schließen. Überhaupt ist *züchtig sein* und *geärgert werden*, *Tugend ausbreiten* und *die Kunst hassen* schrecklich verschieden, wie die Folge noch mehr zeigen wird. Hier ist auch diese Ausschweifung schon zu lang; wir reden hier von *Kunst* und von *Griechen*, nicht von *Sitten* und *Deutschen*. Ich fahre fort.

Wo auch der Grieche bekleiden mußte, wo es ihm ein Gesetz auflegte, den schönen Körper, den er bilden wollte und den die Kunst allein bilden *kann* und *soll*, hinter Lumpen zu verstecken, gab's kein Mittel, dem fremden Drucke zu entkommen oder sich mit ihm abzufinden? Zu *bekleiden*, daß doch nicht *verhüllt* würde? Gewand anzubringen und der Körper doch seinen Wuchs, seine schöne runde Fülle behielte? Wie, wenn er *durchschiene*? In der Bildnerei, bei einem Solido kann nichts durchscheinen: sie arbeitet für die Hand und nicht fürs Auge. Und siehe, eben *für die Hand* erfanden die feinen Griechen Auskunft. Ist nur der tastende Finger betrogen, daß er Gewand und zugleich Körper taste, der *fremde* Richter, das Auge, muß *folgen*. Kurz, es sind der Griechen *nasse Gewänder*.

Es ist über sie so viel und so viel Falsches gesagt, daß man sich fast mehr zu sagen scheuet. Jedermann war's auffallend, daß sie in der Bildhauerei so viel, in der Malerei keine Würkung tun. Und zugleich schienen sie so unnatürlich – so unnatürlich und doch so würksam? so wahr und schön in der Kunst, und in der Natur so häßlich? also schön und häßlich, wahr und falsch – wer gibt Auskunft? – *Winckelmann* sagt, daß sie nichts als Nachbildung der alten griechischen Tracht in Leinwand sein; ich weiß nicht, ob die Griechen je nasse, an der Haut klebende Leinwand getragen; und hier war eigentlich die Frage, warum sie der Künstler *so kleben* ließ und nicht trocknete. Führen wir sein Werk, seine Kunst auf ihren rechten Sinn zurück, so antwortet die *Sache*. Es war nämlich *einzige Auskunft*, den tastenden Finger und das Auge, das jetzt nur als Finger tastet, zu betrügen: ihm ein Kleid zu geben, das doch nur *gleichsam* ein Kleid sei, Wolke, Schleier, Nebel – doch nein, nicht Wolke und Nebel, denn das Auge hat hier nichts zu nebeln; *nasses Gewand* gab er ihm, das der Finger durchfühle! Das Wesen seiner Kunst blieb, der *schlanke Leib*, das runde Knie, die weiche Hüfte, die Traube der jugendlichen Brust, und dem äußern Erfordernisse kam man doch auch nach. Es war *gleichsam* ein Kleid, wie die Götter Homers gleichsam Blut haben; die Fülle des Körpers, die kein *Gleichsam*, die Wesen der Kunst ist, war und blieb Hauptwerk.

Ganz anders verhält sich's mit der Malerei, die, wie gesagt worden, nichts als *Kleid* ist, das ist schöne Hülle, *Zauberei mit Licht und Farben zur schönen Ansicht*. Sie würkt auf Fläche und kann nichts als *Oberfläche* geben; zu der gehören auch Kleider. Für unser Auge sind diese die täglichen *Erscheinungen* der Wahrheit, des Üblichen, der Pracht, der Zierde. Eben der Farbe, des Putzes, des schönen *Anscheins* wegen werden sie oft gewählt und gemustert, sind der *schauenden* schönen Welt so viel mehr als Bedürfnis – warum sollten sie's nicht auch der schauenden schönen *Kunst* sein? Malerei kann Kleid als das Edelste, was es ist, bearbeiten, als ein gebrochnes Licht, ein Zauberduft fürs Auge, der alles erhöhet, als Nebel und schöne Farbe; warum *sollte* sie's also nicht tun? Warum müßte sie den Vorzug ihres Sinnes dem Mangel eines fremden Sinnes aufopfern, mit dem sie nichts gemein hat? Würde unter den Händen des Bildners ein Kleid das, was es unter ihren Händen, unter dem Zauberfinger des Lichts ist, so wäre er Tor, wenn er's nicht brauchte.

Es sind also ungemein feine Köpfe, die der Malerei die nackten Fleischmassen und wohl gar die nassen Gewänder anraten, weil sie damit ihrer ältern lieben Schwester, Bildhauerkunst, näherkomme und wohl gar *antikisch* würde. Nackt und steif und häßlich kann sie freilich damit werden, ohne ein Gutes zu erbeuten, was ihre ältere Schwester mit Nacktheit und Nässe erreichet. Das Bedürfnis einer fremden Kunst zum Wesen der seinigen zu machen und darüber die Vorteile der seinigen verlieren – so etwas kommt meistens aus dem lieben Modeln und Vergleichen. Jüngste Gerichte voll Fleisch wie Heu; und Dianenbäder wie Fleischmärkte! Nichts ist lächerlicher, als Statuen aufs Brett zu kleben und da Kleider gar zu *netzen*, wo alles blühn und duften soll.

„Aber die alten großen Maler ahmten doch Bildsäulen nach: von Raffael hat man ja so manche Märchen, daß er –" *Das* ahmten sie aber nicht nach, was nicht aufs Brett gehört, ohne daß es dadurch dreimal Brett würde. Eben jene alte große Maler, welch großes

Gefühl hatten sie vom *Wurf der Kleider*! wie eben hier die Malerei in ihrem Zauberlande des schönen Truges, in der Werkstätte ihrer Allmacht mit Licht und Farbe sei. Daß dieses Kleid rausche und jenes dufte und schwebe; daß man hier in die Falten des Gewandes greift und glaubt, da es doch nur Fläche ist, so tief zu greifen; daß diese Farbe, dieser Grund jene Figuren so himmlisch mache, so höhe und hebe; jener Wurf, jener Wechsel dem Ganzen Lieblichkeit, Anmut, Mannigfaltigkeit gewähre – was ich hier so allgemein, so unbestimmt sage, welcher Liebhaber, welcher Meister hat's nicht in tausend einzelnen Fällen, mit tausend Kunstgriffen und Meisterzügen erprobet? Malerei ist *Repräsentation*, eine Zauberwelt mit Licht und Farben fürs Auge; *dem* Sinne muß sie folgen, und was ihr *der* Sinn für Zauberstäbe gewährt, darf sie nicht wegwerfen.

Selbst im Reizbaren zur Verführung ist das Nackte in beiden Künsten gar nicht dasselbe. Eine Statue steht *ganz* da, unter freiem Himmel, gleichsam im Paradiese: Nachbild eines schönen Geschöpfs Gottes, und um sie ist Unschuld. *Winckelmann* sagt recht, daß der Spanier ein Vieh gewesen sein muß, den die Statue jener Tugend zu Rom lüstete, die nun die Decke trägt[1]; die reinen und schönen Formen dieser Kunst können wohl Freundschaft, Liebe, tägliche Sprache, nur beim Vieh aber Wohllust stiften. – Mit dem Zauber der Malerei ist's anders. Da sie nicht körperliche Darstellung, sondern nur Schilderung, *Phantasie, Repräsentation* ist, so öffnet sie auch der Phantasie ein weites Feld und lockt sie in ihre gefärbte, duftende Wollustgärten. Die kranken Schlemmer aller Zeiten füllten ihre Kabinette der Wohllust immer lieber mit unzüchtigen Gemälden als Bildsäulen: denn in diesen, selbst im schlummernden Hermaphroditen, ist eigentlich keine *Unzucht*. Die Chäreen[2] alt und neu erbauen sich lieber an *Gemälden* des Schwans mit der Leda als an ganzen Vorstellungen desselben. Die Phantasie will nur Duft, Schein, lockende Farbe haben; mit der treuen Natur der ganzen Wahrheit sind ihr die Flügel gebunden, es stehet zu wahr da. Die Bildsäule bleibt immer nackt stehen, aber die schöne Danaë von Tizian muß weislich ein Vorhängchen decken; es ist die Zaubertafel für einen verdorbnen Sinn, der, verlockt, gar keine Grenzen kennet.

Auch hieraus ergibt sich, warum die *Neuern* den Alten in schöner

1 Der Unterkörper der Venus von Knidos – sie ist ein Werk des Praxiteles (um 330 v. u. Z.) – wurde aus Prüderie mit einem Blechmantel verhüllt. – 2 In Terenz' Komödie „Der Eunuch" entfacht sich die Begierde des Chärea beim Anblick eines Gemäldes, das darstellt, wie sich Zeus in Gestalt eines Schwans der badenden Leda nähert.

Form weiter nachbleiben als im schönen *Anschein.* Schöner Anschein kann manches werden, was gerade nicht schöne Form und die tiefgefühlte, treue, nackte Wahrheit ist: zu dieser zu gelangen sind unstreitig jetzo viel weniger Mittel als voraus. *Winckelmann* hat's unverbesserlich gesagt, was unter dem schönen griechischen Himmel, in ihrer Frei- und Fröhlichkeit von Jugend auf, bei ihren unverhülleten Tänzen, Kampf- und Wettspielen das Auge des Künstlers gewann. Nur *die* Formen können wir treu, ganz, wahr, lebendig geben, die sich uns also mitteilten, die durch den *lebendigen* Sinn in uns leben. Es ist bekannt, daß einige der größten neuern Maler nur immer ihre Geliebte, Tochter oder ihr Weib schilderten, unstreitig, weil sie nichts anders in Seele und Sinnen besaßen. Raffael war reich an lebendigen Gestalten, weil seine Neigung, sein warmes Herz ihn hinriß und alle diese, erfühlt und genossen, sein eigen waren. Er geriet dabei auf Abwege, endete früh sein unersetzliches Leben – und manche Trödelköpfe können es gar nicht begreifen, wie der himmlische Raffael irdische Mädchen geliebt habe? Bekam er von ihnen nicht seine Umrisse, seine warmen, lebendigen Formen; vom Himmel und kalten Statuen allein würde er sie nicht bekommen haben. Und doch war Raffael noch kein Praxiteles, kein Lysippus, der ohne Zweifel diese Formen so ursprünglicher kennen mußte, als Bildhauerei nicht *schildert*, sondern *schafft* und *darstellt.* Solange also nicht das griechische Zeitalter der Knaben- und Mädchenliebe in seiner offnen *Jugendunschuld* als Spiel und Freude zurückkehrt; solange der Künstler steife Modelle von Fischbeinröcken und Schnürbrüsten sieht und ja nichts weiter, so ist's nur Torheit, griechische Bildkunst *erwarten* oder *hervorbringen* zu wollen. Sein Sinn versagt ihm; soll er Engelsformen, Apollos- und Hurisgestalten aus der Luft greifen? Daher gegriffen, sind sie Schaumblasen, die zergehen, ehe er sie der Hand, viel weniger dem Stein einverleibet. Mit einem großen Teil der Malerei, freilich nicht mit dem, der auch schöne Formen enthält und als lebendiger Traum zunächst an jene wachende Wahrheit grenzet, ist's anders. . . .

(Zweiter Abschnitt)

AUS: ÜBER DIE WÜRKUNG DER DICHTKUNST AUF DIE SITTEN DER VÖLKER IN ALTEN UND NEUEN ZEITEN

WAS IST POESIE, WÜRKENDE DICHTKUNST, UND WIE WÜRKT SIE AUF DIE SITTEN UND VÖLKER DER MENSCHEN? GUT ODER BÖSE?

Nur ein Kapitel fürs Allgemeine

Ist Poesie das, was sie sein soll, so ist sie ihrem Wesen nach würkend. Sie, die Sprache der Sinne und erster mächtiger Eindrücke, die Sprache der Leidenschaft und des allen, was diese hervorbringt, der Einbildung, Handlung, des Gedächtnisses, der Freude oder des Schmerzes, gelebt, gesehen, genossen, gewürkt, empfangen zu haben, und der Hoffnung oder Furcht, es künftig tun zu werden – wie sollte diese nicht würken? Natur, Empfindung, ganze Menschenseele floß in die Sprache und drückte sich in sie, ihren Körper, ab, würkt also auch durch ihn in alles, was Natur ist, in alle gleichgestimmte, mitempfindende Seelen. Wie der Magnet das Eisen ziehet, wie der Ton einer Saite die andre regt, wie jede Bewegung, Leidenschaft, Empfindung sich fortpflanzet und mitteilt, wo sie nicht Widerstand finden, so ist auch die Würkung der Sprache der Sinne allgemein und im höchsten Grade natürlich. Sie macht Abdruck in der Seele, wie sich dies Bild und Siegel in Wachs oder Leim[1] formet.

Je wahrer also, kenntlicher und stärker der Abdruck unsrer Empfindungen ist, d. i., je mehr es wahre Poesie ist, desto stärker und wahrer ist ihr Eindruck, desto mehr und länger muß sie würken. Nicht sie, sondern die Natur, die ganze Welt der Leidenschaft und Handlung, die im Dichter lag und die er durch die Sprache aus sich zu bringen strebet – diese würket. Die Sprache ist nur Kanal, der wahre Dichter nur Dolmetscher oder noch eigentlicher der Überbringer der Natur in die Seele und in das Herz seiner Brüder. Was auf ihn würkte und wie es auf ihn würkte, das würkt fort, nicht durch seine, nicht durch willkürliche[2], hinangeflickte, konventionelle, sondern durch Naturkräfte. Und je offner die Menschen sind, diese zu fühlen oder zu ahnden, je mehr sie Augen haben, zu sehen, was in der Natur geschieht, und Ohren, zu hören, wie es ihnen der Bote der Schöpfung mitteilt, desto stärker würkt notwendig die Dicht-

1 Lehm. – 2 Hier: gewollte, beabsichtigte.

kunst in ihnen. Und sofort würkt sie aus ihnen weiter. Je mehr sie auf Menschen in Menge würkt, die ihre Eindrücke gemeinschaftlich empfangen und einander, wie zurückgeworfene Strahlen der Sonne, mitteilen, desto mehr nimmt Wärme und Erleuchtung, die aus ihr quillet, zu; der dichterische Glaube kann Glaube des Volkes, Handlung, Sitten, Charakter, Teil ihres Schadens oder ihrer Glückseligkeit werden.

Nun haben es schon treffliche Männer untersucht, in welchem Zustande und Zeitalter das menschliche Geschlecht und seine Gesellschaft dieser Sprache der Natur, ihrer Sinne und Leidenschaften am offensten und fähigsten sei, und alle haben es für die Kindheit und Jugend unsers Geschlechts, für die ersten Zustände einer sich bildenden Gesellschaft entschieden. Solange ein Mensch noch unter Gegenständen der Natur lebt und diese ihn ganz berühren, je mehr er Kind dieser lebendigen, kräftigen, vielförmigen Mutter ist, an ihren Brüsten liegt oder sich im ersten Spiele mit seinen Mitbrüdern, ihren Abdrücken und seinen Nebenzweigen auf *einem* Baume des Lebens freuet, je mehr er ganz auf diese würkt und sie ganz auf sich würken läßt, nicht halbieret, meistert, schnitzelt, abstrahieret, je freier und göttlicher er, was er empfangen hat, in Sprache bringen kann und darf, sein Bild von Handlungen ganz darstellt und durch die ihm eingeborne, nicht aufgeklebte Kraft würken läßt; endlich je treuer und wahrer die Menschen um ihn dies alles empfangen, aufnehmen, wie er's gab, in seinen Ton gestimmt sind und Dichtkunst auf seine, des Dichters, nicht auf ihre, der respektiven Zuhörer Weise würken lassen – da lebt, da würkt die Dichtkunst, und gerade ist dies in den Zeiten der ganzen wilden Natur oder auf den ersten Stufen der politischen Bildung. Weiterhin, je mehr Kunst an die Stelle der Natur tritt und gemachtes Gesetz an die Stelle der lautern Empfindung – Zustände, in denen die Menschen nichts mehr sind oder, was sie sind, ewig verhehlen –, wo man sich Sinne und Gliedmaßen stümmelt, um die Natur nicht zu fühlen oder nicht von sich weiterwürken zu lassen, wie ist da ferner Poesie, wahre, würkende Sprache der Natur möglich? Lüge rührt nicht, Kunst, Zwang und Heuchelei kann nicht entzücken, sowenig als Nacht und Finsternis erleuchten. Dichtet (im wörtlichen Verstande), dichtet immer, erdichtet euch eine Natur, Empfindung, Handlung, Sitten, Sprache; die große Mutter der Wahrheit und Liebe sieht euerm Spiele zu, sie lacht oder jammert. Die wahre Poesie ist tot, die Flamme des Himmels erloschen und von ihren Würkungen nur ein Häufchen Asche übrig.

Das ist also Dichtkunst, und so würkt sie. Aber was würkt sie, wie bringt sie Sitten hervor, und sind diese gut oder böse?

Mich dünkt, diese Fragen allgemein zu beantworten ist gar nicht möglich. Alle Gabe Gottes in der Natur ist gut, und so auch die große Gabe über sie alle, ihre lebendige Sprache. Sinne, Einbildung, Handlung, Leidenschaft, alles, was die Poesie ausdrückt und darstellt, ist gut; mithin kann auch ihr Eindruck auf andere, durch Harmonie und Einstimmung, nicht böse genannt werden. So wie aber alles in der Schöpfung und gerade das Edelste am meisten mißbraucht wird, so kann auch die Poesie, der edle, entzückende Balsam aus den geheimsten Kräften der Schöpfung Gottes, süßes Gift, berauschende, tötende Wollust werden. „Saecli incommoda, pessimi poetae[1]." Das liegt alsdenn nicht an der Sache, sondern am Mißbrauche; und eben weil es nur an diesem und also ganz in den Händen der Menschen liegt, müssen die Grenzen um so sorgfältiger geschieden, die Gegend des Mißbrauches um so genauer verzäunt und verwarnet werden. . . .

(Erster Abschnitt)

Jetzt soll ich von meiner Nation reden, aber ich kann kurz sein, weil ich oft nur wiederholen müßte, was ich bei andern, denen wir lange nachgebuhlt haben, schon sagte. Von jeher hat die Poesie weniger Würkung auf uns gehabt als auf die beregten[2] Nationen. Unsre Barden sind verloren, die Minnesinger lagen auf der Pariser Bibliothek[3] ruhig; die mittlere Zeit[4] hindurch ward Deutschland immer außer Deutschland geschleppt oder mit andern Völkern überschwemmet, bekam also nicht Zeit, sich zu sammeln und auf die Stimme seiner eignen Dichtkunst zu merken. Überdem ist's ein geteiltes Land, ein Sund von kleinen monarchischen Inseln. Eine Provinz versteht die andere kaum, Sitten, Religion, Interesse, Stufe der Bildung, Regierung sind verschieden, hindern und sondern die beste Würkung. Opitz sang für gewisse Provinzen Deutschlands lange, als ob er in Siebenbürgen gesungen hätte. Schweizer und Sachsen wollten sich lange nicht für Landsleute erkennen, und Nord- und Süddeutschland wollen's in manchem Betracht noch nicht. Überdem kommt bei uns das Volk in dem, was wir Sitten und Würkung der Dichtkunst auf Sitten nennen, gar nicht in Betracht; für sie existiert noch keine als etwa die geistliche Dicht-

1 (lat.) Gebrechen des Zeitalters, schlechteste Dichter. – 2 besprochen, herangezogen. – 3 Die „Manessische Liederhandschrift" aus dem 15. Jahrhundert befand sich seit 1657 in Paris und wird seit 1888 in Heidelberg aufbewahrt. – 4 das Mittelalter.

kunst. Was bleibt uns nun für ein lesendes Publikum übrig, von dessen dichterischen Sitten wir reden sollen? Gelehrte? Aber die haben ihre Sitten schon und sind oft keiner Würkung der Dichtkunst fähig, sie lesen zum Zeitvertreib, einen dumpfen Kopf sich etwa zu erheitern. Also Kunstrichter? Aber die, ob sie gleich meistens nicht Gelehrte sind, haben mit jenen teils ein gleiches, teils noch das ärgere Schicksal, daß sie als Kunstrichter lesen, von Buchhändlern gemietet, wohl gar gestimmet und oft an Leib und Seele erblindet. Genießt der Krämer den Duft seiner Gewürze? Und ist's nicht Wohltat für den Reiniger dunkler Gemächer, daß ihn sein Geruch nicht mehr störet? Also dichte man für Jünglinge? Aber auch die sind nach dem neuesten Geschmack selbst Dichter und dienen an einem Almanach deutscher Musen; also ist auch da die Würkung gebrochen und veräffet. Also für geschmackliebende Jungfraun, ihre Bonnen[1] und Tanten? Oder für jene vornehme Leser und Leserinnen, die es neulichst von den Franzosen vernommen, ersehn und erlernt haben, daß auch Deutschland Dichter besitze und daß man diese würklich lesen könne? Allein, was ist nun auch für diese zu dichten und was an ihren Sitten zu bilden? Nach zehn französischen Büchern ein deutsches zu durchlaufen, mit matter, verdauungsloser Seele es zu durchträumen, durchnaschen, durchjähnen, sodenn zu jenen zehn hinstellen und abermals nach den neuesten Modebissen schnappen – ist das Dichterlektüre? Was kann sie nützen, wer mag für sie dichten, wer in den Armen einer verwelkten Buhlerin liegen und ihr gar Sitten geben wollen? Also bliebe nichts als die Buchhändler übrig, für die denn auch würklich die meisten Meßjünger[2] schreiben; was diese erwählte Schar aber (die Jupiters, Apollos und Mäzene der deutschen Musen!), was diese aus ihrer poetischen Meßware für Sitten ziehen, mögen sie selbst untereinander am besten wissen!

Was für Würkung können Gaben tun, die verhandelt und erhandelt werden? Was für Sitten kann ein Tempel der Dichtkunst stiften, wo Wechslertische und Taubenkrämer, Rezensenten und Ochsenhändler ihr Gewerbe treiben? Ihr, Dichter der Vorwelt, Ossian und Orpheus, erscheint wieder! Werdet ihr eure Mitbrüder erkennen, werdet ihr für die Presse singen und jetzt in Deutschland gedruckte, rezensierte, gelobte, elend nachgeahmte Dichter werden? Man verzeihe, daß ich bei diesem Äußern verweile; von solchem Äußern hängt das meiste Innere ab. Der Buchhändler kauft und

1 Erzieherinnen. – 2 Schriftsteller, die für den Verkauf auf der Leipziger Messe schrieben.

verkauft, erhandelt sich Autor und Rezensenten, bestimmt den Wert seines Meßguts, und nach dem Anklange geht die Stimme fort. Dem lieben Deutschland ist alles gleichviel, wenn's in den Zeitungen nur gelobt ist. „Siegwart"[1] und „Agathon"[2], „Messias"[3] und den „Nothanker"[4], „Werthers Leiden" und „Werthers Freuden"[5] lieset's mit gleichem Mute; und das ausländische Gemisch, woher es auch komme und was für Sitten es würke, bleibt billig im Vorrecht. ...

Freilich ist's auch hier edel, vorzugehen, und einem gottgegebenen Dichter wird nie sein Kreis williger Ohren und Herzen mangeln. Ein Dichter ist Schöpfer eines Volkes um sich, er gibt ihnen eine Welt zu sehen und hat ihre Seelen in seiner Hand, sie dahin zu führen. So soll's sein, so war's ehemals, immer aber und überall kann nur ein Gott solche Dichter geben. Was Menschenwerk ist, folgt auch menschlichen Sitten um sich her, es ist von der Erde und spricht irdisch; der Sänger, der vom Olymp kömmt, ist über alle, und eben der Stab seiner Würkung ist das Kreditiv[6] seines Berufs. Wie der Magnet das Eisen, kann er Herzen an sich ziehen, und wie der elektrische Funke allgegenwärtig durchdringt, allmächtig fortwandelt, so trifft auch sein Blitz, wo er will, die Seele. Er wird weder Weichling sein noch Kitzler noch Sittenverderber, nicht aus Gesetzen von außen, sondern weil er edleres Feuer, höhern Beruf in sich fühlet.

Wir, die keine Götter sind, solche Sittenverwandler zu schaffen und der dürftigen Zeit zu geben, wollen ihren Wert wenigstens erkennen und ihr irdisches Werden nicht aufhalten. Solang unsere Dichtkunst Meßgut ist und Carmen[7] an den Geburtstagen der Großen, so wird jeder Chiron in den Fels gehen und einen jungen Achilles etwa allein die Leier lehren[8]. Kein Tyrtäus wird vor unsern nach Amerika verkauften Brüdern[9] einherziehen und kein Homerus diesen traurigen Feldzug singen. Sind Religion, Volk, Vaterland unterdrückte, nebelichte Namen, so wird auch jede edle Harfe dumpf und im Nebel tönen. Ja endlich (die Ursache von allem!), solange wir in naturloser Weichheit, Unentschlossenheit und üppigem Zagen für Geld und Ruhm singen, wird nie eine Leier erschallen, die Sitten schaffe, die Sitten bilde. ...

(Dritter Abschnitt)

1 Roman von Martin Miller (1776). – 2 Roman von Wieland (1767–1773). – 3 Epos von Klopstock (1748–1773). – 4 Roman von Nicolai (1773–1776). – 5 Satire auf Goethes „Werther" von Nicolai (1775). – 6 Vollmacht, Beglaubigungsschreiben. – 7 (lat.) Gedicht. – 8 Der heil- und sangeskundige Zentaur Cheiron unterwies den griechischen Helden Achilleus im Leierspiel. – 9 Deutsche Fürsten verkauften zu verschiedenen Malen ihre Untertanen als Soldaten an ausländische Mächte, u. a. an England zur Niederschlagung des Unabhängigkeitskampfes der Nordamerikaner.

AUS: VOM GEIST DER EBRÄISCHEN POESIE

Eutyphron: Wir begegnen uns heut in einer schönen Morgenstunde.

Alciphron: Ich glaube, sie ist so schön zu unserm heutigen Gespräch. Sie wollten mich in die Kindheit unsers Geschlechts, also auch ins Paradies meiner Kindheit zurückführen: denn mich dünkt, das Ganze durchlebt seine Lebensalter wie das Einzelne. Also wird heute für mich ein Morgen schöner Erinnerungen sein –

Eutyphron: Erinnerungen aus Ihrer Jugend?

Alciphron: Es war meine frühe Lust, in jenen Auen paradiesischer Schönheit und Unschuld zu wandeln, die Väter unsers Geschlechts in ihren ersten Begebenheiten zu begleiten, zu lieben oder zu bedauren. Frühe Eindrücke aus Dichtern trugen ohne Zweifel dazu bei; und wir haben über diese Gegenstände schöne Dichter –

Eutyphron: Jedes Volk hat sie. Bei allen Nationen, die nicht ganz verwildert sind, tönt wenigstens ein schwacher Nachhall von der Glückseligkeit erster goldener Zeiten. Die Dichter, jedesmal die unschuldigsten und zärtesten unter ihnen, gleichsam die Kinder der Muse, haben diese Sagen aufgefaßt: die Jugend liebt sie und bildet sie in eigenen Träumen aus; der Frühling erinnert an sie und weckt sie gleichsam jährlich wieder. So sind Schäfergedichte, poetische Schilderungen der ältesten glücklichen Zeiten, paradiesische Szenen entstanden und werden immer die Lieblingsgedanken junger Jahre bleiben. Was hat auch der Mensch mit allen seinen Wünschen? was kann er haben, als Paradies? Das ist, Schönheit und Ruhe, Gesundheit und Liebe, Einfalt und Unschuld.

Alciphron: Schade aber, daß das meiste davon nur Traum ist oder so bald Traum wird! Das alte Paradies ist verloren; das Paradies des Frühlings und der Jugend geht auch schnell hin, und wir werden ausgetrieben aufs Feld des Ackers, in den heißen Sommer ängstlicher Mühe und Sorgen. Auch wo unter Völkern hie und da ein Geschlecht der Erde Unschuld, Ruhe und Paradies genießt: da schleichet bald die Schlange hinein, da verscherzet es seine Glückseligkeit durch selbst errungnes Leiden. Neben dem Baum des Lebens blüht dem Menschen immer gern der Baum überkluger Weisheit, von dem er sich den Tod kostet – das ist der Sterblichen Schicksal.

Eutyphron: Sie sind ein beredter Exeget der Sagen, von denen wir zu reden haben: Sie haben den feinen Sinn derselben bis auf den Grund gefühlt.

Alciphron: Und doch habe ich gegen manches Zweifel. Hat jemals ein Paradies existiert, und ist nicht alles poetische Sage? Moses gibt's offenbar als ein weit entlegnes, ihm unbekanntes Feenland an und setzt's gerade in die fernen Gegenden, dahin die Fabel alles Wunderbare setzte. An die Goldflüsse nämlich, den Phasis, der Kolchis umfließt, den Oxus, der Kaschmire umgibt, den Indus und Euphrat. In diesem weiten Lande, das er Eden, ein Land des Vergnügens, nennt, läßt er Gott einen Garten pflanzen – Wo lag der Garten in diesem weiten Erdstrich? Wo sind die Wunderbäume, die in ihm wuchsen, der Baum des Lebens und der Baum der Weisheit? Haben diese Zaubergewächse je geblühet? und wo stehn die Cherubim? – Das klingt alles als Fabel.

Eutyphron: So soll's auch klingen; und wir wollen eben sehen, wo Fabel und Wahrheit, d. i. Geschichte und Einkleidung, sich scheiden? Sie haben richtig bemerkt, daß Moses oder die alte Sage das Land des Paradieses nur weitläuftig angibt; daß diese Gegend eben das Fabelland sei, wohin die Nationen der alten Welt ihre schönsten Zauberideen, das güldne Vlies, die goldnen Äpfel, das Gewächs der Unsterblichkeit u. f. setzten. Es war der Garten ihrer schönen Götter und Genien, der Dsinns[1], Peris und Neris[2], nebst andern Zauberwesen. – Zeigen aber nicht alle diese spätere Märchen, daß ursprünglich eine einfachere Sage, irgendeine wahre Begebenheit der Urwelt ihr Grund gewesen sein muß? Denn die Sagen aller Welt, die ungefähr auf *eine* Gegend weisen, müssen doch durch etwas veranlaßt sein. Irgendwo muß das menschliche Geschlecht, das sich (unsrer Geschichte und seiner ganzen Kultur zufolge) nur allmählich auf die Erde verbreitet hat – irgendwo muß es angefangen haben; und wo könnte es dies, nach Maßgabe der Geschichte und des Baues der Erde, füglicher als in den Gegenden, auf welche eben diese Sage weiset? Hier ist die höchste Höhe Asiens, der Erdrücken der alten Welt: sie sind die fruchtbarsten unter unsrer Sonne, wo die freiwillige Natur den Menschen gleichsam in die Hand arbeitet und ihrer Mühe zuvorkommt. Überdem ist eben das Unbestimmte, wie Moses diese Urgegend angibt, Zeuge von seiner Wahrheit: er wollte nicht mehr behaupten, als die Sage wußte, und da er die Gegend weder bereiset hatte noch, wenn solches geschehen wäre, ein Archiv des Paradieses in ihr angetroffen hätte, so war das,

1 Dschinns, Teufel, Dämonen. – 2 Überirdische Wesen der persischen Sage.

was er tat, alles, was er tun konnte. – Doch, mein Freund, wir sind hier keine Retter der Geschichte; wir lassen die Tradition als eine Sage der Urwelt schweben und betrachten bloß, was sie als Wurzel der Poesie hervorgebracht habe.

Alciphron: Freilich einen Baum mit vielen Ästen und Blüten: denn die Tradition des Paradieses zieht sich in die kühnsten Ahndungen der Propheten, und der Baum des Lebens blüht noch im letzten Buch der Schrift. Er ist also Anfang und Ende der ebräischen Dichtkunst.

Eutyphron: Ein schöner Anfang! ein schönes Ende! Wie ist das Paradies Adams von den Propheten veredelt worden! Sie hoben's in die Zeiten des Messias; die Schriften des Neuen Testaments haben es gar in den Himmel gehoben. Da blühet der Baum des Lebens! Da schiffen wir alle hin und suchen jenseit der Flüsse und Weltmeere das alte Goldland, die ewig glücklichen Inseln. In der ganzen morgenländischen Dichtkunst, auch bei Arabern und Persern, sind die Ideen des Paradieses das Ideal menschlicher Glückseligkeit und Freude: es ist der Traum ihrer Liebe, ihrer Jugend, ihrer Hoffnungen und endlich gar der zukünftigen Welt –

> Wo nichts vom Eitlen mehr gehöret wird
> Und kein Andenken ist erstickender Angst:
> Wo alles bleibend ist und angenehm,
> Ein ewig Brautbett, ew'ge Morgenröte,
> Und Wasser süßer Düfte rinnen
> Und Bäume treuen Schatten geben,
> der nimmer weichet, nie verwelkt. –

Alciphron: Ob aber diese Ideen die Menschen nicht zu sehr am Sinnlichen festgehalten hätten? –

Eutyphron: Und was wollen Sie Unsinnliches von dieser oder der zukünftigen Welt dichten? Außer der schönen Sinnlichkeit unsrer Welt kennen wir ja keine andre; und die Urwelt der Zeiten dachte sinnlich. Wenn wohllust-trunkne Leute daran hangenblieben, wenn Mahomed[1] endlich das Paradies der Freuden nach seinen Neigungen grob-sinnlich dachte, so ist dies die Schuld des Mißbrauchs, nicht der Sache. Und doch ist auch den Mahomedanern in diesem Punkt bisweilen Unrecht geschehen; ihre Dichter und Philosophen haben über ihr zukünftiges Paradies so metaphysiziert als eine der nordischen Nationen. Überhaupt, dünkt

1 Mohammed.

mich, müsse man dem Geist der morgenländischen Völker wenigstens im Ausdruck hier etwas zugut halten. Sie empfinden und genießen feiner; warum sollten also auch ihre Gedichte der Liebe, des Vergnügens, der Sehnsucht und Hoffnung nicht diesen feinern Genuß und Wohllustgeist atmen?

Alciphron: Meinetwegen, und ich habe ihn in Gedichten der Unschuld und des Frühlings gern; nur fürchte ich, daß paradiesische Gemälde der Art gar zu leicht in eine Ruhe wiegen, zu der die Morgenländer überhaupt geneigt sind –

Eutyphron: Wären sie's nun auch! ich wüßte nicht, warum, da wir so viel bürgerliche Fronvögte haben, auch die ländliche Poesie ein Fronvogt sein müßte. Mir tut es wohl, wenn sie in ihren verbrannten Gegenden beinah überall, wo schattige Bäume stehen, wo lebendige Quellen und kühlende Ströme rauschen, Reste des Paradieses erblicken und dieses Land Eden, jenes den Sitz der Ruhe, das Schloß des Vergnügens u. f. benannten. Wäre es besser, wenn sie wie die nordischen Helden ihr Paradies zu einem goldnen Schmausesaal voll Met und Bier umgeschaffen oder sich den Hobbesischen wilden Krieg als den ursprünglichen Stand der Natur gedacht hätten? Mich dünkt, die Poesie müsse den Menschen mild, nicht wild machen. Alle Ideen, die dazu beitrugen, trugen zu seiner Besserung bei; die Bilder des Paradieses von Unschuld, Liebe und Vergnügen im Schoße der Natur haben dies unstreitig getan; also –

Alciphron: Auch die beiden Zauberbäume?

Eutyphron: Der Baum des Lebens gewiß. Er ist in der Poesie der Morgenländer, auch nur als Idiotismus[1] betrachtet, das angenehmste Bild. Wüßten wir, wo er blühete, würden wir nicht alle zu ihm wallfahrten? und nun, wenn Furcht Gottes, Mäßigkeit, Weisheit als ein Baum des Lebens vorgestellt wird, der uns allen blühet, sollte er weniger Reize haben? Der Baum der Unsterblichkeit, wie er im letzten Buch des Neuen Testaments vorkommt, wie er am Ende der Laufbahn und des Kampfs unsrer Wallfahrt im Paradiese Gottes dasteht, den angekommenen matten Streiter zu erquicken und alle Nationen gesundzumachen mit seinen unverwelklichen Blättern, mit seinen immer jungen und wiederkehrenden Früchten – lassen Sie mich, wenn meine Zunge durch keine Erdenfrucht mehr erquickt wird, mit der geistigen Idee dieser Hoffnung sterben.

Alciphron: Und der Baum der Weisheit?

1 Hier: Eigentümlichkeit der Sprache.

Eutyphron: Wir wollen später von ihm reden. Dünkt's Ihnen nicht gleichfalls ein schöner Zug des Paradieses, wenn Gott die Tiere zu Adam führt, daß er sähe, wie er sie nennete? Durch dies lebendige Anerkennen bildete der Mensch seine Anschauungskraft, seine Vergleichungs- und Abziehungsgabe[1], seine Vernunft und Sprache. Die ersten Namen seines Wörterbuchs waren lebendige Tierlaute, nach seinen Organen und mit seiner Empfindung modifizieret. Die erste Intuition von besondern Gemütsarten und Charakteren hatte der Mensch in Tieren: denn auf ihrem Gesicht, in ihrem Gange und ganzer Lebensweise ist ihr Individuelles eigentümlich, persönlich, bestehend und unveränderlich gebildet. Die Gottheit spielte also vor dem Menschen eine fortwährende äsopische Fabel. Auch hat keine poetische Sage des Paradieses vergessen, ihn im Gespräch mit Tieren zu schildern. Er ihr König, Herr und ältester Bruder; sie alle unter sich in Friede und alle dem Menschen zugetan und untertänig –

Alciphron: Eine Fabelzeit in zwiefachem Verstande.

Eutyphron: Wenigstens eine güldne Zeit ...

(Erster Teil · Sechster Abschnitt)

EINRICHTUNGEN MOSES'

... Moses' Gesetzgebung hatte die Idee, ein freies Volk zu bilden, das keinem als dem Gesetz unterworfen wäre, und damit niemand ihnen die Freiheit nähme, ward Gott selbst Gesetzgeber, Gesetzbewahrer, König. Er wohnte unter seinem Volk, und das so mißbrauchte Wort „Tempel“ war eigentlich Haus des Gesetzbuchs, über dem Gott wachte. Das ganze Volk war ein priesterlich Reich: jeder also dieses Königes und seines Gesetzes Diener; „du sollt mir ein priesterlich Königreich sein!“ war das Principium, in welches Moses seine Gesetzgebung faßte. Wollen wir diese nicht Theokratie, so laßt sie uns Nomokratie[2] nennen; nur für die Poesie, die daraus entsprang, nach der Wahrheit jener alten Zeit und Geschichte ist das Wort Theokratie viel ausdrückender und schöner. Alle bürgerliche und gottesdienstliche Poesie ward theokratisch: lasset uns sehen, was in der Gattung lag:

Zuerst: *Stammesehre, gleiche Nationalrechte, Freiheit.* Kein

1 Abstraktionsgabe. – 2 Herrschaft der Gesetze.

König lag eigentlich in der Gesetzgebung Moses'; Gott und das Gesetz war König. Alle Stämme waren *ein* Volk, Nachkommen der Väter, von denen sie zum Erbteil ihren Gott und mit diesem Gott brüderliche, ja Priester-Rechte erhalten hatten, welches nach ägyptischen Begriffen der höchste Stand war. Hiezu war die Beschneidung eingeführt, ein Unterschied, den in Ägypten nur der Priesterstand hatte; hier sollte er (da er durch Römer und Heiden zum Schimpf geworden ist) Nationalehre werden. Alle Stämme stunden unter ihren Fürsten, jede Familie unter ihrem Haupt: so hingen sie alle in brüderlichen Gliedern bis zu dem Gericht zusammen, das im Namen Jehovas über alle richtete. Dreimal im Jahr an den hohen Nationalfesten war allgemeine Zusammenkunft des Volkes. Es kam nicht zusammen, sieben Tage Predigten oder Messe zu hören, sondern sich gemeinschaftlich zu freun und sich als *ein* Gottesvolk zu fühlen; alle drei waren Freiheit- und Nationalfeste. Ostern erinnerte sie an den Tag, der sie zum freien Volk gemacht; Pfingsten an das Gesetz, das diese Freiheit befestigt; das Laubhüttenfest an den Genuß derselben in den ersten Hütten der Unschuld und Familieneintracht. Alle Feste waren voll Opfermahlzeiten, voll Musik, Lieder und Tänze: das Volk Gottes sollte vor seinem unsichtbaren Herrn und dem Zelt seines Gesetzes ein fröhliches Volk sein. Durch diese Zusammenkünfte sollte der Nationalstolz, d. i. die Freude in Jehova, Brudereintracht unter den Stämmen, die alle nur *einen*, einen unsichtbaren König, *ein* Gesetz, *einen* Tempel hatten, erweckt und durch gemeinschaftliche Mahlzeiten und Lieder der Ursprung des Volks, die Geschichte und das Andenken der Altväter erhalten werden. Wir denken uns meistens bei den Worten heilige Mahlzeiten, Tempel, Feste, Psalmen gar nichts oder etwas Kaltes, Trauriges und Totes, weil wir keine Nationalfeste und Lieder öffentlicher Freude, keinen Tempel des Väterruhms, kein Gesetz allgemeiner Nationalfreiheit haben: daher sehen wir auch die Psalmen, die von diesem Geist beseelt sind, oft so traurig und schief an. Kein Volk hat Nationalpoesie, das nicht allgemeine Gegenstände des Stolzes und der Freude hat; ja wenn es unter entgegengesetzten Ideen erzogen, insonderheit mit dem Wort „Gottesdienst, heilig" widrige Begriffe verbindet, mag es sich nicht einmal in andre Zeiten fühlen. Daher der traurige, mystische Ton der Psalmenausleger, der, wenn man das Wort Psalm vergißt und statt dessen Nationalgesang setzt, von selbst wegfällt. Man denke an Bundeslieder der Freundschaft, an Volksgesänge, wenn Stände einer freien Nation zusammenkommen, sich einander im Glück, in

Freude und Tugend zu ermuntern oder über National-Unglücksfälle zu trösten: so wird ein großer Teil der Psalmen uns schöner dünken. ...

(Zweiter Teil · Vierter Abschnitt)

FERNERE EINRICHTUNGEN MOSES'

... 6. Und das *Gottesregiment*, das so oft verspottet worden? Ich wollte, daß nach der Stufe unsrer Kultur wir es alle haben könnten; denn es ist gerade, was alle Menschen wünschen, worauf alle Weise gearbeitet haben und was Moses allein und so frühe schon auszuführen das Herz hatte, nämlich – *daß das Gesetz herrsche und kein Gesetzgeber, daß eine freie Nation es frei annehme und willig befolge, daß eine unsichtbare, vernünftige, wohltätige Macht uns lenke, und nicht Ketten und Bande.* Dies war die Idee Moses'; und ich wüßte nicht, ob es eine reinere, höhere gäbe. Leider aber kam er mit ihr und mit allen Anstalten, die er darauf gründete, drei, vier Jahrtausende zu früh; ja vielleicht wird auch nach sechs Jahrtausenden ein andrer Moses noch zu früh erscheinen.

Alle Regierung ist Bedürfnis, und jede zu körperliche, zu sichtbare Regierung wird Joch, ja oft eine Schande der Menschheit. Je leiser und unsichtbarer die Bande sind, die eine Gesellschaft zusammenknüpfen, je mehr das Principium der Beherrschung auf ihr Gemüt wirken darf, und zwar auch im Verborgnen, ohne Zeugen, als ein Motiv innerer Handlungen darauf wirken kann; endlich je mehr alle Eigenmächtigkeit, Willkür, die Alleinbeherrschung[1] eines oder einiger Menschen, die allemal hart fällt, dabei ausgeschlossen ist und ein freies Nationalgesetz gleichsam auf einem sichtbaren Thron herrschet: desto edler, desto menschenwürdiger ist die Verfassung. Siehe! das war Moses' Gottesregierung. Das Gesetz herrschte, von innen mit Gottes, von außen mit der einmütigen Stimme des Volks bekleidet: es thronte im Nationaltempel. Dieser war ein Zelt des Landesgottes, das allen zwölf Stämmen angehörte, das sie alle zur Familie eines Gottes knüpfen sollte; daher die goldnen Kälber zu Dan und Bethel[2], die das Band der Nation zerrissen, den Propheten so verhaßt waren! An Jehova also war man mit Pflicht und Treue gebunden, an keinen willkürlich herrschenden

1 Alleinherrschaft. – 2 Zwei angebliche Symbole des Jehova-Kultes, durch deren Aufstellung nach der Teilung des Reichs der Israeliten die politische Loslösung von Jerusalem dokumentiert werden sollte.

Menschen. Vor jenem stand man mit Gedanken und Taten; man stand aber nicht als Knecht vor ihm, sondern als Kind, als auserwähltes Erbe; und die Wohltaten Gottes, die er dem Volk erwiesen, wurden dem Andenken vernünftiger Menschen immer hergenannt und neu erzählt in Gesängen und Götterreden. – Welche feinere Art, die Bedürfnisse des Landes zu bestreiten, wenn man sie dem Heiligtum der Nation, keinem schwelgenden Thron gab, wenn man auch mit seinem Versehen vor Jehova stand und vor keinem vielleicht sündigern Menschen! Wer fühlt das Drückende nicht, daß Menschen über das Leben der Menschen Macht haben? daß die Willkür *eines* verdammen und begnadigen kann? daß die Gerichte nicht von erwählten Richtern des Volks vor den Augen Gottes und der Nation, sondern von besoldeten Dienern des Fürsten, an verschlossenen Örtern, in einem Labyrinth von Rechtsgängen und Formeln gehalten werden u. f. – Moses dachte die Sache höher und reiner. Öffentlich wurden die Gerichte gehalten: das Gesetz des Landesgottes diktierte Strafen, und kein Richter konnte dispensieren; Gottes waren die Richterstühle und keines erschaffenen Menschen. Seine Gesetze, die Anmahnungen der Propheten hierüber sind wie die Stimmen höherer Genien der Gerechtigkeit und der Gottesurteile. – Freude, Stolz und Ehre im Namen Jehovas sollten die Triebfedern aller öffentlichen Handlungen werden: diese Freude, diese Ehre hieß Religion, und die Verfassung, die den Grund dazu legte, die das Gesetz des Landesgottes zu einem ewig-unverbrüchlichen Kodex machte, nennen wir *Theokratie*. Ihres Enthusiasmus sind die Gesänge und Propheten-Reden der Ebräer voll: der größte Teil ihrer Poesie, den man oft nur für geistlich hält, ist politisch.

(Zweiter Teil · Fünfter Abschnitt)

AUS: LIEDER DER LIEBE (SALOMONS HOHESLIED)

Stimme meines Lieben!
Siehe, er kommt!
Springt über die Berge,
Hüpft über die Hügel.
Wie ein Reh ist mein Lieber,
Wie ein flüchtiger Hirsch.

Siehe, da stehet er schon
Dahinter der Wand,
Schaut durchs Geländer,
Blinket durchs Gitter.
Er spricht, mein Lieber,
Er spricht zu mir:

„Steh auf, meine Liebe,
Steh auf, meine Schöne,
Komm! –

Denn siehe, der Winter ist über,
Der Regen ist über, vorüber!
Man sieht schon Blumen am Boden,
Die Zeit des Gesanges ist da.
Man hört die Stimme
Der Turteltaube
Auf unsrer Flur.

Der Feigenbaum hat seine Feigen
Mit Süße gewürzt.
Des Weinstocks junge Trauben
Duften schon.
Steh auf, meine Liebe,
Steh auf, meine Schöne,
Komm!

Mein Täubchen in den Spalten des Felsen,
In den hohlen Klüften der Steige,
Laß sehn mich deine Gestalt,
Laß deine Stimme mich hören,
Denn deine Stimme ist lieblich,
Denn deine Gestalt ist schön."

Daß dies Stück mit dem vorigen nicht zusammenhange, siehet ein jeder. Dort entschlief das Mädchen unter dem Apfelbaum, im Traume des Geliebten, der ihr ein Schlummerlied sang. Hier ist er entfernt, lange entfernt gewesen. Sie hat die Regenzeit des Winters wie ein eingeschlossenes Täubchen in den Felsenritzen zugebracht; jetzt erweckt sie nicht Frühling, nicht Lerche, sondern Stimme des Geliebten, der fernher kommt und ihr Frühling und Freude bringet.

Von ferne kennt sie seine Stimme, und er ist's. Er hüpft, er springt über die kleinen Berge, von denen Palästina voll ist, ein hüpfender Hirsch, ein springendes Reh. Da steht er schon hinter der grünen Wand, blickt durchs Geländer, blinkt wie eine ausbrechende Blume durchs Gegitter; nun spricht er, nun singt er. Horch! Alles, was Frühling und Liebe, Garte und Morgen geben kann, ist in dem Liede; der liebkosende Ton des Originals aber ist unübersetzbar.

Er ruft sein Täubchen aus der Felshöhle und lockt sie mit allem Reiz und Schmucke des Frühlings. Alles ist da, nur sie fehlt; auch das Turteltäubchen, ihre Gespielin. Alles dufte, blühe, singe; nur ihre Stimme und schöne Gestalt fehlen. – Und sie läßt sie noch schweigen, das Täubchen antwortet nicht. Es ist offenbar ein einzelnes abgebrochnes Stück, der erste Frühlingsbesuch der Liebe –

Und in Orient, wo auf einmal Frühling wird, wo, wenn die Regenzeit vorüber ist, die Natur erwacht und oft an einem Morgen plötzlich eine ganze andre Welt zeiget, ist's Zug vor Zug Wahrheit.

Ebenso das folgende:

Faht[1] uns die Füchse,
Die kleinen Füchse,
Die Weinbergverderber,
Der Weinberg knospt.

Es hangt weder mit dem vorigen noch mit dem folgenden zusammen; es ist ein einzelnes Scheuchlied, wie man ja Jagd- und Ernte-, Kriegs- und Fischerlieder hat; dem Schäferleben des Orients war dies Scheuchlied wider die sogenannten Dibs oder Jackals[2] nötig. Bekanntlich sind dies kleine Füchse, dunkler als diese, die in Orient in Herden gehen, alle Nacht um Gärten und Häuser belfern und den Früchten, insonderheit dem Weine sehr schädlich sind. Der Sammler setzte das Lied hieher, ohne Zweifel, weil im vorigen die Jahrszeit, zu der auch knospende Weinberge gehören, als blühend beschrieben ward. Das ist nun die Zeit des Geschäfts in diesem Liede wie im folgenden, das ebenso einzeln dastehet:

Mein Lieber ist mein,
Und ich bin sein.
Er weidet in Blumen,
Bis der Tag sich kühlt
Und die Schatten fliehen.

1 Fangt. – 2 (engl.) Schakale.

Kehr um denn, o Lieber,
Sei wie ein Reh,
Wie ein flüchtiger Hirsch,
Über die Berge,
Die uns jetzt trennen. –

Ihr Geliebter ist im Geschäft seines Weidens. Er weidet unter Blumen, mit denen dort Tal und Höhen bedeckt sind. Fern von ihr; aber er wird wiederkommen, mit der Kühle des Tages, mit den längern Schatten; wird wie ein Hirsch springen über die Berge, die jetzt sie trennen. Das Lied ist unschuldig und süß; es versingt ihr die Zeit der Einsamkeit und der Entfernung, die lange schwüle Tagesstunde mit dem Andenken ihres Lieben. – Und nun ist Morgen, Tag, Abend gefeiert; hier kommt ein düstrer Nachtgesang, ebenso schön und einzeln.

In meinem Bette suchte ich,
Die lange Nacht,
Den meine Seele liebet –
Ich suchte ihn und fand ihn nicht.

Ich will aufstehn nun,
Die Stadt umgehn,
In den Straßen,
In den Gassen,
Und suchen ihn,
Den meine Seele liebet;
Ich suchte ihn und fand ihn nicht.

Mich fanden die Wächter,
Die die Stadt umgehn.
„Den meine Seele liebet,
Sahet ihr ihn?"

Ein wenig weiter, ihnen vorüber,
Da fand ich ihn, den meine Seele liebt.

Ich hab ihn und will ihn nicht lassen,
Bis daß ich ihn führe
Ins Haus meiner Mutter,
In meiner Gebärerin Kammer – –

Siehe einen Nacht- und Klagegesang voll Einfalt, Handlung, Schmerz und Freude. Welch ein Tappen und Suchen in der Finsternis durch Nächte und Nachtzeiten! Sie fährt in Träumen auf, findet ihn nicht; sie erträgt's nicht, muß aufstehn, wandern durch Gassen und Straßen und findet ihn nicht. Die Wächter der Stadt, das schnelle Fragen, das Vorübergehen, ohne Antwort zu erwarten, sind so ängstlich – – und da hat sie ihn endlich und will ihn nicht lassen. Der Mutter Haus, der Mutter Kammer soll ihre Beute festhalten und ihr nächtliches Suchen krönen – –

Abermals welche jungfräuliche Szene! In der Mutter Kammer ist's, wo sie ihn hinführet, wo sie in Träumen ihn suchte, den sie unter dem Schleier der Nacht mit Angst und Eile sich erwarb – – sie will ihn halten und nimmer lassen. Ist sie dessen nicht wert, diese Liebe? Und siehe, der Geliebte singt ihr das Schlummerlied wieder:

Ich beschwör euch, Töchter Jerusalem,
Bei den Hinden, beim Rehe der Flur,
Wenn ihr sie weckt!
Wenn ihr sie regt!
Meine Liebe,
Bis ihr es selbst gefällt! –

Das Lied stehet hier nicht so gut wie zum ersten Male, da in der Kammer ihrer Mutter wohl weder Hinden noch Rehe noch Töchter Jerusalems sind, sie zu stören. Ohne Zweifel setzte es der Sammler her, weil es Nacht ist und weil er ihr nächtliches Suchen und Streben jetzt mit süßer Ruhe krönen wollte. ...

O schön bist du, meine Liebe,
O du bist schön.

Deine Augen Täubchen
Am Lockenhaar.

Dein Haar ist wie die Gemsenherde,
Die weidet vom Gilead.

Die Zähne wie die Lämmerherde,
Die neugeschoren aus der Quelle steigt,
Die alle Zwillinge tragen,
Und keins derselben fehlt.

Wie ein Purpurfaden deine Lippen,
Und deine Rede süß.

Wie ein aufgeritzter Apfel deine Wangen
Am Lockenhaar.

Dein Hals wie Davids Turm[1],
Gebauet zur Waffenburg,
Tausend Schilde hangen an ihm,
Lauter Schilde der Helden.

Die zwo Brüste dein
Wie zwo Zwillingsrehchen,
Die unter Lilien weiden. –

Und weiter lässet ihn die bescheidne, schamhafte Braut nicht sinken. Sie unterbricht seine entzückte Beschreibung:

Bis der Tag sich kühle
Und die Schatten fliehn,
Will ich dort zum Myrrhenberge
Zu den Weihrauchhügeln gehn.

Und der ebenso bescheidne Liebhaber, der ihre Scham ehret und sogleich fühlt, warum sie seinem Lobe entrinnen wollte, fährt nachgebend fort:

Ganz bist du schön, o Liebe,
Kein Tadel ist an dir.
Mit mir vom Libanon, o Braut,
Vom Libanon wirst du kommen mit mir,
Wirst von der Höh Amana sehn,
Von Senir, Hermon weit umher,
Von den Wohnungen der Löwen,
Von den Bergen der Parden –

Du beherzest mich, o meine Schwester-Braut!
Du beherzest mich mit *einem* deiner Blicke,
Mit *einer* Ketten an deinem Halse.

Wie süß ist deine Liebe,
Du meine Schwester-Braut,
Wie süßer ist deine Liebe dann Wein!

1 Gebäude im antiken Jerusalem.

Der Duft von deinen Salben
Als aller Duft!

Honig triefen deine Lippen, o Braut!
Milch und Honig ist unter deiner Zunge,
Der Duft von deinen Kleidern
Wie Libanons Duft.

Ein heiliger Garte bist du, meine Schwester-Braut,
Ein heiliger Quell, ein versiegelter Brunn,
Deine Gewächs ein Äpfelparadies
Mit aller köstlichen Frucht.

Nardus und Krokus,
Zimmet und Canna,
Weihrauch allerlei Art.
Aloe und Myrrhen
Mit allen trefflichen Würzen.

Ein Brunn der Gärten,
Ein Quell lebendiger Wasser,
Die rinnen von Libanon –

Erhebe dich, Nord,
Und Südwind, komm,
Durchweh meinen Garten,
Daß seine Würze fließen! –

Die bescheidne Geliebte, abermals sein begeistertes Lob zu enden, als ob sie es nicht verstünde, hält ihn beim Wort:

So komme mein Geliebter
In seinen Garten
Und esse seine köstliche Frucht!

Und er, ihr abermals nachgebend:

Ich kam in meinen Garten,
O meine Schwester-Braut,
Und brach von meinen Myrrhen
Und meinen Würzen
Und aß von meinem Honig
Und Honigseim

Und trank von meinem Weine
Und meiner Milch.
Nun esset, meine Geliebten,
Und trinkt, und werdet trunken, ihr Lieben!

So endet dies unvergleichliche Stickwerk von Zucht, Einfalt, Liebe und Schönheit; gelänge es mir, nur einige Hauptzüge davon im Geiste Morgenlands zu verfolgen!

Die Schilderung der Gestalt seiner Geliebten ist ganz in Bildern der lebendigen Natur, aus der wir so sehr hinaus sind. Die meisten Gleichnisse dieser Art dünken uns daher unnatürlich, morgenländisch und übertrieben; da im Orient hingegen sie beinah bestimmte Sprache sind und daher auch in diesem Liede allemal wiederkommen, wenn der Teil menschlicher Schönheit, den sie abbilden, genannt wird. So sind die Augen mehr als einmal blöde[1] Täubchen, die hinter der vollen, schönen Locke hervorblicken, das Haar mehr als einmal die Gemsen-, die Zähne mehr als einmal die Lämmerherde; Natur und Wahrheit liegt in den Bildern! – Kann das zarte Haar, auch in seinem Herabfließen, im Fall seiner schönen Locke, lieblicher geschildert werden als im Bilde jener glänzenden Herde, die weidend hie und da und wie in Flechten und Locken den schönen Gilead hinabströmet? Die Fülle, die Weiße, die ununterbrochne Reihe, die Gesundheit und Wohlgestalt der Zähne, kann sie ein besser Bild in der lebendigen Natur finden als von der Herde neugeschorner, neugewaschener Lämmer, wo jede Mutter Zwillinge trägt und keine fehlt, keiner es mangelt? Wer nennet mir ein schöner Bild zarter Lippen als den Purpurfaden, der süße Rede wie Gesang der Liebe haucht, und ein süßeres Bild der zarten, errötenden Wange als den Milch- und Blutsaft des aufgerissenen Granatapfels? Der Hals, mit Davids Turme verglichen, ist oft belacht worden; ich weiß aber nicht, was hier im Punkte der Vergleichung treffender sein könne. Fest und rund und schön und geziert steht er über der Brust der königlichen Braut da; auch an ihm, wie an der stolzen Davidsfeste, hangt glänzende Siegsbeute, die einst ein Held trug und überwunden freiwillig dahinzollte, das prangende Halsgeschmeide. So gehet es fort mit den Bildern bis auf die Zwillingsrehchen, die unter den Lilien weiden; solange Natur Natur ist, wird man aus der Schäferwelt und -gegend keine reizendere, lebendigere Bilder finden.

Dies war die Beschreibung ihrer Wohlgestalt und Schönheit. Da

1 Hier: einfältig, bescheiden.

aber die sittsame Braut abbrach und kein weiteres Detail wollte und der ihr nachgebende Bräutigam alles übrige in zwei Zügen zusammennahm, „ganz bist du schön, o Liebe, an dir ist kein Tadel", und doch nicht abbrechen konnte – welch andre, noch entzücktere Schilderung macht er jetzt, nicht von ihrer Schönheit, sondern von ihrem Reiz, von ihrem Reiz in Liebe und Freundschaft. Ihre Kleider duften, ihre Lippen triefen Honig, Milch und Honig unter ihrer Zunge, der ganze Libanon in ihrem Gewande. Quell, Garte, ein Paradies von Bäumen, Würzen, Erquickungen, Labungen, Früchten – nichts tut ihm Gnüge, die Entzückung zu beschreiben, die ihm ihre Liebe gewährt. Er schwimmet und schwebt gleichsam auf allen den Düften und Blumen, Quellen und Kühlungen, die er nennet, und hat sich selbst noch nichts gesagt. Er befiehlt dem Nord und Süd aufzustehen und seinen Garten zu durchregen, daß die Würze fließen, daß er noch begeisterter spreche. Welch ein pindarischer Schwung auf den Flügeln der Natur, der Regung und Liebe, nur muß man freilich in Morgenlande die Bilder sehen! Was ist ihnen dort eine lebendige Quelle, ein frischer Strom, wie teuer ein reiner, versiegelter Quell und ein Paradies voll Düfte und Würze ein heiliger, verschlossener Garte! Ihnen wohnt Eden noch auf den Spuren, der Garte verlorner Liebe – – . . .

Ich schlafe und mein Herz wacht.

Stimme meines Geliebten!
Er klopft!

„Tu auf mir, meine Schwester, meine Freundin,
Mein Täubchen, meine Reine,
Tu auf mir!" –

„Mein Kleid ist ausgezogen;
Wie, soll ich's anziehn?
Meine Füße sind gewaschen;
Soll ich sie neu besudeln?"

Mein Lieber streckte
Die Hand durchs Gitter,
Mein Innres bebte mir.

Schnell stand ich auf,
Zu tun ihm auf, dem Lieben.

Meine Hände troffen Myrrhen,
Meine Finger troffen Myrrhen,
Die über den Riegel liefen.[1]

Auf tat ich meinem Lieben –
Mein Lieber war entwichen,
Verschwunden – –

Meine Seele war mir entgangen,
Da er zu mir sprach.
Ich sucht ihn nun und fand ihn nicht.
Ich rief ihn, aber er
Antwortete mir nicht.

Mich fanden die Hüter,
Die die Stadt umgehn.
Sie schlugen mich,
Sie verwundten mich.
Sie raubten mir den Schleier,
Die Hüter der Mauern.

„Ich beschwör euch, Töchter Jerusalems!
Wenn ihr ihn findet,
Meinen Geliebten,
Was wollt ihr ihm sagen? –
Daß ich vor Liebe krank bin." –

„Was ist denn dein Geliebter vor Geliebten,
Du Schönste der Weiber?
Was ist denn dein Geliebter vor Geliebten,
Daß du uns so beschwurst?" –

„Mein Lieber ist weiß und rot,
Ein Panier aus zehnmal Tausenden.

Sein Haupt das feinste Gold,
Seine Locken kraus
Und schwarz wie ein Rabe.

1 Der Bräutigam bekränzte nach einer alten Sitte die Tür zum Zimmer seiner Braut mit Myrrhen und bestrich sie mit duftendem Öl.

Seine Augen wie die Täubchen über Quellen,
In Milch gebadet,
In Fülle schwimmend.

Seine Wangen sind wie Blumenbeete,
Wie Kästchen Würze.

Seine Lippen Rosen,
Sie triefen strömende Myrrhe.

Seine Hände güldne Zylinder
Voll Türkise.

Sein Bauch ein lauteres Elfenbein,
Mit Saphiren bedeckt.

Seine Schenkel Marmorsäulen,
Gegründet auf güldnem Fuß.

Sein Ansehn wie der Libanon,
Erhaben wie ein Zederbaum.

Sein Gaume Süßigkeiten
Und ganz er Lieblichkeiten.

Der ist mein Lieber, der ist mein Freund,
Ihr Töchter Jerusalems." –

„Und wohin ging denn dein Geliebter,
Du Schönste der Weiber?
Und wohin wandte sich dein Geliebter?
Wir wollen ihn suchen mit dir." –

„Mein Lieber ging in seinen Garten,
Zu seinen Blumenbeeten,
Zu weiden in den Gärten,
Zu sammlen Rosen sich.

Mein Lieber, ich bin sein,
Mein Lieber, er ist mein,
Der unter den Rosen weidet." – – –

So bricht das Stück ab, und ohne Zweifel sind's auch schon mehrere Stücke, die der Sammler aneinanderfügte, weil Gelegenheit und eine gute Fuge da war. Das wandernde Nachtmädchen beschwur die Töchter Jerusalems, und da diese antworteten und nach dem Merkmal ihres Geliebten fragten, so war jetzt die beste Zeit, daß die Ängstige, vor Liebe Kranke die Gestalt ihres Liebhabers mit einem Glanz und einer Sehnsucht auszeichnet, die fast die Nacht erleuchten. Und da die Gefragten weiter fragen und sie ihnen nichts weiter anvertrauen will, so kommt das Lied wieder unter die Schäfer- und Rosengesänge, wo sie bei Gelegenheit der Rosen ihr altes Bekenntnis der Liebe wiederholet und wie eine Nachtigall gleichsam mit diesem Schluß und Widerhalle forteilet. – Auch muß ich abermals bemerken, wie verändert die Szene gegen der vorigen erscheine. Dort war eine Königsvermählte, der Gilead und Hermon, die Davidsfeste[1] und der ganze Libanon mit Löwen und Leoparden zu Gebot stand. Alle Bilder waren in dieser Fülle, in diesem Schweben: Ein Blick von ihr konnte Helden machen, die Goldkette ihres Halses riß den Liebhaber mit sich fort. Hier ist ein Landmädchen, die in ihrer Hütte im Garten allein schläft. Der Geliebte kommt zur schlechten Tür, wo er am Riegel eingreifen kann und wie ein Schäfer die Tür seiner Geliebten salbet. Er ist voll Tau und ohne Obdach, will eingelassen sein – sie schlummert, spricht zwischen Schlaf und Wachen wie ein armes, reines Landmädchen. So steht sie auf, so sucht sie, so ruft sie, so begegnen ihr die Wächter, so beschwört sie die Töchter Jerusalems als eine Unbekannte, so antworten ihr diese; kurz, dies Niedrige, Garten- und Landmäßige ist die Seele dieses vortrefflichen Liedes. Setzet eine Königin im Goldsaal an die Stelle, und alles ist verschwunden – –

Der Anfang des Stücks hat einen so außerordentlichen stillen Naturreiz, daß ich etwas darüber zu sagen verstumme. Das Schlafen, „aber das Herz wacht", die Stimme des Geliebten, das Klopfen, die Namen, mit denen er sie anredet, die Beweggründe seiner flehenden Bitte, ihr Säumen, ihr Tändeln, das mühsame Kleid, der reine Fuß – – und wie er nun am Riegel regt, sich selbst öffnen will, wie sie zusammenfährt, aufsteht, eilt, öffnet, unvermutet die Hand voll Myrrhen hat, die Finger voll Salbe des stillen Opfers seiner Liebe – – und er hinweg ist, nicht da ist, nicht spricht, nicht antwortet: „Die Seele war mir entwichen, ich war ja außer und nicht bei mir, daß ich schwieg, da er sprach, daß ich träumte, da er

1 Der Turm Davids in Jerusalem.

klopfte – –" Armes Mädchen, du mußt dein Säumnis nun mit später Reue, Wunden und Angst büßen.

Wie sie nun umgeht, wie sie irret, nächtlich ängstlich suchet und irret, bis an die Mauer gerät und den Wächtern in die Hand fällt, die sie als eine Unedle behandeln, sie verwunden, ihr den Schleier der Ehrbarkeit und jungfräulichen Zier rauben – und wie sie, alles verschmerzend, weitereilt, die Töchter Jerusalems beschwört, nur zu sagen, ihm zu sagen, daß sie krank sei von Liebe – –

Und da die Töchter Jerusalems stolz und prächtig nach Merkzeichen ihres Geliebten fragen, welch ein Zeitpunkt zu seinem Lobe, zu Schilderung seiner Gestalt! Jetzt unter dem Schleier der Nacht, im Gefühl, ihn verscherzt, ihn beleidigt zu haben, überdem aufgefodert, gereizt von diesen vornehmen Spröden und endlich aus der Fülle eines liebesiechen, verwundeten, kranken Herzens – da strömt sein Lob, seine Gestalt wird ein wahres Prachtbild, Kolossus von männlicher Würde, Glanz und Schönheit. Sie schildert ihn, nicht, wie er sie schildern würde, mehr seine Kleider als ihn, mehr seinen Anblick als seine Reize. Ehrfurcht und Zucht haben so viel Teil an ihrem Gesange als Sehnsucht und Liebe. Nur wiederhole ich, daß diese Gestalt mir zu der Landszene des Nachtgesanges abstechend dünkt; beides scheint nur vom Sammler gebunden. . . .

AN JOHANN GEORG HAMANN

Weimar, 13. Januar 1777

Gott mit Ihnen, lieber Hamann. Ein verpflanzter Mensch ist wie ein Kind neugeboren: er muß also lang erst nach Luft schnappen und Dinge sehen lernen, wie sie sind, ehe er spricht und sprechen kann; so war's auch mit mir, deswegen schreibe ich so langsam und vielleicht noch zu früh. Indes kann ich nicht umhin, Ihnen wenigstens Neujahr zu wünschen und mich zu erkundigen, wie Sie leben.

Meine Abreise war, wie Sie denken können, sehr tumultvoll, indes anders, als ich dachte. Ich hatte noch so manches böse Blut gegen den Grafen[1], daß ich glaubte, er müßte es auch gegen mich haben, sagte ihm also sehr spät von meinem Rufe und fand ihn plötzlich so höflich und voll so überspannter Hochachtung, daß ich fast glaubte, die Freude, mich zu verlieren, trüge zum Bedauren

1 Wilhelm von Schaumburg-Lippe, Herders Landesherr in Bückeburg.

und zur Höflichkeit bei. Beim Lande (einige Miträte ausgenommen) war das Gegenteil, und also ward aus so entgegenströmenden Flüssen ein Wirbel, der uns zuletzt sehr betäubte und mich fast toll und überdrüssig machte. Was Aufbruch mit einem Hause, einem Kinde von vier Wochen und in solche Entfernung hin, alles zu Wagen, sagen will, muß man erfahren; gnug, ich fühlte zum erstenmal die Last des Ziehens und Keinen-Fuß-Habens, wie ich sie nie gefühlt; eine Reihe kleiner Beschwerlichkeiten, Nachlässigkeiten, übler Bestellungen kamen dazu, so daß wir aus Bückeburg einen Tag später kamen, als wir wollten, den Wagen einen Tag später empfingen, ihn in Hannover ein- und in Halberstadt, wo ich mit meinem Heer bei Gleim ausruhete, zum zweitenmal wechselten, und endlich kamen wir den 1. Oktober 1776 abends um 10 Uhr hier an. Es war eben an dem Tage wenige Stunden vorher ein falscher Feuerschrecken in unsrer Nachbarschaft gewesen, daher die Sprützen noch standen und wir von mehr Leuten empfangen wurden, als wir so spät glaubten. Die Küsters aller Kirchen umringten mich mit ihren Küsterformularen; das große leere Haus, dicht hinter der Kirche, ein blinder Nachtwächter, der dicht unterm Fenster das Lied „Eins ist not, ach Herr" sang und es aus bloßer Höflichkeit ganz aussingen wollte, und eine Reihe andrer Umstände machten's sehr wüst um uns her: meiner Frauen Bruder, der aus Darmstadt seiner Gesundheit wegen hieherkommen war und uns mit empfing, war das einzige bekannte Gesicht, an das wir uns hielten. Den Morgen drauf war alles, wornach ich frug, nicht zu Hause: der Präsident des Oberkonsistoriums als mein gewesner Vokationskorrespondent[1], Herzog[2], Goethe etc.; meine Herren Kollegen also und Wieland waren die einzigen, die ich sah, um doch was gesehn zu haben. Von letzterm ging ich sogleich mit dem Eindruck fort, ihm auf der Welt nichts mehr übelzunehmen, so ein schwacher, guter Märchenträumer ist er persönlich. Er ist in nichts hassens-, eher mitleidswürdig in seinem Gespinste, das zu seinem Wesen, seiner Haushaltung, seinem schwachen Nervenbau leider so gehört als jetzt die „Merkur"-Fabrik zu seiner Existenz. Er hat eine Reihe von fünf Mädchen, eine schwächliche, sehr gute Frau, seine Mutter, die Seniorin in Biberach gewesen und sehr an mir hangt; alles in seiner Wirtschaft hängt so sonderbar, seiden und spinnwebenmäßig zusammen als seine Gedichte und Romane. In den ersten Wochen konnte ich mich des Gedankens nicht erwehren, als ob ich einen träumenden Menschen vor mir

1 Karl Friedrich Ernst Freiherr von Lyncker hatte den Berufungsbriefwechsel mit Herder geführt. – 2 Karl August von Sachsen-Weimar-Eisenach (1757–1828).

hörte; noch oft wandelt's mich an. Er ist aber sonst, das Steckenpferd seiner Autorschaft ausgenommen, ein guter Mensch und hat in manchen Dingen bon sens[1], wo ihn andre nicht haben. – Es würde Sie und mich ekeln, wenn ich so im Tagbuch meines Hieseins fortführe durch alle die Besuche und Gegenbesuche, Präsentationen und Handschläge der Geistlichen des ganzen Landes etc. Da zehn nach meiner Stelle gestrebt hatten, so war ich dem Pöbel als Atheist, Freigeist, Sozzinianer[2], Schwärmer verschrien; und da ich mich nun hier, wie ich bin, zeigte, predigte und dergleichen, so ging's mir wie Paulus auf Malta, da er die Otter wegschleuderte. Meine erste Predigt, die ich in aller Ruhe eines Unwissenden aller vorigen Gerüchte hielt, wandte mir hohes und niedres Volk so unglaublich zu, daß ich nun freilich auf ein so leicht gewonnenes Gut nicht viel rechne, es doch aber zum Anfange als eine sehr gute Schickung und Hülfe ansehen muß. Ich schweige ebensosehr von einer andern Krümme, da mein Herr Vikar (der's leider sechs oder sieben Jahr gewesen war) es noch vor meiner Ankunft ausgewürkt hatte, daß alle Beichtkinder bei ihm bleiben sollten, was man denn mit Gewissensfreiheit etc. beschönigen wollte. Ich erklärte gleich, daß ich mein Amt nicht anträte und meine schrecklich feierlich angesagte Anzugspredigt gar nicht halten würde, falls meine Vokation[3], auf die ich allein hergekommen sei, nicht in allen Punkten, geschweige in einem solchen, geltend bliebe, und da war freilich der Kopf auch zertreten, obgleich manche sanfte, heuchlerische Freundschaftsfersenstiche folgten und ohne Zweifel noch folgen werden. Übrigens kam ich sogleich in ein Gewirr von Predigten, Arbeiten, Ausschreiben etc., die die Zeit mit sich brachte, daß ich die meisten Proben durch bin, sie aber nicht ohne Abzugsgeld des alten Jahres schließen mußte. Die letzten Adventswochen war ein Gedränge von Privatkommunikanten (ich habe nur solche), daß, nachdem ich den ersten Weihnachtsfeiertag noch mein Hochamt (das ich gut papistisch nur dreimal im Jahr an den hohen Festen zu verwalten habe) verwaltet hatte, ich den zweiten Feiertag so von Brechen und Schwindel überfallen wurde, daß mir angst ward und ich noch nicht ganz hergestellt bin. Das Brechen dauerte einen Tag ganz, der Schwindel bis ins neue Jahr hin, so daß ich nur den Königstag[4] wieder ausgehn und predigen konnte. Sonst ist hier alles noch recht lutherisch-papistisch dem Äußern nach, wie im Innern kein Schatte von Luther gefühlt wird. Ich freute mich auf diese Gegenden wie

1 (franz.) gesunder Menschenverstand. – 2 Reformatorische christliche Sekte in Polen, die von Faustus Sozzini gestiftet wurde. – 3 Berufung. – 4 Dreikönigstag, der 6. Januar.

ein Kind, glaubte die Grundlage alter Anstalten wenigstens so tüchtig und gut zu finden, daß man mit Freuden darauf stehn und bauen könnte, bin aber sehr betrogen. Ewige Vormundschaften, schwache, Tyrannen- und Weiberregierungen haben alles so hinsinken lassen, durcheinandergemengt und -geworfen, daß alles weicht, wornach man fasset: Kirchen und Kirchengebäude verfallen; Kirchenärarien[1] erschöpft, daß an den wenigsten Orten kaum mehr Visitation in loco[2] gehalten werden kann; schlechte Prediger- und Schuldienerstellen und Subjekte, die ihren Stellen oft gleich sind. Dazu meine Arbeiten und mein Sprengel so ohne Maß, daß gerade soviel Geistliche und Kirchen unter meine *Spezial*aufsicht gehören, als Tage im Jahr sind. Die andre Superintendenturen zur Generalaufsicht, Konsistoriengeschäfte, zwei Predigtämter, da ich wieder tun soll, was sonst zwei tun würden, als Oberhofprediger und Oberpfarrer der Stadtkirche, das Ephorat[3] des Gymnasii und aller Schulen des Landes – das alles zusammengenommen und im ganzen noch immer keine Personen, durch die man würken kann, zusamt allem, was vorgegangen war und unnennbar vor mir, auf mir liegt und drückt, ohne daß man den Alp fassen kann, das alles macht mein Hiesein noch bisher zum Traume, zu einem Traume, wo man nichts absieht und also auch wenig denkt und desto mehr röchelt und fühlet. Die ersten Zeiten habe ich ordentlich nach Luft geschnappt und sie auf den sonderbaren Bergen rings um den Kessel, der Weimar heißt, auch nicht gefunden; selbst des unsäglichen Beifalls, Teilnehmens etc. habe ich noch nicht froh werden können, eben weil er so ungemessen und rasch ist. Meiner Hausehre geht's desgleichen. Unser großes, unbequemes Haus drückt uns ebenfalls und hat uns, als vornehme Leute, zu sehr gesondert, das denn auch nicht guttut. Kurz, die erste Zeit ist mir mein altlutherscher Chorrock und der hochwürdige Magnifizenztitel ziemlich unbehaglich gewesen, hoffen aber, daß es in der Zukunft besser sein wird, weil im ganzen mir doch Arbeiten und Geschäfte *selbst* gefallen und für die adiuncta[4], die wir nicht ändern können, immer doch ein Höherer sorget. Dies ist eben die Ursache, warum ich vom Hofe nichts schreibe. Ich genieße soviel Zuvorkommenheit und Auszeichnung, als ich nur verlangen kann, schränke mich aber sehr ein, daher Sie keiner Lügensage trauen müssen, die nach der jetzigen Mode über Weimar und also auch über mich ergehet. Der Herzog, ein guter, naturvoller Mensch, der manchmal Blicke tut, daß man erstaunet,

1 Kirchenvermögen. – 2 (lat.) am Ort. – 3 Hier: Oberaufsicht. – 4 (lat.) Begleiterscheinungen, Nebenumstände.

ist mir gut, besucht mich zuweilen, wir haben aber weiter keine Gemeinschaft zusammen als bei Konzerten oder der Tafel, wenn ich zu ihr geladen werde. Meine Frau ist der jungen Herzogin, zu der sie manchmal gehet, mit Leib und Seele zugetan und ich nicht minder. Sonst aber und im ganzen leben wir hier einsamer und zurückgezogner als in Bückeburg selbst, weil ich bei so vielen Menschen, die einem im Anfange durch die Hände gehen, noch nicht den wahren Schatz, einen Freund, habe. Der uns am meisten besucht, ist Wieland; wir berühren uns aber nur am Rande.

Geschwätzes gnug von mir; lassen Sie es sich nun, lieber Hamann, sagen, wie wohl mir's tat, daß ich vom Nichtverkauf Ihrer Bücher hörte. Ich glaubte schon verspätet zu sein und war auf den Kommissionsrat Claudius böse, daß durch seine Schuld mir Ihr Katalog so spät kommen mußte, bis mir Ihr Brief kam. Genesen Sie ganz, lieber Hamann, und genießen des Glücks Ihrer Familie; wie es ist und kommt, kommt's von oben. Äußerst begierig bin ich auf die Folgen Ihrer berlinschen Sturmleitern[1]; ich glaube aber, es ist da alles so glatt, daß nichts haftet. Vergessen Sie nicht, mir davon fernere Nachricht zu geben, auch von Ihren Anti-Eberhardschen Geburten[2]. Seine neue Preisschrift ist mir unausstehlich gewesen; ich glaubte, es sei Vorurteil, seh aber doch andre, denen es auch wie mir gehet. Wie Nicolai wieder auf mich gerülpst hat, können Sie in der „Allgemeinen Dreckbibliothek" in Beurteilung der Lavaterschen Physiognomik lesen[3]; sein Almanach von Volksliedern[4] soll mir meine Gerüchte[5] wie dort Virgils Harpye verderben[6], ich nehme es aber nicht zu Herzen. Seit ich hier bin, ist's, als ob ich zwischen Feenbergen wohne, aus Lethe getrunken und mich der Sachen nur im Traum erinnre. Und was das Sonderbarste dabei ist, finde ich hier soviel Ähnlichkeiten mit meinem Aufenthalt und Antritt in Livland, daß ich oft mich selbst erwecken muß. Mein Präsident Lyncker ist gerade wie dort der Rektor der Domschule, Lindner; dieselbe Aufnahme, derselbe laute Beifall und Kopfschütteln der Herren Kollegen, dieselbe Stadt und Nation – das ist mir im ganzen gut, denn dort habe ich mich sehr wohlbefunden. Be-

1 Vermutlich Hamanns „Zweifel und Einfälle über eine vermischte Nachricht der ‚Allgemeinen Deutschen Bibliothek' " (1776), worin er auf kritische Rezensionen seiner Schriften eingeht. – 2 Hamann hatte sich gegen den theologischen Rationalismus Johann August Eberhards gewandt. – 3 Nicolai hatte im 29. Band der „Allgemeinen Deutschen Bibliothek" (1776) u. a. geschrieben, daß Herder in den „Erläuterungen zum Neuen Testament" die Quellen nicht aufgesucht habe. – 4 Eine Verhöhnung der Bemühungen Herders und anderer um die Volksdichtung, 1777/78 erschienen. – 5 Gerichte. – 6 Vergil beschreibt in der „Aeneis", wie die Harpyen, geflügelte Windgeister, Speisen verschlingen oder mit Kot besudeln.

suchen Sie mich, und wir sehen uns hier, wie wir uns dort sahen, so ist die Ähnlichkeit vollkommen, und ich muß sagen, daß ich daran nicht verzweifle. Was macht Hartknoch? Ich habe in Äonen nichts von ihm gehört und so wenig Lust und Zeit gehabt zu schreiben. – Heraus kommt jetzt von mir nichts, und meine Seele schläft. Ich habe in einige Schriften Postels und Geiler von Kaisersberg aus hiesiger Bibliothek geguckt: im ersten hie und da (absit invidia verbo[1]) einen Strahl von Ähnlichkeit mit Ihnen, trotz aller andern Antipodenschaft, gefunden; eigentlich aber aus beiden noch nichts verdauet. Im „Merkur"[2] sind die Schrift über Hutten, das Wort über Kopernikus und der Aufsatz „Philosophei und Schwärmerei, zwo Schwestern" von mir: erstes und letztes noch Früchte meiner Muße in Bückeburg, das mittelste ist gar nichts, oder überhaupt nichts an allen dreien. Ich wollt indessen doch, daß Sie im November 76[3] das Ding „Philosophei und Schwärmerei" läsen. Sonst habe ich hier noch eine gute Bekanntschaft am Statthalter in Erfurt, Domherrn von Dalberg, gemacht, einem sehr vasten[4] philosophischen Kopf und sehr simpeln, liebenswürdigen jungen Menschen. Ich denke ihn bald zu besuchen und verspreche mir von seiner Nachbarschaft viel Gutes. – Vergessen Sie mich nicht, lieber Hamann, der ich jetzt mehr als je einsam lebe, Briefwechsel und Dienst der Eitelkeit abgeschnitten habe, wo ich ihn nur abschneiden konnte, und also Ihre Briefe, Aufsätze, Reihen als Besuche des Engels Gottes in diesem Feental ansehe, wo ich indes mit meinem großen Hause und Garten wieder auf einer Lauerhöhe wohne, hinter ein freier Raum über die Stadt hin, bis zu den Bergen, vorn die Kirche, die wie eine Sorbonnenmauer vor mir steht, mich deckt und meiner Pflicht erinnert. Leben Sie wohl mit den Ihren, und lassen Sie mich bald etwas von Ihnen, gedruckt und geschrieben, lesen. . . .

H.

1 (lat.) fern sei dem Wort böse Absicht. – 2 Zeitschrift, herausgegeben von Wieland. – 3 Im Novemberheft 1776 des „Teutschen Merkur". – 4 fest, stark.

Geschichte der Menschheit – eine „Folge aufsteigender Kräfte“

AN JOHANN GEORG HAMANN

Weimar, Anfang März 1781

Es dünkt mir selbst eine so lange Zeit, liebster Hamann, seit ich nicht an Sie geschrieben, daß ich jetzt zu einem Briefe gehe, ohne vielleicht Materie zu haben, womit ich Sie erfreuen könnte. Ihren ersten Brief empfing ich am Neuen Jahr auf dem Krankenbette, auf dem ich indessen doch schon wieder so weit war, daß ich ihn lesen und mich durch Ihr gutes Andenken erholen konnte. Nach den Weihnachtsfeiertagen nämlich, die ich sehr gesund durchgebracht, überfiel mich plötzlich ein so starkes Kopfweh mit Hitze und trockner Betäubung, die mich ein paar Tage stark festhielt, und es hätte schlimm werden können (so wie es denn bei andern Patienten der Krankheit in diesem Winter übel geworden ist und einer davon noch jetzt kaum wieder anfängt Kräfte zu bekommen), wenn nicht zum Glück ein guter Arzt und meine ziemlich gesunde Natur beizeiten das Ihrige getan hätten, daß ich sogar auch dem Phantasieren, wofür ich mich sehr fürchtete, gottlob noch entrann und auch die Kopfschwäche, die ich den ganzen Januar hindurch fühlte, sich ziemlich verloren hat. Ich brauche jetzt Queckenkur mit außerordentlichem Erfolg und denke mir dadurch selbst den Pyrmonter auf dieses Jahr zu ersparen.

Mit Ihrem Briefe kam zugleich das zweite Heft von Mendelssohns Moses[1] ohne Brief an und zwei Gemälde vom verstorbenen Grafen zu Bückeburg und der mir ewig lieben Gräfin, daß also mein Neujahrstag nicht ohne mancherlei Geschenke von allen Seiten abging. Einige Tage drauf bekam ich freilich auch den bübischen Ketzeralmanach[2] zu lesen, der auch meinen Namen mit Kot gemalt hat – indessen, dachte ich, so muß das Jahr anfangen – bona mixta malis[3] –, und so ist's bisher fortgegangen, und so wird's fortgehen, bis man ins Grab fällt. Auch Lessings Tod gehört dazu, der mir sehr bitter gewesen ist und den ich noch nicht vergessen kann. So-

1 Mendelssohns Übersetzung der fünf Bücher Mosis, 1780–1783 erschienen. – 2 Nicolais Verhöhnung der Bemühungen um die Volksdichtung. – 3 (lat.) Gutes mit Bösem vermischt.

Herders Wohnhaus in Weimar

wenig ich mit ihm im *engen* Briefwechsel gestanden, so eine große Gestalt war er doch in unsrer literarischen Welt für mich, die ich mir oft nahe fühlte, zumal ich ihn persönlich und sehr freundschaftlich, männlich und bieder in Hamburg kennengelernt hatte. Wenig Tage vor seinem Tode, Ende Januars, habe ich noch einen Brief von ihm und dachte nicht, daß es der letzte sein würde. Die große Lücke steht nun da, und die Melchior Goeze und andre Unbeschnittene freuen sich in der Stille. Der Nicolaische Trupp hat jetzt womöglich noch weiter Feld; und wie lange wird's sein, daß für Deutschland wieder ein Lessing geboren wird? – Um mich herum fühle ich eine sonderbare Wüste, da ich doch in dem Eigentlichen, worüber ich reden möchte, niemand hier habe, mit dem ich sprechen kann, als meine Frau. Die hiesigen schönen Geister sind so sehr weit von mir und leben in *ihrer* Welt, in denen es ihnen sehr wohl ist, dem Erzsophisten und weichen, üppigen Vertumnus[1], Wieland, vor allen. Von den Schweizern[2] bin ich auf eine sonderbare Weise fortgerückt – kurz, lieber Hamann, Sie sind mir beinah noch der einzige von allen, mein ältester, treuer, bester, der mir noch immer meine Jugendzeiten, die ich in Armut und vergnügter Dumpfheit hinbrachte, zurückruft und an den ich mich gern so klammern möchte wie an eine lebende Dädalische Bildsäule[3] ein Vertriebener, Umherirrender, der an ihr Jugend, Freund und Vaterland wiederfindet. Bewahren Sie sich nur, Lieber, und hüten Sie sich vor dem garstigen Schwindel, daß er Sie nicht übermöge. Meine Frau, ein großer Doktor, ist mit Ihrer Diät nicht zufrieden, mit den Gänsen zum Exempel und dergleichen unverdaulichen Sachen, die alle solche Übel befördern. Sie soll Ihnen einmal eine Lebensordnung vorschreiben, und noch besser wär's, wenn Sie sich in ihre Kost und Kur gäben. Sie macht mit ihrem Tissot[4] und ihrem einfältigen Angesicht große Kuren; leider aber, daß ihr Ehegemahl ihr selbst nicht folget. In der Tat, lieber Hamann, schonen Sie sich, wenn nicht Ihret-, so Ihrer Kinder wegen. Mich dünkt immer, Sie fressen an sich selbst und Ihr Geist überwältigt sich in Ihnen. Lassen Sie gehen, wie es geht, und schließen Ihre Hütte zu; es ist ja auch mit uns noch nicht aller Tage Abend. Und kommt der, was fehlt uns denn? Ich werde von Tag zu Tag klärer überzeugt, daß in unsrer Zeit das einzige Mittel zu wirken – leiden ist, wenn man nicht schmeicheln

1 Römischer Gott der Verwandlungsfähigkeit. – 2 Lavater und sein Kreis, dessen religiöse Schwärmerei bei Herder kritische Distanz auslöste. – 3 Der sagenhafte griechische Erfinder und Bildhauer Daidalos soll auch Statuen geschaffen haben, die sich selbständig bewegten. – 4 „Über die Gesundheit der Gelehrten" (1768) von Simon-André Tissot.

und tellerlecken will. Die dreißig Tyrannen zu Sokrates' Zeit[1] sind jetzt in die Millionen gewachsen, und in allen Ständen geht's so kunterbunt her, daß einem, wenn man's sieht, Farbe und Wort fehlet. Unser geliebteste Herzog[2] ist jetzt in Kassel, mit Herrn Merck, der dahin beschieden ist, die Galerie zu studieren, weil er sich von der ersten Kindheit auf für die Kunst geschaffen fühlt und glaubet. Sie sind auch in Göttingen gewesen, wie billig ist, und wer weiß, wohin es in kurzem gehn wird. „Kunst, Kunst“ ist jetzt die Losung, der alles zu Füßen liegt: süßer mystischer Opiumtraum unverstandner Ideen und Gefühle.

LESSINGS TOD

– Und so ist Lessing auch aus unsrer Mitte weggerückt! – Das ist nun der vierte große Verlust, den das gelehrte Deutschland im Lauf von drei Jahren erlitten hat, und mir, ich gestehe es, der empfindlichste. Haller, Lambert, Sulzer – nun auch Lessing! – Dieser letzte Schlag hat mich betäubt; aber mit jedem Tage fühl ich's schmerzlicher, was wir an diesem seltnen Manne verloren haben. Denn oh! wie selten werden so viele, so manchfaltige, so große Talente in einer Person vereinigt! – Und wenn ich überdenke, was ein einziges Werk wie „Nathan der Weise“ ist, was es für mich, für jeden, der einen Sinn für Vollkommenheit in Werken des Geistes hat, ist; was nur etliche solche Bogen wie die „Erziehung des Menschengeschlechts“ für mich waren, welch ein Gewinn, welche Entschädigung für ganze Jahre von Dürre, Mangel und Mißwachs – und mir dann sagen muß: Er ist nicht mehr, der meinem Geist und Herzen solche Feste geben konnte! Von dem ich noch so viel hoffen konnte! Diese Quelle von Licht und Kraft ist nun auf immer verstopft! – Es ist traurig, liebster Freund, traurig, so die Besten seines Volks und seiner Zeit zu überleben – und traurig, zu sehen, wie wenige die Größe eines solchen Verlusts nur zu fühlen fähig sind. Und doch, da er nun den Neid nicht mehr reizen, die Dummheit nicht mehr in Verlegenheit setzen, die Tartüffen nicht mehr beunruhigen und keinem der wohlmeinenden Leute, die wider ihn geschrieben haben oder noch schreiben werden, mehr Antwort geben

1 Nach der Niederlage Athens im Peloponnesischen Krieg rissen dreißig Oligarchen die Herrschaft in Athen an sich und errichteten 404 v. u. Z. eine gefürchtete Terrorherrschaft. – 2 Karl August von Sachsen-Weimar-Eisenach.

kann – nun werden Sie sehen, wie sich alle Stimmen vereinigen werden, die Größe des Mannes, den so wenige zu würdigen imstande sind, anzuerkennen. Man wird sich umsehen nach einem, der diesen leergewordnen Stuhl an der kleinen Tafelrunde der Weisen ausfüllen könnte. Man wird sich fragen: Wo ist nun der Denker, der helle, tiefblickende, weitumschauende philosophische Denker, der uns *diesen* Denker – wo ist der Schriftsteller, der uns *diesen* Meister in der Kunst der Komposition und Darstellung – wo ist der Kenner der menschlichen Natur, der uns *diesen* Menschenkenner – wo ist der Mann von Geschmack und feinem, scharfen, sichern Urteil, der uns *diesen* Mann ersetzen könne? Und man wird sich keine Antwort geben können. Wie klein ist selbst die Zahl derer, die noch übrig sind, uns wegen eines solchen Verlusts zu trösten! Und doch, glücklich, daß wir noch so manche haben, deren Tod einst alle Edeln und Guten ebenso betrüben, deren Verlust ebenso unersetzlich sein wird! Denn ihn selbst, den Lichtgeist, der in diesem dumpfichten Nebellande so sehr außer seinem wahren Elemente lebte, ihn bedauren wir nicht. Ohne Zweifel gilt nun von ihm, was der große Leibniz einst auf den Mann, dem er die Veranlassung zu seiner „Theodizee" zu danken hatte[1] und dem unser Freund an Scharfsinn, Freiheit des Geistes, Umfang der Kenntnisse und dem Talent zum Schreiben so ähnlich war, anwendete:

> Candidus insuetum miratur lumen Olympi
> Sub pedibusque videt nubes et sidera Daphnis. –
> – – – Illic postquam se lumine vero
> Implevit – – –
> – – – vidit quanta sub nocte iaceret
> Nostra dies.
> Mit süßem Wunder staunt er nun den Bau
> des neuen Himmels an, tief unter ihm
> die Wolken und der Sterne wandelnd Heer,
> und, wahren Lichtes aus dem Urquell voll,
> blickt er herunter auf die dicke Nacht,
> die unsern Tag erdrückt.

1 Die Verse sind dem französischen Philosophen Pierre Bayle gewidmet.

AUS: VOM ERKENNEN UND EMPFINDEN DER MENSCHLICHEN SEELE

... Auch Erkennen ohne Wollen ist nichts, ein falsches, unvollständiges Erkennen. Ist Erkenntnis nur Apperzeption, tiefes Gefühl der Wahrheit, wer wird Wahrheit sehen und nicht sehen, Güte erkennen und nicht wollen und lieben? Eben diese Abteilungen zeigen, wie sehr der Baum unsres Innern zerzaust und verfasert sei, daß Spekulation uns für Erkenntnis und Spiel für Tätigkeit gelten kann. Spekulation ist nur Streben zum Erkenntnis; ein Tor nur vergißt das Haben über dem Streben. Spekulation ist Zerteilung, wer ewig teilt, wird nie ganz besitzen und brauchen. Besitzt man aber und fühlt, daß man besitze, so ist bei einem Gesunden das Brauchen und Genießen natürlich.

Auch ist so denn keine Leidenschaft, keine Empfindung ausgeschlossen, die nicht durch solches Erkennen Wollen würde; eben im besten Erkenntnis können und müssen alle würken, weil das beste Erkenntnis aus ihnen allen ward und nur in ihnen allen lebet. Lügner oder Entnervte, die mit lauter reinen Grundsätzen prahlen und Neigungen verfluchen, aus denen allein wahre Grundsätze werden! Das heißt ohne Wind segeln und ohne Waffen kämpfen. Reiz ist die Triebfeder unsres Daseins, und sie muß es auch bei dem edelsten Erkennen bleiben. Welche Neigung und Leidenschaft, die sich nicht mit Erkenntnis und Liebe Gottes und des Nächsten beleben ließe, daß sie nur um so reiner, sicherer und mächtiger würke? Die Schlacken werden weggebrannt, aber das wahre Gold soll bleiben. Jede Kraft und jeder Reiz, der in meiner Brust schläft, soll aufwachen und nur im Geist meines Urhebers würken.

Aber wer lehrt mich dieses? Gibt's ein Gewissen, ein moralisches Gefühl, das mir, abgetrennt von allem Erkenntnis, richtigen Weg zeige? Die Worte selbst scheinen Unsinn, wenn man sie so vorträgt; ich glaube aber kaum, daß so etwas je eines Menschen Meinung gewesen. Ist jedes gründliche Erkenntnis nicht ohne Wollen, so kann auch kein Wollen ohn Erkennen sein, sie sind nur *eine Energie* der Seele. Aber wie unser Erkennen nur menschlich ist und also sein muß, wenn es recht sein soll, so kann auch unser Wollen nur menschlich sein, mithin aus und voll menschlicher Empfindung. Menschheit ist das edle Maß, nach dem wir erkennen und handeln, Selbst- und Mitgefühl also (abermals Ausbreitung und Zurückziehung) sind die beiden Äußerungen der Elastizität unsres Willens;

Liebe ist das edelste Erkennen wie die edelste Empfindung. Den großen Urheber in sich, sich in andre hinein zu lieben und denn diesem sichern Zuge zu folgen, das ist moralisches Gefühl, das ist Gewissen. Nur der leeren Spekulation, nicht aber dem Erkennen stehet's entgegen; denn das wahre Erkennen ist lieben, ist menschlich fühlen.

Siehe die ganze Natur, betrachte die große Analogie der Schöpfung: alles fühlt sich und seinesgleichen, Leben wallet zu Leben. Jede Saite bebt ihrem Ton, jede Fiber verwebt sich mit ihrer Gespielin, Tier fühlt mit Tier; warum sollte nicht Mensch mit Menschen fühlen? Nur er ist Bild Gottes, ein Auszug und Verwalter der Schöpfung, also schlafen in ihm tausend Kräfte, Reize und Gefühle; es muß also in ihnen Ordnung herrschen, daß alle aufwachen und angewandt werden können, daß er Sensorium[1] seines Gottes in allem Lebenden der Schöpfung, nach dem Maße es ihm verwandt ist, werde. Dies edle allgemeine Gefühl wird also eben durch das, was es ist, Erkenntnis, die edelste Kenntnis Gottes und seiner Nebengeschöpfe durch Würksamkeit und Liebe. Selbstgefühl soll nur die conditio sine qua non, der Klumpe bleiben, der uns auf unsrer Stelle festhält, nicht Zweck, sondern Mittel. Aber notwendiges Mittel, denn es ist und bleibt wahr, daß wir unsern Nächsten nur wie uns selbst lieben. Sind wir uns untreu, wie werden wir andern treu sein? Im Grad der Tiefe unsres Selbstgefühls liegt auch der Grad des Mitgefühls mit andern; denn nur uns selbst können wir in andre gleichsam hineinfühlen.

Mich dünkt, es sind also leere Streitigkeiten, wo das Principium unsrer Moralität sei, ob im Wollen oder Erkennen, ob in unsrer oder in fremder Vollkommenheit. Alles Wollen fängt freilich vom Erkennen an, aber alles Erkennen wird auch wiederum nur durch Empfindung. Eigne Vollkommenheit kann ich nur durch die Vollkommenheit andrer wie diese durch jene erlangen. Schon Hippokrates nennte die menschliche Natur einen lebendigen Kreis, und das ist sie. Ein Wagen Gottes, Auge um und um, voll Windes und lebendiger Räder. Man muß sich also für nichts so sehr als für dem einseitigen Zerstücken und Zerlegen hüten. Wasser allein tut's nicht, und die liebe kalte spekulierende Vernunft wird dir deinen Willen eher lähmen, als dir Willen, Triebfedern, Gefühl geben. Wo sollte es in deine Vernunft kommen, wenn nicht durch Empfindung? Würde der Kopf denken, wenn dein Herz nicht schlüge? Aber

1 Hier: Verkörperung der Fähigkeiten, sämtliche Sinnesreize aufzunehmen und zu verarbeiten.

gegenteils, willt du auf jedes Pochen und Wallen deines Herzens, auf jeden Nachhall einer gereizten Fiber als auf die Stimme Gottes merken und ihr blindlings folgen, wo kannst du hingeraten, da alsdenn dein Verstand zu spät kommt? Kurz, folge der Natur, sei kein Polype ohne Kopf und keine Steinbuste[1] ohne Herz; laß den Strom deines Lebens frisch in deiner Brust schlagen, aber auch zum feinen Mark deines Verstandes hinaufgeläutert, und da Lebensgeist werden!

Auch die Frage entschiede sich hier also, ob dies unser Wollen was Angeerbtes oder Erworbnes, was Freies oder Abhängiges sei. Es entscheidet sich ganz aus dem Grunde, daß wahres Erkennen und gutes Wollen nur einerlei sei, *eine* Kraft und Würksamkeit der Seele. War unser Erkennen nun nicht durch sich, willkürlich und ungebunden, hatte es, wenn es sich aufs tiefste als Selbst fühlen wollte, Stäbe der Aufrichtung, innere Sprache nötig, wahrlich, so wird's dem Willen nicht anders sein können! Agamemnon hatte seinen Zepter von Thyest, der von Atreus, dieser von Pelops, dieser vom Zeus endlich, und Hephästus hatte ihn geschmiedet; so geht's auch mit dem edelsten Königszepter, der Freiheit unsrer Seele.

Von Freiheit schwätzen ist sehr leicht, wenn man jedem Reiz, jedem Scheingut als einer uns suffizienten Ursache dienet. Es ist meistens ein erbärmlicher Trug mit diesen suffizienten Gründen, wo das Allgemeine immer wahr scheint, und das besondre Einzelne des bestimmten Falles ist Lüge. Man ist ein Knecht des Mechanismus, dieser aber in die lichte Himmelsvernunft verkleidet, und wähnet sich frei, ein Sklave in Ketten, und träumet sich diese als Blumenkränze. Sobald man ins Spekulieren kommt, kann man aus allem alles machen, dünkt sich aufgeflogen zum Empyreum[2], und der arme Wurm liegt noch in der Hülle ohne Flügel und Frühling. Da ist's wahrlich der erste Keim zur Freiheit, fühlen, daß man *nicht* frei sei und an *welchen* Banden man hafte. Die stärksten, freisten Menschen fühlen dies am tiefsten und streben weiter; wahnsinnige, zum Kerker geborne Sklaven höhnen sie und bleiben voll hohen Traums im Schlamme liegen. Luther mit seinem Buch „De servo arbitrio"[3] ward und wird von den wenigsten verstanden; man widerstritt elend oder plärret nach. Warum? weil man nicht wie Luther fühlet und hinaufringet.

Wo Geist des Herrn ist, da ist Freiheit. Je tiefer, reiner und gött-

1 Steinbüste. – 2 Der hinter den Sphären liegende feurige Himmel der griechischen Sage. – 3 „Vom unfreien Willen" (1525).

licher unser Erkennen ist, desto reiner, göttlicher und allgemeiner ist auch unser Würken, mithin desto freier unsre Freiheit. Leuchtet uns aus allem nur Licht Gottes an, wallet uns allenthalben nur Flamme des Schöpfers, so werden wir – im Bilde seiner – Könige aus Sklaven und bekommen, was jener Philosoph[1] suchte, in uns einen Punkt, die Welt um uns zu überwinden, außer der Welt einen Punkt, sie mit allem, was sie hat, zu bewegen. Wir stehen auf höherm Grunde und mit jedem Dinge auf seinem Grunde, wandeln im großen Sensorium der Schöpfung Gottes, der Flamme alles Denkens und Empfindens, der Liebe. Sie ist die höchste Vernunft wie das reinste, göttlichste Wollen; wollen wir dieses nicht dem heiligen Johannes, so mögen wir's dem ohne Zweifel noch göttlichern Spinoza glauben, dessen Philosophie und Moral sich ganz um diese Achse beweget. . . .

(Erster Versuch)

AN FRIEDRICH HEINRICH JACOBI

Weimar, 6. Februar 1784

'Εν και παν.[2]

Ich habe alle Ihre Verzeihung nötig, liebster Jacobi, da ich Ihnen auf Ihren mich innigst erfreuenden Brief nicht nur so spät antworte, sondern auch Ihren und Lessings Gott[3] so lange Zeit bei mir behalten habe. Ich bin aber in solchem Zustande der Kontraktion auf meine „Philosophie der Geschichte" gewesen, daß wenig andre Gedanken bei mir Raum hatten und ich endlich, da die Kälte hinzukam, die Sache glatt vergaß. Goethe erinnerte mich dran bei Gelegenheit eines Briefes von Ihnen (in welchem ich Ihre abermalige Krankheit herzlich bedaure), und so ergreife ich endlich eine Stunde, Ihnen nichts als *ἓν και παν* zu schreiben, das ich schon von Lessings Hand in Gleims Gartenhause selbst las, aber noch nicht zu erklären wußte. In Lessings Seele zu erklären nämlich, weil ich unmöglich denken konnte, daß Sie bei dem alten Anakreon[4] so greulich metaphysiziert[5] hätten; denn seine gutherzige Jungfräulichkeit

1 Archimedes von Syrakus (um 287–212 v. u. Z.), der bedeutendste Mathematiker und Physiker der Antike. – 2 (griech.) Eins und alles; Grundformel der pantheistischen Gottesauffassung. – 3 Jacobi hatte mit Lessing kurz vor dessen Tode Gespräche über Spinoza geführt und einen Bericht für Mendelssohn darüber verfaßt. Eine Abschrift dieses Berichts befand sich in Herders Händen. – 4 Gleim verfaßte zahlreiche anakreontische Gedichte. – 5 Hier: philosophiert.

Herder und Karoline um 1785

hat mir wahrscheinlich aus einer Art von Scham und Schonung von allen diesen Blasphemien nichts gesagt. Siebenmal würde ich sonst mein ἓν και παν heruntergeschrieben haben, nachdem ich so unerwartet an Lessing einen Glaubensgenossen meines philosophischen Credo gefunden.

Im Ernst, liebster Jacobi, seitdem ich in der Philosophie geräumt habe, bin ich immer und jedesmal neu die Wahrheit des Lessingschen Satzes inneworden, daß eigentlich nur die Spinozistische Philosophie *mit ihr selbst ganz eins sei.* Nicht, als ob ich ihr völlig beipflichtete – denn auch Spinoza hat in alle dem, wie mich dünkt, unentwickelte Begriffe, wo Descartes ihm zu nahestand, nach dem er sich ganz gebildet hatte. Ich würde also auch mein System nie Spinozismus nennen; denn die Samenkörner davon liegen in den ältesten aller aufgeklärten Nationen beinah reiner, nur er ist der erste, der das Herz hatte, es nach unserer Weise in ein System zu kombinieren, und dabei das Unglück hatte, gerade die spitzesten Seiten und Winkel herauszukehren, wodurch er's bei Juden, Christen und Heiden dekreditierte. Mendelssohn hat, dünkt mich, recht, daß Bayle Spinozas System mißverstanden; wenigstens hat er ihm durch die plumpe Gleichnisse, mit denen er's ausgeziert hat, viel Schaden getan. Und so bin ich der Meinung, daß seit Spinozas Tode niemand dem System des ἓν και παν Gerechtigkeit verschafft habe (auch Mendelssohn nicht in seinen „Gesprächen“ über Spinoza). O daß es Lessing nicht getan hat! Furchtsamkeit war's gewiß nicht von ihm, daß er damit nicht hervorrückte, da er keine Folgen einer für wahr gehaltnen Meinung scheute und alle Arten der Einkleidung ihm zu Gebot standen. Der böse Tod hat ihn übereilet!

Seit sieben Jahren und länger trage ich mich mit einer Parallele der Dreimänner[1] Spinoza, Shaftesbury, Leibniz und habe nicht dazu kommen können. Vorigen Sommer fing ich aufs neue an und ging drüber. Die beiden ersten waren durchgelesen; da kam die unbändige Hitze, und mein Geist geriet in solche Expansion, daß es wieder unterblieb. Jetzt soll's gewiß nicht lang unterbleiben. Also bitte ich Sie inständig, lieber Jacobi:

1) Lassen Sie mir doch Ihre für mich äußerst interessante Unterredung mit Lessing (ich hab's nicht gewagt ohne Erlaubnis) abschreiben, und schreiben Sie mir doch recht viel von dem närrischen Zeuge Seite 17, das Ihnen noch etwa beifällt. Ich bitte deswegen sehr darum, weil ich eigentlich Lessings Idee von der Kontraktion Gottes im Individuum einer Erscheinung noch nicht begreife oder

1 Anspielung auf die zwei antiken römischen Triumvirate.

eigentlich das Gesetz dieser Expansion und Kontraktion noch nicht einsehe. Sie geben den geheimsten Lieblingsideen meiner Seele damit eine Leckerspeise; denn ich kann Ihnen nicht sagen, wie sehr ich mit Lessing in den Hauptprinzipien, selbst in dem, was er von Leibniz gegen Spinoza sagt, übereinstimme. Doch von dem allen künftig, wenn mein Genius aufwacht, und Lessings Genius wird ihn gewiß zu seiner Zeit regen.

2) Dürfte ich wünschen, daß, ehe diese Lessings-Ideen zuerst vor Mendelssohn in Form einer Widerlegung erscheinen, Sie lieber die Unterredung außer dieser Verbindung in einer gefälligern Einkleidung geben. Der Brief kann an Mendelssohn abgehn, aber mit der Bitte, daß er nicht publiziert wird, bis Sie, was Sie aus der Unterredung wollen, publizieren.[1] Will er widerlegend drauf Rücksicht nehmen, so mag er's; aber den Diskurs ans Licht zu stellen bleibt Ihnen; denn er wird Sie so gut als ihn widerlegen, und ich wüßte nicht, warum Sie sich beide zum Schemel seiner Füße legen wollten.

3) Sodann, lieber, bester extramundaner Personalist[2], bitte ich bestens und angelegenst: Besinnen Sie sich auf mehreres, was Lessing gesagt hat, und – wappnen Ihr System mit mehrern Gründen. Wenn man keinen Salto mortale zu tun nötig hat, warum braucht man ihn zu tun? Und gewiß, wir dürfen's nicht; denn wir sind in der Schöpfung auf ebnem Boden. Das *πρωτον ψευδος*[3], lieber Jacobi, in Ihrem und in aller Antispinozisten System ist *das*, daß Gott, als das große ens entium[4], die in allen Erscheinungen ewig wirkende Ursache ihres Wesens, ein Null, ein abstrakter Begriff sei, wie wir ihn uns formieren; das ist er aber nach Spinoza nicht, sondern das allerreellste, tätigste *Eins,* das allein zu sich spricht: „Ich bin, der ich bin, und werde in allen Veränderungen meiner Erscheinung (diese beziehen sich nicht auf ihn, sondern auf die Erscheinungen untereinander) sein, was ich sein werde." Nicht also von der Verneinung des Satzes: Ex nihilo nihil fit[5], fängt die Philosophie der wahren Entität[6] an, sondern von dem ewigen Satze: Quidquid est, illud est.[7] Eben diesen Begriff des Seins hat Spinoza so fruchtbar entwickelt und ihn, wie mich dünkt, mit Recht über alle Vorstellungs- und Denkarten einzelner Erscheinungen sowohl

1 Jacobi veröffentlichte den Bericht über die Gespräche mit Lessing zusammen mit eignen antispinozistischen Gedanken in dem Buch „Über die Lehre des Spinoza in Briefen an Herrn Moses Mendelssohn" (1785). – 2 Jacobi glaubte an einen außerhalb der Welt existierenden persönlichen Gott. – 3 (griech.) Grundirrtum. – 4 (lat.) Das Sein alles Seienden. – 5 (lat.) Aus nichts wird nichts. – 6 Dasein, Seinshaftigkeit. – 7 (lat.) Alles Seiende ist jenes [Göttliche].

als über eingeschränkte Arten der Existenz im Raum erhoben. Was Ihr, lieben Leute, mit dem „*außer* der Welt existieren" wollt, begreife ich nicht; existiert Gott nicht *in* der Welt, *überall in* der Welt, und zwar überall ungemessen, ganz und unteilbar (denn die ganze Welt ist nur eine Erscheinung seiner Größe für uns erscheinende Gestalten), so existiert er nirgend. Außer der Welt ist kein Raum, der Raum wird nur, indem für uns eine Welt wird, als Abstraktion einer Erscheinung. Eingeschränkte Personalität paßt aufs unendliche Wesen ebensowenig, da Person bei uns nur durch Einschränkung wird, als eine Art Modus oder als ein mit einem Wahn der Einheit wirkendes Aggregat von Wesen. In Gott fällt dieser Wahn weg: er ist das höchste, lebendigste, tätigste Eins – nicht *in* allen Dingen, als ob die was außer ihm wären, sondern *durch* alle Dinge, die nur als sinnliche Darstellung für sinnliche Geschöpfe erscheinen. Das Bild „Seele der Welt" ist wie alle Gleichnisse mangelhaft; denn für Gott ist die Welt nicht Körper, sondern ganz Seele. Hätte unsre Seele die Klarheit des Begriffs von sich und von ihrem Leibe, die Gott hat, so wäre sie so weit, daß der Körper nicht mehr für sie grober Körper, sondern sie selbst sei, wirkend in solchen und solchen Kräften, nach solchen und keinen andern Arten; dann wäre sie aber auch Gott, das ist ἑν και παν, was sie nie werden kann, so weit sie steige.

Wie gern möchte ich hievon noch weiter schwätzen, aber Raum und Zeit gebricht mir, die beiden Modi, die alle eingeschränkte Wesen umschränken. Verzeihen Sie mein Geschreibs, bester Jacobi, und erfreuen Sie mich mit der Abschrift Ihres Gesprächs und Ihrem Turgot[1]; meine „Philosophie der Geschichte" soll, sobald sie fertig ist, zu Ihnen herüber. Nochmals gesagt, ich wünschte sehr, daß Lessings Gedanke zuerst ohne Widerlegung, ja ohne den Schein einer Heterodoxie als freies Gespräch erschiene. So hat Berkeley sein idealistisches System, Shaftesbury sein ἑν και παν, so haben Sie Ihr „Etwas, was Lessing gesagt hat", gegeben. Lassen Sie, wer da will, recht haben und siegen; das Auseinandergehn zuletzt ist für mich immer das schönste Ende des philosophischen Dialogs; gerade wie Sie's auch hier gemacht haben. Übrigens ist Lessing so dargestellt, daß ich ihn reden sehe und höre.

Adieu, Bester, bleiben Sie gesund und behalten mich lieb; denn Liebe ist höchstes Dasein, und Gott ist die Liebe.

1 Jacobi plante die Übersetzung der Schrift „Über das Leben und die Werke Turgots".

AUS: GOTT · EINIGE GESPRÄCHE

ERSTES GESPRÄCH

Philolaus: Sehen Sie, mein Freund, die erquickende Stunde, die nach dem schrecklichen Ungewitter folget. Schwefelwolken türmten sich auf, die uns den Anblick der Sonne benahmen und alles alles haucht wieder leicht und fröhlich. So stelle ich mir den Zustand der Weisheit vor, da Spinoza und seinesgleichen der Irdische in schweren Otem setzten; sie sind zertrümmert, und Welt den Anblick Gottes mit ihren schweren Dünsten rauben wollten: sie türmten sich auch zum Himmel empor und umzogen das Firmament; aber eine gesundere Philosophie hat sie wie die Riesen hinuntergestürzt, und der nachdenkende Geist erblickt die strahlende Sonne wieder.

Theophron: Haben Sie den Spinoza gelesen, lieber Freund?

Philolaus: Gelesen habe ich ihn nicht; wer wollte auch jedes dunkle Buch eines Unsinnigen lesen? Aber das habe ich aus dem Munde vieler, die ihn gelesen haben, daß er ein Atheist und Pantheist, ein Lehrer der blinden Notwendigkeit, ein Feind der Offenbarung, ein Spötter der Religion, mithin ein Verwüster der Staaten und aller bürgerlichen Gesellschaft, kurz, ein Feind des menschlichen Geschlechts gewesen und als ein solcher gestorben sei. Er verdient also den Haß und Abscheu aller Menschenfreunde und wahren Philosophen.

Theophron: Die Gewitterwolke indessen verdiente ihn nicht, mit der Sie ihn eben verglichen haben: denn auch sie gehört zur Naturordnung und ist heilbringend und nützlich. Aber, ohne Gleichnis zu reden, haben Sie, mein Freund, auch nichts Näheres und Bestimmtes über Spinoza gelesen, woran wir uns im Gespräch halten könnten?

Philolaus: Vieles, z. B. den Artikel über ihn in Bayle.

Theophron: An Bayle haben Sie diesmal nicht eben den besten Gewährsmann. Er, dem alle Systeme gleichgültig waren, weil er im Grunde selbst kein System hatte, blieb in Absicht des Spinoza nicht gleichgültig. Er nahm eifrige Partei gegen denselben, wozu ihn ohne Zweifel Umstände der Zeit und des Orts veranlaßten. Vielleicht lebte er dem Verstorbnen zu nahe: die Lehre, ja selbst der Name des Spinoza war damals ein Schimpfwort, wie sie es großenteils noch jetzt sind: alles Ungereimte und Gottlose nannte und nennet man zum Teil noch spinozistisch. Nun war es des feinen Dialektikers Bayle Sache wohl nicht, ein System als System zu ergründen und mit dem tiefsten Gefühl der Wahrheit ganz zu beherzigen. Er durchflog alle Systeme, nahm scharfsinnig ihre Verschiedenheiten auf, sofern sie ihm zu seinen Zweifeln dienten: jetzt war ihm diese Meinung wichtig, jetzt eine andre; von dem aber, was innere philosophische Überzeugung heißt, hatte sein leichtes Gehirn schwerlich einen Begriff, wie solches sein Wörterbuch beinahe unwidersprechlich zeiget.

Philolaus: Sehr wahr, und ich habe mich oft gewundert, wie ein so scharfsinniger Geist in seinen Meinungen so unstet, so unzusammenhangend sein konnte. Jetzt ist ihm diese, jetzt jene Ungereimtheit gleich wichtig: eine falsch zitierte Jahrzahl des Moreri und die Frage, ob ein Gott sei, wieviel derselben sein, woher das Böse in der Welt entspringe u. dgl., beschäftigen ihn mit gleichem Interesse.

Theophron: Sagen Sie lieber, mit gleich wenigem Interesse; aber mit desto mehr Gewandtheit des scharfsinnigsten Gedankenspieles. Eben dies macht Bayles seltenen Vorzug. Nennen Sie mir einen andern Schriftsteller, dessen Seele im leichtesten Spiel so viel und vielerlei mit gleicher Anmut, gleicher Aufmerksamkeit umfaßt oder berührt hätte? Er war der philosophisch-historische Voltaire seiner Zeit, dessen Liebhaberei sich vom erhabensten Gegenstande bis zur kleinsten Kleinigkeit eines historischen Umstandes, einer Anekdote, eines Büchertitels oder gar einer Zote erstreckte. Für einen Geist dieser Art war nun Spinozas System gar nicht. Dieser eingeschlossene, schwere Denker hatte von allem, was Meinung war, einen sehr verächtlichen Begriff und ging mit mathematischer Genauigkeit der reinen, trocknen Wahrheit nach, wo er solche zu finden vermeinte. Alles übrige vergaß er, und von Bayles Gelehrsamkeit, von seinem Witz und Scharfsinn hatte er vielleicht nicht eins gegen tausend. Zwei Köpfe solcher Art werden einander schwerlich Gerechtigkeit widerfahren lassen, und doch, bin ich überzeugt, hätte es Spinoza gegen den Verfasser des Wörterbuchs eher getan, als der muntre, vielgeschäftige Bayle es gegen Spinoza tun mochte. Diesem warf man schon in seinem Leben vor, daß er Spinozas System nicht recht gefaßt habe, und er hat sich gegen diesen Vorwurf in einem eignen Briefe verteidigt.

Philolaus: Übel also für Spinoza: denn für den größesten Haufen hat eben doch Bayle den Begriff festgesetzt, den man von ihm heget. Wie wenige lesen Spinozas dunkle Schriften, und alle Welt lieset den tausendfach-nützlichen, abwechselnden, angenehmen Bayle.

Theophron: Gerade so ist's, mein Freund. Für das leichte Heer von Lesern hat Bayle den Begriff von Spinoza fixiert; für den schweren Phalanx haben es meistens streitende Philosophen und Theologen getan, und da ist ihm noch übler begegnet. Es ging ihm nach dem Evangelio: seine nächsten Hausgenossen wurden zuerst seine ärgsten Feinde, die Cartesianer. Sie wollten und mußten ihre Philosophie, von der er ausgegangen war und mit deren Worten er sprach, von der seinigen absondern, damit nicht auch sie in den Verdacht des Spinozismus kämen; natürlich hat sich diese philosophische Behutsamkeit von des Cartesius Schule auf jede nachfolgende verbreitet. Sodann gingen die Theologen fast aller Konfessionen noch bitterer gegen ihn los; denn er hatte nicht nur über das Judentum und die Bücher des Alten Testaments sehr freie Meinungen geäußert, sondern, welches ihnen viel ärger dünken mußte, er hatte zuerst vorzüglich gegen sie die Feder ergriffen. Ihrer Streitsucht, ihren Zänkereien schrieb er einen großen Teil vom Verfall des Christentums, von der Unwirksamkeit der schönsten Lehrsätze desselben zu, und ob er dies gleich ohne alle Bitterkeit tat: so können Sie sich doch leicht die Aufnahme seines Buchs vorstellen.

Philolaus: Die ist mir ganz vor Augen. Hitzigen Parteien darf nur ein Friedensstifter ohne Vollmacht zwischentreten, und er hat beide gegen sich.

Theophron: Spinoza hatte keine andre Vollmacht, als die er glaubte aus der Hand der Billigkeit und Wahrheit empfangen zu haben; freilich aber bediente er sich derselben nicht eben auf weltkluge Weise. Er machte seine religiöse Politik in einem Werk bekannt, dessen Theologie Juden und Christen aufbringen mußte; ja seine politischen Grundsätze waren so hart und schnurgerade, daß sie der damaligen Zeit gewiß nicht eingehen konnten. Dem Staat räumte er das völlige Recht über die Anordnung des äußern Gottesdienstes ein: der Vernunft behielt er die uneingeschränkte Freiheit des Gebrauchs ihrer Kräfte vor; beides dünkte den meisten so übertrieben, als ob er Feuer und Wasser mischen wollte. Seine Theorie also mußte notwendig scheitern: denn in manchem ist sie uns auch noch jetzt zu hart und gleichsam zu Hobbesisch, ob wir gleich in der Toleranz und Staatskunst weit fortgerückt sind. *Locke, Bayle, Shaftesbury* u. a. gingen leiser.

Philolaus: Und doch haben auch sie gnug ausstehen müssen, eh ihre billigsten Sätze allgemein anerkannt wurden. In so gefährlichen Materien hat freilich ein disputierender Dialektiker wie Bayle oder ein einkleidender Dichter wie Voltaire viel Vorteil vor dem ernsten Philosophen, der seine Sätze strack hinstellt. Jene bleiben immer sicherer, weil sie sagen können: „Ich habe nur disputiert, nur eingekleidet"; und doch wirken sie in diesem angenehmen, immer veränderten Gewande nur desto allgemeiner. Bayle machte gewiß auf sein Zeitalter mehr Wirkung als Spinoza und Leibniz; Voltaire mehr als Rousseau und hundert noch strengere Philosophen.

Theophron: Wie man's nimmt, Philolaus; es gibt eine äußere und innere Wirkung. Jene breitet sich weit umher; diese wurzelt um so fester. Ich wollte, daß ein philosophisch-kritischer Mann, kein Jüngling, zu unsrer Zeit den theologisch-politischen Versuch des Spinoza mit Anmerkungen herausgäbe. Es wäre ein nützlicher Versuch, zu sehen, was die Zeit in ihm bekräftigt oder widerlegt habe. In der Kritik über die Schriften des Alten Testaments haben seitdem manche manches als eine neue Entdeckung, dazu weit unvollkommener, gesagt, das in Spinoza bereits gründlicher stand. Im Punkt der Toleranz hat die Natur unsrer Staaten beinah keinen andern Weg nehmen mögen, als den ihr Spinoza damals zu allgemeinem Haß vorzeichnete. Freilich ist in diesem Werk, wie in allen seinen andern Schriften, alles hart gesagt und vieles übertrieben. Für die Poesie der Propheten z. B. hatte er nur einen metaphysischen Sinn, und in der ganzen Komposition seines Werks ist er ein einsamer Denker, dem die Grazie des Weltumganges und des einschmeichelnden Vortrages ganz unbekannt ist.

Philolaus: Mich wundert's, Theophron, daß Sie es nur darauf setzen: denn ein Mensch ohne gesunde Grundsätze, ein Atheist, ein Pantheist u. f., über welche Materie könnte der schreiben, daß es bei Vernünftigen Eingang fände? Er soll sogar den Pantheismus und Atheismus haben demonstrieren wollen; was geht über den Unsinn?

Theophron: Also den Atheismus und Pantheismus? Aber wie sind beide in einem und demselben System möglich? Der Pantheist hat doch immer einen Gott, ob er sich gleich in der Natur Gottes irret; der Atheist hingegen, der Gott schlechterdings leugnet, kann weder ein Pantheist noch ein Polytheist sein, wenn man nicht mit den Namen spielet. Überdem, mein Freund, wie kann man den Atheismus, d. i. eine Negation erweisen?

Philolaus: Warum nicht? wenn man einen innern Widerspruch in der Natur Gottes entdeckte oder zu entdecken glaubte.

Theophron: Einen innern Widerspruch in einem einfachen, im höchsten Begriff, dessen die Menschheit fähig ist? ich bekenne, daß ich davon nichts begreife.

Philolaus: Deshalb war er auch ein Unsinniger, der demonstrieren wollte, was nicht zu demonstrieren war: denn unsre neue Philosophie sagt laut: „Weder daß ein Gott sei, noch daß er nicht sei, ist zu demonstrieren. Das erste muß man *glauben*."

Theophron: So sollte ich wenigstens denken, daß man etwa eins von beiden glauben müsse; daß es uns also freistehe, Atheisten, Deisten oder Theisten zu sein, nachdem wir Glauben haben. Doch lassen Sie uns diesen Punkt noch nicht berühren: Spinoza sei Atheist, Pantheist oder ein Ungeheuer von beiden gewesen: so schmerzen mich die Beinamen, die Sie einem Unbekannten geben. In der Philosophie sind wir aus den Zeiten der Ehrentitel hinaus, mit denen Spinoza noch von *Korthold, Brucker* und andern genannt ward. Der erste glaubte witzig zu sein, wenn er den Benedictus in einen Maledictus[1] und das Wort Spinoza in einen stachlichten Dornbusch[2] verkehrte. Bei andern ist der Name „frech, gottlos, unsinnig, unverschämt, gotteslästerlich, pestilenzialisch, abscheulich" das gewöhnliche Beiwort, mit dem sie ihn aus dem Reich der Geister zitieren. Ein Erwählter hat sogar das Zeichen der ewigen Verwerfung auf seinem Gesicht gefunden, und andre haben ihn auf seinem Todesbette um Erbarmung winseln hören. Ich bin kein Spinozist und werde nie einer werden; die Art aber, mit der man über diesen verlebten stillen Weisen die Urteile des vorigen Jahrhunderts, des jämmerlichsten Streitjahrhunderts, noch zu unsrer Zeit wiederholen will, ich gestehe es, mein Freund Philolaus, ist mir unerträglich. Hier haben Sie ein Büchelchen[3] von acht Bogen, in denen noch dazu das meiste ein Gemisch von Anmerkungen ist, die Sie ganz überschlagen dürfen; es ist nichts als *das Leben Spinozas*, sehr trocken, aber mit historischer Genauigkeit erzählt: denn man sieht, daß der Verfasser um jeden Umstand besorgt gewesen. Es ist ein unparteiischer Mann, der's geschrieben hat, und kein Spinozist, sondern ein evangelischer Pastor, der vor Gott bezeugt, daß er in Spinozas theologisch-politischem Traktat nichts Gründliches gefunden, noch etwas, das in

1 Lateinisch bene (gut) wird durch male (schlecht) verdrängt und so aus dem latinisierten Vornamen Spinozas Benedictus (der Gepriesene) Maledictus (der Verfluchte) gemacht. – 2 Boshafte Deutung des portugiesischen Familiennamens Despiñoza. – 3 „Leben des Spinoza" von Johann Colerus, 1733 erschienen.

dem Glaubensbekenntnis, womit er den evangelischen Wahrheiten zugetan ist, ihn im geringsten auf der Welt zu beunruhigen fähig gewesen, weil anstatt der gründlichen Beweise man nichts als vorausbedungene Sätze, und was man in den Schulen petitiones principii[1] nennt, darinnen finde. Einem so vorsichtigen Führer können Sie sich also sicher anvertrauen, wenn Sie den Mann näher kennen wollen. Meine Geschäfte rufen mich jetzt weg, und bald sehen wir uns wieder. Wenn Sie hineinblicken wollen: so lege ich Ihnen auch des Atheisten Werke selbst hin; leider sind es nur zwei kleine Bände.

Philolaus: Ich begreife den Theophron nicht. Für einen Demonstrator solcher Art sich zu verwenden! und was soll mir hierüber sein Leben von einem evangelischen Pastor, also geschrieben und also gedruckt, sagen? . . .

FÜNFTES GESPRÄCH

. . .

Theophron: Und welch ein Pfand, meine Freunde, haben wir mit diesem Geschenk auf die ganze Fortdauer unsres Lebens. Das Dasein ist ein unzerteilbarer Begriff, ein Wesen. Es kann so wenig in ein Nichts verwandelt werden, als wenig es ein Nichts ist, oder die Gottheit könnte sich selbst vernichten. Ich rede hier nicht von Erscheinungen, von Zusammensetzungen irgendeiner Gestalt in dem, was wir Raum und Zeit nennen. Alles, was erscheint, muß auch verschwinden; jedes Gewächs der Zeit trägt auch zugleich den Keim der Verwesung in sich, der da macht, daß es in seiner Erscheinung nicht ewig daure. Was zusammengesetzt ist, wird aufgelöst; denn eben diese Zusammensetzung und Auflösung heißt Weltordnung und ist das immer wirkende Leben des Weltgeistes. Ich rede also auch selbst noch nicht von der Unsterblichkeit einer Menschenseele und bin gar nicht willens, Ihnen Phantome der Einbildungskraft vorzuzeichnen, wie sie im Raum und in der Zeit, d. i. in der großen Weltordnung, andre Organe annehmen und ihre Seelenkräfte neu üben werde. Wovon wir reden, ist ein einfacher Begriff, das Dasein, an welchem das niedrigste mit dem obersten Wesen teilhat. Nichts kann untergehen, nichts vernichtet werden, oder Gott müßte sich selbst vernichten; aber alles Zusammengesetzte wird aufgelöset, alles, was Ort

1 (lat.) das Heranziehen eines Grundsatzes; in der Logik vorausgesetzte Sätze, die ihrerseits erst noch bewiesen werden müßten.

und Zeit ausmißt, wandert. Da nun im unendlichen Dasein alles liegt, was sein kann und ist: wie endlos wird die Welt, meine Freunde, endlos nach Raum und Zeit und in sich selbst beständig. Gott hat den Grund seiner Seligkeit Wesen mitgeteilt, die auch wie er, das Kleinste wie das Größeste, Dasein genießen und, damit ich Ihr Gleichnis brauche, Theano, als Zweige von seiner Wurzel ewigen Lebenssaft schöpfen. Mich dünkt, wir zeichneten uns also, Philolaus, das erste Naturgesetz der heiligen Notwendigkeit auf:

Philolaus: Mit Vorbehalt meiner Fragen darüber:

I. Das höchste Dasein hat seinen Geschöpfen nichts Höheres zu geben gewußt als Dasein.

Theophron: Aber, meine Freunde, Dasein und Dasein, so einfach der Begriff ist, sind in ihrem Zustande sehr verschieden, und was meinen Sie, Philolaus, was die Stufen und Unterschiede desselben bezeichnet?

Philolaus: Nichts anders als *Kräfte.* In Gott selbst fanden wir keinen höheren Begriff; alle seine Kräfte aber waren nur *eine.* Die höchste Macht konnte nicht anders als die höchste Weisheit und Güte sein, ewig lebend, ewig wirksam.

Theophron: Nun sehen Sie selbst, Philolaus, daß das Höchste oder vielmehr das All (denn Gott ist nicht ein Höchstes auf einer Stufenleiter von seinesgleichen) sich wirkend nicht anders als im *All* offenbaren konnte. In ihm konnte nichts schlummern, und was er ausdrückte, war er selbst, eine unteilbare Weisheit, Güte und Allmacht. Die Welt Gottes ist also die beste, nicht, weil er sie unter schlechteren wählte, sondern weil ohne ihn weder Gutes noch Schlechtes da war und er nach der innern Notwendigkeit seines Daseins nichts Schlechtes wirken konnte. Alle Kräfte sind also da, die da sein konnten, allesamt *ein* Ausdruck der Allweisheit, Allgüte, Allschönheit. Im Kleinsten und Größesten wirket er, in jedem Punkt des Raums und der Zeit, d. i. in jeder lebendigen Kraft des Weltalls. Denn Raum und Zeit sind nur Phantome unsrer Einbildungskraft, Maßstäbe eines eingeschränkten Verstandes, der Dinge nach- und nebeneinander sich bekannt machen muß; vor Gott ist weder Raum noch Zeit, sondern alles eine ewige Verbindung. *Er ist vor allem, und es besteht alles in ihm*: die ganze Welt ein Ausdruck, eine Erscheinung seiner ewig-lebenden, ewig-wirkenden Kräfte.

Theano: Und o wie haben wir uns zu freuen, daß, so nichtige Erscheinungen wir sind, in uns dennoch ein Ausdruck der drei höchsten Gottes- und Weltkräfte, *Macht, Verstand und Güte*, wohne.

Ich kann mir keine andre, geschweige höhere Eigenschaften gedenken; denn was ich in allen Werken der Natur Göttliches sehe, führet sich auf diese drei zurück, deren eine die andre erklärt und deren höchster Inbegriff und Ursprung in Gott wohnet. Wir haben also auch das wesentliche Gesetz Gottes in uns, unsre beschränkte Macht nach Ideen der Wahrheit und Güte zu ordnen, wie solches der Allmächtige seiner vollkommensten Natur nach selbst ausübet. Er hat uns darin etwas Wesentliches von sich mitgeteilet und uns zu Ebenbildern seiner Vollkommenheit gemacht, indem es in der Natur einer göttlichen Kraft liegt, nicht blind, sondern mit dem höchsten Verstande und einer alles Nichts ausschließenden Güte zu wirken. Aber wie weit entfernen wir uns von dieser Regel bei jedem willkürlichen, vernunft- und gütelosen Gebrauch dieser Kräfte!

Theophron: Sorgen Sie nicht, Theano: denn wenn es im Wesen jeder göttlichen Kraft liegt, nicht blind, sondern nach Weisheit und Güte zu wirken, so wird sich uns auch dieser scheinbare Schatte in der Schöpfung aufklären. Mich dünkt, Philolaus, wir können vorjetzt den zweiten großen Satz einer göttlichen Notwendigkeit setzen:

II. Die Gottheit, in der nur eine wesentliche Kraft ist, die wir Macht, Weisheit und Güte nennen, konnte nichts hervorbringen, als was ein lebendiger Abdruck derselben, mithin selbst Kraft, Weisheit und Güte sei, die ebenso untrennbar das Wesen jedes in der Welt erscheinenden Daseins bilden.

Philolaus: Ich habe den Satz aufgezeichnet und sehe ihn aus der Natur Gottes ein; ich wünschte aber, daß Sie ihn für Theano und mich in einzelnen Beispielen zeigten. Die Grade der Vollkommenheit in der Welt sind so zahllos-mannigfaltig, daß die niedrigsten derselben uns Unvollkommenheiten scheinen.

Theophron: Konnte dies anders sein, Philolaus? Wenn alles Mögliche da ist und nach dem Principium einer unendlichen göttlichen Kraft da sein muß: so muß in diesem All die geringste wie die höchste Vollkommenheit da sein; nur alle sind mit der weisesten Güte verbunden, und auch in der geringsten ist kein Nichts, d. i. nichts wesentlich Böses. Verzeihen Sie, Theano, daß ich abermals diesen Ausdruck nennen muß, ob er gleich ein Unding ist, das sich selbst aufhebt. Sie wissen, Philolaus, was Leibniz von seinen einfachen Substanzen[1] für große Dinge rühmte: sie sein Spiegel

1 Die Monaden der Leibnizschen Lehre; sie seien beseelte Wesen, verkörpert in den Einzelerscheinungen der Welt, und machten in ihrer Gesamtheit das Universum aus.

des Weltalls, mit Vorstellungskräften begabt, das Universum, jede nach ihrem Standpunkt, darzustellen und abzuschildern. Der Unendliche sehe im Kleinsten das All und im All das Kleinste. So erhaben diese Idee war und so notwendig sie ist, sobald man die Welt als eine in allen Teilen zusammenhangende Wirkung der höchsten Vollkommenheit ansieht: so falsch ward sie von manchen verstanden, und insonderheit die unendlich-kleinen einfachen Spiegel des Weltalls wurden unwürdig gedeutet. Wir lassen also das trügliche Bild weg, weil Bilder in die Weltweisheit nicht gehören, und sagen: Jede substantielle Kraft ist ihrem Wesen nach ein Ausdruck der höchsten Macht, Weisheit und Güte, wie solche sich an dieser Stelle des Universum, d. i. in Verbindung mit allen übrigen Kräften, darstellen und offenbaren konnte. Um dies einzusehn, dürfen wir nur betrachten, wie jede dieser substantiellen Kräfte in der Welt wirke. Sie sind doch einig mit mir darüber, Philolaus, daß sie *organisch* wirke?

Philolaus: Allerdings: denn mir ist keine Kraft bekannt, die außer Körpern, d. i. ohne Organe sich erweise; ob mir wohl ebenso unbekannt ist, wie diese Kräfte und diese Organen sich zusammengefunden haben.

Theophron: Durch ihre beiderseitige Natur, Philolaus; im zusammenhangenden Reich der vollkommensten Macht und Weisheit konnten sie nicht anders. Denn was nennen wir Körper? was nennen wir Organe? Im menschlichen Leibe z. B. ist nichts unbelebt: von der Spitze des Haars bis zum Äußersten Ihres Nagels ist alles von *einer* erhaltenden, nährenden Kraft durchdrungen, und sobald diese das kleinste oder größeste Glied verläßt, trennet es sich vom Leibe. Sodann ist es nicht mehr im Gebiet der lebendigen Kräfte unsrer Menschheit; dem Reich der Naturkräfte aber entfällt es nie. Das verwelkte Haar, der verworfne Nagel tritt jetzt in eine andre Region des Zusammenhanges der Welt, in welchem er abermals nicht anders als seiner jetzigen Natur nach wirkt oder leidet. Gehen Sie nun die Wunder durch, die uns die Physiologie des menschlichen oder irgendeines tierischen Körpers herzählet: Sie sehen nichts als *ein Reich lebendiger Kräfte*, deren jede, an ihre Stelle gesetzt, Zusammenhang, Gestalt, Leben des Ganzen durch Wirkungen hervorbringt, deren jede aus der Natur ihres Wesens folget. So bildete, so erhält sich der Körper; so löset er sich täglich, so löset er sich endlich gar auf. Alles, was wir Materie nennen, ist also mehr oder minder selbst belebt; es ist ein Reich wirkender Kräfte, die nicht nur unsern Sinnen in der

Erscheinung, sondern ihrer Natur und ihrer Verbindung nach *ein Ganzes bilden.* Eine Kraft herrschet; sonst wäre es kein Eins, kein Ganzes. Mehrere auf den verschiedensten Stufen dienen: alle diese Verschiedenheiten aber, deren jede aufs vollkommenste bestimmt ist, haben dennoch was Gemeinschaftliches, Tätiges, Ineinanderwirkendes; sonst könnten sie abermals kein Eins, kein Ganzes bilden. Da nun im Reich der vollkommensten Macht und Weisheit alles aufs weiseste zusammenhängt, da in ihm nichts sich anders als nach inwohnenden notwendigen Gesetzen der Dinge selbst zusammenfügen, helfen und bilden kann: so sehen wir auch allenthalben in der Natur *unzählige Organisationen,* deren jede in ihrer Art nicht nur weise, gut und schön, sondern ein Vollkommnes, d. i. ein Abdruck der Weisheit, Güte und Schönheit selbst ist, wie solche sich in diesem Zusammenhange sichtbar machen konnte. Nirgend in der Welt also, in keinem Blatt eines Baums, in keinem Sandkorn, in keinem Fäserchen unsres Körpers herrscht Willkür; alles ist von Kräften, die in jedem Punkt der Schöpfung nach der vollkommensten Weisheit und Güte wirken, bestimmt, gesetzt, geordnet. Gehen Sie, meine Freunde, die Geschichte der Mißgeburten, der Verwahrlosungen und Ungeheuer durch, da durch fremde Ursachen die Gesetze der Natur in Unordnung gesetzt zu sein scheinen: die Gesetze der Natur wurden nie in Unordnung gesetzt; jede Kraft wirkte ihrer Natur getreu, selbst da eine andre sie störte; denn auch diese Störung selbst konnte nichts anders bewirken, als daß die gestörte Kraft auf anderm Wege sich zu kompensieren suchte. Ich habe über diese Kompensationen in einem System gestörter Kräfte sonderbare Bemerkungen gemacht, von denen wir uns zu einer andern Zeit unterhalten können; allenthalben aber habe ich auch im scheinbar größesten Chaos die *beständige Natur,* d. i. unwandelbare Regeln einer in jeder Kraft wirkenden höchsten Notwendigkeit, Güte und Weisheit, gefunden.

Philolaus: Mich freuet's, Theophron, daß Sie mir den dunkeln Begriff der Materie aufgehellet haben: denn ob ich gleich dem System des Leibniz gern beitrat, daß sie nichts als eine Erscheinung unsrer Sinne, ein Aggregat substantieller Einheiten sein könne, so blieb mir doch in diesem System die sogenannte „idealische Verbindung solcher Substanzen" ein Rätsel. Leibniz verglich die Materie mit einer Wolke, die aus Regentropfen besteht und uns nur Wolke scheinet, oder gar mit einem Garten voll Pflanzen und Bäume, mit einem Teich voll Fische u. dgl.; dadurch aber konnte ich mir noch das Bestehen dieser Erscheinung, den Zusammenhang dieser Kräfte nicht erklären. Die Regentropfen in der Wolke, die Pflanzen im Garten, die Fische im Wasser haben ein Medium der Verbindung; und welches könnte bei diesen die Materie ausmachenden Kräften ein solches Medium sein als die Kräfte der Substanzen selbst, mit denen sie auf einander wirken? Dadurch also bilden sich Organe; denn auch das Organ selbst ist ein System von Kräften, die in inniger Verbindung *einer* herrschenden dienen. Jetzt bleibt mir die Materie nicht bloß eine Erscheinung *in meiner Idee* oder durch Ideen vorstellender Geschöpfe allein verbunden; sie ist's durch ihre Natur und Wahrheit, durch den innigen Zusammenhang wirkender Kräfte. Nichts stehet in der Natur allein: nichts ist ohne Ursache, nichts ohne Wirkung; und da alles in Verbindung und alles Mögliche da ist, so ist auch nichts in der Natur ohne Organisation, jede Kraft stehet in Verbindung mit andern ihr dienenden oder über sie herrschenden Kräften. Wenn meine Seele also eine substantielle Kraft ist und ihr jetziges Reich der Wirkung zerstört wird: so kann es ihr in einer Schöpfung, in welcher keine Lücke, kein Sprung, keine Insel stattfindet, an einem neuen Organ nie fehlen. Neu dienende Kräfte werden ihr beistehn und in ihrem neuen Zusammenhange mit einer Welt, in welcher alles zusammenhangt, ihren Wirkungskreis bilden.

Theophron: Und welche notwendige Pflicht fließt hieraus, lieber Philolaus, zu schaffen, daß sie in ihrem Innern, im System ihrer Kräfte selbst, wohlgeordnet von dannen gehe: denn nur, wie sie ist, kann sie wirken; nur nach der Gestalt ihrer innern Kräfte kann auch ihre äußere Gestalt erscheinen. Unser Körper ist nur ein Werkzeug, ein Spiegel der Seele; jede Organisation ein äußerer Abdruck inniger Bestrebungen, die ihrer Erscheinung Bestand geben.

Philolaus: Ich erinnere mich hiebei mancher schönen Bemerkungen des Spinoza, die er über die Verbindung des Leibes und der Seele gemacht hat. Denn ob er beide gleich, dem Cartesischen System[1] zufolge, ganz unabhängig voneinander, wie den Gedanken und die Ausdehnung, betrachten mußte: so konnte es doch nicht fehlen, daß ein scharfsinniger Geist wie er über die Harmonie beider seine Betrachtungen anstellte. Er macht den Begriff vom Leibe zur *wesentlichen Form der menschlichen Seele* und schließt dar-

1 Nach Descartes sind Leib und Seele, Körper und Geist voneinander unabhängige, wenn auch „gelegentlich“ zusammenwirkende Gegebenheiten.

aus auf die Beschaffenheit, auf die Veränderungen, die Vollkommenheit und Unvollkommenheit dieses Begriffs vortrefflich. Es ließe sich aus seinen Grundsätzen eine Physiognomik entwerfen, die das gewöhnliche Chaos unsrer physiognomischen Träume sehr ordnete und auf eine bestimmte Wahrheit zurückführte. Insonderheit war es mir angenehm, daß er auf die *Lebensweise*, d. i. auf die Veränderungen in der Beschaffenheit des Körpers, so viel hält und ihr die *Gedankenweise*, d. i. die Form des Begriffs der Seele, gegenüberstellet. Aus dem Umriß eines Beins oder Knochens leitet er nicht die wandelbarsten, feinsten Triebfedern der Seele, ihrer Fähigkeiten und ihres Charakters her, ob es wohl niemand leugnen wird, daß auch jeder kleine Umriß des Körpers zur Analogie des Ganzen gehöre. – Aber Sie schweigen, Theano?

Theano: Ihr Gespräch ist mir sehr lieb, meine Freunde; weil Sie mich doch aber einmal dazu bestellet haben, Sie, wenn Sie sich verirren, wieder an den Weg zu erinnern: so wollte ich, Sie ließen diese unendliche Materie der Physiognomik und kehrten zu Ihrer allgemeinern Betrachtung zurück. Mir, die ich immer nur mit dem Wenigsten zufrieden bin, ist's genug, daß jede Organisation die Erscheinung eines Systems innerer lebendigen Kräfte sei, die nach Gesetzen der Weisheit und Güte eine Art kleiner Welt, ein Ganzes bilden. Ich wünschte, daß ich den Geist der Rose zu meiner Arbeit zaubern könnte, daß er mir sagte, wie er ihre schöne Gestalt gebildet habe, oder, da auch sie nur eine Tochter des Rosenbusches ist, daß mir die Dryade desselben es erklärte, wie sie von der Wurzel aus bis zum kleinsten Zweige ihr Bäumchen belebte. Als Kind schon bin ich oft vor einem Baum, einer Blume stille gestanden und habe die sonderbare Harmonie angestaunt, die sich in jedem lebendigen Geschöpf von unten zu bis obenaus zeiget; ich verglich mehrere derselben und habe mit Musterung der Blätter, der Zweige, der Blüten, der Stämme, des ganzen Wuchses der Bäume und Pflanzen manche müßige Stunde verträumt. Die Begierde, solche eigentümliche schöne Gestalten lebendig nachzuzeichnen, schärfte meine Aufmerksamkeit, und oft kam ich in ein so vertrauliches Gespräch mit der Blume, dem Baum, der Pflanze, daß ich glaubte, ihr ergriffenes Wesen müßte in meine kleine Schöpfung wandern. Aber vergebens; diese blieb ein totes Nachbild, und jenes schöne vergängliche Geschöpf stand da mit aller Fülle stiller Selbstgnügsamkeit und eines gleichsam *in und für sich selbst vollendeten Daseins.* Über diese

Materie reden Sie mehr und helfen meiner stammelnden Natursprache.

Theophron: Liebe Theano, die wird nun wohl immer eine Stammlerin bleiben. Ins innere Wesen der Dinge hineinzuschauen, haben wir keine Sinne; wir stehen von außen und müssen bemerken. Mit je scharfsinnigerm, stillerem Blick wir dies tun: desto mehr offenbaret sich uns die lebendige Harmonie der Natur, in der jedes Ding das vollkommenste Eins und doch jedes mit jedem so vielfach und mannigfaltig verwebt ist. Die Kunst schleicht dieser Beobachtung der Natur nach, und die neuere, aufmerksamere Naturlehre ist ihre Schwester. Sie beobachtet in jedem Dinge nur, was es sei, wie es sich gestalte, wie es leide und wirke, und hat über Pflanzen, Bäume, Mineralien, Tiere u. f., über ihre Entstehung, ihr Wachstum, ihre Blüte und Abblüte, über Krankheiten, Tod und Leben derselben Schätze von Erfahrungen gesammlet, die uns bei jedem einzelnen Gegenstande eine Welt von selbst-bestehender Harmonie, Güte und Weisheit zeigen. Hievon ist aber jetzt nicht zu reden: man muß dies alles in schönen Frühlings- und Sommertagen lieber sehen, als jetzt im dunkeln Abendgespräch davon hören. Worauf ich Sie aufmerksam machen möchte, sind die einfachen Gesetze, nach welchen alle lebendigen Kräfte der Natur ihre tausendfältigen Organisationen bewirken: denn alles, was die höchste Weisheit tut, muß höchst-einfach sein. Die Gesetze nämlich scheinen mir in drei Worten zu liegen, die im Grunde alle wieder nur *ein* lebendiger Begriff sind.

1. *Beharrung*, d. i. innerer Bestand jeglichen Wesens.
2. *Vereinigung* mit Gleichartigem und vom Entgegengesetzten Scheidung.
3. *Verähnlichung* mit sich und Abdruck seines Wesens in einem andern.

Wollen Sie mich darüber, damit ich Ihren Ausdruck brauche, Theano, auch stammeln hören: so steht Ihnen meine Rede zu Dienst. Wir wenigstens, Philolaus, setzen unsern Gesprächen über den Spinoza den Kranz auf; denn Sie wissen, daß er selbst seine Moral auf diese Begriffe bauet.

Zuerst also. *Jedes Wesen ist, was es ist,* und hat vom Nichts weder einen Begriff noch zu ihm Sehnsucht. Alle Vollkommenheit eines Dinges ist seine *Wirklichkeit*; das Gefühl dieser Wirklichkeit ist der einwohnende Lohn seines Daseins, seine innige Freude. In der sogenannten moralischen Welt, die auch eine Naturwelt ist, hat Spinoza alle Leidenschaften und Bestrebungen der Menschen auf diese innere Liebe zum Dasein und zur Beharrung in demselben zurückzuführen gesucht; in der physischen Welt hat man den Erscheinungen, die aus diesem Naturgesetz folgen, mancherlei zum Teil unwürdige Namen gegeben. Bald heißt es die Kraft der Trägheit, da jedes Ding bleibt, was es ist, und ohne Ursache sich nicht verändert: bald heißt es, wiewohl in einem andern Betracht, die Kraft der Schwere, nach welchem jedes Ding seinen Schwerpunkt hat, worauf es ruhet. Trägheit und Schwere sind ebensowohl als ihre Gegnerin, die Bewegung, nur Erscheinungen, da Raum und Körper selbst nur Erscheinungen sind; das Wahre, Wesentliche in ihnen ist Beharrung, Fortsetzung seines Daseins, aus welchem es sich selbst nicht stören kann noch mag. Daß jedes Ding nun nach einem Zustande der Beharrung strebe, zeiget selbst seine Gestalt an, und Sie werden, liebe Theano, als eine Naturzeichnerin sich in der Form der Dinge manches erklären können, wenn Sie darauf merken. Wir wollen das leichteste Beispiel aus dem System der Dinge nehmen, die mit der größesten Gleichartigkeit die leichteste Beweglichkeit verknüpfen und sich also gleichsam eine Gestalt wählen können. Wir nennen dies *flüssige Dinge.* Wohlan nun, Philolaus, alle flüssige Dinge, deren Teile gleichartig zueinander ohne Hindernis wirken, welche Gestalt nehmen sie an?

Philolaus: Die Gestalt eines Tropfens.

Theophron: Und warum eines Tropfens? Sollen wir etwa ein tropfenbildendes Principium in der Natur annehmen, das diese Gestalt willkürlich liebe?

Philolaus: Mitnichten! Der Tropfe ist eine Kugel; in einer Kugel treten um *einen* Mittelpunkt alle Teile gleichartig in Harmonie und Ordnung. Die Kugel ruhet auf sich selbst; ihr Schwerpunkt ist in der Mitte; ihre Gestalt ist also der schönste Beharrungszustand gleichartiger Wesen, die um diesen Mittelpunkt in Verbindung treten und mit gleichen Kräften einander das Gegengewicht leisten. Nach notwendigen Gesetzen der Harmonie und Ordnung wird also eine Welt im Tropfen.

Theophron: Mithin, lieber Philolaus, haben Sie in dem Gesetz, darnach sich der Tropfe bildet, zugleich die Regel, nach welcher sich unsre Erde, die Sonne und alle Himmelssysteme bildeten. Denn auch unsre Erde ging einst aus dem flüssigen Zustande hervor und sammlete sich zum Tropfen. So die Sonne und jenes ganze System, in dem sie mit anziehender Gewalt herrschet, ist ein größerer Tropfe. Alles senkt sich in Radien herab und wird nur durch andre Kräfte im Umlauf erhalten; der Umlauf aller Planeten muß sich also mehr oder minder dem Kreise nähern. Die Sonne in ihrem System bildet mit Millionen andrer Sonnen wiederum einen Kreis oder eine Ellipse, nachdem sie sich um einen gemeinschaftlichen Mittel- oder Brennpunkt bewegen, wie es die Milchstraße zeigt, wie es jene Systeme von Sonnen, die Nebelsterne, zeigen. Allesamt lichte Tropfen aus dem Meer der Gottheit, die nach einwohnenden ewigen Gesetzen der Harmonie und Ordnung in ihrer Gestalt und in ihrem Lauf *ihren Beharrungszustand* suchten und ihn fanden. Nicht anders als in der Gestalt der Kugel und im Kreislauf, dem Produkt entgegengesetzter Kräfte, konnten sie ihn finden; nicht aus Willkür, sondern nach innern Gesetzen gleichartig wirkender Kräfte in der Flüssigkeit, in der Kugelgestalt, in der elliptischen Kreisbewegung. Die kleine Träne, Theano, die Sie des Morgens im Kelch einer Rose finden, zeigt Ihnen das Gesetz, nach welchem sich Erde, Sonnen und alle Sonnen-, ja alle Weltsysteme bildeten. Denn wenn wir unsrer Phantasie den ungeheuern Flug verstatten, sich das ganze Weltall zu denken: so wird kein Riese daraus, sondern eine Kugel, die auf sich selbst ruhet.

Theano: Ich danke Ihnen, Theophron, für die unermeßliche Aussicht nach einem so einfachen, in sich selbst bestehenden Naturgesetz; aber kommen Sie zu unsrer Erde oder wenigstens zu unserm Sonnensystem zurück: denn ich mag so hoch nicht fliegen. Sie sprachen von einem zweiten Naturgesetz, *daß sich alles Gleichartige vereine und das Entgegengesetzte scheide*; wollen Sie nicht davon Beispiele geben?

Theophron: Ich bleibe bei meinem flüssigen Tropfen. Sie kennen doch, Theano, den Stein des Hasses und der Liebe in der Naturwelt?

Theano: Den Magnet meinen Sie.

Theophron: Ihn selbst, und obwohl seine Theorie noch sehr im Dunkel liegt: so sind doch die Erfahrungen mit ihm desto offenbarer. Sie kennen also seine zwei Pole und deren freundliche oder feindliche Wirkung?

Theano: Ich kenne sie, und auch das ist mir bekannt, daß es einen Punkt der größesten Liebe und einen Punkt der völligen Gleichgültigkeit auf seiner Achse gebe.

Theophron: So wissen Sie alles, was ich zu meinem Beispiel brauche. Sehen Sie den Magnet als einen runden Tropfen an, in den sich die magnetische Kraft so gleichartig und regelmäßig verteilt hat, daß ihre entgegenstehenden Enden den Nord- und Südpol machten. Ihnen ist bekannt, daß einer ohne den andern nicht entstehen kann.

Theano: Ich weiß es, und daß, wenn man sie verändert, man sie beide verändere.

Theophron: Sie haben also am Magneten das schönste Bild von dem, was Haß und Liebe in der Schöpfung sei, und ich bin gewiß, daß man bei mehreren und vielleicht bei allen Flüssigkeiten das nämliche entdecken werde.

Philolaus: Und dies nämliche ist? –

Theophron: Daß, wo ein System von gleichartigen Kräften eine Achse gewinne, sie sich um dieselbe und um ihren Mittelpunkt so lagern, daß jedes Gleichartige zum gleichartigen Pol fließt und sich von demselben durch alle Grade der Zunahme bis zur Kulmination, sodann durch den Punkt der Gleichgültigkeit bis zum entgegengesetzten Pol nach geometrischen Gesetzen ordne. Jede Kugel würde auf diese Weise eine Zusammensetzung zweier Halbkugeln mit entgegengesetzten Polen, so wie jede Ellipse mit ihren beiden Brennpunkten; und die Gesetze dieser Konstruktion lägen nach festen Regeln in den Wirkungskräften des Systems, das sich also bildete. Sowenig es bei einer Kugel einen Nordpol ohne einen Südpol geben kann: sowenig kann es bei einem System von Kräften, das sich regelmäßig bildet, eine Gestalt geben, in der sich nicht ebensowohl das Freundschaftliche und Feindschaftliche trennete, mithin eben durch das Gegengewicht, das beide einander nach ab- und zunehmenden Graden des Zusammenhanges leisten, ein Ganzes bildete. Wahrscheinlich könnte es kein System elektrischer Kräfte in der Welt geben, wenn es nicht zwei einander entgegengesetzte Elektrizitäten gäbe, die man durch die Erfahrung auch wirklich gefunden hat. Ein gleiches ist's mit der Wärme und Kälte; ein gleiches wahrscheinlich mit jedem System von Kräften, die nur durch das Mannigfaltige Einheit und durch das Entgegengesetzte Zusammenhang erhalten können. Die bemerkende Naturlehre, die noch so jung ist, wird in diesem allen einmal weit reichen, so daß sie zuletzt jede blinde Willkür aus der Welt verbannen wird, bei der alles auseinanderfiele und im Grunde alle Gesetze der Natur aufhörten. Denn Sie müssen mir's zugestehen, meine Freunde, wirkt der Magnet, die elektrische Kraft, das Licht, die Wärme und Kälte, die Anziehung, die Schwere u. f. willkürlich; ist das Dreieck kein Dreieck, der Zirkel kein Zirkel: so mögen wir nur alle

Bemerkungen der Physik und Mathematik für Unsinn erklären und auf willkürliche Offenbarungen warten. Ist's aber gewiß, daß wir schon bei so vielen Kräften mathematisch-genaue Naturgesetze gefunden haben: wer wollte uns die Grenze setzen, wo sie nicht mehr zu finden sein, sondern wo der blinde Wille Gottes anhübe? In der Schöpfung ist alles Zusammenhang, alles Ordnung; findet also *irgendwo nur ein* Naturgesetz in ihr statt, so müssen *allenthalben* Naturgesetze walten, oder die Schöpfung fällt wie ein Chaos auseinander.

Theano: Sie entfernen sich aber, mein Freund, vom Gesetz des Hasses und der Liebe, wo nach Ihrem System eins nicht ohne das andre sein kann.

Theophron: Weil alles in der Welt da ist, was sein kann: so muß auch das Entgegengesetzte da sein, und ein Gesetz der höchsten Weisheit muß eben aus diesem Entgegengesetzten, aus dem Nord- und Südpol allenthalben ein System bilden. In jedem Kreise der Natur ist die Tafel der zweiunddreißig Winde, in jeder Linie eines Sonnenstrahls die ganze Farbenpyramide da, und es kommt nur darauf an, welcher Wind jetzt und dann wehe, welche Farbe hie oder da erscheine. Sobald aus dem Flüssigen das Feste hervortritt, kristallisiert und bildet sich alles nach innern Gesetzen, die in diesem System wirkender Kräfte lagen. Alles ziehet sich an oder stößt zurück oder bleibt gleichgültig gegeneinander, und die Achse dieser wirkenden Kräfte geht zusammenhangend durch alle Grade. Der Chymiker veranstaltet nichts als Hochzeiten und Trennungen, die Natur auf eine viel reichere, innigere Weise. Alles sucht und findet sich, was sich einander liebet, und die Naturlehre selbst hat nicht umhingekonnt, den Ausdruck einer *Wahl-Anziehung* bei den Verbindungen ihrer Körper anzunehmen; was einander entgegengesetzt ist, entfernt sich voneinander und kommt nur durch den Punkt der Gleichgültigkeit zusammen. Oft wechseln die Kräfte rasch: ganze Systeme verhalten sich anders als einzelne Kräfte des Systems untereinander; Haß kann Liebe, Liebe kann Haß werden, alles aus einem und demselben Grunde, da jedes System nämlich *in sich selbst Beharrung sucht und darnach seine Kräfte ordnet.* Sie sehen, wie behutsam man also bei jenen Analogien äußerer Erscheinungen sein muß, indem man nicht sogleich berechtigt ist, den Magnetismus z. B. und die Elektrizität für eins zu halten, weil man bei ihnen einige ähnliche Gesetze findet. Die Systeme von Kräften können sehr verschieden voneinander sein und doch nach einerlei Gesetzen wirken, weil in der Natur zuletzt alles zusammenhangen muß und nur *ein* Hauptgesetz sein kann, nach welchem sich auch die verschiedensten Kräfte ordnen.

Theano: Ihr Gesetz der Beharrung, des Hasses und der Liebe kommt meinem Bedünken nach diesem Hauptgesetz sehr nahe: denn ohngeachtet aller zahllosen Verschiedenheiten und entgegengesetzten Erscheinungen in der Natur erscheint es allenthalben. Ich möchte einige Augenblicke ein höherer Geist sein, um diese große Werkstätte in ihrem Innern zu betrachten.

Theophron: Wünschen Sie das nicht, Theano. Der Zuschauer von außen hat es vielleicht besser, wenigstens angenehmer als ein Zuschauer von innen, der doch auch nie das Ganze übersehen könnte. Der Zuschauer vor dem Schauplatz steht bequemer, als der in der Kulisse lauschet. Die Erforschung der Wahrheit hat den größeren Reiz; das Haben derselben macht vielleicht satt und träge. Der Natur nachzugehen, ihre hohen Gesetze erst zu ahnen, dann zu bemerken, zu prüfen, sich darüber zu vergewissern, jetzt sie tausendfach bestätigt zu finden und neu anzuwenden; allenthalben endlich dieselbe weiseste Regel, dieselbe heilige Notwendigkeit wahrzunehmen, liebzugewinnen, sich selbst anzubilden – das eben macht den Wert eines Menschenlebens. Denn, gute Theano, sind wir bloß Zuschauer? sind wir nicht selbst Schauspieler, Mitwirker der Natur und ihre Nachahmer? Herrschen im Reich der Menschen nicht auch Haß und Liebe? und sind beide zu Bildung des Ganzen nicht gleich notwendig? Wer nicht hassen kann, kann auch nicht lieben; nur er muß recht hassen und recht lieben lernen. Es gibt auch einen Punkt der Gleichgültigkeit unter den Menschen; dies ist gottlob aber in der ganzen magnetischen Achse nur *ein* Punkt.

Philolaus: Jetzt muß *ich* Sie erinnern, Theophron, daß Sie uns noch Ihr drittes Stück des großen Naturgesetzes schuldig sind, nämlich, *wie sich die Wesen einander verähnlichen und in Abdrükken ihrer Art eine fortwährende Reihe bilden.*

Theano: Hier darf ich mich doch nicht entfernen, Theophron?

Theophron: Um aller Grazien willen nicht, Theano, da wir von dem heiligsten und gewiß einem göttlichen Gesetz reden. Alles, was sich liebt, verähnlichet sich einander. Wie zwo Farben zusammenstrahlen, daß eine mittlere dritte werde, so werden auf eine wunderbare Weise schon durch das teilnehmende Beisammensein menschliche Gemüter, ja sogar Gebärden und Gesichtszüge, die feinsten Übergänge der Denkart und Handlungsweise einander ähnlich. Der Wahnsinn, Krankheiten, die Schwärmerei, die Furcht und alle Affekten sind ansteckende Übel, nicht durch das, was in ihnen Übel oder ein Nichts ist, sondern durch die Stärke ihrer wirkenden Kräfte; wie dann sollte sich nicht die Wirkung regelmäßiger Kräfte, d. i. Ordnung, Harmonie, Schönheit, mit viel wesentlicherer Macht auf andere erstrecken und sich ihnen mitteilen? Nur dadurch sahen wir Organisationen werden, daß stärkere Kräfte die schwächern in ihr Reich ziehen und nach eingepflanzten Regeln einer notwendigen Güte und Wahrheit sie zu einer Gestalt bilden. Alles Gute teilt sich mit: es hat die Natur Gottes, der sich nicht anders als mitteilen konnte; es hat auch seine unfehlbare Wirkung. Die Regeln der Schönheit z. B. dringen sich uns auf, sie strahlen uns an: sie gehen unvermerkt in uns über, und eben dies ist das Geheimnis der überall zusammenhangenden, wirkenden, in sich selbst bestehenden Schöpfung. Das freundschaftliche Beisammensein menschlicher Gemüter verähnlichet sie einander ohne Gewalt, ohne Worte. Wie Leibniz einen idealischen Einfluß[1] der Monaden auf einander annahm: so möchte ich diesen idealischen Einfluß zum geheimen Bande der Schöpfung machen, das wir bei denkenden, bei handelnden Wesen unwidertreiblich und unzerstörbar bemerken. Verzweifle niemand an der Wirkung seines Daseins; je mehr Ordnung in demselben ist, je gleichförmiger den Gesetzen der Natur es handelt: desto unfehlbarer ist seine Wirkung. Es wirkt wie Gott allmächtig und kann nicht anders, als ein Chaos um sich her ordnen, Finsternis vertreiben, damit Licht werde; es verähnlichet seiner schönen Gestalt alles, was mit ihm ist, ja selbst mehr oder minder, was ihm im Streit begegnet.

Theano: Erquickende, schöne Wahrheit, Theophron! Sie führet schon dadurch das Siegel der Wahrheit mit sich, daß sie unserm Herzen zuspricht und tausend Erfahrungen meines Lebens in mir aufruft. Es liegt eine unnennbare Kraft in dem, was *Dasein* eines Menschen ist, wie sein handelndes stilles Beispiel wirket. Alles Gute in mir ist auf diese Weise mein worden, und Ihre Gedankenweise ist mir eben deswegen lieb, Theophron, da sie mir allenthalben den All-Wirksamen gegenwärtig macht, der durch das Dasein seiner Geschöpfe selbst in wesentlichen Regeln der Harmonie und Schönheit auf uns wirket. Jetzt fühle ich's, daß alles Gott ähnlich werden soll, ja wenn ich so sagen darf, ihm

1 Die Monaden bilden nach Leibniz' Auffassung in ihrer Gesamtheit eine ideale Welt, an der die Wirklichkeit nur teilhat.

ähnlich werden muß, was in seinem Reich lebet. Sein Wesen, seine Gedanken und Wirkungen dringen sich uns auch wider unsern Willen in tausend und abermal tausend Erweisen seiner Ordnung, Güte und Schönheit als unwandelbare Regeln auf; wer nicht folgen will, muß folgen: denn alles ziehet ihn, er kann der allgewaltigen Kette nicht entweichen. Wohl dem, der willig folgt: er hat den süßen täuschenden Lohn in sich, daß er sich selbst bildete, obwohl ihn Gott unablässig bildet. Indem er mit Vernunft gehorcht und mit Liebe dient, so präget sich ihm aus allen Geschöpfen und Begebenheiten das Gepräge der Gottheit auf: er wird vernünftig, gütig, ordentlich, glücklich; er wird Gott ähnlich. – Aber lassen Sie uns zur physischen Haushaltung zurückkehren. Ist nicht ein Zwang darin, daß *eine* Kraft die andre überwältigt, sie an sich zieht und mit ihrer Natur vereinigt? Wenn ich bemerke, daß alles Leben der Geschöpfe auf der Zerstörung andrer Gattungen ruhe, daß der Mensch von Tieren, Tiere von einander oder auch nur von Pflanzen und Früchten leben: so sehe ich freilich Organisationen, die sich bilden, aber die zugleich andre zerstören, d. i. Mord und Tod in der Schöpfung. Ist nicht ein Gräschen, eine Blume, eine Frucht des Baums, endlich ein Tier, das dem andern zur Speise wird, eine so schöne Organisation, als die Organisation dessen ist, der es zerstörend in sich verwandelt? Vertreiben Sie mir diese Wolke, Theophron, die sich mir wie ein Schleier vors Angesicht der Sonne ziehet, die mir aus jedem Geschöpf strahlte.

Theophron: Sie wird fliehen, Theano, wenn Sie bemerken, daß ohne diesen scheinbaren Tod in der Schöpfung alles *wahrer Tod*, d. i. eine träge Ruhe, ein ödes Schattenreich wäre, in welchem alles wahre, wirksame Dasein erstürbe. Eben jetzt sprachen Sie wie eine Schülerin des Plato; haben Sie in Ihrem Lehrer nicht gefunden, daß in dem Veränderlichen *alles* Veränderung, daß auf dem Flügel der Zeit *alles* Fortgang, Eile, Wanderung sei? Hemmen Sie nun *ein* Rad in der Schöpfung, und alle Räder stehen stille; lassen Sie *einen* Punkt dessen, was wir Materie nennen, träge und tot sein, so ist Tod allenthalben. Sie sind, Philolaus, doch nicht des unphilosophischen Wahns, daß es z. B. *einen* absolut-harten Körper in der Natur gebe?

Philolaus: Wie könnte ich's sein? An ihm würde alle Bewegung zuschanden, und so unendlich klein er wäre, hemmte er die Räder der ganzen Schöpfung.

Theophron: Wohlan also, wenn es keine absolute Ruhe, keine völlige Undurchdringlichkeit, Härte, Träge geben kann, die ein allesentkräftendes Nichts, mithin ein Widerspruch wäre, so müssen wir uns schon, meine Freunde, mit unsern Gedanken auf den Strom des Plato wagen, wo alles Veränderliche eine Welle, wo alles Zeitliche ein Traum ist. Sie erschrecken, Theano? Fürchten Sie nicht: es ist die Welle eines Stroms, der selbst ganz *Dasein* ist, der Traum einer selbstständigen, wesentlichen *Wahrheit*. Der Ewige, der in Erscheinungen der Zeit, der Unteilbare, der in Gestalten des Raums sichtbar werden wollte, konnte nicht anders, als jeder Gestalt das kürzeste und zugleich das längste Dasein geben, das nach dem Bilde des Raums und der Zeit ihre Erscheinung fodert. Alles, was erscheint, muß verschwinden; es verschwindet, sobald es kann, es bleibt aber auch, solange es kann; hier wie allenthalben fallen die beiden Extreme zusammen und sind eigentlich eins und dasselbe. Jedes beschränkte Wesen bringt als Erscheinung den Keim der Zerstörung schon mit sich: mit unaufhaltbarem Schritt eilt es zur größten Höhe hinauf, damit es hinuntereile und unsern Sinnen das Kleinste werde. Sie bemerken, daß dieses schon in der Gestalt der Linie liegt, die ich hier zeichne.

Theano: Traurige Bemerkung!

Theophron: Sehen Sie die Blume an, wie sie zu ihrer Blüte eilet. Sie ziehet den Saft, die Luft, das Licht, alle Elemente an sich und arbeitet sie aus, damit sie wachse, Lebenssaft bereite und eine Blüte zeige; die Blüte ist da, und sie verschwindet. Sie hat alle ihre Kraft, ihre Liebe und ihr Leben daran gewandt, damit sie Mutter werde, damit sie Bilder ihrer selbst zurücklasse und ihr kräftiges Dasein vermehrend fortpflanze. Nun aber ist auch ihre Erscheinung hin: sie hat solche im rastlosen Dienst der Natur verzehret, und man kann sagen, daß sie vom Anfange ihres Lebens an auf ihre Zerstörung gearbeitet habe. Was ist aber in ihr zerstört als eine Erscheinung, die sich nicht länger halten konnte, die, da sie den höchsten Punkt der Linie erreicht hatte, in welchem eben die Gestalt und das Maß ihrer Schönheit lag, wieder hinabwärts eilte. Dies tat sie nicht etwa, welches ein trauriges Bild wäre, jüngern lebendigen Erscheinungen als eine jetzt Tote Platz zu machen; als eine Lebendige vielmehr brachte sie mit aller Freude des Daseins das Dasein derselben hervor und überließ es in einem Keim der weisesten, schönsten Gestalt dem ewigblühenden Garten der Zeit, in welchem auch sie blühet. Denn sie selbst ist mit dieser Erscheinung nicht gestorben; die

Kraft ihrer Wurzel dauret fort; aus ihrem Winterschlaf wird sie wieder erwachen und aufstehn in neuer Frühlings- und Jugendschöne, die Töchter ihres Daseins, die jetzt ihre Freundinnen und Schwestern sind, an ihrer jungfräulichen, holden Seite. Es ist also kein Tod in der Schöpfung; er ist ein *Hinwegeilen dessen, was nicht bleiben kann, d. i. Wirkung einer ewig-jungen, rastlosen, daurenden Kraft*, die ihrer Natur nach keinen Augenblick müßig sein, stillestehn, untätig bleiben konnte; immer und immer arbeitet sie auf die reichste, schönste Weise zu ihrem und zu so viel andrer Dasein, als sie Dasein hervorzubringen, mitzuteilen vermochte. In einer Welt, wo sich alles verwandelt, ist jede Kraft in ewiger Wirkung, mithin in ewiger Verwandlung ihrer Organen: denn diese Verwandlung selbst ist eben der Ausdruck ihrer unzerstörbaren Wirksamkeit voll Weisheit, Güte und Schönheit. Solange die Blume lebte, arbeitete sie zu ihrem eigenen Flor wie zur Vervielfältigung ihres Daseins; sie ward eine Schöpferin durch eigne organische Kräfte, das Höchste, was ein Geschöpf werden kann. Als sie starb, entzog sie der Welt eine verlebte Erscheinung: die innere lebendige Kraft, die sie trug und hervorbrachte, zog sich in sich selbst zurück, um sich abermals in junger Schönheit der Welt zu zeigen. Können Sie sich ein schöneres Gesetz der Weisheit und Güte in dem, was Veränderung heißt, gedenken, Theano, als daß sich alles zum neuen Leben, zu neuer Jugendkraft und Schönheit im raschesten Lauf dränge und daher jeden Augenblick verwandle?

Theano: Ich sehe einen schönen Schimmer, Theophron; aber die Morgenröte sehe ich noch nicht.

Theophron: Gedenken Sie sich nun alle Naturkräfte in dieser rastlosen Arbeit, in dieser Eile zur Verwandlung auf dem Flügel der Zeit. Kein Teilchen eines Blattes kann einen Augenblick müßig sein, oder es wäre Tod in der Schöpfung. Es zieht an, es stößet hinweg und dunstet aus; darum, Theano, ist das Blatt mit seinen beiden Seiten so verschieden gebildet: immer und ewig wechseln die ihm einwohnenden Kräfte ihre organischen Kleider. Leben ist also Bewegung, Wirkung, *Wirkung einer innigen Kraft, mit dem tiefsten Genuß und Bestreben einer Beharrung verbunden.* Und da im Reich der Veränderung nichts unverändert bleiben kann und doch alles sein Dasein erhalten will und muß: so ist alles in dieser rastlosen Bewegung, in dieser ewigen Palingenesie, damit es immer daure und ewig-jung erscheine.

Theano: Ob diese Verwandlung aber auch Fortrückung wäre?

Theophron: Gesetzt, sie wäre dies auch nicht, sie wäre aber das einzige Mittel, dem Tode und einem ewigen Tode zu entgehen, d. i., sie erhielte unsre lebendige Kraft in fortdaurender Wirkung, in inniggefühltem Dasein: so wäre sie schon eine so wünschenswerte Wohltat, als ein ewiges Leben vor einem ewigen Tode wünschenswert ist. Nun aber, Theano, können Sie sich wohl ein fortgesetztes Leben, eine immerhin fortwirkende Kraft ohne Fortwirkung, d. i. einen Fortgang ohne Fortgang denken?

Theano: Es scheint ein Widerspruch.

Theophron: Und ist einer. Zwar muß jede Kraft, die im Raum und in der Zeit Erscheinungen annimmt, die Schranken behalten, die ihr eben Raum und Zeit geben. Mit jeder Wirkung aber macht sie ihre folgende Wirkung leichter, und da sie dies nicht anders als nach eingepflanzten innern Regeln der Harmonie, Weisheit und Güte tun kann, die sich, wie Sie eben selbst behauptet haben, jedem Geschöpf liebreich aufdringet, einprägt und ihm bei jeder seiner Wirkungen beisteht: so sehen Sie allenthalben ein *Fortrücken aus dem Chaos zur Ordnung, eine innige Vermehrung und Verschönerung* der Kräfte in neu-erweiterten Schranken nach immer mehr beobachteten Regeln der Harmonie und Ordnung. Jeder blinden Kraft dringet sich Licht, jeder regellosen Macht Vernunft und Güte auf: keine ihrer Übungen, keine Wirkung in der Schöpfung war vergebens. *Es muß also Fortgang sein im Reiche Gottes, da in ihm kein Stillstand, noch weniger ein Rückgang sein kann.* Übrigens darf unser Auge sich an den Gestalten des Todes nicht stoßen: denn ist kein Tod in der Schöpfung, so gibt es auch keine Gestalt des Todes. Heiße diese Verwesung, Nahrung, Zermalmung – sie ist Übergang zur neuen jungen Organisation, das Einspinnen der alten abgelebten Raupe, damit sie als ein neues Geschöpf erscheine. Sind Sie befriedigt, Theano?

Theano: Ich bin's und verlasse mich auf die weiseste, höchste Güte, die mich hieher brachte, mir ohne mein Verdienst so viele Kräfte, gewiß nicht umsonst, gab und mich mit tausend Kräften voll Liebe und Güte umringt, meinen Verstand, mein Herz, meine Handlungen nach *einer* ewigen Regel notwendiger, in sich selbst gegründeter Weisheit und Güte zu ordnen. – Aber, Philolaus, Sie schweigen und lassen mich, die schweigen sollte und wollte, reden. Sie vergessen selbst Ihre Schreibtafel.

Philolaus: Ich will nachholen und sogleich eine Reihe Folgen hinzusetzen, die aus Theophrons System einer in sich selbst notwendigen Wahrheit und Güte mir unwidersprechlich zu folgen scheinen. Beim zweiten Satz bin ich stehengeblieben; also:

III. *Alle Kräfte der Natur wirken organisch. Jede Organisation ist nichts als ein System lebendiger Kräfte, die nach ewigen Regeln der Weisheit, Güte und Schönheit einer Hauptkraft dienen.*

IV. Die Gesetze, nach denen diese herrscht, jene dienen, sind: *innerer Bestand eines jeglichen Wesens, Vereinigung mit Gleichartigem und vom Entgegengesetzten Scheidung*, endlich *Verähnlickung mit sich selbst und Abdruck seines Wesens in einem andern.* Sie sind Wirkungen, dadurch sich die Gottheit selbst offenbart hat, und keine andre, keine höhere sind denkbar.

V. *Kein Tod ist in der Schöpfung, sondern Verwandlung*; Verwandlung nach dem weisesten, besten Gesetz der Notwendigkeit, nach welchem jede Kraft im Reich der Veränderungen sich immer neu, immer wirkend erhalten will und also durch Anziehen und Abstoßen, durch Freundschaft und Feindschaft ihr organisches Gewand unaufhörlich ändert.

VI. *Keine Ruhe ist in der Schöpfung*; denn eine müßige Ruhe wäre Tod. Jede lebendige Kraft wirket und wirkt fort: mit jeder Fortwirkung also schreitet sie weiter und arbeitet sich aus, nach innern ewigen Regeln der Weisheit und Güte, die auf sie dringen, die in ihr liegen.

VII. *Je mehr sie sich ausarbeitet, desto mehr wirket sie auch auf andre*, erweitert ihre Schranken, organisiert und prägt auf sie das Bild der Güte und Schönheit, das in ihr wohnet. In der ganzen Natur also herrscht *ein* notwendiges Gesetz, *daß aus dem Chaos Ordnung, aus schlafenden Fähigkeiten tätige Kräfte werden.* Die Wirkung dieses Gesetzes ist unaufhaltbar.

VIII. *Im Reich Gottes existiert also nichts Böses, das Wirklichkeit wäre.* Alles Böse ist ein Nichts; wir nennen aber Übel, was *Schranke* oder *Gegensatz* oder *Übergang* ist, und keins von dreien verdient diesen Namen.

Ich dürste, Theophron, mit Ihnen über diesen Punkt zu sprechen; eine Theodizee der weisen Notwendigkeit ist in meinen Gedanken.

IX. So wie aber die Schranken zum Maß jeder Existenz im Raum und in der Zeit gehören und im Reich Gottes, wo alles da ist, auch das Entgegengesetzte da sein muß: so gehöret es mit zur höchsten Güte dieses Reichs, *daß das Entgegengesetzte selbst sich einander helfe und fördre*: denn nur durch die Vereinigung beider wird eine Welt in jeder Substanz, d. i. ein bestehendes ganzes Dasein, vollständig an Güte sowie an Schönheit.

X. *Auch die Fehler der Menschen sind einem verständigen Geist* gut: denn sie müssen sich ihm bald als Fehler zeigen und helfen ihm also, wie Kontraste, zu mehrerem Licht, zu reinerer Güte und Wahrheit. Und auch dies alles nicht als Willkür, sondern nach ewigen Gesetzen der Vernunft, Ordnung und Güte.

Sind Sie mit meinen Folgerungen zufrieden, Theophron?

Theophron: Völlig. Ihr scharfsinniger Geist eilet mir immer voran, Philolaus, wie ein edles Roß, dem man nur die Rennbahn öffnen darf, und es fliegt zum Ziele. Ich danke dem Schatten des Spinoza, daß er mir so angenehme Stunden des Gesprächs mit Ihnen verschafft hat: denn mir kommt die Gelegenheit, über Materien dieser Art zu reden, selten, und doch erheben sie den Geist so einzig und bilden ihn zur hellen, scharfen, einzigen, notwendigen Wahrheit. Noch gewähren mir diese Gespräche mit Ihnen ein zweites Vergnügen, daß sie mir nämlich Ideen der Jugend zurückbringen, mit denen ich im Schoße Leibniz', Shaftesbury und Plato manche süße Stunde gewiß mehr als verträumte.

Theano: Um so lieber wäre es mir, Theophron, wenn Sie etwas Zusammenhangendes hierüber aufzeichneten. Ein Gespräch verfliegt, und auch einem geschriebenen Gespräch über Materien dieser Art scheint immer etwas zu fehlen. Man wird fortgezogen und ist am Ende, ehe man's dachte; man fühlt aber immer einen Trieb, zurückzukehren.

Theophron: So kehre man zurück, Theano, bis das Gespräch uns gleichsam selbst aus der Seele fließt. Bei manchen seiner Nachteile hat es doch *das* Gute, daß es uns vor dem Auswendiglernen bewahrt, und wahre Philosophie muß nie auswendig gelernt werden.

Theano: Die Regel möchte ich meinem Bruder wünschen. Er ist seit einiger Zeit mit einer Philosophie befangen, die ihm und auch mir den Kopf verwirret, sobald er davon redet. Ich wünschte, Theophron, daß Sie den Spinoza, Descartes, Leibniz und wer es sonst sei, wegließen und bloß Ihre Gedanken aufschrieben.

Theophron: Ich halte mich gern an Fußtapfen, die vor mir sind, Theano; es fehlet mir auch noch viel, ein Werk entwerfen zu können, auf welches die notwendige, ewige Wahrheit selbst ihr Siegel drückte.

AUS: BLUMEN, AUS DER GRIECHISCHEN ANTHOLOGIE GESAMMLET

DIE FREUNDSCHAFT

Heliodorus, ja! Des Lebens größester Schatz ist
Freundschaft; aber nur dem, der zu bewahren ihn weiß.

DIE UNGEWISSHEIT DES LEBENS

Mensch, genieße dein Leben, als müssest morgen du weggehn;
Schone dein Leben, als ob ewig du weiletest hier.

DAS GOLD

Gold, du Vater der Schmeichler, du Sohn der Schmerzen und Sorgen:
Wer dich entbehret, hat Müh; wer dich besitzet, hat Leid.

EIN WUNSCH

O daß ich wär ein Lüftchen und du, in Schwüle des Tages,
Wenn du den Busen enthüllst, nähmest den Kühlenden auf.
Oder ich wäre die purpurne Ros, und du mit dem Händchen
Brächst vom Zweige mich ab, nähmst an den Busen mich auf.
Oder ich würd der Lilie Duft, mit süßer Erquickung
Überströmet ich dich, atmete mich in dich ein.

SOPHOKLES' GRAB

Schleiche dich sanft ums Grab, du immergrünender Efeu,
Sanft um Sophokles' Grab schlinge die Locken umher;
Rosenbüsche, pflanzet euch hin; mit glühenden Trauben
Ziehe der Weinstock schlankgleitende Reben hinan;
Denn der weise Dichter, der hier schläft, hatte der süßen
Anmut viel, ihm war Muse und Grazie hold.

DAS GRAB EINES LANDMANNS

Gütige Mutter Erde, nimm leicht und freundlich den alten
Guten Amyntichus auf, der dich im Leben geliebt;
Denn er schmückte dich unverdrossen mit emsigen Händen,
Fluren von Öl und Wein kränzten sein friedliches Haus,
Reiche Saaten der Ceres und milde Gewächse belebten
Seinen Boden, den er tränkte mit frohem Genuß.
Darum decke nun sanft den grauen Scheitel, und laß ihm
Dankbar über dem Haupt Kräuter und Blumen blühn.

DER DOPPELTE PFEIL

Amor, ein Gott bist du, wenn du mit doppeltem Pfeile
Zwei verwundest; ein Schalk, wenn du mit einem nur triffst.

DIE SCHIFFAHRT DES LEBENS

Willst, o Sterblicher, du das Meer des gefährlichen Lebens
Froh durchschiffen und froh landen im Hafen dereinst,
Laß, wenn Winde dir heucheln, dich nicht vom Stolze besiegen,
Laß, wenn Sturm dich ergreift, nimmer dir rauben den Mut.
Männliche Tugend sei dein Ruder, der Anker die Hoffnung;
Wechselnd bringen sie dich durch die Gefahren ans Land.

DER SCHATZ

Was du nicht reden darfst, laß auf der Zunge versiegelt;
Besser, ein Wort bewahrt, als einen güldenen Schatz.

ZUVIEL

Jedes Zuviel ist zuviel. Der Biene süßester Honig
Wird zur Galle für den, der ohne Maß ihn genießt.

DAS GLÜCK DES LEBENS

Jedes Leben beglückt. In Häusern wohnet die Ruhe,
Auf dem Lande Genuß, unter Geschäften der Ruhm,
Auf dem Meere Gewinn. Sei reich an Habe, so wird dir
Ehre; besitzest du nichts, strebe nach Weisheit und Mut.
Lebest du unvermählt, so lebst du Tage der Freiheit!
Nimm dir ein Weib, so baust du dir ein fröhliches Haus.
Kinder freuen, und ohne Mühe lebet sich halb nur;
Jugend gewährt dir Kraft, reifende Jahre Verstand.
Falsch ist also die Wahl, die nicht geboren zu werden
Oder zu sterben wünscht. Jegliches Leben beglückt.

DIE ÄRZTLICHE HÜLFE

Schaut den helfenden Arzt. Er kürzt das Leiden und spricht dann:
„Glücklicher Tote, du hättst doch ja nur ewig gekrankt."

GRABSCHRIFT

Leicht sei dir die Erde, heilloser, böser Nearchus,
Daß dich der Hunde Zahn leichter ertapp in der Gruft.

AUS: AUCH EINE PHILOSOPHIE DER GESCHICHTE ZUR BILDUNG DER MENSCHHEIT

... Niemand in der Welt fühlt die Schwäche des allgemeinen Charakterisierens mehr als ich. Man malet ein ganzes Volk, Zeitalter, Erdstrich – wen hat man gemalt? Man fasset aufeinanderfolgende Völker und Zeitläufte in einer ewigen Abwechslung wie Wogen des Meeres zusammen – wen hat man gemalt, wen hat das schildernde Wort getroffen? Endlich, man faßt sie doch in nichts als ein allgemeines Wort zusammen, wo jeder vielleicht denkt und fühlt, was er will. Unvollkommenes Mittel der Schilderung! Wie kann man mißverstanden werden!

Wer bemerkt hat, was es für eine unaussprechliche Sache mit der Eigenheit eines Menschen sei, das Unterscheidende unterscheidend sagen zu können, wie er fühlt und lebet, wie anders und eigen ihm alle Dinge werden, nachdem sie sein Auge siehet, seine Seele mißt, sein Herz empfindet – welche Tiefe in dem Charakter nur *einer* Nation liege, die, wenn man sie auch oft gnug wahrgenommen und angestaunet hat, doch so sehr das Wort fleucht und im Worte wenigstens so selten einem jeden anerkennbar wird, daß er verstehe und mitfühle, ist das, wie wenn man das Weltmeer ganzer Völker, Zeiten und Länder übersehen, in einen Blick, ein Gefühl, ein Wort fassen soll! Mattes, halbes Schattenbild vom Worte! Das ganze lebendige Gemälde von Lebensart, Gewohnheiten, Bedürfnissen, Landes- und Himmelseigenheiten müßte dazukommen oder vorhergegangen sein; man müßte erst der Nation sympathisieren, um eine einzige ihrer Neigungen und Handlungen, alle zusammen zu fühlen, ein Wort finden, in seiner Fülle sich alles denken, oder man lieset – ein Wort.

Wir glauben alle, noch jetzt väterliche und häusliche und menschliche Triebe zu haben, wie sie der Morgenländer, Treue und Künstlerfleiß haben zu können, wie sie der Ägypter besaß; phönizische Regsamkeit, griechische Freiheitliebe, römische Seelenstärke – wer glaubt nicht zu dem allen Anlage zu fühlen, wenn nur Zeit, Gelegenheit – – und siehe, mein Leser, eben da sind wir. Der feigste Bösewicht hat ohne Zweifel zum großmütigsten Helden noch immer entfernte Anlage und Möglichkeit, aber zwischen dieser und dem ganzen Gefühl des Seins, der Existenz in solchem Charakter – Kluft! Fehlte es dir also auch an nichts als an Zeit, an Gelegenheit, deine Anlagen zum Morgenländer, zum Griechen, zum Römer in Fertigkeiten und gediegne Triebe zu verwandeln – Kluft! Nur von Trieben und Fertigkeiten ist die Rede. Ganze Natur der Seele, die durch alles herrscht, die alle übrige Neigungen und Seelenkräfte nach sich modelt, noch auch die gleichgültigsten Handlungen färbet – um diese mitzufühlen, antworte nicht aus dem Worte, sondern gehe in das Zeitalter, in die Himmelsgegend, die ganze Geschichte, fühle dich in alles hinein – nun allein bist du auf dem Wege, das Wort zu verstehen, nun allein aber wird dir auch der Gedanke schwinden, als ob alles das einzeln oder zusammengenommen auch du seist! Du alles zusammengenommen? Quintessenz aller Zeiten und Völker? Das zeigt schon die Torheit!

Charakter der Nationen! Allein Data ihrer Verfassung und Geschichte müssen entscheiden. Hat nicht ein Patriarch aber außer den Neigungen, die du ihm beimissest, auch andre gehabt, haben können? Ich sage zu beiden bloß: Allerdings! Allerdings hatte er andre, Nebenzüge, die sich aus dem, was ich gesagt oder nicht gesagt, von selbst verstehen, die ich und vielleicht andre mit mir, denen seine Geschichte vorschwebt, in dem Worte schon anerkennen – und noch lieber, daß er weit andres haben können – auf anderm Ort, zu *der* Zeit, mit *dem* Fortschritte der Bildung, unter *den* andern Umständen – warum da nicht Leonidas, Cäsar und Abraham ein artiger Mann unsres Jahrhunderts? Sein können! Aber war's nicht; darüber frage die Geschichte, davon ist die Rede.

So mache ich mich ebenfalls auf kleinfügige Widersprüche gefaßt, aus dem großen Detail[1] von Völkern und Zeiten. Daß kein Volk lange geblieben und bleiben konnte, was es war, daß jedes, wie jede Kunst und Wissenschaft – und was in der Welt nicht –, seine Periode des Wachstums, der Blüte und der Abnahme gehabt, daß jedwede dieser Veränderungen nur das Minimum von Zeit gedauert, was ihr auf dem Rade des menschlichen Schicksals gegeben werden konnte, daß endlich in der Welt keine zwei Augenblicke dieselben sind, daß also Ägypter, Römer und Grieche auch nicht zu allen Zeiten dieselben gewesen – ich zittre, wenn ich denke, was weise Leute, zumal Geschichtkenner, für weise Einwendungen hierüber machen können! Griechenland bestand aus vielen Ländern, Athenienser und Böotier, Spartaner und Korinthier war sich nichts minder als gleich. Trieb man nicht auch in Asien den Ackerbau? Haben nicht Ägypter einmal ebensogut gehandelt wie Phönizier? Waren die Mazedonier nicht ebensowohl Eroberer als die Römer? Aristoteles nicht ebenso ein spekulativer Kopf als Leibniz? Übertrafen unsre nordische Völker nicht die Römer an Tapferkeit? Waren alle Ägypter, Griechen, Römer, sind alle Ratten und Mäuse einander gleich – nein, aber sie sind doch Ratten und Mäuse!

Wie verdrüßlich muß es werden, zum Publikum zu reden, wo man vom schreienden Teile (der edler denkende Teil schweigt) sich immer dergleichen und noch ärgere Einwendungen – und in welchem Tone vorgetragen – versehen muß und sich's denn zugleich versehen muß, daß der große Haufe Schafe, der nicht weiß, was rechts und links ist, dem sogleich nachwähne[2]! Kann's ein allgemei-

1 Hier: Menge von Einzelheiten. – 2 folge.

nes Bild ohne Untereinander- und Zusammenordnung, kann's eine weite Aussicht geben ohne Höhe? Wenn du das Angesicht dicht an dem Bilde hältst, an diesem Spane schnitzelst, an jenem Farbenklümpchen klaubest, nie siehest du das ganze Bild, siehest nichts weniger als Bild! Und wenn dein Kopf von einer Gruppe, in die du dich vernarrt hast, voll ist, kann dein Blick wohl ein Ganzes so abwechselnder Zeitläufte umfassen, ordnen, sanft verfolgen, bei jeder Szene nur Hauptwürkung absondern, die Verflößungen[1] still begleiten? Und nun – nennen! Kannst du aber nichts von alledem, die Geschichte flimmert und fackelt dir vor den Augen, ein Gewirre von Szenen, Völkern, Zeitläuften – lies erst und lerne sehen! Übrigens weiß ich's wie du, daß jedes allgemeine Bild, jeder allgemeine Begriff nur Abstraktion sei – Schöpfer allein ist's, der die ganze Einheit einer, aller Nationen in alle ihrer Mannigfaltigkeit denkt, ohne daß ihm dadurch die Einheit schwinde. . . .

(Erster Abschnitt)

AUS: IDEEN ZUR PHILOSOPHIE DER GESCHICHTE DER MENSCHHEIT

[UNSER ERDBALL – EINE GROSSE WERKSTÄTTE]

. . . Es ist eine Aussicht, die auch die Seele des trägsten Menschen erwecken kann, wenn wir uns einst auf irgendeine Weise im allgemeinen Genuß dieser uns jetzt versagten Reichtümer der bildenden Natur gedenken, wenn wir uns vorstellen, daß vielleicht, nachdem wir zur Summe der Organisation unsres Planeten gelangt sind, ein Wandelgang auf mehr als *einem* andern Stern das Los und der Fortschritt unsres Schicksals sein könnte, oder daß es endlich vielleicht gar unsre Bestimmung wäre, mit allen zur Reife gelangten Geschöpfen so vieler und verschiedener Schwesterwelten Umgang zu pflegen. Wie bei uns unsere Gedanken und Kräfte offenbar nur aus unsrer Erdorganisation keimen und sich so lange zu verändern und zu verwandeln streben, bis sie etwa zu der Reinigkeit und Feinheit gediehen sind, die diese unsre Schöpfung gewähren kann, so wird's, wenn die Analogie unsre Führerin sein darf, auf andern Sternen nicht anders sein: und welche reiche Harmonie lässet sich gedenken, wenn so verschieden gebildete Wesen alle zu *einem* Ziel

1 Auflösung durch Verteilung.

wallen und sich einander ihre Empfindungen und Erfahrungen mitteilen. Unser Verstand ist nur ein Verstand der Erde, aus Sinnlichkeiten, die uns hier umgeben, allmählich gebildet; so ist's auch mit den Trieben und Neigungen unsres Herzens; eine andre Welt kennet ihre äußerlichen Hülfsmittel und Hindernisse wahrscheinlich nicht. Aber die letzten Resultate derselben sollte sie nicht kennen? Gewiß! alle Radien streben auch hier zum Mittelpunkt des Kreises. Der reine Verstand kann überall nur Verstand sein, von welchen Sinnlichkeiten er auch abgezogen worden; die Energie des Herzens wird überall dieselbe Tüchtigkeit, d. i. Tugend, sein, an welchen Gegenständen sie sich auch geübet habe. Also ringet wahrscheinlich auch hier die größeste Mannigfaltigkeit zur Einheit, und die allumfassende Natur wird ein Ziel haben, wo sie die edelste Bestrebungen so vielartiger Geschöpfe vereinige und die Blüten aller Welt gleichsam in einen Garten sammle. Was physisch vereinigt ist, warum sollte es nicht auch geistig und moralisch vereinigt sein, da Geist und Moralität auch Physik sind und denselben Gesetzen, die doch zuletzt alle vom Sonnensystem abhangen, nur in einer höhern Ordnung, dienen? Wäre es mir also erlaubt, die allgemeine Beschaffenheit der mancherlei Planeten auch in der Organisation und im Leben ihrer Bewohner mit den verschiednen Farben eines Sonnenstrahls oder mit den verschiednen Tönen einer Tonleiter zu vergleichen, so würde ich sagen, daß sich vielleicht das Licht der *einen* Sonne des Wahren und Guten auch auf jeden Planeten verschieden breche, so daß sich noch keiner derselben ihres ganzen Genusses rühmen könnte. Nur weil *eine* Sonne sie alle erleuchtet und sie alle auf *einem* Plan der Bildung schweben, so ist zu hoffen, sie kommen alle, jeder auf seinem Wege, der Vollkommenheit näher und vereinigen sich einst vielleicht, nach mancherlei Wandelgängen, in *einer* Schule des Guten und Schönen. Jetzt wollen wir nur Menschen sein, d. i. *ein* Ton, *eine* Farbe in der Harmonie unsrer Sterne. Wenn das Licht, das wir genießen, auch der milden grünen Farbe zu vergleichen wäre, so lasset sie uns nicht für das reine Sonnenlicht, unsern Verstand und Willen nicht für die Handhaben des Universum halten; denn wir sind offenbar mit unsrer ganzen Erde nur ein kleiner Bruch des Ganzen.

(Erstes Buch · Zweites Kapitel)

Sosehr uns in den Eingeweiden der Erde alles noch als Chaos, als Trümmer vorkommt, weil wir die erste Konstruktion des Ganzen nicht zu übersehen vermögen, so nehmen wir doch selbst in dem, was uns das Kleinste und Roheste dünkt, ein sehr bestimmtes *Dasein*, eine *Gestaltung* und *Bildung* nach ewigen Gesetzen wahr, die keine Willkür der Menschen verändert. Wir bemerken diese Gesetze und Formen; ihre innern Kräfte aber kennen wir nicht, und was man in einigen allgemeinen Worten, z. E. Zusammenhang, Ausdehnung, Affinität, Schwere, dabei bezeichnet, soll uns nur mit äußern Verhältnissen bekannt machen, ohne uns dem innern Wesen im mindesten näher zu führen.

Was indes jeder Stein- und Erdart verliehen ist, ist gewiß ein allgemeines Gesetz aller Geschöpfe unsrer Erde; dieses ist *Bildung*, bestimmte *Gestalt*, eignes *Dasein*. Keinem Wesen kann dies genommen werden; denn alle seine Eigenschaften und Wirkungen sind darauf gegründet. Die unermeßliche Kette reicht vom Schöpfer hinab bis zum Keim eines Sandkörnchens, da auch dieses seine bestimmte Gestalt hat, in der es sich oft der schönsten Kristallisation nähert. Auch die vermischtesten Wesen folgen in ihren Teilen demselben Gesetz; nur weil so viel und mancherlei Kräfte in ihnen wirken und endlich ein Ganzes zusammengebracht werden sollte, das mit den verschiedensten Bestandteilen dennoch einer allgemeinen Einheit diene, so wurden Übergänge, Vermischungen und mancherlei divergierende Formen. Sobald der Kern unsrer Erde, der Granit, da war, war auch das Licht da, das in den dicken Dünsten unsres Erdchaos vielleicht noch als Feuer wirkte; es war eine gröbere, mächtigere Luft, als wir jetzt genießen; es war ein vermischteres, schwangeres Wasser da, auf ihn zu wirken. Die andringende Säure lösete ihn auf und führte ihn zu andern Steinarten über; der ungeheure Sand unsers Erdkörpers ist vielleicht nur die Asche dieses verwitterten Körpers. Das Brennbare der Luft[1] beförderte vielleicht den Kiesel zur Kalkerde, und in dieser organisierten sich die ersten Lebendigen des Meers, die Schalengeschöpfe, da in der ganzen Natur die Materie früher als die organisierte lebendige Form scheinet. Noch eine gewaltigere und reinere Wirkung des Feuers und der Kälte ward zur Kristallisation erfodert, die nicht mehr die Muschelform, in die der Kiesel springt, sondern schon eckichte geometrische Winkel liebet. Auch diese ändern sich nach den Bestandteilen eines jeden Geschöpfs, bis sie sich in Halbmetallen und Metallen zuletzt der Pflanzensprossung nähern. Die Chemie, die in den neuen Zeiten so eifrig geübt wird, öffnet dem Liebhaber hier im unterirdischen Reich der Natur eine mannigfaltige zweite Schöp-

1 Herder nimmt noch an, daß in brennbaren Körpern ein Stoff vorhanden sei, der ihnen die Eigenschaft der Brennbarkeit verleihe.

fung; und vielleicht enthält diese nicht bloß die Materie, sondern auch die Grundgesetze und den Schlüssel zu alle dem, was über der Erde gebildet worden. Immer und überall sehen wir, daß die Natur zerstören muß, indem sie wieder aufbauet, daß sie trennen muß, indem sie neu vereinet. Von einfachen Gesetzen sowie von groben Gestalten schreitet sie ins Zusammengesetztere, Künstliche, Feine; und hätten wir einen Sinn, die Urgestalten und ersten Keime der Dinge zu sehen, so würden wir vielleicht im kleinsten Punkt die Progression der ganzen Schöpfung gewahr werden. –

Da indes Betrachtungen dieser Art hier nicht unser Zweck sind, so lasset uns nur eins, die überdachte Mischung[1] betrachten, durch die unsre Erde zur Organisation unsrer Pflanzen, mithin auch der Tiere und Menschen fähig ward. Wären auf ihr andre Metalle zerstreut gewesen, wie jetzt das Eisen ist, das sich allenthalben, auch in Wasser, Erde, Pflanzen, Tieren und Menschen, findet; hätten sich die Erdharze, die Schwefel in der Menge auf ihr gefunden, in der sich jetzt der Sand, der Ton und endlich die gute fruchtbare Erde findet: welch andre Geschöpfe hätten auf ihr leben müssen! . . .

(Zweites Buch · Erstes Kapitel)

. . . Bei der Verbreitung und Ausartung der Pflanzen ist eine Ähnlichkeit kenntlich, die sich auch auf die Geschöpfe über ihnen anwenden läßt und zu Aussichten und Gesetzen der Natur vorbereitet. Jede Pflanze fodert ihr Klima, zu dem nicht die Beschaffenheit der Erde und des Bodens allein, sondern auch die Höhe des Erdstrichs, die Eigenheit der Luft, des Wassers, der Wärme gehöret. Unter der Erde lag alles noch durcheinander, und obwohl auch hier jede Stein-, Kristall- und Metallart ihre Beschaffenheit von dem Lande nimmt, in dem sie wuchs, und hiernach die eigensten Verschiedenheiten gibet, so ist man doch in diesem Reich des Pluto noch lange nicht zu der *allgemeinen geographischen Übersicht* und zu den ordnenden Grundsätzen gekommen als im schönen Reich der Flora. Die *botanische Philosophie*[2], die Pflanzen nach der Höhe und Beschaffenheit des Bodens, der Luft, des Wassers, der Wärme ordnet, ist also eine augenscheinliche Leiterin zu einer ähnlichen Philosophie in Ordnung der Tiere und Menschen.

Alle Pflanzen wachsen hin und wieder wild in der Welt; auch unsre Kunstgewächse sind aus dem Schoß der freien Natur, wo sie in ihrem Himmelsstrich in größester Vollkommenheit wachsen. Mit

1 die Erdoberfläche. – 2 Gemeint ist Linnés „Philosophia botanica" (1751).

den Tieren und Menschen ist's nicht anders; denn jede Menschenart organisiert sich in ihrem Erdstrich zu der ihr natürlichsten Weise. Jede Erde, jede Gebürgart, jeder ähnliche Luftstrich sowie ein gleicher Grad der Hitze und Kälte ernähret seine Pflanzen. Auf den lappländischen Felsen, den Alpen, den Pyrenäen wachsen, der Entfernung ohngeachtet, dieselben oder ähnliche Kräuter; Nordamerika und die hohen Strecken der Tatarei erziehen gleiche Kinder. Auf solchen Erdhöhen, wo der Wind die Gewächse unsanft beweget und ihr Sommer kürzer dauret, bleiben sie zwar klein, sie sind hingegen voll unzähliger Samenkörner, da, wenn man sie in Gärten verpflanzt, sie höher wachsen und größere Blätter, aber weniger Frucht tragen. Jedermann siehet die durchscheinende Ähnlichkeit zu Tieren und Menschen. Alle Gewächse lieben die freie Luft: sie neigen sich in den Treibhäusern zu der Gegend des Lichts, wenn sie auch durch ein Loch hinausdringen sollten. In einer eingeschlossenen Wärme werden sie schlanker und rankichter, aber zugleich bleicher, fruchtloser und lassen nachher, zu plötzlich an die Sonne versetzt, die Blätter sinken. Ob es mit den Menschen und Tieren einer verzärtelnden oder zwangvollen Kultur anders wäre? Mannigfaltigkeit des Erdreichs und der Luft macht Spielarten an Pflanzen wie an Tieren und Menschen; und je mehr jene an Sachen der Zierde, an Form der Blätter, an Zahl der Blumenstiele gewinnen, desto mehr verlieren sie an Kraft der Selbstfortpflanzung. Ob es bei Tieren und Menschen (die größere Stärke ihrer vielfachern Natur abgerechnet) anders wäre? Gewächse, die in warmen Ländern zur Baumesgröße wachsen, bleiben in kalten Gegenden kleine Krüppel. Diese Pflanze ist für das Meer, jene für den Sumpf, diese für Quellen und Seen geschaffen; die eine liebt den Schnee, die andre den überschwemmenden Regen der heißen Zone; und alles dies charakterisiert ihre Gestalt, ihre Bildung. Bereitet uns dieses alles nicht vor, auch in Ansehung des organischen Gebäudes der Menschheit, sofern wir Pflanzen sind, dieselbe Varietäten zu erwarten? . . .

(Zweites Buch · Zweites Kapitel)

Der Menschen ältere Brüder sind die Tiere. Ehe jene da waren, waren diese, und auch in jedem einzelnen Lande fanden die Ankömmlinge des Menschengeschlechts die Gegend, wenigstens in einigen Elementen, schon besetzt; denn wovon sollte außer den Pflanzen sonst der Ankömmling leben? Jede Geschichte des Menschen also, die ihn außer diesem Verhältnis betrachtet, muß mangelhaft und einseitig werden. Freilich ist die Erde dem Menschen gegeben, aber nicht ihm allein, nicht ihm zuvörderst; in jedem Element machten ihm die Tiere seine Alleinherrschaft streitig. Dies Geschlecht mußte er zähmen, mit jenem lange kämpfen. Einige entronnen seiner Herrschaft; mit andern lebet er in ewigem Kriege. Kurz, soviel Geschicklichkeit, Klugheit, Herz und Macht jede Art äußerte, so weit nahm sie Besitz auf der Erde.

Es gehört also noch nicht hieher, ob der Mensch Vernunft und ob die Tiere keine Vernunft haben. Haben sie diese nicht, so besitzen sie etwas anders zu ihrem Vorteil; denn gewiß hat die Natur keines ihrer Kinder verwahrloset. Verließe *sie* ein Geschöpf, wer sollte sich sein annehmen, da die ganze Schöpfung in einem Kriege ist und die entgegengesetztesten Kräfte einander so nahe liegen? Der gottgleiche Mensch wird hier von Schlangen, dort vom Ungeziefer verfolgt, hier vom Tiger, dort vom Haifisch verschlungen. Alles ist im Streit gegeneinander, weil alles selbst bedrängt ist; es muß sich seiner Haut wehren und für sein Leben sorgen.

Warum tat die Natur dies? Warum drängte sie so die Geschöpfe aufeinander? Weil sie im kleinsten Raum die größeste und vielfachste Anzahl der Lebenden schaffen wollte, wo also auch eins das andre überwältigt und nur durch das Gleichgewicht der Kräfte Friede wird in der Schöpfung. Jede Gattung sorgt für sich, als ob sie die einige wäre; ihr zur Seite steht aber eine andre da, die sie einschränkt, und nur in diesem Verhältnis entgegengesetzter Arten fand die Schöpferin das Mittel zur Erhaltung des Ganzen. Sie wog die Kräfte, sie zählte die Glieder, sie bestimmte die Triebe der Gattungen gegeneinander und ließ übrigens die Erde tragen, was sie zu tragen vermochte. . . .

(Zweites Buch · Drittes Kapitel)

. . . Blick also auf gen Himmel, o Mensch, und erfreue dich schaudernd deines unermeßlichen Vorzugs, den der Schöpfer der Welt an ein so einfaches Principium, deine aufrechte Gestalt, knüpfte! Gingest du wie ein Tier gebückt, wäre dein Haupt in eben der gefräßigen Richtung für Mund und Nase geformt und darnach der Gliederbau geordnet: wo bliebe deine höhere Geisteskraft, das Bild der Gottheit, unsichtbar in dich gesenket? Selbst die Elenden, die unter die Tiere gerieten, verloren es: wie sich ihr Haupt mißbildete, verwilderten auch die inneren Kräfte; gröbere Sinnen zogen das Geschöpf zur Erde nieder. Nun aber durch die Bildung deiner Glieder zum aufrechten Gange bekam das Haupt seine schöne Stellung und Richtung; mithin gewann das Hirn, dies zarte, ätherische Himmelsgewächs, völligen Raum, sich umherzubreiten und seine Zweige abwärts zu versenden. Gedankenreich wölbte sich die Stirn, die tierischen Organe traten zurück, es ward eine menschliche Bildung. Je mehr sich der Schädel hob, desto tiefer trat das Gehör hinab; es fügte sich mit dem Gesicht freundschaftlicher zusammen, und beide Sinne bekamen einen innern Zutritt zur heiligen Kammer der Ideenbildung. Das kleinere Gehirn, die sprossende Blüte des Rückens und der sinnlichen Lebenskräfte, trat, da es bei den Tieren herrschender war, mit dem andern Gehirn in ein untergeordnetes, milderes Verhältnis. Die Strahlen der wunderbar schönen gestreiften Körper[1] wurden bei dem Menschen gezeichneter und feiner; ein Fingerzeig auf das unendlich feinere Licht, das in dieser mittlern Region zusammen- und auseinanderstrahlet. So ward, wenn ich in einem Bilde reden darf, die Blume gebildet, die auf dem verlängerten Rückenmark nur emporsproßte, sich aber vornweg zu einem Gewächs voll ätherischer Kräfte wölbet, das nur auf diesem emporstrebenden Baum erzeugt werden konnte.

Denn ferner: Die ganze Proportion der organischen Kräfte eines Tiers ist der Vernunft noch nicht günstig. In seiner Bildung herrschen Muskelkräfte und sinnliche Lebensreize, die nach dem Zweck des Geschöpfs in jede Organisation eigen verteilt sind und den herrschenden *Instinkt* jedweder Gattung bilden. Mit der aufrechten Gestalt des Menschen stand ein Baum da, dessen Kräfte so proportioniert sind, daß sie dem Gehirn, als ihrer Blume und Krone, die feinsten und reichsten Säfte geben sollten. Mit jedem Aderschlag erhebt sich mehr als der sechste Teil des Bluts im menschlichen Körper allein zum Haupt; der Hauptstrom desselben erhebt sich gerade und krümmet sich sanft und teilt sich allmählich, also daß auch die entferntesten Teile des Haupts von seinem und seiner Brüder Strömen Nahrung und Wärme erhalten. Die Natur bot alle ihre Kunst auf, die Gefäße desselben zu verstärken, seine Macht zu schwächen und zu verfeinern, es lange im Gehirn zu halten und, wenn es sein Werk getan hat, es sanft vom Haupt zurückzuleiten. Es entsprang aus Stämmen, die, dem Herzen nahe, noch mit aller Kraft der ersten Bewegung wirken, und vom ersten Lebensanfange an arbeitet die ganze Gewalt des jungen Herzens auf diese, die empfindlichsten und edelsten Teile. Die äußern Glieder bleiben noch ungeformt, damit zuerst nur das Haupt und die innern Teile

1 Das Corpus striatum (Streifenhügel), ein Teil des Großhirns.

aufs zartste bereitet werden. Mit Verwundern sieht man nicht nur das gewaltige Übermaß derselben, sondern auch ihre feine Struktur in den einzelnen Sinnen des Ungebornen, als ob die große Künstlerin denselben allein zum Gehirn und zu den Kräften innerer Bewegung erschaffen wollte, bis sie allmählich auch die andern Glieder als Werkzeuge und Darstellung des Innern nachholet. Schon also in Mutterleibe wird der Mensch zur aufrechten Stellung und zu allem, was von ihr abhängt, gebildet. In keinem hangenden Tierleibe wird er getragen; ihm ist eine künstlichere Formungsstätte bereitet, die auf ihrer Basis ruhet. Da sitzt der kleine Schlafende, und das Blut dringt zu seinem Haupt, bis dieses durch seine eigne Schwere sinket. Kurz, der Mensch ist, was er sein soll (und dazu wirken alle Teile), ein aufstrebender Baum, gekrönt mit der schönsten Krone einer *feinern Gedankenbildung.*

(Viertes Buch · Erstes Kapitel)

[DER MENSCH – VERNUNFTFÄHIGKEIT, FREIHEIT UND HUMANITÄT]

... Aber den Menschen baute die Natur zur Sprache; auch zu ihr ist er aufgerichtet und an eine emporstrebende Säule seine Brust gewölbet. Menschen, die unter die Tiere gerieten, verloren nicht nur die Rede selbst, sondern zum Teil auch die Fähigkeit zu derselben: ein offenbares Kennzeichen, daß ihre Kehle mißgebildet worden und daß nur im aufrechten Gange wahre menschliche Sprache stattfindet. Denn obgleich mehrere Tiere menschenähnliche Sprachorgane haben, so ist doch, auch in der Nachahmung, keines derselben des *fortgehenden* Stroms der Rede aus unsrer erhabnen, freien, menschlichen Brust, aus unserm engern und künstlich verschlossenen Munde fähig. Hingegen der Mensch kann nicht nur alle Schälle und Töne derselben nachahmen und ist, wie Monboddo sagt, der Mock-bird[1] unter den Geschöpfen der Erde, sondern ein Gott hat ihn auch die Kunst gelehrt, Ideen in Töne zu prägen, Gestalten durch Laute zu bezeichnen und die Erde zu beherrschen durch das Wort seines Mundes. Von der Sprache also fängt seine Vernunft und Kultur an; denn nur durch sie beherrschet er auch sich selbst und wird des Nachsinnens und Wählens, dazu er durch seine Organisation nur fähig war, mächtig. Höhere Geschöpfe mögen und

1 (engl.) Spottdrossel.

müssen es sein, deren Vernunft durch das Auge erwacht, weil ihnen ein gesehenes Merkmal schon genug ist, Ideen zu bilden und sie unterscheidend zu fixieren; der Mensch der Erde ist noch ein Zögling des Ohrs, durch welches er die Sprache des Lichts allmählich erst verstehen lernet. Der Unterschied der Dinge muß ihm durch Beihülfe eines andern erst in die Seele gerufen werden, da er denn, vielleicht zuerst atmend und keichend, denn schallend und sangbar seine Gedanken mitteilen lernte. Ausdrückend ist also der Name der Morgenländer, mit dem sie die Tiere die *Stummen der Erde* nennen; nur mit der Organisation zur Rede empfing der Mensch den Atem der Gottheit, den Samen zur Vernunft und ewigen Vervollkommnung, einen Nachhall jener schaffenden Stimme zu Beherrschung der Erde[1], kurz, die *göttliche Ideenkunst*, die Mutter aller Künste.

(Viertes Buch · Drittes Kapitel)

Man spricht sich's einander nach, daß der Mensch ohne Instinkt sei und daß dies instinktlose Wesen den Charakter seines Geschlechts ausmache; er hat alle Instinkte, die ein Erdetier um ihn besitzet, nur hat er sie alle, seiner Organisation nach, zu einem feinern Verhältnis gemildert.

Das Kind in Mutterleibe scheint alle Zustände durchgehen zu müssen, die einem Erdegeschöpf zukommen können. Es schwimmt im Wasser; es liegt mit offnem Munde; sein Kiefer ist groß, eh eine Lippe ihn bedecken kann, die sich nur spät bildet; sobald es auf die Welt kommt, schnappt es nach Luft, und Saugen ist seine ungelernte erste Verrichtung. Das ganze Werk der Verdauung und Nahrung, des Hungers und Durstes geht instinktmäßig oder durch noch dunklere Triebe seinen Gang fort. Die Muskeln- und Zeugungskräfte streben eben also zur Entwicklung, und ein Mensch darf nur durch Affekt oder Krankheit wahnsinnig sein, so siehet man bei ihm alle tierische Triebe. Not und Gefahr entwickeln bei Menschen, ja bei ganzen Nationen, die animalisch leben, auch tierische Geschicklichkeiten, Sinnen und Kräfte.

Also sind dem Menschen die Triebe nicht sowohl geraubt, als bei ihm *unterdrückt* und unter die Herrschaft der Nerven und der feinern Sinne *geordnet.* Ohne sie könnte auch das Geschöpf, das noch großenteils Tier ist, gar nicht leben.

Und wie werden sie unterdrückt? Wie bringt die Natur sie unter

1 Anspielung auf die biblische Schöpfungsgeschichte, nach der Gott den Menschen zum Beherrscher der Erde bestimmt habe.

die Herrschaft der Nerven? Lasset uns ihren Gang von Kindheit auf betrachten; er zeiget uns das, was man oft so töricht als menschliche Schwachheit bejammert hat, von einer ganz andern Seite.

Das menschliche Kind kommt schwächer auf die Welt als keins der Tiere, offenbar, weil es zu einer Proportion gebildet ist, die in Mutterleibe nicht ausgebildet werden konnte. Das vierfüßige Tier nahm in seiner Mutter vierfüßige Gestalt an und gewann, ob es gleich anfangs ebenso unproportioniert am Kopf ist wie der Mensch, zuletzt völliges Verhältnis; oder bei nervenreichen Tieren, die ihre Jungen schwach gebären, erstattet sich doch das Verhältnis der Kräfte in einigen Wochen und Tagen. Der Mensch allein bleibt lange schwach; denn sein Gliederbau ist, wenn ich so sagen darf, dem *Haupt zuerschaffen* worden, das übermäßig groß in Mutterleibe zuerst ausgebildet ward und also auf die Welt tritt. Die andern Glieder, die zu ihrem Wachstum irdische Nahrungsmittel, Luft und Bewegung brauchen, kommen ihm lange nicht nach, ob sie gleich durch alle Jahre der Kindheit und Jugend zu ihm und nicht das Haupt verhältnismäßig zu ihnen wächset. Das schwache Kind ist also, wenn man will, ein Invalide seiner obern Kräfte, und die Natur bildet diese unablässig und am frühesten weiter. Ehe das Kind gehen lernt, lernt es sehen, hören, greifen und die feinste Mechanik und Meßkunst dieser Sinne üben. Es übt sie so instinktmäßig als das Tier, nur auf eine feinere Weise. Nicht durch angeborne Fertigkeiten und Künste, denn alle Kunstfertigkeiten der Tiere sind Folgen gröberer Reize; und wären diese von Kindheit an herrschend da, so bliebe der Mensch ein Tier, so würde er, da er schon alles kann, ehe er's lernte, nichts Menschliches lernen. Entweder mußte ihm also die Vernunft als Instinkt angeboren werden, welches sogleich als Widerspruch erhellen wird, oder er mußte, wie es jetzt ist, schwach auf die Welt kommen, um *Vernunft zu lernen.*

Von Kindheit auf lernet er diese und wird, wie zum künstlichen Gange, so auch zu ihr, zur Freiheit und menschlichen Sprache durch Kunst gebildet. Der Säugling wird an die Brust der Mutter über ihrem Herzen gelegt; die Frucht ihres Leibes wird der Zögling ihrer Arme. Seine feinsten Sinne, Auge und Ohr, erwachen zuerst und werden durch Gestalten und Töne geleitet; wohl ihm, wenn sie glücklich geleitet werden. Allmählich entfaltet sich sein Gesicht und hangt am Auge der Menschen um ihn her, wie sein Ohr an der Sprache der Menschen hangt und durch ihre Hülfe die ersten Begriffe unterscheiden lernet. Und so lernt seine Hand allmählich greifen; nun erst streben seine Glieder nach eigner Übung. Er war zuerst ein Lehrling der zwei feinsten Sinne; denn der künstliche Instinkt, der ihm angebildet werden soll, ist *Vernunft, Humanität, menschliche Lebensweise*, die kein Tier hat und lernet. Auch die gezähmten Tiere nehmen nur tierisch einiges von Menschen an, aber sie werden nicht Menschen.

Hieraus erhellet, was menschliche Vernunft sei: ein Name, der in den neuern Schriften so oft als ein angebornes Automat gebraucht wird und als solches nichts als Mißdeutung gibet. Theoretisch und praktisch ist Vernunft nichts als etwas *Vernommenes*, eine gelernte Proportion und Richtung der Ideen und Kräfte, zu welcher der Mensch nach seiner Organisation und Lebensweise gebildet worden. Eine Vernunft der Engel kennen wir nicht, sowenig als wir den innern Zustand eines tiefern Geschöpfs unter uns innig einsehn; die Vernunft des Menschen ist *menschlich*. Von Kindheit auf vergleicht er Ideen und Eindrücke seiner zumal feinern Sinne nach der Feinheit und Wahrheit, in der sie ihm diese gewähren, nach der Anzahl, die er empfängt, und nach der innern Schnellkraft, mit der er sie verbinden lernet. Das hieraus entstandne Eins ist sein Gedanke, und die mancherlei Verknüpfungen dieser Gedanken und Empfindungen zu Urteilen von dem, was wahr und falsch, gut und böse, Glück und Unglück ist: das ist seine Vernunft, das fortgehende Werk der Bildung des menschlichen Lebens. Sie ist ihm nicht angeboren, sondern er hat sie erlangt; und nachdem[1] die Eindrücke waren, die er erlangte, die Vorbilder, denen er folgte, nachdem die innere Kraft und Energie war, mit der er diese mancherlei Eindrücke zur Proportion seines Innersten verband, nachdem[2] ist auch seine Vernunft reich oder arm, krank oder gesund, verwachsen oder wohlerzogen wie sein Körper. Täuschte uns die Natur mit Empfindungen der Sinne, so müßten wir uns ihr zur Folge täuschen lassen; nur so viele Menschen einerlei Sinne hätten, so viele täuschten sich gleichförmig. Täuschen uns Menschen, und wir haben nicht Kraft oder Organ, die Täuschung einzusehen und die Eindrücke zur bessern Proportion zu sammlen, so wird unsre Vernunft krüppelhaft, und oft krüppelhaft aufs ganze Leben. Eben weil der Mensch alles lernen muß, ja, weil es sein Instinkt und Beruf ist, alles wie seinen geraden Gang zu lernen, so lernt er auch nur durch Fallen gehen und kömmt oft nur durch Irren zur Wahrheit, indessen sich das Tier auf seinem vierfüßigen Gange sicher fortträgt; denn die stärker ausgedruckte[3] Proportion seiner Sinne und Triebe sind seine Führer. Der Mensch hat den Königsvorzug, mit hohem

1 je nachdem, wie. – 2 Hier: danach. – 3 Hier: ausgebildete.

Haupt, aufgerichtet weit umherzuschauen, freilich also auch vieles dunkel und falsch zu sehen, oft sogar seine Schritte zu vergessen und erst durch Straucheln erinnert zu werden; auf welcher engen Basis das ganze Kopf- und Herzensgebäude seiner Begriffe und Urteile ruhe; indessen ist und bleibt er seiner hohen *Verstandesbestimmung* nach, was kein anderes Erdengeschöpf ist: ein Göttersohn, ein König der Erde.

Um die Hoheit dieser Bestimmung zu fühlen, lasset uns bedenken, was in den großen Gaben *Vernunft* und *Freiheit* liegt und wieviel die Natur gleichsam wagte, da sie dieselbe einer so schwachen, vielfach gemischten Erdorganisation, als der Mensch ist, anvertraute. Das Tier ist nur ein gebückter Sklave, wenngleich einige edlere derselben ihr Haupt emporheben oder wenigstens mit vorgerecktem Halse sich nach Freiheit sehnen. Ihre noch nicht zur Vernunft gereifte Seele muß notdürftigen Trieben dienen und in diesem Dienst sich erst zum eignen Gebrauch der Sinne und Neigungen von fern bereiten. Der Mensch ist der erste *Freigelassene* der Schöpfung; er stehet aufrecht. Die Waage des Guten und Bösen, des Falschen und Wahren hängt in ihm: er kann forschen, er soll wählen. Wie die Natur ihm zwo freie Hände zu Werkzeugen gab und ein überblickendes Auge, seinen Gang zu leiten, so hat er auch in sich die Macht, nicht nur die Gewichte zu stellen, sondern auch, wenn ich so sagen darf, *selbst Gewicht zu sein* auf der Waage. Er kann dem trüglichsten Irrtum Schein geben und ein freiwillig Betrogener werden; er kann die Ketten, die ihn, seiner Natur entgegen, fesseln, mit der Zeit lieben lernen und sie mit mancherlei Blumen bekränzen. Wie es also mit der getäuschten Vernunft ging, gehet's auch mit der mißbrauchten oder gefesselten Freiheit; sie ist bei den meisten das Verhältnis der Kräfte und Triebe, wie Bequemlichkeit oder Gewohnheit sie festgestellet haben. Selten blickt der Mensch über diese hinaus und kann oft, wenn niedrige Triebe ihn fesseln und abscheuliche Gewohnheiten ihn binden, ärger als ein Tier werden. ...

(Viertes Buch · Viertes Kapitel)

... Eitel ist also der Ruhm so manches europäischen Pöbels, wenn er in dem, was Aufklärung, Kunst und Wissenschaft heißt, sich über alle drei Weltteile setzt und, wie jener Wahnsinnige die Schiffe im Hafen, alle Erfindungen Europas aus keiner Ursache für die seinen hält, als weil er im Zusammenfluß dieser Erfindungen und Traditionen geboren worden. Armseliger, erfandest du etwas von diesen Künsten? Denkst du etwas bei allen deinen eingesogenen Traditionen? Daß du jene brauchen gelernt hast, ist die Arbeit einer Maschine; daß du den Saft der Wissenschaft in dich ziehest, ist das Verdienst des Schwammes, der nun eben auf dieser feuchten Stelle gewachsen ist. Wenn du dem Otahiten ein Kriegsschiff zulenkst und auf den Hebriden eine Kanone donnerst, so bist du wahrlich weder klüger noch geschickter als der Hebride und Otahite, der sein Boot künstlich[1] lenkt und sich dasselbe mit eigner Hand erbaute. Eben dies war's, was alle Wilden dunkel empfanden, sobald sie die Europäer näher kennenlernten. In der Rüstung ihrer Werkzeuge dünkten sie ihnen unbekannte, höhere Wesen, vor denen sie sich beugten, die sie mit Ehrfurcht grüßten; sobald sie sie verwundbar, sterblich, krankhaft und in sinnlichen Übungen schwächer als sich selbst sahen, fürchteten sie die Kunst und erwürgten den Mann, der nichts weniger als mit seiner Kunst eins war. Auf alle Kultur Europas ist dies anwendbar. Darum, weil die Sprache eines Volks, zumal in Büchern, gescheut und fein ist, darum ist nicht jeder fein und gescheut, der diese Bücher lieset und diese Sprache redet. Wie er sie lieset, wie er sie redet, das wäre die Frage; und auch dann dächte und spräche er immer doch nur nach: er folgt den Gedanken und der Bezeichnungskraft eines andern. Der Wilde, der in seinem engern Kreise eigentümlich denkt und sich in ihm wahrer, bestimmter und nachdrücklicher ausdrückt, er, der in der Sphäre seines wirklichen Lebens Sinne und Glieder, seinen praktischen Verstand und seine wenigen Werkzeuge mit Kunst und Gegenwart des Geistes zu gebrauchen weiß: offenbar ist er, Mensch gegen Mensch gerechnet, gebildeter als jene politische oder gelehrte Maschine, die wie ein Kind auf einem sehr hohen Gerüst steht, das aber leider fremde Hände, ja, das oft die ganze Mühe der Vorwelt erbaute. Der Naturmensch dagegen ist ein zwar beschränkter, aber gesunder und tüchtiger Mann auf der Erde. Niemand wird's leugnen, daß Europa das Archiv der Kunst und des aussinnenden menschlichen Verstandes sei; das Schicksal der Zeitenfolge hat in ihm seine Schätze niedergelegt; sie sind in ihm vermehrt worden und werden gebrauchet. Darum aber hat nicht jeder, der sie gebraucht, den Verstand des Erfinders; vielmehr ist dieser einesteils durch den Gebrauch müßig worden; denn wenn ich das Werkzeug eines Fremden habe, so erfinde ich mir schwerlich selbst ein Werkzeug.

Eine weit schwerere Frage ist's noch, was Künste und Wissen-

1 Hier: kunstvoll.

schaften zur Glückseligkeit der Menschen getan oder wiefern sie diese vermehrt haben; und ich glaube, weder mit Ja noch Nein kann die Frage schlechthin entschieden werden, weil, wie allenthalben, so auch hier, auf den Gebrauch des Erfundenen alles ankommt. Daß feinere und künstlichere Werkzeuge in der Welt sind und also mit wenigerm mehr getan, mithin manche Menschenmühe geschont und erspart werden kann, wenn man sie schonen und sparen mag, darüber ist keine Frage. Auch ist es unstreitig, daß mit jeder Kunst und Wissenschaft ein neues Band der Geselligkeit, d. i. jenes gemeinschaftlichen Bedürfnisses, geknüpft sei, ohne welches künstliche[1] Menschen nicht mehr leben mögen. Ob aber gegenseitig jedes vermehrte Bedürfnis auch den engen Kreis der menschlichen Glückseligkeit erweitere, ob die Kunst der Natur je etwas wirklich zuzusetzen vermochte oder ob diese vielmehr durch jene in manchem entübriget und entkräftet werde, ob alle wissenschaftlichen und Künstlergaben nicht auch Neigungen in der menschlichen Brust rege gemacht hätten, bei denen man viel seltner und schwerer zur schönsten Gabe des Menschen, der Zufriedenheit, gelangen kann, weil diese Neigungen mit ihrer inneren Unruh der Zufriedenheit unaufhörlich widerstreben; ja endlich, ob durch den Zusammendrang der Menschen und ihre vermehrte Geselligkeit nicht manche Länder und Städte zu einem Armenhause, zu einem künstlichen Lazarett und Hospital worden sind, in dessen eingeschlossener Luft die blasse Menschheit auch künstlich siechet und, da sie von so vielen unverdienten Almosen der Wissenschaft, Kunst und Staatsverfassung ernährt wird, großenteils auch die Art der Bettler angenommen habe, die sich auf alle Bettlerkünste legen und dafür der Bettler Schicksal erdulden: über dies und so manches andre mehr soll uns die Tochter der Zeit, die helle Geschichte, unterweisen.

Boten des Schicksals also, ihr Genien und Erfinder, auf welcher nutzbar-gefährlichen Höhe übet ihr euren göttlichen Beruf! Ihr erfandet, aber nicht für euch; auch lag es in eurer Macht nicht, zu bestimmen, wie Welt und Nachwelt eure Erfindungen anwenden, was sie an solche reihen, was sie nach Analogie derselben Gegenseitiges oder Neues erfinden würde. Jahrhundertelang lag oft die Perle begraben, und Hähne scharrten darüber hin, bis sie vielleicht ein Unwürdiger fand und in die Krone des Monarchen pflanzte, wo sie nicht immer mit wohltätigem Glanz glänzet. Ihr indessen tatet euer Werk und gabt der Nachwelt Schätze hin, die entweder euer unruhiger Geist aufgrub oder die euch das waltende Schicksal

1 Hier: zivilisierte.

in die Hand spielte. Dem waltenden Schicksal also überließet ihr auch die Wirkungen und den Nutzen eures Fundes; und dieses tat, was es zu tun für gut fand. In periodischen Revolutionen[1] bildete es entweder Gedanken aus oder ließ sie untergehen und wußte immer das Gift mit dem Gegengift, den Nutzen mit dem Schaden zu mischen und zu mildern. Der Erfinder des Pulvers dachte nicht daran, welche Verwüstungen sowohl des politischen als des physischen Reichs menschlicher Kräfte der Funke seines schwarzen Staubes mit sich führte; noch weniger konnte er sehen, was auch wir jetzt kaum zu mutmaßen wagen, wie in dieser Pulvertonne, dem fürchterlichen Thron mancher Despoten, abermals zu einer andern Verfassung der Nachwelt ein wohltätiger Same keime. Denn reinigt das Ungewitter nicht die Luft? Und muß, wenn die Riesen der Erde vertilgt sind, nicht Herkules selbst seine Hand an wohltätigere Werke legen? Der Mann, der die Richtung der Magnetnadel zuerst bemerkte, sah weder das Glück noch das Elend voraus, das dieses Zaubergeschenk, unterstützt von tausend andern Künsten, auf alle Weltteile bringen würde, bis auch hier vielleicht eine neue Katastrophe alte Übel ersetzt oder neue Übel erzeuget. So mit dem Glase, dem Gelde, dem Eisen, der Kleidung, der Schreib- und Buchdruckerkunst, der Sternseherei und allen Wissenschaften der künstlichen Regierung. Der wunderbare Zusammenhang, der bei der Entwicklung und periodischen Fortleitung dieser Erfindungen zu herrschen scheint, die sonderbare Art, wie eine die Wirkung der andern einschränkt und mildert: das alles gehört zur obern Haushaltung Gottes mit unserm Geschlecht, der wahren Philosophie seiner Geschichte.

(Neuntes Buch · Drittes Kapitel)

Der Naturstand des Menschen ist der Stand der Gesellschaft; denn in dieser wird er geboren und erzogen, zu ihr führt ihn der aufwachende Trieb seiner schönen Jugend, und die süßesten Namen der Menschheit, Vater, Kind, Bruder, Schwester, Geliebter, Freund, Versorger, sind Bande des Naturrechts, die im Stande jeder ursprünglichen Menschengesellschaft stattfinden. Mit ihnen sind also auch die ersten Regierungen unter den Menschen gegründet: Ordnungen der Familie, ohne die unser Geschlecht nicht bestehen kann, Gesetze, die die Natur gab und auch durch sich selbst gnugsam einschränkte. Wir wollen sie *den ersten Grad natürlicher Regierungen* nennen; sie werden immerhin auch der höchste und letzte bleiben.

1 Umwälzungen.

Hier endigte nun die Natur ihre Grundlage der Gesellschaft und überließ es dem Verstande oder dem Bedürfnis des Menschen, höhere Gebäude darauf zu gründen. In allen Erdstrichen, wo einzelne Stämme und Geschlechter einander weniger bedörfen, nehmen sie auch weniger teil aneinander; sie dachten also an keine großen politischen Gebäude. Dergleichen sind die Küsten der Fischer, die Weiden der Hirten, die Wälder der Jäger; wo auf ihnen das väterliche und häusliche Regiment aufhört, sind die weiteren Verbindungen der Menschen meistens nur auf Vertrag oder Auftrag gegründet. Eine Jagdnation z. B. geht auf die Jagd; bedarf sie eines Führers, so ist es ein Jagdanführer, zu dem sie den Geschicktesten wählet, dem sie also auch nur aus freier Wahl und zum gemeinschaftlichen Zweck ihres Geschäfts gehorchet. Alle Tiere, die in Herden leben, haben solche Anführer; bei Reisen, Verteidigungen, Anfällen und überhaupt bei jedem gemeinschaftlichen Geschäft einer Menge ist ein solcher König des Spiels nötig. Wir wollen diese Verfassung den *zweiten Grad der natürlichen Regierung* nennen; sie findet bei allen Völkern statt, die bloß ihrem Bedürfnis folgen und, wie wir's nennen, im Stande der Natur leben. Selbst die erwählten Richter eines Volks gehören zu diesem Grad der Regierung: die Klügsten und Besten nämlich werden zu ihrem Amt als zu einem Geschäft erwählt, und mit dem Geschäft ist auch ihre Herrschaft zu Ende.

Aber wie anders ist's mit dem dritten Grad, den Erbregierungen unter den Menschen! Wo hören hier die Gesetze der Natur auf, oder wo fangen sie an? Daß der billigste und klügste Mann von den Streitenden zum Richter erwählt ward, war Natur der Sache, und wenn er sich als einen solchen bewährt hatte, mochte er's bis in sein graues Alter bleiben. Nun aber stirbt der Alte, und warum ist sein Sohn Richter? Daß ihn der klügste und billigste Vater erzeugt hat, ist kein Grund; denn weder Klugheit noch Billigkeit konnte er ihm einzeugen. Noch weniger wäre der Natur des Geschäfts nach die Nation verbunden, ihn deshalb als solchen anzuerkennen, weil sie seinen Vater einmal aus persönlichen Ursachen zum Richter wählte; denn der Sohn ist nicht die Person des Vaters. Und wenn sie gar für alle ihre noch Ungeborne das Gesetz feststellen wollte, ihn dafür erkennen zu müssen, und im Namen der Vernunft ihrer aller auf ewige Zeiten hin den Vertrag machte, daß jeder Ungeborne dieses Stamms der geborne Richter, Führer und Hirt der Nation, d. i. der Tapferste, Billigste, Klügste des ganzen Volks, sein und dafür der Geburt wegen von jedermann erkannt werden müßte, so würde es schwer sein, einen Erbvertrag dieser Art, ich will nicht sagen mit dem Recht, sondern nur mit der Vernunft zu reimen. Die Natur teilet ihre edelsten Gaben nicht familienweise aus, und das Recht des Blutes, nach welchem ein Ungeborner über den andern Ungebornen, wenn beide einst geboren sein werden, durchs Recht der Geburt zu herrschen das Recht habe, ist für mich eine der dunkelsten Formeln der menschlichen Sprache.

Es müssen andre Gründe vorhanden sein, die die Erbregierungen unter den Menschen einführten, und die Geschichte verschweigt uns diese Gründe nicht. Wer hat Deutschland, wer hat dem kultivierten Europa seine Regierungen gegeben? Der Krieg. Horden von Barbaren überfielen den Weltteil; ihre Anführer und Edeln teilten unter sich Länder und Menschen. Daher entsprangen Fürstentümer und Lehne; daher entsprang die Leibeigenschaft unterjochter Völker; die Eroberer waren im Besitz, und was seit der Zeit in diesem Besitz verändert worden, hat abermals Revolution, Krieg, Einverständnis der Mächtigen, immer also das Recht des Stärkern entschieden. Auf diesem königlichen Wege geht die Geschichte fort, und Fakta der Geschichte sind nicht zu leugnen. Was brachte die Welt unter Rom, Griechenland und den Orient unter Alexander? Was hat alle große Monarchien bis zu Sesostris und der fabelhaften Semiramis[1] hinauf gestiftet und wieder zertrümmert? Der Krieg. Gewaltsame Eroberungen vertraten also die Stelle des Rechts, das nachher nur durch Verjährung oder, wie unsre Staatslehrer sagen, durch den schweigenden Kontrakt Recht ward; der schweigende Kontrakt aber ist in diesem Fall nichts anders, als daß der Stärkere nimmt, was er will, und der Schwächere gibt oder leidet, was er nicht ändern kann. Und so hängt das Recht der erblichen Regierung sowie beinah jedes andern erblichen Besitzes an einer Kette von Tradition, deren ersten Grenzpfahl das Glück oder die Macht einschlug und die sich hie und da mit Güte und Weisheit, meistens aber wieder nur durch Glück oder Übermacht fortzog. Nachfolger und Erben bekamen, der Stammvater nahm; und daß dem, der hatte, auch immer mehr gegeben ward, damit er die Fülle habe, bedarf keiner weitern Erläuterung; es ist die natürliche Folge des genannten ersten Besitzes der Länder und Menschen.

Man glaube nicht, daß dies etwa nur von Monarchien, als von Ungeheuern der Eroberung, gelte, die ursprünglichen Reiche aber anders entstanden sein könnten; denn wie in der Welt wären sie

1 Sagenhafte Königin von Assyrien.

anders entstanden? Solange ein Vater über seine Familie herrschte, war er Vater und ließ seine Söhne auch Väter werden, über die er nur durch Rat zu vermögen suchte. Solange mehrere Stämme aus freier Überlegung zu einem bestimmten Geschäft sich Richter und Führer wählten, so lange waren diese Amtsführer nur Diener des gemeinen Zweckes, bestimmte Vorsteher der Versammlung; der Name Herr, König, eigenmächtiger, willkürlicher, erblicher Despot war Völkern dieser Verfassung etwas Unerhörtes. Entschlummerte aber die Nation und ließ ihren Vater, Führer und Richter walten, gab sie ihm endlich gar, schlaftrunken-dankbar, seiner Verdienste, seiner Macht, seines Reichtums oder welcher Ursachen wegen es sonst sei, den Erbzepter in die Hand, daß er sie und ihre Kinder wie der Hirt die Schafe weide: welch Verhältnis ließe sich hiebei denken als Schwachheit auf der einen, Übermacht auf der andern Seite, also das Recht des Stärkern. Wenn Nimrod Bestien tötet und nachher Menschen unterjocht, so ist er dort und hier ein Jäger. Der Anführer einer Kolonie oder Horde, dem Menschen wie Tiere folgten, bediente sich über sie gar bald des Menschenrechts über die Tiere. So war's mit denen, die die Nationen kultivierten: solange sie sie kultivierten, waren sie Väter, Erzieher des Volks, Handhaber der Gesetze zum gemeinen Besten; sobald sie eigenmächtige oder gar erbliche Regenten wurden, waren sie die Mächtigern, denen der Schwächere diente. Oft trat ein Fuchs in die Stelle des Löwen, und so war der Fuchs der Mächtigere; denn nicht Gewalt der Waffen allein ist Stärke; Verschlagenheit, List und ein künstlicher Betrug tut in den meisten Fällen mehr als jene. Kurz, der große Unterschied der Menschen an Geistes-, Glücks- und Körpergaben hat nach dem Unterschiede der Gegenden, Lebensarten und Lebensalter Unterjochungen und Despotien auf der Erde gestiftet, die in vielen Ländern einander leider nur abgelöset haben. Kriegerische Bergvölker z. B. überschwemmten die ruhige Ebne: jene hatte das Klima, die Not, der Mangel stark gemacht und tapfer erhalten; sie breiteten sich also als Herren der Erde aus, bis sie selbst in der mildern Gegend von Üppigkeit besiegt und von andern unterjocht wurden. So ist unsre alte Tellus[1] bezwungen und die Geschichte auf ihr ein trauriges Gemälde von Menschenjagden und Eroberungen worden. Fast jede kleine Landesgrenze, jede neue Epoche ist mit Blut der Geopferten und mit Tränen der Unterdrückten ins Buch der Zeiten verzeichnet. Die berühmtesten Namen der Welt sind Würger des Menschengeschlechts, gekrönte

1 Altrömische Gottheit, die Erde.

oder nach Kronen ringende Henker gewesen, und was noch trauriger ist, so standen oft die edelsten Menschen notgedrungen auf diesem schwarzen Schaugerüst der Unterjochung ihrer Brüder. Woher kommt's, daß die Geschichte der Weltreiche mit so wenig vernünftigen Endresultaten geschrieben worden? Weil, ihren größesten und meisten Begebenheiten nach, sie mit wenig vernünftigen Endresultaten geführt ist; denn nicht Humanität, sondern Leidenschaften haben sich der Erde bemächtigt und ihre Völker wie wilde Tiere zusammen- und gegeneinandergetrieben. Hätte es der Vorsehung gefallen, uns durch höhere Wesen regieren zu lassen, wie anders wäre die Menschengeschichte! Nun aber waren es meistens *Helden*, d. i. ehrsüchtige, mit Gewalt begabte oder listige und unternehmende Menschen, die den Faden der Begebenheiten nach Leidenschaften anspannen und, wie es das Schicksal wollte, ihn fortwebten. Wenn kein Punkt der Weltgeschichte uns die Niedrigkeit unsres Geschlechts zeigte, so wiese es uns die Geschichte der Regierungen desselben, nach welcher unsre Erde ihrem größten Teil nach nicht Erde, sondern Mars oder der kinderfressende Saturn[1] heißen sollte.

Wie nun? Sollen wir die Vorsehung darüber anklagen, daß sie die Erdstriche unsrer Kugel so ungleich schuf und auch unter den Menschen ihre Gaben so ungleich verteilte? Die Klage wäre müßig und ungerecht; denn sie ist der augenscheinlichen Absicht unsres Geschlechts entgegen. Sollte die Erde bewohnbar werden, so mußten Berge auf ihr sein und auf dem Rücken derselben harte Bergvölker leben. Wenn diese sich nun niedergossen und die üppige Ebne unterjochten, so war die üppige Ebne auch meistens dieser Unterjochung wert; denn warum ließ sie sich unterjochen, warum erschlaffte sie an den Brüsten der Natur in kindischer Üppigkeit und Torheit? Man kann es als einen Grundsatz der Geschichte annehmen, daß kein Volk unterdrückt wird, als das sich unterdrücken lassen will, das also der Sklaverei wert ist. Nur der Feige ist ein geborner Knecht; nur der Dumme ist von der Natur bestimmt, einem Klügern zu dienen; alsdenn ist ihm auch wohl auf seiner Stelle, und er wäre unglücklich, wenn er befehlen sollte.

Überdem ist die Ungleichheit der Menschen von Natur nicht so groß, als sie durch die Erziehung wird, wie die Beschaffenheit eines und desselben Volks unter seinen mancherlei Regierungsarten zei-

1 Saturn, hier dem griechischen Himmelsgott Kronos gleichgesetzt, soll seine neugeborenen Kinder verschlungen haben, um sich die Herrschaft zu sichern.

get. Das edelste Volk verliert unter dem Joch des Despotismus in kurzer Zeit seinen Adel, das Mark in seinen Gebeinen wird ihm zertreten, und da seine feinsten und schönsten Gaben zur Lüge und zum Betrug, zur kriechenden Sklaverei und Üppigkeit gemißbraucht werden: was Wunder, daß es sich endlich an sein Joch gewöhnet, es küsset und mit Blumen umwindet? So beweinenswert dies Schicksal der Menschen im Leben und in der Geschichte ist, weil es beinah keine Nation gibt, die ohne das Wunder einer völligen Palingenesie aus dem Abgrunde einer gewohnten Sklaverei je wieder aufgestanden wäre, so ist offenbar dies Elend nicht das Werk der Natur, sondern der Menschen. Die Natur leitete das Band der Gesellschaft nur bis auf Familien; weiterhin ließ sie unserm Geschlecht die Freiheit, wie es sich einrichten, wie es das feinste Werk seiner Kunst, den Staat, bauen wollte. Richteten sich die Menschen gut ein, so hatten sie's gut; wählten oder duldeten sie Tyrannei und üble Regierungsformen, so mochten sie ihre Last tragen. Die gute Mutter konnte nichts tun, als sie durch Vernunft, durch Tradition der Geschichte oder endlich durch das eigne Gefühl des Schmerzes und Elendes lehren. Nur also die innere Entartung des Menschengeschlechts hat den Lastern und Entartungen menschlicher Regierung Raum gegeben; denn teilet sich im unterdrückendsten Despotismus nicht immer der Sklave mit seinem Herrn im Raube, und ist nicht immer der Despot der ärgste Sklave?

Aber auch in der ärgsten Entartung verläßt die unermüdlichgütige Mutter ihre Kinder nicht und weiß ihnen den bittern Trank der Unterdrückung von Menschen wenigstens durch Vergessenheit und Gewohnheit zu lindern. Solange sich die Völker wachsam und in reger Kraft erhalten oder wo die Natur sie mit dem harten Brot der Arbeit speiset, da finden keine weiche Sultane statt; das rauhe Land, die harte Lebensweise sind ihnen der Freiheit Festung. Wo gegenteils die Völker in ihrem weicheren Schoß entschliefen und das Netz duldeten, das man über sie zog, siehe, da kommt die tröstende Mutter dem Unterdrückten wenigstens durch ihre milderen Gaben zu Hülfe; denn der Despotismus setzt immer eine Art Schwäche, folglich mehrere Bequemlichkeit voraus, die entweder aus Gaben der Natur oder der Kunst entstanden. In den meisten despotisch regierten Ländern nährt und kleidet die Natur den Menschen fast ohne Mühe, daß er sich also mit dem vorüberrasenden Orkan gleichsam nur abfinden darf und nachher zwar gedankenlos und ohne Würde, dennoch aber nicht ganz ohne Genuß den Atem ihrer Erquickung trinket. Überhaupt ist das Los des Menschen und seine Bestimmung zur irdischen Glückseligkeit weder ans Herrschen noch ans Dienen geknüpfet. Der Arme kann glücklich, der Sklave in Ketten kann frei sein; der Despot und sein Werkzeug sind meistens, und oft in ganzen Geschlechtern, die unglücklichsten und unwürdigsten Sklaven.

Da alle Sätze, die ich bisher berührt habe, aus der Geschichte selbst ihre eigentliche Erläuterung nehmen müssen, so bleibt ihre Entwicklung auch dem Faden derselben aufbehalten. Für jetzt sein mir noch einige allgemeine Blicke vergönnet:

1. Ein zwar leichter, aber böser Grundsatz wäre es zur Philosophie der Menschengeschichte: „Der Mensch sei ein Tier, das einen Herren nötig habe und von diesem Herren oder von einer Verbindung derselben das Glück seiner Endbestimmung erwarte.“ Kehre den Satz um: „Der Mensch, der einen Herren nötig hat, ist ein Tier; sobald er Mensch wird, hat er keines eigentlichen Herren mehr nötig.“ Die Natur nämlich hat unserm Geschlecht keinen Herren bezeichnet; nur tierische Laster und Leidenschaften machen uns desselben bedürftig. Das Weib bedarf eines Mannes und der Mann des Weibes; das unerzogne Kind hat erziehender Eltern, der Kranke des Arztes, der Streitende des Entscheiders, der Haufe Volks eines Anführers nötig: dies sind Naturverhältnisse, die im Begriff der Sache liegen. Im Begriff des Menschen liegt der Begriff eines ihm nötigen Despoten, der auch Mensch sei, nicht; jener muß erst schwach gedacht werden, damit er eines Beschützers, unmündig, damit er eines Vormundes, wild, damit er eines Bezähmers, abscheulich, damit er eines Strafengels nötig habe. Alle Regierungen der Menschen sind also nur aus Not entstanden und um dieser fortwährenden Not willen da. So wie es nun ein schlechter Vater ist, der sein Kind erziehet, damit es, lebenslang unmündig, lebenslang eines Erziehers bedörfe; wie es ein böser Arzt ist, der die Krankheit nährt, damit er dem Elenden bis ins Grab hin unentbehrlich werde: so mache man die Anwendung auf die Erzieher des Menschengeschlechts, die Väter des Vaterlandes und ihre Erzognen. Entweder müssen diese durchaus keiner Besserung fähig sein, oder alle die Jahrtausende, seitdem Menschen regiert wurden, müßten es doch merklich gemacht haben, was aus ihnen geworden sei und zu welchem Zweck jene sie erzogen haben. Der Verfolg dieses Werks wird solche Zwecke sehr deutlich zeigen.

2. Die Natur erzieht Familien; der natürlichste Staat ist also auch *ein* Volk, mit *einem* Nationalcharakter. Jahrtausendelang erhält sich dieser in ihm und kann, wenn seinem mitgebornen Fürsten

daran liegt, am natürlichsten ausgebildet werden; denn ein Volk ist sowohl eine Pflanze der Natur als eine Familie, nur jenes mit mehreren Zweigen. Nichts scheint also dem Zweck der Regierungen so offenbar entgegen als die unnatürliche Vergrößerung der Staaten, die wilde Vermischung der Menschengattungen und Nationen unter *einen* Zepter. Der Menschenzepter ist viel zu schwach und klein, daß so widersinnige Teile in ihn eingeimpft werden könnten; zusammengeleimt werden sie also in eine brechliche Maschine, die man Staatsmaschine nennet, ohne inneres Leben und Sympathie der Teile gegeneinander. Reiche dieser Art, die dem besten Monarchen den Namen Vater des Vaterlandes so schwer machen, erscheinen in der Geschichte wie jene Symbole der Monarchien im Traumbilde des Propheten, wo sich das Löwenhaupt mit dem Drachenschweif und der Adlersflügel mit dem Bärenfuß zu *einem* unpatriotischen Staatsgebilde vereinigt. Wie trojanische Rosse[1] rücken solche Maschinen zusammen, sich einander die Unsterblichkeit verbürgend, da doch ohne Nationalcharakter kein Leben in ihnen ist und für die Zusammengezwungenen nur der Fluch des Schicksals sie zur Unsterblichkeit verdammen könnte; denn eben die Staatskunst, die sie hervorbrachte, ist auch die, die mit Völkern und Menschen als mit leblosen Körpern spielet. Aber die Geschichte zeigt gnugsam, daß diese Werkzeuge des menschlichen Stolzes von Ton sind und wie aller Ton auf der Erde zerbrechen oder zerfließen.

3. Wie bei allen Verbindungen der Menschen gemeinschaftliche Hülfe und Sicherheit der Hauptzweck ihres Bundes ist, so ist auch dem Staat keine andre als die Naturordnung die beste, daß nämlich auch in ihm jeder das sei, wozu ihn die Natur bestellte. Sobald der Regent in die Stelle des Schöpfers treten und durch Willkür oder Leidenschaft von seinetwegen erschaffen will, was das Geschöpf von Gottes wegen nicht sein sollte, so bald ist dieser dem Himmel gebietende Despotismus aller Unordnung und des unvermeidlichen Mißgeschicks Vater. Da nun alle durch Tradition festgesetzte Stände der Menschen auf gewisse Weise der Natur entgegenarbeiten, die sich mit ihren Gaben an keinen Stand bindet, so ist kein Wunder, daß die meisten Völker, nachdem sie allerlei Regierungsarten durchgangen waren und die Last jeder empfunden hatten, zuletzt verzweifelnd auf die zurückkamen, die sie ganz zu Maschinen machte, auf die despotisch-erbliche Regierung. Sie spra-

1 Troja wurde erobert, nachdem man ein Holzpferd, in dessen Innern sich die tapfersten griechischen Helden versteckt hielten, in die Stadt gezogen hatte.

chen wie jener ebräische König[1], als ihm drei Übel vorgelegt wurden: „Lasset uns lieber in die Hand des Herren fallen als in die Hand der Menschen!", und gaben sich auf Gnade und Ungnade der Providenz[2] in die Arme, erwartend, wen diese ihnen zum Regenten zusenden würde; denn die Tyrannei der Aristokraten ist eine harte Tyrannei, und das gebietende Volk ist ein wahrer Leviathan. Alle christlichen Regenten nennen sich also *von Gottes Gnaden* und bekennen damit, daß sie nicht durch ihr Verdienst, das vor der Geburt auch gar nicht stattfindet, sondern durch das Gutbefinden der Vorsehung, die sie auf dieser Stelle geboren werden ließ, zur Krone gelangten. Das Verdienst dazu müssen sie sich erst durch eigne Mühe erwerben, mit der sie gleichsam die Providenz zu rechtfertigen haben, daß sie sie ihres hohen Amts würdig erkannte; denn das Amt des Fürsten ist kein geringeres, als Gott zu sein unter den Menschen, ein höherer Genius in einer sterblichen Bildung. Wie Sterne glänzen die wenigen, die diesen auszeichnenden Ruf verstanden, in der unendlich dunkeln Wolkennacht gewöhnlicher Regenten und erquicken den verlornen Wandrer auf seinem traurigen Gange in der politischen Menschengeschichte.

O daß ein andrer Montesquieu uns den Geist der Gesetze und Regierungen auf unsrer runden Erde nur durch die bekanntesten Jahrhunderte zu kosten gäbe! Nicht nach leeren Namen dreier oder vier Regierungsformen, die doch nirgend und niemals dieselben sind oder bleiben; auch nicht nach witzigen[3] Prinzipien des Staats, denn kein Staat ist auf *ein* Wortprincipium gebauet, geschweige, daß er dasselbe in allen seinen Ständen und Zeiten unwandelbar erhielte; auch nicht durch zerschnittene Beispiele aus allen Nationen, Zeiten und Weltgegenden, aus denen in dieser Verwirrung der Genius unsrer Erde selbst kein Ganzes bilden würde: sondern allein durch die philosophische, lebendige Darstellung der bürgerlichen Geschichte, in der, so einförmig sie scheinet, keine Szene zweimal vorkommt und die das Gemälde der Laster und Tugenden unsres Geschlechts und seiner Regenten, nach Ort und Zeiten immer verändert und immer dasselbe, fürchterlich-lehrreich vollendet.

(Neuntes Buch · Viertes Kapitel)

1 Gemeint ist König David. – 2 Göttliche Vorsehung. – 3 Hier: geistreich.

ALLGEMEINE BETRACHTUNGEN ÜBER DIE GESCHICHTE GRIECHENLANDES

Wir haben die Geschichte dieses merkwürdigen Erdstrichs von mehreren Seiten betrachtet, weil sie zur Philosophie der Geschichte gewissermaßen ein einziges Datum ist unter allen Völkern der Erde. Nicht nur sind die Griechen von der Zumischung fremder Nationen befreit und in ihrer ganzen Bildung sich eigen geblieben, sondern sie haben auch ihre Perioden so ganz durchlebt und von den kleinsten Anfängen der Bildung die ganze Laufbahn derselben so vollständig durchschritten als sonst kein andres Volk der Geschichte. Entweder sind die Nationen des festen Landes bei den ersten Anfängen der Kultur stehengeblieben und haben solche in Gesetzen und Gebräuchen unnatürlich verewigt, oder sie wurden, ehe sie sich auslebten, eine Beute der Eroberung: die Blume ward abgemähet, ehe sie zum Flor kam. Dagegen genoß Griechenland ganz seiner Zeiten; es bildete an sich aus, was es ausbilden konnte, zu welcher Vollkommenheit ihm abermals das Glück seiner Umstände half. Auf dem festen Lande wäre es gewiß bald die Beute eines Eroberers worden, wie seine asiatischen Brüder[1]; hätten Darius und Xerxes ihre Absichten an ihm erreicht, so wäre keine Zeit des Perikles erschienen. Oder hätte ein Despot über die Griechen geherrschet, er wäre nach dem Geschmack aller Despoten bald selbst ein Eroberer worden und hätte, wie Alexander es tat, mit dem Blut seiner Griechen ferne Flüsse gefärbet. Auswärtige Völker wären in ihr Land gemischt, sie in auswärtigen Ländern sieghaft umhergestreuet worden u. f. Gegen das alles schützte sie nun ihre mäßige Macht, selbst ihr eingeschränkter Handel, der sich nie über die Säulen Herkules'[2] und des Glückes hinausgewaget. Wie also der Naturlehrer seine Pflanze nur dann vollständig betrachten kann, wenn er sie von ihrem Samen und Keim aus bis zur Blüte und Abblüte kennet, so wäre uns die griechische Geschichte eine solche Pflanze; schade nur, daß nach dem gewohnten Gange dieselbe bisher noch lange nicht wie die römische ist bearbeitet worden. Meines Orts ist's jetzo, aus dem, was gesagt worden, einige Gesichtspunkte auszuzeichnen, die aus diesem wichtigen Beitrage für die gesamte Menschengeschichte dem Auge des Betrachters zunächst vorliegen; und da wiederhole ich zuerst den großen Grundsatz:

1 Die Küste Kleinasiens war von Griechen besiedelt, die von den Persern unterworfen wurden. – 2 Die Vorgebirge zu beiden Seiten der Meerenge von Gibraltar.

Erstlich. *Was im Reich der Menschheit nach dem Umfange gegebner National-, Zeit- und Ortumstände geschehen kann, geschiehet in ihm wirklich.* Griechenland gibt hievon die reichsten und schönsten Erweise.

In der physischen Natur zählen wir nie auf Wunder: wir bemerken Gesetze, die wir allenthalben gleich wirksam, unwandelbar und regelmäßig finden. Wie? Und das Reich der Menschheit mit seinen Kräften, Veränderungen und Leidenschaften sollte sich dieser Naturkette entwinden? Setzet Sinesen[1] nach Griechenland, und es wäre unser Griechenland nie entstanden; setzt unsre Griechen dahin, wohin Darius die gefangenen Eretrier führte[2], sie werden kein Sparta und Athen bilden. Betrachtet Griechenland jetzt; ihr findet die alten Griechen, ja oft ihr Land nicht mehr. Sprächen sie nicht noch einen Rest ihrer Sprache, sähet ihr nicht noch Trümmern ihrer Denkart, ihrer Kunst, ihrer Städte oder wenigstens ihrer alten Flüsse und Berge, so müßtet ihr glauben, das alte Griechenland sei euch als eine Insel der Kalypso oder des Alcinous[3] vorgedichtet worden[4]. Wie nun diese neuern Griechen nur durch die Zeitfolge in einer gegebenen Reihe von Ursachen und Wirkungen das worden sind, was sie wurden, nicht minder jene alten, nicht minder jede Nation der Erde. Die ganze Menschengeschichte ist eine reine Naturgeschichte menschlicher Kräfte, Handlungen und Triebe nach Ort und Zeit.

So einfach dieser Grundsatz ist, so aufklärend und nützlich wird er in Behandlung der Geschichte der Völker. Jeder Geschichtforscher ist mit mir einig, daß ein nutzloses Anstaunen und Lernen derselben den Namen der Geschichte nicht verdiene; und ist dies, so muß bei jeder ihrer Erscheinungen, wie bei einer Naturbegebenheit, der überlegende Verstand mit seiner ganzen Schärfe wirken. Im Erzählen der Geschichte wird dieser also die größeste Wahrheit, im Fassen und Beurteilen den vollständigsten Zusammenhang suchen und nie eine Sache, die ist oder geschieht, durch eine andre, die nicht ist, zu erklären streben. Mit diesem strengen Grundsatz verschwinden alle Ideale, alle Phantome eines Zauberfeldes; überall sucht man, rein zu sehen, was da ist, und sobald man dies sah, fällt meistens auch die Ursache in die Augen, warum es nicht anders als also sein konnte. Sobald das Gemüt an der Geschichte sich diese Gewohnheit eigen gemacht hat, hat es den Weg der gesunderen

1 Chinesen. – 2 Die Eretrier wurden nach der Eroberung ihrer Stadt 490 v. u. Z. vom persischen Großkönig Dareios als Kriegsgefangene im Lande Kissia angesiedelt. – 3 Mythischer König der Phaiaken auf der Insel Scheria. – 4 Anspielung auf Schauplätze der Odyssee.

Philosophie gefunden, den es außer der Naturgeschichte und Mathematik schwerlich anderswo finden konnte.

Eben dieser Philosophie zufolge werden wir uns also zuerst und vorzüglich hüten, den Taterscheinungen der Geschichte verborgne einzelne Absichten eines uns unbekannten Entwurfs der Dinge oder gar die magische Einwirkung unsichtbarer Dämonen anzudichten, deren Namen man bei Naturerscheinungen auch nur zu nennen sich nicht getraute. Das Schicksal offenbart seine Absichten durch das, was geschieht und wie es geschiehet; also entwickelt der Betrachter der Geschichte diese Absichten bloß aus dem, was da ist und sich in seinem ganzen Umfange zeiget. Warum waren die aufgeklärten Griechen in der Welt? Weil sie da waren und unter solchen Umständen nicht anders als aufgeklärte Griechen sein konnten. Warum zog Alexander nach Indien? Weil er Philipps Sohn Alexander war und nach den Anstalten seines Vaters, nach den Taten seiner Nation, nach seinem Alter und Charakter, nach seinem Lesen Homers u. f. nichts Bessers zu tun wußte. Legten wir seinem raschen Entschluß verborgene Absichten einer höheren Macht und seinen kühnen Taten eine eigne Glücksgöttin unter, so liefen wir Gefahr, dort seine schwärzesten Unbesonnenheiten zu göttlichen Endzwecken zu machen, hier seinen persönlichen Mut und seine Kriegsklugheit zu schmälern, überall aber der ganzen Begebenheit ihre natürliche Gestalt zu rauben. Wer in der Naturgeschichte den Feenglauben hätte, daß unsichtbare Geister die Rose schminken oder den silbernen Tau in ihren Kelch tröpfeln; wer den Glauben hätte, daß kleine Lichtgeister den Leib des Nachtwurms zu ihrer Hülle nehmen oder auf dem Schweif des Pfauen spielen, der mag ein sinnreicher Dichter sein, nie wird er als Natur- oder als Geschichtforscher glänzen. Geschichte ist die Wissenschaft dessen, was da ist, nicht dessen, was nach geheimen Absichten des Schicksals etwa wohl sein könnte.

Zweitens. *Was von einem Volk gilt, gilt auch von der Verbindung mehrerer Völker untereinander: sie stehen zusammen, wie Zeit und Ort sie band; sie wirken aufeinander, wie der Zusammenhang lebendiger Kräfte es bewirkte.*

Auf die Griechen haben Asiaten und sie auf jene zurückgewirket. Römer, Goten, Türken, Christen übermanneten sie, und Römer, Goten, Christen haben von ihnen mancherlei Mittel der Aufklärung erhalten; wie hangen diese Dinge zusammen? Durch Ort, Zeit und die natürliche Wirkung lebendiger Kräfte. Die Phönizier brachten ihnen Buchstaben; sie hatten aber diese Buchstaben nicht für sie erfunden; sie brachten ihnen solche, weil sie eine Kolonie zu ihnen schickten. So war's mit den Hellenen und Ägyptern, so mit den Griechen, da sie gen Baktra zogen; so ist's mit allen Geschenken der Muse, die wir von ihnen erhielten. Homer sang, aber nicht für uns; nur weil er zu uns kam, haben wir ihn und dürfen von ihm lernen. Hätte ihn uns *ein* Umstand der Zeitenfolge geraubt, wie soviel andre vortreffliche Werke, wer wollte mit der Absicht eines geheimen Schicksals rechten, wenn er die natürlichen Ursachen seines Unterganges vor sich siehet? Man gehe die verlornen und erhaltenen Schriften, die verschwundenen und übriggebliebenen Werke der Kunst samt den Nachrichten über ihre Erhaltung und Zerstörung durch und wage es, die Regel anzuzeigen, nach welcher in einzelnen Fällen das Schicksal erhielt oder zerstörte. Aristoteles ward in *einem* Exemplar unter der Erde, andre Schriften als verworfne Pergamente in Kellern und Kisten, der Spötter Aristophanes unter dem Kopfkissen des h. Chrysostomus erhalten, damit dieser aus ihm predigen lernte; und so sind die verworfensten kleinsten Wege gerade diejenigen gewesen, von denen unsre ganze Aufklärung abhing. Nun ist unsre Aufklärung unstreitig ein großes Ding in der Weltgeschichte; sie hat fast alle Völker in Aufruhr gebracht und legt jetzt mit Herschel die Milchstraßen des Himmels wie Strata[1] auseinander. Und dennoch von welchen kleinen Umständen hing sie ab, die uns das Glas und einige Bücher brachten, so daß wir ohne diese Kleinigkeiten vielleicht noch wie unsre alten Brüder, die unsterblichen Skythen, mit Weibern und Kindern auf Wagenhäusern führen. Hätte die Reihe der Begebenheiten es gewollt, daß wir statt griechischer mongolische Buchstaben erhalten sollten, so schrieben wir jetzt mongolisch, und die Erde ging deshalb mit ihren Jahren und Jahreszeiten ihren großen Gang fort, eine Ernährerin alles dessen, was nach göttlichen Naturgesetzen auf ihr lebet und wirket.

Drittens. *Die Kultur eines Volks ist die Blüte seines Daseins, mit welcher es sich zwar angenehm, aber hinfällig offenbaret.*

Wie der Mensch, der auf die Welt kommt, nichts weiß; er muß, was er wissen will, lernen: so lernt ein rohes Volk durch Übung für sich oder durch Umgang von andern. Nun hat aber jede Art der menschlichen Kenntnisse ihren eignen Kreis, d. i. ihre Natur, Zeit, Stelle und Lebensperiode; die griechische Kultur z. B. erwuchs nach Zeiten, Orten und Gegenständen und sank mit denselben. Einige Künste und die Dichtkunst gingen der Philosophie zuvor: wo die

1 Hier: Schichten.

Kunst oder die Rednerei blühte, durfte nicht eben auch die Kriegskunst oder die patriotische Tugend blühen; die Redner Athens bewiesen ihren größesten Enthusiasmus, da es mit dem Staat zu Ende ging und seine Redlichkeit hin war.

Aber das haben alle Gattungen menschlicher Aufklärung gemein, daß jede zu einem Punkt der Vollkommenheit strebet, der, wenn er durch einen Zusammenhang glücklicher Umstände hier oder dort erreicht ist, sich weder ewig erhalten noch auf der Stelle wiederkommen kann, sondern eine abnehmende Reihe anfängt. Jedes vollkommenste Werk nämlich, sofern man von Menschen Vollkommenheit fodern kann, ist ein Höchstes in seiner Art; hinter ihm sind also bloß Nachahmungen oder unglückliche Bestrebungen, es übertreffen zu wollen, möglich. Als Homer gesungen hatte, war in seiner Gattung kein zweiter Homer denkbar; jener hatte die Blüte des epischen Kranzes gepflückt, und wer auf ihn folgte, mußte sich mit einzelnen Blättern begnügen. Die griechischen Trauerspieldichter wählten sich also eine andre Laufbahn; sie aßen, wie Äschylus sagt, vom Tisch Homers, bereiteten aber für ihr Zeitalter ein anderes Gastmahl. Auch ihre Periode ging vorüber: die Gegenstände des Trauerspiels erschöpften sich und konnten von den Nachfolgern der größesten Dichter nur verändert, d. i. in einer schlechtern Form gegeben werden, weil die bessere, die höchstschöne Form des griechischen Drama mit jenen Mustern schon gegeben war. Trotz aller seiner Moral konnte Euripides nicht mehr an Sophokles reichen, geschweige, daß er ihn im Wesen seiner Kunst zu übertreffen vermocht hätte, und der kluge Aristophanes wählte daher eine andre Laufbahn. So war's mit allen Gattungen der griechischen Kunst und wird unter allen Völkern also bleiben; ja daß die Griechen in ihren schönern Zeiten dieses Naturgesetz einsahn und ein Höchstes durch ein noch Höheres nicht zu überstreben suchten, das eben machte ihren Geschmack so sicher und die Ausbildung desselben so mannigfaltig. Als Phidias seinen allmächtigen Jupiter erschaffen hatte, war kein höherer Jupiter möglich; wohl aber konnte das Ideal desselben auch auf andere Götter seines Geschlechts angewandt werden, und so erschuf man jedem Gott seinen Charakter: die ganze Provinz der Kunst ward bepflanzet.

Arm und klein wäre es also, wenn wir unsre Liebe zu irgendeinem Gegenstande menschlicher Kultur der allwaltenden Vorsehung als Regel vorzeichnen wollten, um dem Augenblick, in welchem er allein Platz gewinnen konnte, eine unnatürliche Ewigkeit zu geben. Es hieße diese Bitte nichts anders, als das Wesen der

Zeit zu vernichten und die ganze Natur der Endlichkeit zu zerstören. Unsere Jugend kommt nicht wieder; mithin auch nie die Wirkung unsrer Seelenkräfte, wie sie dann und dort war. Eben daß die Blume erschien, zeigt, daß sie verblühen werde; von der Wurzel aus hat sie die Kräfte der Pflanze in sich gezogen, und wenn sie stirbt, stirbt die Pflanze ihr nach. Unglücklich wäre es gewesen, wenn die Zeit, die einen Perikles und Sokrates hervorbrachte, nur *ein* Moment länger hätte dauren sollen, als ihr die Kette der Umstände Dauer bestimmte; es war für Athen ein gefährlicher, unerträglicher Zeitpunkt. Ebenso eingeschränkt wäre es, wenn die Mythologie Homers in den Gemütern der Menschen ewig dauern, die Götter der Griechen ewig herrschen, ihre Demosthene[1] ewig donnern sollen u. f. Jede Pflanze der Natur muß verblühen; aber die verblühete Pflanze streut ihren Samen weiter, und dadurch erneuet sich die lebendige Schöpfung. Shakespeare war kein Sophokles, Milton kein Homer, Bolingbroke kein Perikles; sie waren aber das in ihrer Art und auf ihrer Stelle, was jene in der ihrigen waren. Jeder strebe also auf seinem Platz, zu sein, was er in der Folge der Dinge sein kann; dies soll er auch sein, und ein andres ist für ihn nicht möglich.

Viertens. *Die Gesundheit und Dauer eines Staats beruhet nicht auf dem Punkt seiner höchsten Kultur, sondern auf einem weisen oder glücklichen Gleichgewicht seiner lebendig wirkenden Kräfte. Je tiefer bei diesem lebendigen Streben sein Schwerpunkt liegt, desto fester und daurender ist er.*

Worauf rechneten jene alten Einrichter der Staaten? Weder auf träge Ruhe noch auf ein Äußerstes der Bewegung; wohl aber auf Ordnung und eine richtige Verteilung der nie schlafenden, immer erweckten Kräfte. Das Principium dieser Weisen war eine der Natur abgelernte echte Menschenweisheit. Jedesmal, da ein Staat auf seine Spitze gestellt ward, gesetzt, daß es auch vom glänzendsten Mann unter dem blendendsten Vorwande geschehen wäre, geriet er in Gefahr des Unterganges und kam zu seiner vorigen Gestalt nur durch eine glückliche Gewalt wieder. So stand Griechenland gegen die Perser auf einer fürchterlichen Spitze; so strebten Athen, Lazedämon und Theben zuletzt mit äußerster Anstrengung gegeneinander, welches dem ganzen Griechenlande den Verlust der Freiheit zuzog. Gleichergestalt stellte Alexander mit seinen glänzenden Siegen das ganze Gebäude seines Staats auf eine Kegel-

1 Redner wie Demosthenes, der die Griechen in seinen „Philippika" gegen Philipp II. von Makedonien zum Kampf aufrief.

spitze; er starb, der Kegel fiel und zerschellte. Wie gefährlich Alkibiades und Perikles für Athen gewesen, beweiset ihre Geschichte; ob es gleich ebenso wahr ist, daß Zeitpunkte dieser Art, zumal wenn sie bald und glücklich ausgehen, seltene Wirkungen zum Vorschein bringen und unglaubliche Kräfte regen. Alles Glänzende Griechenlandes ist durch die rege Wirksamkeit vieler Staaten und lebendiger Kräfte, alles Daurende und Gesunde seines Geschmacks und seiner Verfassung dagegen ist nur durch ein weises, glückliches Gleichgewicht seiner strebenden Kräfte bewirkt worden. Jedesmal war das Glück seiner Einrichtungen um so daurender und edler, je mehr es sich auf Humanität, d. i. auf Vernunft und Billigkeit, stützte. Hier nun böte sich uns ein weites Feld der Betrachtungen über die Verfassung Griechenlands dar, was es mit seinen Erfindungen und Anstalten sowohl für die Glückseligkeit seiner Bürger als für die gesamte Menschheit geleistet habe. Hiezu aber ist's noch zu früh. Wir müssen erst mehrere Zeitverbindungen und Völker durchschauen, ehe wir hierüber zu sichern Resultaten schreiten.

(Dreizehntes Buch · Siebentes Kapitel)

SLAWISCHE VÖLKER

Die slawischen Völker nehmen auf der Erde einen größern Raum ein als in der Geschichte, unter andern Ursachen auch deswegen, weil sie entfernter von den Römern lebten. Wir kennen sie zuerst am Don, später an der Donau, dort unter Goten, hier unter Hunnen und Bulgarn, mit denen sie oft das Römische Reich sehr beunruhigten, meistens nur als mitgezogene, helfende oder dienende Völker. Trotz ihrer Taten hie und da waren sie nie ein unternehmendes Kriegs- und Abenteuervolk wie die Deutschen; vielmehr rückten sie diesen stille nach und besetzten ihre leergelassenen Plätze und Länder, bis sie endlich den ungeheuren Strich innehatten, der vom Don zur Elbe, von der Ostsee bis zum Adriatischen Meer reichet. Von Lüneburg an über Mecklenburg, Pommern, Brandenburg, Sachsen, die Lausnitz, Böhmen, Mähren, Schlesien, Polen, Rußland erstreckten sich ihre Wohnungen diesseit der karpatischen Gebürge, und jenseit derselben, wo sie frühe schon in der Walachei und Moldau saßen, breiteten sie sich, durch mancherlei Zufälle unterstützt, immer weiter und weiter aus, bis sie der Kaiser Heraklius auch in Dalmatien aufnahm und nach und nach die

Königreiche Slawonien, Bosnien, Servien, Dalmatien von ihnen gegründet wurden. In Pannonien wurden sie ebenso zahlreich; von Friaul aus bezogen sie auch die südöstliche Ecke Deutschlands, also daß ihr Gebiet sich mit Steiermark, Kärnten, Krain festschloß: der ungeheuerste Erdstrich, den in Europa *eine* Nation größtenteils noch jetzt bewohnet. Allenthalben ließen sie sich nieder, um das von andern Völkern verlassene Land zu besitzen, es als Kolonisten, als Hirten oder Ackerleute zu bauen und zu nutzen; mithin war nach allen vorhergegangenen Verheerungen, Durch- und Auszügen ihre geräuschlose, fleißige Gegenwart den Ländern ersprießlich. Sie liebten die Landwirtschaft, einen Vorrat von Herden und Getreide, auch mancherlei häusliche Künste und eröffneten allenthalben mit den Erzeugnissen ihres Landes und Fleißes einen nützlichen Handel. Längs der Ostsee von Lübeck an hatten sie Seestädte erbauet, unter welchen Vineta[1] auf der Insel Rügen das slawische Amsterdam war; so pflogen sie auch mit den Preußen, Kuren und Letten Gemeinschaft, wie die Sprache dieser Völker zeiget. Am Dnepr hatten sie Kiew, am Wolchow Nowgorod gebauet, welche bald blühende Handelsstädte wurden, indem sie das Schwarze Meer mit der Ostsee vereinigten und die Produkte der Morgenwelt dem nörd- und westlichen Europa zuführten. In Deutschland trieben sie den Bergbau, verstanden das Schmelzen und Gießen der Metalle, bereiteten das Salz, verfertigten Leinwand, braueten Met, pflanzten Fruchtbäume und führeten nach ihrer Art ein fröhliches, musikalisches Leben. Sie waren mildtätig, bis zur Verschwendung gastfrei, Liebhaber der ländlichen Freiheit, aber unterwürfig und gehorsam, des Raubens und Plünderns Feinde. Alles das half ihnen nicht gegen die Unterdrückung, ja es trug zu derselben bei. Denn da sie sich nie um die Oberherrschaft der Welt bewarben, keine kriegssüchtige erbliche Fürsten unter sich hatten und lieber steuerpflichtig wurden, wenn sie ihr Land nur mit Ruhe bewohnen konnten, so haben sich mehrere Nationen, am meisten aber die vom deutschen Stamme, an ihnen hart versündigt.

Schon unter Karl dem Großen gingen jene Unterdrückungskriege an, die offenbar Handelsvorteile zur Ursache hatten, ob sie gleich die christliche Religion zum Vorwande gebrauchten; denn den heldenmäßigen Franken mußte es freilich bequem sein, eine fleißige, den Landbau und Handel treibende Nation als Knechte zu behandeln, statt selbst diese Künste zu lernen und zu treiben. Was die Franken angefangen hatten, vollführten die Sachsen; in ganzen Pro-

1 Dieser Handelsplatz war keine slawische Gründung.

vinzen wurden die Slawen ausgerottet oder zu Leibeigenen gemacht und ihre Ländereien unter Bischöfe und Edelleute verteilet. Ihren Handel auf der Ostsee zerstörten nordische Germanen; ihr Vineta nahm durch die Dänen ein trauriges Ende, und ihre Reste in Deutschland sind dem ähnlich, was die Spanier aus den Peruanern machten. Ist es ein Wunder, daß nach Jahrhunderten der Unterjochung und der tiefsten Erbitterung dieser Nation gegen ihre christlichen Herren und Räuber ihr weicher Charakter zur arglistigen, grausamen Knechtsträgheit herabgesunken wäre? Und dennoch ist allenthalben, zumal in Ländern, wo sie einiger Freiheit genießen, ihr altes Gepräge noch kennbar. Unglücklich ist das Volk dadurch worden, daß es bei seiner Liebe zur Ruhe und zum häuslichen Fleiß sich keine daurende Kriegsverfassung geben konnte, ob es ihm wohl an Tapferkeit in einem hitzigen Widerstande nicht gefehlt hat. Unglücklich, daß seine Lage unter den Erdvölkern es auf einer Seite den Deutschen so nahe brachte und auf der andern seinen Rücken allen Anfällen östlicher Tataren frei ließ, unter welchen, sogar unter den Mogolen, es viel gelitten, viel geduldet. Das Rad der ändernden Zeit drehet sich indes unaufhaltsam; und da diese Nationen größtenteils den schönsten Erdstrich Europas bewohnen, wenn er ganz bebauet und der Handel daraus eröffnet würde, da es auch wohl nicht anders zu denken ist, als daß in Europa die Gesetzgebung und Politik statt des kriegerischen Geistes immer mehr den stillen Fleiß und das ruhige Verkehr der Völker untereinander befördern müssen und befördern werden, so werdet auch ihr so tief versunkene, einst fleißige und glückliche Völker endlich einmal von eurem langen trägen Schlaf ermuntert, von euren Sklavenketten befreiet, eure schönen Gegenden vom Adriatischen Meer bis zum karpatischen Gebürge, vom Don bis zur Mulda[1] als Eigentum nutzen und eure alten Feste des ruhigen Fleißes und Handels auf ihnen feiern dörfen.

Da wir aus mehreren Gegenden schöne und nutzbare Beiträge zur Geschichte dieses Volks haben, so ist zu wünschen, daß auch aus andern ihre Lücken ergänzt, die immer mehr verschwindenden Reste ihrer Gebräuche, Lieder und Sagen gesammlet und endlich eine *Geschichte dieses Völkerstammes im ganzen* gegeben würde, wie sie das Gemälde der Menschheit fodert.

(Sechzehntes Buch · Viertes Kapitel)

1 Moldau.

[URSPRUNG DES CHRISTENTUMS]

Siebenzig Jahre vor dem Untergange des jüdischen Staats ward in ihm ein Mann geboren, der sowohl in dem Gedankenreich der Menschen als in ihren Sitten und Verfassungen eine unerwartete Revolution bewirkt hat: *Jesus.* Arm geboren, ob er wohl vom alten Königshause seines Volks abstammte, und im rohesten Teil seines Landes, fern von der gelehrten Weisheit seiner äußerst verfallenen Nation erzogen, lebte er die größeste Zeit seines kurzen Lebens unbemerkt, bis er, durch eine himmlische Erscheinung am Jordan eingeweihet, zwölf Menschen seines Standes als Schüler zu sich zog, mit ihnen einen Teil Judäas durchreisete und sie bald darauf selbst als Boten eines herannahenden neuen Reichs umhersandte. Das Reich, das er ankündigte, nannte er das Reich Gottes, ein himmlisches Reich, zu welchem nur auserwählte Menschen gelangen könnten, zu welchem er also auch nicht mit Auflegung äußerlicher Pflichten und Gebräuche, desto mehr aber mit einer Aufforderung zu reinen Geistes- und Gemütstugenden einlud. Die *echteste Humanität* ist in den wenigen Reden enthalten, die wir von ihm haben; Humanität ist's, was er im Leben bewies und durch seinen Tod bekräftigte; wie er sich denn selbst mit einem Lieblingsnamen den *Menschensohn* nannte. Daß er in seiner Nation, insonderheit unter den Armen und Gedrückten, viele Anhänger fand, aber auch von denen, die das Volk scheinheilig drückten, bald aus dem Wege geräumt ward, so daß wir die Zeit, in welcher er sich öffentlich zeigte, kaum bestimmt angeben können: beides war die natürliche Folge der Situation, in welcher er lebte.

Was war nun dies *Reich der Himmel*, dessen Ankunft Jesus verkündigte, zu wünschen empfahl und selbst zu bewirken strebte? Daß es keine weltliche Hoheit gewesen, zeigt jede seiner Reden und Taten, bis zu dem letzten klaren Bekenntnis, das er vor seinem Richter ablegte. Als ein geistiger Erretter seines Geschlechts wollte er *Menschen Gottes* bilden, die, unter welchen Gesetzen es auch wäre, aus reinen Grundsätzen andrer Wohl beförderten und, selbst duldend, im Reich der Wahrheit und Güte als Könige herrschten. Daß eine Absicht dieser Art der einzige Zweck der Vorsehung mit unserm Geschlecht sein könne, zu welchem auch, je reiner sie denken und streben, alle Weisen und Guten der Erde mitwirken müssen und mitwirken werden: dieses ist durch sich selbst klar; denn was hätte der Mensch für ein andres Ideal seiner Vollkommenheit und Glückseligkeit auf Erden, wenn es nicht diese allgemein wirkende reine Humanität wäre?

Verehrend beuge ich mich vor deiner edlen Gestalt, du Haupt und Stifter eines Reichs von so großen Zwecken, von so daurendem Umfange, von so einfachen, lebendigen Grundsätzen, von so wirksamen Triebfedern, daß ihm die Sphäre dieses Erdelebens selbst zu enge schien. Nirgend finde ich in der Geschichte eine Revolution, die in kurzer Zeit so stille veranlaßt, durch schwache Werkzeuge auf eine so sonderbare Art, zu einer noch unabsehlichen Wirkung allenthalben auf der Erde angepflanzt und in Gutem und Bösem bebauet worden ist, als die sich unter dem Namen nicht *deiner Religion*, d. i.: deines lebendigen Entwurfs zum Wohl der Menschen, sondern größtenteils einer *Religion an dich*, d. i. einer gedankenlosen Anbetung deiner Person und deines Kreuzes, den Völkern mitgeteilt hat. Dein heller Geist sahe dies selbst voraus, und es wäre Entweihung deines Namens, wenn man ihn bei jedem trüben Abfluß deiner reinen Quelle zu nennen wagte. Wir wollen ihn, soweit es sein kann, nicht nennen; vor der ganzen Geschichte, die von dir abstammt, stehe deine stille Gestalt allein.

So sonderbar es scheinet, daß eine Revolution, die mehr als *einen* Weltteil der Erde betraf, aus dem verachteten Judäa hervorgegangen, so finden sich doch, bei näherer Ansicht, hiezu historische Gründe. Die Revolution nämlich, die von hier ausging, war geistig, und so verächtlich Griechen und Römer von den Juden denken mochten, so blieb es ihnen doch eigen, daß sie vor andern Völkern Asiens und Europens aus alter Zeit Schriften besaßen, auf welche ihre Verfassung gebauet war und an welchen sich, dieser Konstitution zufolge, eine besondre Art Wissenschaft und Literatur ausbilden mußte. Weder Griechen noch Römer besaßen einen solchen Kodex religiöser und politischer Einrichtung, der, mit ältern geschriebenen Geschlechtsurkunden verknüpft, einem eignen zahlreichen Stamm anvertrauet war und von ihm mit abergläubischer Verehrung aufbehalten wurde. Notwendig erzeugte sich aus diesem verjährten Buchstaben mit der Zeitfolge eine Art feineren Sinnes, zu welchem die Juden bei ihrer öftern Zerstreuung unter andre Völker gewöhnt wurden. Im Kanon ihrer heiligen Schriften fanden sich Lieder, moralische Sprüche und erhabene Reden, die, zu verschiedenen Zeiten nach den verschiedensten Anlässen geschrieben, in *eine* Sammlung zusammenwuchsen, welche man bald als *ein* fortgehendes System betrachtete und aus ihr *einen* Hauptsinn zog. Die Propheten dieser Nation, die als konstituierte Wächter des Landesgesetzes, jeder im Umkreise seiner Denkart, bald lehrend und ermunternd, bald warnend oder tröstend, immer aber patriotisch hoffend, dem Volk ein Gemälde hingestellt hatten, wie es sein sollte und wie es nicht war, hatten mit diesen Früchten ihres Geistes und Herzens der Nachwelt mancherlei Samenkörner zu neuen Ideen nachgelassen, die jeder nach seiner Art erziehen konnte. Aus allen hatte sich nach und nach das System von Hoffnungen eines Königes gebildet, der sein verfallenes, dienstbares Volk retten, ihm, mehr als seine alten größesten Könige, goldene Zeiten verschaffen und eine neue Einrichtung der Dinge beginnen sollte. Nach der Sprache der Propheten waren diese Aussichten theokratisch[1]; mit gesammleten Kennzeichen eines Messias wurden sie zum lebhaften Ideal ausgebildet und als Brief und Siegel der Nation betrachtet. In Judäa hielt das wachsende Elend des Volkes diese Bilder fest; in andern Ländern, z. B. in Ägypten, wo seit dem Verfall der Monarchie Alexanders viele Juden wohnhaft waren, bildeten sich diese Ideen mehr nach griechischer Weise aus: apokryphische Bücher, die jene Weissagungen neu darstelleten, gingen umher; und jetzt war die Zeit da, die diesen Träumereien auf ihrem Gipfel ein Ende machen sollte. Es erschien ein Mann aus dem Volk, dessen Geist, über Hirngespinste irdischer Hoheit erhaben, alle Hoffnungen, Wünsche und Weissagungen der Propheten zur Anlage eines idealischen Reichs vereinigte, das nichts weniger als ein jüdisches Himmelreich sein sollte. Selbst den nahen Umsturz seiner Nation sahe er in diesem höhern Plan voraus und weissagte ihrem prächtigen Tempel, ihrem ganzen zum Aberglauben gewordnen Gottesdienst ein schnelles trauriges Ende. Unter alle Völker sollte das Reich Gottes kommen, und das Volk, das solches eigentümlich zu besitzen glaubte, ward von ihm als ein verlebter Leichnam betrachtet.

Welche umfassende Stärke der Seele dazu gehört habe, im damaligen Judäa etwas der Art anzuerkennen und vorzutragen, ist aus der unfreundlichen Aufnahme sichtbar, die diese Lehre bei den Obern und Weisen des Volks fand; man sahe sie als einen Aufruhr gegen Gott und Moses, als ein Verbrechen der beleidigten Nation an, deren gesamte Hoffnungen sie unpatriotisch zerstörte. Auch den Aposteln war der Exjudaismus[2] des Christentums die schwerste Lehre, und sie den christlichen Juden, selbst außerhalb Judäa, be-

1 Hier: auf Gottesherrschaft abzielend. – 2 Eine außerhalb der jüdischen Religion entwickelte Lehre.

greiflich zu machen, hatte der gelehrteste der Apostel, Paulus, alle Deutungen jüdischer Dialektik nötig. Gut, daß die Vorsehung selbst den Ausschlag gab und daß mit dem Untergange Judäas die alten Mauern gestürzt wurden, durch welche sich mit unverweichlicher Härte dies sogenannte einzige Volk Gottes von allen Völkern der Erde schied. Die Zeit der einzelnen Nationalgottesdienste voll Stolzes und Aberglaubens war vorüber; denn so notwendig dergleichen Einrichtungen in ältern Zeiten gewesen sein mochten, als jede Nation, in einem engen Familienkreise erzogen, gleich einer vollen Traube auf ihrer eignen Staude wuchs, so war doch, seit Jahrhunderten schon, in diesem Erdstrich fast alle menschliche Bemühung dahin gegangen, durch Kriege, Handel, Künste, Wissenschaften und Umgang die Völker zu knüpfen und die Früchte eines jeden zu einem gemeinsamen Trank zu keltern. Vorurteile der Nationalreligionen standen dieser Vereinigung am meisten im Wege; da nun, beim allgemeinen Duldungsgeist der Römer in ihrem weiten Reich und bei der allenthalben verbreiteten eklektischen Philosophie (dieser sonderbaren Vermischung aller Schulen und Sekten), jetzt noch ein *Volksglaube* hervortrat, der alle Völker zu *einem* Volk machte und gerade aus der hartsinnigen Nation kam, welche sich sonst für die erste und einzige unter allen Nationen gehalten hatte, so war dies allerdings ein großer, zugleich auch ein gefährlicher Schritt in der Geschichte der Menschheit, je nachdem er getan wurde. Er machte alle Völker zu Brüdern, indem er sie *einen* Gott und Heiland kennen lehrte; er konnte sie aber auch zu Sklaven machen, sobald er ihnen diese Religion als Joch und Kette aufdrang. Die Schlüssel des Himmelreichs für diese und jene Welt konnten in den Händen andrer Nationen ein gefährlicherer Pharisäismus werden, als sie es in den Händen der Juden je gewesen waren.

Am meisten trug zur schnellen und starken Wurzelung des Christentums ein Glaube bei, der sich vom Stifter der Religion selbst herschrieb; es war die Meinung von seiner *baldigen Rückkunft und der Offenbarung seines Reichs auf Erden.* Jesus hatte mit diesem Glauben vor seinem Richter gestanden und ihn in den letzten Tagen seines Lebens oft wiederholt; an ihn hielten sich seine Bekenner und hofften auf die Erscheinung seines Reiches. Geistige Christen dachten sich daran ein geistiges, fleischliche ein fleischliches Reich, und da die hochgespannte Einbildungskraft jener Gegenden und Zeiten nicht eben übersinnlich idealisierte, so entstanden jüdisch-christliche Apokalypsen, voll von mancherlei Weissagungen, Kennzeichen und Träumen. Erst sollte der Antichrist gestürzt werden, und als Christus wiederzukommen säumte, sollte jener sich erst offenbaren, sodann zunehmen und in seinen Greueln aufs höchste wachsen, bis die Errettung einbräche und der Wiederkommende sein Volk erquickte. Es ist nicht zu leugnen, daß Hoffnungen dieser Art zu mancher Verfolgung der ersten Christen Anlaß geben mußten; denn der Weltbeherrscherin Rom konnte es unmöglich gleichgültig sein, daß dergleichen Meinungen von ihrem nahen Untergange, von ihrer antichristisch-abscheulichen oder verachtenswerten Gestalt geglaubt wurden. Bald also wurden solche Propheten als unpatriotische Vaterlandes- und Weltverächter, ja als des allgemeinen Menschenhasses überführte Verbrecher betrachtet, und mancher, der den Wiederkommenden nicht erwarten konnte, lief selbst dem Märtyrertum entgegen. Indessen ist's ebenso gewiß, daß diese Hoffnung eines nahen Reiches Christi im Himmel oder auf Erden die Gemüter stark aneinander band und von der Welt abschloß. Sie verachteten diese als eine, die im argen liegt, und sahen, was ihnen so nahe war, schon vor und um sich. Dies stärkte ihren Mut, das zu überwinden, was niemand sonst überwinden konnte, den Geist der Zeit, die Macht der Verfolger, den Spott der Ungläubigen; sie weilten als Fremdlinge hier und lebten da, wohin ihr Führer vorangegangen war und von dannen er sich bald offenbaren würde. . . .

(Siebenzehntes Buch · Erstes Kapitel)

[RÖMISCHE HIERARCHIE]

. . . Lasset uns einige dieser Maßregeln, die der römische Hof zu seinem Vorteil befolgt hat, ohne Liebe und Haß auszeichnen.

1. *Roms Herrschaft beruhte auf Glauben*, auf einem Glauben, der zeitlich und ewig das Wohl menschlicher Seelen befördern sollte. Zu diesem System gehörte alles, was menschliche Seelen leiten kann, und dies alles brachte Rom in seine Hände. Von Mutterleibe an bis ins Grab, ja bis jenseit desselben im Fegefeuer war der Mensch in der Gewalt der Kirche, der er sich nicht entziehen konnte, ohne rettungslos unglücklich zu werden: sie formte seinen Kopf, sie beunruhigte und beruhigte sein Herz; durch die Beicht hatte sie den Schlüssel zu seinen Geheimnissen, zu seinem Gewissen, zu allem, was er um und an sich trägt, in Händen. Lebenslang blieb der Gläubige unter ihrer Zucht unmündig, und im Artikel des

Todes band sie ihn mit siebenfachen Banden[1], um den Reuigen und Freigebigen desto freigebiger zu lösen. Das geschah Königen und Bettlern, Rittern und Mönchen, Männern und Weibern; weder seines Verstandes noch seines Gewissens mächtig, mußte jedermann geleitet werden, und an Leitern konnte es ihm nie fehlen. Da nun der Mensch ein träges Geschöpf ist und, wenn er einmal an eine christliche Seelenpflege gewöhnt ward, derselben schwerlich wieder entbehren mag, vielmehr seinen Nachkommen dies sanfte Joch als das Polster eines Kranken anempfiehlet, so war die Herrschaft der Kirche damit im Innersten der Menschen gegründet. Mit dem Verstande und dem Gewissen des Gläubigen hatte sie alles in ihrer Gewalt; es war eine Kleinigkeit, daß, wenn sie ihm sein Geistliches säete, sie etwa sein Leibliches ernte; hingegeben, wie er war, hatte sie ihn bei Leibesleben im Innersten längst geerbet.

2. *Diesen Glauben zu leiten, bediente sich die Kirche nicht etwa des Größesten, des Wichtigsten, sondern des Faßlichsten, des Kleinsten,* weil sie wohl wußte, welch ein weniges die Andacht der Menschen vergnüge. Ein Kreuz, ein Marienbild mit dem Kinde, eine Messe, ein Rosenkranz taten zu ihrem Zwecke mehr, als viele feine Spekulationen würden getan haben; und auch diesen Hausrat verwaltete sie mit dem sparsamsten Fleiße. Wo eine Messe hinreichte, bedorfte es des Abendmahls nicht; wo eine stille Messe gnug war, bedorfte es keiner lauten; wo man verwandeltes Brot aß, war der verwandelte Wein[2] zu entbehren. Mit einer solchen Ökonomie gewann die Kirche Raum zu unzähligen Freiheiten und unkostbaren Geschenken; denn auch der sparsamste Ökonom könnte gefragt werden, ob er aus Wasser, Brot, Wein, aus einigen Glas- oder Holzperlen, ein wenig Wolle, Salbe und dem Kreuz ein mehreres zu machen wisse, als daraus die Kirche gemacht hat. So auch mit Formularen, Gebeten, Zerimonien. Nie wollte sie vergebens erfunden und angeordnet haben; alte Formeln blieben, obwohl für die neuere Zeit neue gehörten; die andächtige Nachkommenschaft sollte und wollte wie ihre Vorfahren selig werden. Noch weniger nahm die Kirche je einen ihrer begangenen Fehler zurück; gar zu augenscheinlich begangen, ward er jederzeit nur auf die verblümtste Weise vernichtet; sonst blieb alles, wie es war, und ward nach gegebnen Veranlassungen nicht verbessert, sondern vermehret. Ehe auf diesem bedächtlichen Wege der Himmel voll Heiliger war, war

1 Anspielung auf die sieben Todsünden des katholischen Katechismus: Hoffart, Geiz, Wollust, Neid, Völlerei, Zorn und Trägheit des Herzens. – 2 In der Heiligen Wandlung während der Messe werden nach der katholischen Lehre Brot und Wein in Fleisch und Blut Christi verwandelt.

die Kirche voll Reichtümer und Wunder; und auch bei den Wundern ihrer Heiligen hat sich die Erfindungskraft der Erzähler nicht bemühet. Alles wiederholt sich und bauet auf den großen Grundsatz der Popularität, des Faßlichsten, des Gemeinsten, weil eben bei der mindesten Glaubwürdigkeit das oft und dreust Wiederkommende selbst Glauben gebietet und zuletzt Glauben findet.

3. Mit dem Grundsatz des Kleinsten wußte die römische Staatskunst *das Feinste und Gröbste* dergestalt zu verbinden, daß sie in beidem schwerlich zu übertreffen sein möchte. Niemand konnte demütiger, schmeichelnder und flehender sein, als in Zeiten der Not oder gegen Willfährige und Gutherzige die Päpste waren; bald spricht St. Petrus durch sie, bald der zärtlichste Vater; niemand aber kann auch offner und stärker, gröber und härter als sie schreiben und handeln, sobald es not war. Nie disputieren sie, sondern sie dekretieren; eine schlaue Kühnheit, die ihren Weg verfolgt, sie mag flehen und bitten oder fodern, drohen, trotzen und strafen, bezeichnet die Bullensprache des Romanismus[1] fast ohne ihresgleichen. Daher der eigne Ton der Kirchengesetze, Briefe und Dekrete mittlerer Zeiten, der von der Würde der altrömischen Gesetzgebung sich sonderbar unterscheidet; der Knecht Christi ist gewöhnt, zu Laien oder zu Untergebnen zu sprechen, immer seiner Sache gewiß, nie sein Wort zurücknehmend. Dieser heilige Despotismus, mit väterlicher Würde geschmückt, hat mehr ausgerichtet als jene leere Höflichkeit nichtiger Staatsränke, denen niemand trauet. Er wußte, was er wollte und wie er Gehorsam zu fodern habe.

4. *Auf keinen einzelnen Gegenstand der bürgerlichen Gesellschaft ließ sich die römische Staatskunst mit Vorliebe ein; sie war um ihr selbst willen da*, brauchte alles, was ihr diente, konnte alles vernichten, was ihr entgegenstand: denn nur an ihr selbst lag ihr. Ein geistlicher Staat, der auf Kosten aller christlichen Staaten lebte, konnte freilich nicht umhin, jetzt auch den Wissenschaften, jetzt der Sittlichkeit und Ordnung, jetzt dem Ackerbau, Künsten, dem Handel nützlich zu werden, wenn es sein Zweck wollte; daß aber dem eigentlichen Papismus es nie an reiner Aufklärung, an Fortschritten zu einer bessern Staatsordnung, samt allem, was dazu gehört, gelegen gewesen sei, erweiset die ganze mittlere Geschichte. Der beste Keim konnte zertreten werden, sobald er gefährlich ward; auch der gelehrtere Papst mußte seine Einsichten verbergen oder bequemen, sobald sie dem ewigen Interesse des Römischen

1 Der für die päpstlichen Erlasse, die Bullen (von lat. bulla = Kapsel), bezeichnende Sprachstil.

Stuhls zu weit aus dem Wege lagen. Dagegen, was dies Interesse nährte, Künste, Zinsen, Aufruhr erregende Munizipalstädte[1], geschenkte Äcker und Länder, das ward zur größern Ehre Gottes gepflegt und verwaltet. Bei aller Bewegung war die Kirche der stillstehende Mittelpunkt des Universum.

5. *Zu diesem Zweck dorfte der römischen Staatsherrschaft alles dienen, was ihr nützte*: Krieg und Schwert, Flamme und Gefängnis, erdichtete Schriften, Meineid auf eine geteilte Hostie, Inquisitionsgerichte und Interdikte, Schimpf und Elend, zeitliches und ewiges Unglück. Um ein Land gegen seinen Landesherren aufzubringen, konnten ihm alle Mittel der Seligkeit, außer in der Todesstunde, genommen werden; über Gottes- und Menschengebote, über Völker- und Menschenrechte wurde mit den Schlüsseln Petrus' gewaltet.

6. *Und da dies Gebäude allen Pforten der Hölle überlegen sein sollte*, da dies System kanonischer Einrichtungen, die Macht der Schlüssel, zu binden und zu lösen[2], die zauberische Gewalt heiliger Zeichen, die Gabe des Geistes, der sich von Petrus an auf seine Nachfolger und ihre Geweiheten fortpflanzet, nichts als Ewigkeit predigt: wer könnte sich ein tiefer eingreifendes Reich gedenken? Seel- und leibeigen gehöret ihm der Stand der Priester; mit geschornem Haupt und unwiderruflichem Gelübde werden sie seine Diener auf ewig. Unauflöslich ist das Band, das Kirche und Priester knüpft; genommen wird ihm Kind, Weib, Väter und Erbe; abgeschnitten vom fruchtbaren Baum des menschlichen Geschlechts, wird er dem perennierend-dürren Baum der Kirche eingeimpfet: seine Ehre fortan nur ihre Ehre, ihr Nutzen der seine; keine Änderung der Gedanken, keine Reue ist möglich, bis der Tod seine Knechtschaft endet. Dafür aber zeigte diesen Leibeignen die Kirche auch ein weites Feld der Belohnung, eine hohe Stufenleiter, reiche, weitgebietende Knechte, die Herren aller Freien und Großen der Erde zu werden. Den Ehrgeizigen reizte sie mit Ehre, den Andächtigen mit Andacht und hatte für jeden, was ihn locket und belohnet. Auch hat diese Gesetzgebung das Eigene, daß, solange ein Rest von ihr da ist, sie ganz da sei und mit jeder einzelnen Maxime alle befolgt werden müssen; denn es ist Petrus' Fels[3], auf welchem man mit seinem unvergänglichen Netze fischet; es ist das unzuzerstückende Gewand[4],

1 Städte mit selbständiger Verwaltung. – 2 Sinnbild für die Gewalt des Priesters, die Sünden zu belassen oder zu vergeben. – 3 Jesus hatte den Fischer Simon zum Haupt der Kirche eingesetzt mit den Worten: Du bist Petrus (zu griech. petra = der Fels), und auf diesen Felsen will ich bauen meine Gemeinde. – 4 Der ungenähte Rock Jesu, um den die Kriegsknechte unter dem Kreuz losten.

das im Spiel der Kriegsleute selbst nur *einem* zuteil werden konnte.

7. Und wer war in Rom, an der Spitze seines heiligen Kollegium, dieser *eine*? Nie ein wimmerndes Kind, dem man etwa an seiner Wiege den Eid der Treue schwur und damit allen Phantasien seines Lebens Huldigung gelobte; nie ein spielender Knabe, bei dem man sich durch Begünstigung seiner Jugendtorheiten einschmeichelte, um nachher der verzärtelnde Liebling seiner Laune zu werden; ein Mann oder Greis ward erwählet, der, meistens in Geschäften der Kirche schon geübt, das Feld kannte, auf welchem er Arbeiter bestellen sollte. Oder er war mit den Fürsten seiner Zeit nahe verwandt und ward in kritischen Zeiten gerade nur zu der Verlegenheit gewählt, die er abtun sollte. Nur wenige Jahre hatte er zu leben und für keine Nachkommenschaft rechtmäßig etwas zu erbeuten; wenn er aber auch dieses tat, so war's im großen ganzen des christlichen Pontifikats selten wert der Rede. Das Interesse des Römischen Stuhls war fortgehend; der erfahrne Greis ward nur eingeschoben, damit er zu dem, was geschehen war, auch seinen Namen dazutun könnte. Manche Päpste erlagen der Bürde; andre rechtserfahrne, staatskluge, kühne und standhafte Männer verrichteten in wenigen Jahren mehr, als schwache Regierungen in einem halben Jahrhunderte tun konnten. Eine lange Reihe von Namen müßte hier stehen, wenn auch nur die vornehmsten würdigen und großen Päpste genannt werden sollten, bei deren vielen man es bedauert, daß sie zu keinem andern Zweck arbeiten konnten. Der wohllüstigen Weichlinge sind auf dem Römischen Stuhl weit weniger als auf den Thronen weltlicher Regenten, und bei manchen derselben sind ihre Fehler nur auffallend, weil sie Fehler der Päpste waren.

(Neunzehntes Buch · Erstes Kapitel)

Vor allem muß man des Guten erwähnen, das unter jeder Hülle das Christentum, seiner Natur nach, bringen mußte. Mitleidig gegen Arme und Bedrängte, nahm es bei den wilden Verheerungen der Barbaren sie unter seinen Schutz; viele Bischöfe in Gallien, Spanien, Italien und Deutschland haben dies wie Heilige erwiesen. Ihre Wohnungen und die Tempel wurden eine Zuflucht der Bedrängten; sie kauften Sklaven los, befreieten die Geraubten und steureten dem abscheulichen Menschenhandel der Barbaren, wo sie wußten und konnten. Diese Ehre der Milde und Großmut gegen den unterdrückten Teil des Menschengeschlechts kann man dem

Christentum, seinen Grundsätzen nach, nicht rauben; von seinen ersten Zeiten an arbeitete es zur Rettung der Menschen, wie schon mehrere selbst unpolitische Gesetze der morgenländischen Kaiser zeigen. Da in der abendländischen Kirche man dieser Wohltat noch minder entbehren konnte, so sprechen viele Dekrete der Bischöfe in Spanien, Gallien und Deutschland dafür, auch ohne Zutun des Papstes.

Daß in den Zeiten der allgemeinen Unsicherheit Tempel und Klöster die heiligen Freistätten auch des stillen Fleißes und Handels, des Ackerbaues, der Künste und des Gewerbes gewesen, ist gleichfalls unleugbar. Geistliche stifteten Jahrmärkte, die ihnen zur Ehre noch jetzo Messen heißen, und befriedigten[1] sie, wenn selbst der Kaiser- und Königsbann sie nicht sicherstellen konnte, mit dem Gottesfrieden. Künstler und Gewerke zogen sich an Klostermauern und suchten vor dem leibeigen machenden Adel Zuflucht. Mönche trieben den vernachlässigten Ackerbau durch ihre und anderer Hände; sie verfertigten, was sie im Kloster bedorften, oder gaben wenigstens einem klösterlichen Kunstfleiß sparsamen Lohn und Raum. In Klöster retteten sich die übergebliebenen alten Schriftsteller, die, hie und da abgeschrieben, der Nachwelt aufbewahrt wurden. Durch Hülfe des Gottesdienstes endlich erhielt sich, wie sie auch war, mit der lateinischen Sprache ein schwaches Band, das einst zur Literatur der Alten zurück- und von ihnen bessere Weisheit herleiten sollte. In solche Zeiten gehören Klostermauern, die auch den Pilgrimen Sicherheit und Schutz, Bequemlichkeit, Kost und Aufenthalt gewährten. Durch Reisen dieser Art sind die Länder zuerst friedlich verknüpfet worden; denn ein Pilgerstab schützte, wo kaum ein Schwert schützen konnte. Auch hat sich an ihnen die Kunde fremder Länder, samt Sagen, Erzählungen, Romanen und Dichtungen, in der rohesten Kindheit gebildet.

Alles dies ist wahr und unleugbar; da vieles davon aber auch ohne den römischen Bischof[2] geschehen konnte, so lasset uns sehen, was dessen geistliche Oberherrschaft eigentlich Europa für Nutzen gebracht habe.

1. *Die Bekehrung vieler heidnischen Völker.* Aber wie wurden sie bekehret? Oft durch Feuer und Schwert, durch Femgerichte und ausrottende Kriege. Sage man nicht, daß der römische Bischof solche nicht veranstaltet habe; er genehmigte sie, genoß ihre Früchte und ahmte, wenn er's tun konnte, sie selbst nach. Daher jene Ketzergerichte, zu denen Psalmen gesungen wurden, jene bekeh-

1 befriedeten. – 2 Der Papst, Bischof von Rom.

renden Kreuzzüge, in deren Beute sich Papst und Fürsten, Orden, Prälaten, Domherrn und Priester teilten. Was nicht umkam, ward leibeigen gemacht und ist es großenteils noch; so hat sich das christliche Europa gegründet; so wurden Königreiche gestiftet und vom Papst geweihet, ja späterhin das Kreuz Christi als Mordzeichen in alle Weltteile getragen. Amerika raucht noch vom Blut seiner Erschlagnen, und die in Europa zu Knechten gemachte Völker verwünschen noch ihre Bekehrer. Und ihr zahllosen Opfer der Inquisition im südlichen Frankreich, in Spanien und in andern Weltteilen, eure Asche ist verflogen, eure Gebeine sind vermodert; aber die Geschichte der an euch verübten Greuel bleibt eine ewige Anklägerin der in euch beleidigten Menschheit.

2. Man eignet der Hierarchie das Verdienst zu, *die Völker Europas zu einer Christenrepublik verbunden zu haben*; worin hätte diese bestanden? Daß alle Nationen vor *einem* Kreuz knieeten und *einerlei* Messe anhörten, wäre etwas, aber nicht viel. Daß in geistlichen Sachen sie alle von Rom aus regiert werden sollten, war ihnen selbst nicht ersprießlich; denn der Tribut, der dahin ging, und das unzählbare Heer von Mönchen und Geistlichen, Nunzien und Legaten drückte die Länder. Zwischen den europäischen Mächten war damals weniger Friede als je; nebst andern Ursachen auch des falschen Staatssystems halben, das eben der Papst in Europa festhielt. Der heidnischen Seeräuberei war durchs Christentum gewehret; mächtige Christennationen aber rieben sich hart aneinander, und jede derselben war innerlich voll Verwirrung, von einem geist- und weltlichen Raubgeist belebet. Eben diese Doppelherrschaft, ein päpstlicher Staat in allen Staaten, machte, daß kein Reich auf seine Prinzipien kommen konnte, an die man nur dachte, seitdem man von der Oberherrschaft des Papstes frei war. Als christliche Republik hat sich Europa also nur gegen die Ungläubigen gezeigt, und auch da selten zu seiner Ehre; denn kaum dem epischen Dichter sind die Kreuzzüge ruhmwürdige Taten.

3. Es wird der Hierarchie zum Ruhm angerechnet, *daß sie dem Despotismus der Fürsten und des Adels eine Gegenmacht gewesen und dem niedern Stande emporgeholfen habe.* So wahr dieses an sich ist, so muß es dennoch mit großer Einschränkung gesagt werden. Der ursprünglichen Verfassung deutscher Völker war der Despotismus eigentlich so ganz zuwider, daß sich eher behaupten ließe, die Könige haben ihn von den Bischöfen gelernt, wenn diese Seelenkrankheit gelernt werden dörfte. Bischöfe nämlich brachten aus ihrer mißbrauchten Schrift, aus Rom und ihrem eigenen Stande

morgenländische oder klösterliche Begriffe von blinder Unterwerfung unter den Willen des Oberherren in die Gesetze der Völker und in seine Erziehung; sie waren's, die das Amt des Regenten zur trägen Würde machten und seine Person mit dem Salböl göttlicher Rechte zu Befugnissen des Eigendünkels weihten. Fast immer waren Geistliche die, deren sich die Könige zu Gründung ihrer despotischen Macht bedienten; wenn sie mit Geschenken und Vorzügen abgefunden waren, so dorften andre wohl aufgeopfert werden. Denn überhaupt, waren es nicht die Bischöfe, die in Erweiterung ihrer Macht und Vorzüge den Laienfürsten vorangingen oder ihnen eifersüchtig nachfolgten? Heiligten nicht eben sie die widerrechtliche Beute? Der Papst endlich, als Oberrichter der Könige und der Despot der Despoten, entschied nach göttlichem Rechte. Er erlaubte zur Zeit der karlingischen, fränkischen und schwäbischen Kaiser sich Anmaßungen, die ein Laie sich nur mit allgemeiner Mißbilligung hätte erlauben mögen, und das einzige Leben Kaiser Friedrichs des Zweiten aus dem schwäbischen Hause, von seiner Minderjährigkeit an unter der Vormundschaft des rechtsgelehrtesten Papstes[1] bis zu seinem und seines Enkels Konradins Tode, mag die Summe dessen sein, was vom oberrichtlichen Amt der Päpste über die Fürsten Europas gesagt werden kann. Unvertilgbar klebt das Blut dieses Hauses am Apostolischen Stuhle. Welch eine fürchterliche Höhe, Oberrichter der Christenheit zu sein über alle europäischen Könige und Länder! Gregor VII., wahrlich kein gemeiner Mann, Innozenz III., Bonifacius VIII. sind davon redende Beweise.

4. *Die großen Institute der Hierarchie in allen katholischen Ländern* sind unverkennbar; und vielleicht wären die Wissenschaften längst verarmt, wenn sie nicht von den überbliebenen Brosamen dieser alten Heiligentafel noch spärlich ernährt würden. Indessen hüte man sich auch hier für Irrung am Geist voriger Zeiten. Keines Benediktiners Hauptabsicht war der Ackerbau, sondern die Mönchsandacht. Er hörte auf zu arbeiten, sobald er nicht mehr arbeiten dorfte, und wie viele Summen von dem, was er erwarb, gingen nach Rom oder wohin sie nicht sollten! Auf die nützlichen Benediktiner sind eine Reihe andrer Orden gefolgt, die zwar der Hierarchie zuträglich, dagegen aber Wissenschaften und Künsten, dem Staat und der Menschheit äußerst zur Last waren, vorzüglich die Bettelmönche. Alle sie, nebst den Nonnen jeder Art (die Brüder und Schwestern der Barmherzigkeit vielleicht allein ausgenommen),

1 Innozenz III.

gehören einzig nur in jene harte, dunkle, barbarische Zeiten. Wer würde heutzutage ein Kloster nach der Regel Benedikts stiften, damit die Erde gebauet, oder eine Domkirche gründen, damit Jahrmarkt in ihr gehalten werde? Wer würde von Mönchen die Theorie des Handels, vom Bischofe zu Rom das System der besten Staatswirtschaft oder vom gewöhnlichen Scholaster[1] eines Hochstifts die beste Einrichtung der Schulen lernen wollen? Damals indessen war alles, was der Wissenschaft, Sittlichkeit, Ordnung und Milde auch nur in seinen Nebenzwecken diente, von unschätzbarem Wert.

Daß man indes die erzwungenen Gelübde der Enthaltsamkeit, des Müßigganges und der klösterlichen Armut zu keiner Zeit und unter keiner Religionspartei dahin rechne! Dem päpstlichen Stuhl waren sie zu seiner Oberherrschaft unentbehrlich: er mußte die Knechte der Kirche von der lebendigen Welt losreißen, damit sie seinem Staat ganz lebten; der Menschheit aber waren sie nie angemessen noch ersprießlich. Lasset ehelos bleiben, betteln und Psalmen singen, lasset sich geißeln und Rosenkränze beten, wer kann und mag; daß aber Zünfte dieser Art, unter öffentlichem Schutz, ja unter dem Siegel der Heiligkeit und eines überströmenden Verdienstes, auf Kosten des geschäftigen, nützlichen Fleißes, eines ehrbaren Hauswesens, ja der Wünsche und Triebe unsrer Natur selbst mit Vorzügen, Pfründen und einem ewigen Einkommen begünstigt werden, wer ist, der dies zu loben oder zu billigen vermöchte? Gregor den Siebenten kümmerten die Liebeseufzer der kranken Nonnen, die verstohlnen Wege der Ordensbrüder, die stummen und lauten Sünden der Geistlichen, die durch sie gekränkten Ehen, die gesammleten Güter der Toten Hand[2], der genährte Ehrgeiz des abgesonderten heiligen Standes und jede andre Verwirrung nicht, die daraus erwachsen mußte; im Buch der Geschichte aber liegen die Folgen davon klar am Tage.

5. Also wollen wir auch von den *Wallfahrten* heiliger Müßiggänger nicht viel rühmen; wo sie nicht auf eine versteckte Weise dem Handel oder der Kundschaft unmittelbar dienten, haben sie zur Länder- und Völkerkenntnis nur sehr zufällig und unvollkommen beigetragen. Allerdings war es eine große Bequemlichkeit, unter einem heiligen Pilgerkleide allenthalben Sicherheit, in wohltätigen Klöstern Speise und Ruhe, Reisegefährten auf allen Wegen und zuletzt im Schatten eines Tempels oder heiligen Haines den Trost und Ablaß[3] zu finden, dessen man begehrte. Führet man aber

1 Hier: Schulmann. – 2 Die Stiftungen Verstorbener, insbesondere der Kirche vermachte Gelder und Liegenschaften. – 3 Sündenvergebung.

den süßen Wahn zur ernsten Wahrheit zurück, so siehet man in heiligen Pilgerkleidern oft Missetäter ziehen, die grobe Verbrechen durch eine leichte Wallfahrt versöhnen wollen, irre Andächtige, die Haus und Hof verlassen oder verschenken, die den ersten Pflichten ihres Standes oder der Menschheit entsagen, um nachher lebenslang verdorbene Menschen, halbe Wahnsinnige, anmaßende oder ausschweifende Toren zu bleiben. Das Leben der Pilger war selten ein heiliges Leben, und der Aufwand, den sie noch jetzt an den Hauptorten ihrer Wanderschaft einigen Königreichen kosten, ist ein wahrer Raub ihrer Länder. Ein einziges schon, daß diese andächtige Krankheit, nach Jerusalem zu wallfahrten, unter andern auch die Kreuzzüge hervorgebracht, mehrere geistliche Orden veranlasset und Europa elend entvölkert hat, dies allein zeuget schon gegen dieselbe; und wenn Missionen sich hinter sie versteckten, so hatten diese gewiß kein reines Gute zum Endzweck.

6. *Das Band* endlich, dadurch alle römisch-katholische Länder unleugbar vereint wurden, *die lateinische Mönchssprache*, hatte auch manche Knoten. Nicht nur wurden die Muttersprachen der Völker, die Europa besaßen, und mit ihnen die Völker selbst in Roheit erhalten, sondern es kam unter andern auch hiedurch insonderheit das Volk um seinen letzten Anteil an öffentlichen Verhandlungen, weil es kein Latein konnte. Mit der Landessprache ward jedesmal ein großer Teil des Nationalcharakters aus den Geschäften der Nation verdrängt, wogegen sich mit der lateinischen Mönchssprache auch jener fromme Mönchsgeist einschlich, der zu gelegener Zeit zu schmeicheln, zu erschleichen, wohl auch zu verfälschen wußte. Daß die Akten sämtlicher Nationen Europas, ihre Gesetze, Schlüsse, Vermächtnisse, Kauf- und Lehninstrumente, endlich auch die Landesgeschichte so viele Jahrhunderte hindurch latein geschrieben wurden, dies konnte zwar der Geistlichkeit, als dem gelehrten Stande, sehr nützlich, den Nationen selbst aber nicht anders als schädlich sein. Nur durch die Kultur der vaterländischen Sprache kann sich ein Volk aus der Barbarei heben; und Europa blieb auch deshalb so lange barbarisch, weil sich dem natürlichen Organ seiner Bewohner fast ein Jahrtausend hin eine fremde Sprache vordrang, ihnen selbst die Reste ihrer Denkmale nahm und auf so lange Zeit einen vaterländischen Kodex der Gesetze, eine eigentümliche Verfassung und Nationalgeschichte ihnen ganz unmöglich machte. Die einzige russische Geschichte ist auf Denkmale in der Landessprache gebauet, eben weil ihr Staat der Hierarchie des römischen Papstes fremde geblieben war, dessen Gesandten

Wladimir nicht annahm[1]. In allen andern Ländern Europas hat die Mönchssprache alles verdrängt, was sie hat verdrängen mögen, und ist nur als eine Notsprache oder als der schmale Übergang zu loben, auf welchem sich die Literatur des Altertums für eine bessere Zeit retten konnte.

Ungern habe ich diese Einschränkung des Lobes der mittleren Zeiten niedergeschrieben. Ich fühle ganz den Wert, den viele Institute der Hierarchie noch für uns haben, sehe die Not, in welcher sie damals errichtet wurden, und weile gern in der schauerlichen Dämmerung ihrer ehrwürdigen Anstalten und Gebäude. Als eine grobe Hülle der Überlieferung, die dem Sturm der Barbaren bestehen sollte, ist sie unschätzbar und zeigt ebensowohl von Kraft als Überlegung derer, die das Gute in sie legten; nur einen bleibenden positiven Wert für alle Zeiten mag sie sich schwerlich erwerben. Wenn die Frucht reif ist, zerspringt die Schale.

(Neunzehntes Buch · Zweites Kapitel)

WIRKUNG DER ARABISCHEN REICHE

Schnell wie die Ausbreitung und Zerteilung des Kalifenreichs war auch die Blüte desselben, zu welcher auf einem kältern Boden ein Jahrtausend vielleicht kaum hinreichend gewesen wäre. Die wärmere Naturkraft, mit welcher das morgenländische Gewächs zur Blüte eilet, zeigt sich auch in der Geschichte dieses Volkes.

1. *Das ungeheure Reich des Handels der Araber* war eine Wirkung auf die Welt, die nicht nur aus der Lage ihrer Länder, sondern auch aus ihrem Nationalcharakter hervorging, also auch ihre Besitztümer überlebt hat und einesteils noch jetzo dauert. Der Stamm Koreisch, aus welchem Mohammed entsprossen war, ja der Prophet selbst waren Geleiter ziehender Karawanen und das heilige Mekka von alters her der Mittelpunkt eines großen Völkerverkehrs gewesen. Der Meerbusen zwischen Arabien und Persien, der Euphrat und die Häfen am Roten Meer waren bekannte Straßen oder Niederlagen der indischen Waren von alten Zeiten; daher vieles arabisch hieß, was aus Indien kam, und Arabien selbst Indien genannt ward. Frühe hatte dies tätige Volk mit seinen

1 Wladimir der Große, Großfürst von Rußland (980–1015), trat 988 anläßlich seiner Vermählung mit der byzantinischen Prinzessin Anna zum griechisch-orthodoxen Glauben über.

Stämmen die östliche afrikanische Küste besetzt und war unter den Römern schon ein Werkzeug des indischen Handels gewesen. Da nun der weite Strich Landes zwischen dem Euphrat und Nil, ja vom Indus, Ganges und Oxus bis zum Atlantischen Meer, den Pyrenäen, dem Niger und in Kolonien bis zum Lande der Kaffern hin sein war, so konnte es auf eine Zeit das größeste Handelsvolk der Welt werden. Dadurch litt Konstantinopel, und Alexandrien ward zum Dorfe; dagegen hatte Omar am Zusammenfluß des Tigris und Euphrats Balsora gebauet, die eine Zeit hin alle Waren der östlichen Welt empfing und verteilte. Unter den Omijaden[1] war Damaskus die Residenz: eine alte große Handelsniederlage, ein natürlicher Mittelpunkt der Karawanen in seiner paradiesischen Lage, ein Mittelpunkt des Reichtums und Kunstfleißes. Schon unter Moawija wurde in Afrika die Stadt Kairwan, späterhin Kahira[2], gebauet, dahin sich dann über Suez der Handel der Welt zog. Im innern Afrika hatten sich die Araber des Gold- und Gummihandels bemächtigt, die Goldbergwerke von Sofala entdeckt, die Staaten Tombut, Telmasen, Darah gegründet, an der östlichen Küste ansehnliche Kolonien und Handelsstädte, ja Anlagen bis in Madagaskar gepflanzet. Seitdem unter Walid Indien bis zum Ganges und Turkestan erobert war, band sich mit der westlichen die äußerste Ostwelt; nach Tsina[3] hatten sie frühe, teils in Karawanen, teils nach Kanfu (Kanton) über das Meer gehandelt. Aus diesem Reiche brachten sie den Branntwein, den die von ihnen zuerst bearbeitete Chemie nachher so ungeheuer vermehrte; zum Glück für Europa verbreitete er sich, nebst dem schädlichen Tee und dem Kaffee, einem arabischen Getränke, in unserm Weltteil einige Jahrhunderte später. Auch die Kenntnis des Porzellans, vielleicht auch des Schießpulvers, kam aus Tsina durch sie nach Europa. Auf der Küste von Malabar waren sie herrschend; sie besuchten die maldivischen Inseln, machten Niederlagen auf Malakka und lehrten die Malayen schreiben. Späterhin hatten sie auch auf die Molukken Kolonien und ihre Religion gepflanzet, so daß vor Ankunft der Portugiesen in diesen Gewässern der ostindische Handel ganz in ihren Händen war und ohne Zwischenkunft der Europäer süd- und östlich von ihnen wäre verfolgt worden. Eben die Kriege mit ihnen und der christliche Eifer, sie auch in Afrika zu finden, leitete die Portugiesen zu jenen großen Entdeckungen auf der See, die dem ganzen Europa eine andre Gestalt gaben.

2. *Religion und Sprache* der Araber machten eine andre große

1 Das arabische Herrschergeschlecht der Omaijaden. – 2 Kairo. – 3 China.

Wirkung auf Völker dreier Weltteile. Indem sie nämlich bei ihren weiten Eroberungen allenthalben den Islamismus oder tributbare Unterwerfung predigten, breitete sich Mohammeds Religion östlich bis zum Indus und Gihon, westlich bis gen Fes und Marokko, nördlich über den Kaukasus und Imaus[1], südlich bis zum Senegal und zum Lande der Kaffern, auf die beiden Halbinseln und den ostindischen Archipelagus aus und hat sich zahlreichere Anhänger als das Christentum selbst erobert. Nun ist in Absicht der Meinungen, die diese Religion lehret, nicht zu leugnen, daß sie die heidnischen Völker, die sich zu ihr bekannten, über den groben Götzendienst der Naturwesen, der himmlischen Gestirne und irdischer Menschen erhoben und sie zu eifrigen Anbetern *eines* Gottes, des Schöpfers, Regierers und Richters der Welt, mit täglicher Andacht, mit Werken der Barmherzigkeit, Reinheit des Körpers und Ergebung in seinen Willen gemacht hat. Durch das Verbot des Weines hat sie der Völlerei und dem Zank zuvorkommen, durch das Verbot unreiner Speisen Gesundheit und Mäßigkeit befördern wollen; desgleichen hat sie den Wucher, das gewinnsüchtige Spiel, auch mancherlei Aberglauben untersagt und mehrere Völker aus einem rohen oder verdorbenen Zustande auf einen mittlern Grad der Kultur gehoben; daher auch der Moslem (Muselman) den Pöbel der Christen in seinen groben Ausschweifungen, insonderheit in seiner unreinen Lebensweise, tief verachtet. Die Religion Mohammeds prägt den Menschen eine Ruhe der Seele, eine Einheit des Charakters auf, die freilich ebenso gefährlich als nützlich sein kann, an sich aber schätzbar und hochachtenswürdig bleibet; dagegen die Vielweiberei, die sie erlaubet, das Verbot aller Untersuchungen über den Koran und der Despotismus, den sie im Geist- und Weltlichen feststellt, schwerlich anders als böse Folgen nach sich ziehen mögen.

Wie aber auch diese Religion sei, so ward sie durch eine Sprache fortgepflanzt, die die reinste Mundart Arabiens, der Stolz und die Freude des ganzen Volks war; kein Wunder also, daß die andern Dialekte damit in den Schatten gedrängt wurden und die Sprache des Koran das siegende Panier der arabischen Weltherrschaft ward. Vorteilhaft ist einer weitverbreiteten blühenden Nation ein solches gemeinschaftliches Ziel der Rede- und Schreibart. Wenn die germanischen Überwinder Europas ein klassisches Buch ihrer Sprache, wie die Araber den Koran, gehabt hätten, nie wäre die lateinische eine Oberherrin ihrer Sprache geworden, auch hätten sich viele

1 Teil des Taurus-Gebirges.

ihrer Stämme nicht so ganz in der Irre verloren. Nun aber konnte diesen weder Ulfila[1] noch Kaedmon[2] oder Otfried[3] werden, was Mohammeds Koran noch jetzt allen seinen Anhängern ist: ein Unterpfand ihrer alten echten Mundart, durch welches sie zu den echtesten Denkmalen ihres Stammes aufsteigen und auf der ganzen Erde ein Volk bleiben. Den Arabern galt ihre Sprache als ihr edelstes Erbteil, und noch jetzt knüpft sie in mehreren Dialekten ein Band des Verkehrs und Handels zwischen so vielen Völkern der Ost- und Südwelt, als nie eine andre Sprache geknüpft hat. Nach der griechischen ist sie vielleicht auch am meisten dieser Allgemeinherrschaft würdig, da wenigstens die lingua franca[4] jener Gegenden gegen sie als ein dürftiger Bettlermantel erscheinet.

3. In dieser reichen und schönen Sprache bildeten sich *Wissenschaften* aus, die, seitdem Al Mansor, Harun al Raschid und Mamon sie weckten, von Bagdad, dem Sitz der Abbasiden, nord-, öst-, am meisten aber westlich ausgingen und geraume Zeit im weiten Reich der Araber blühten. Eine Reihe Städte, Balsora, Kufa, Samarkand, Rosette, Kahira, Tunis, Fes, Marokko, Kordova u. f., waren berühmte Schulen, deren Wissenschaften sich auch den Persern, Indiern, einigen tatarischen Ländern, ja gar den Sinesen[5] mitgeteilt haben und bis auf die Malayen hinab das Mittel geworden sind, wodurch Asien und Afrika zu einiger neueren Kultur gelangten. Dichtkunst und Philosophie, Geographie und Geschichte, Grammatik, Mathematik, Chemie, Arzneikunde sind von den Arabern getrieben worden, und in den meisten derselben haben sie als Erfinder und Verbreiter, mithin als wohltätige Eroberer auf den Geist der Völker gewirket.

Die *Dichtkunst* war ihr altes Erbteil, eine Tochter nicht der Kalifengunst, sondern der Freiheit. Lange vor Mohammed hatte sie geblühet; denn der Geist der Nation war poetisch, und tausend Dinge erweckten diesen Geist. Ihr Land, ihre Lebensweise, ihre Wallfahrten nach Mekka, die dichterischen Wettkämpfe zu Okhad[6], die Ehre, die ein neuaufstehender Dichter von seinem Stamme erhielt, der Stolz der Nation auf ihre Sprache, auf ihre Sagen, ihre Neigung zu Abenteuern, zur Liebe, zum Ruhm, selbst ihre Einsamkeit, ihre Rachsucht, ihr wanderndes Leben: alles dies munterte sie

1 Wulfila oder Ulfilas (gest. 383), Bischof der Westgoten, übersetzte Teile der Bibel ins Gotische. – 2 Englischer Dichter keltischer Herkunft (Mitte des 7. Jahrhunderts), von dem ein Hymnus auf Gott in nordhumbrischer Sprache überliefert ist. – 3 Die „Evangelienharmonie“ (868) des Mönchs Otfried von Weißenburg ist in althochdeutschen Reimstrophen geschrieben. – 4 (lat.) fränkische Sprache; das verdorbene Italienisch, das an den Mittelmeerküsten als Verkehrssprache diente. – 5 Chinesen. – 6 Okaz, ein in der Nähe Mekkas gelegener Handelsplatz.

zur Poesie auf, und ihre Muse hat sich durch prächtige Bilder, durch stolze und große Empfindungen, durch scharfsinnige Sprüche und etwas Unermeßliches im Lobe und Tadel ihrer besungenen Gegenstände ausgezeichnet. Wie abgerissene, gen Himmel strebende Felsen stehen ihre Gesinnungen da; der schweigende Araber spricht mit der Flamme des Worts wie mit dem Blitz seines Schwertes, mit Pfeilen des Scharfsinns wie seines Köchers und Bogens. Sein Pegasus ist sein edles Roß, oft unansehnlich, aber verständig, treu und unermüdlich. Die Poesie der Perser dagegen, die, wie ihre Sprache, von der arabischen abstammet, hat sich, dem Lande und Charakter der Nation gemäß wohllüstiger, sanfter und fröhlicher, zu einer Tochter des irdischen Paradieses gebildet. Und obwohl keine von beiden die griechischen Kunstformen der Epopee[1], Ode, Idylle, am mindesten das Drama kennet, keine von beiden auch, nachdem sie diese kennengelernt, solche hat nachahmen wollen oder dörfen, so hat sich doch eben deshalb die eigne Dichtergabe der Perser und Araber nur desto kenntlicher ausgebildet und verschönet. Kein Volk kann sich rühmen, so viele leidenschaftliche Beförderer der Poesie gehabt zu haben als die Araber in ihren schönen Zeiten; in Asien breiteten sie diese Leidenschaft selbst auf tatarische, in Spanien auf christliche Fürsten und Edle aus. Die gaya ciencia[2] der limosinischen oder Provenzal-Dichtkunst ist diesen von ihren Feinden, den nachbarlichen Arabern, gleichsam aufgedrungen und aufgesungen worden, und so bekam allmählich, aber sehr rauh und langsam, Europa wieder ein Ohr für die feinere lebendige Dichtkunst.

Vorzüglich bildete sich unter dem morgenländischen Himmel der fabelhafteste Teil der Dichtkunst aus, das *Märchen.* Eine alte ungeschriebene Stammessage wird mit der Zeit schon ein Märchen, und wenn die Einbildung des Volks, das solche erzählet, fürs Übertriebene, Unbegreifliche, Hohe und Wunderbare gestimmt ist, so wird auch das Gemeine zur Seltenheit, das Unbekannte zum Außerordentlichen erhoben, dem dann zu seiner Ergötzung und Belehrung der müßige Morgenländer im Zelt oder auf der Wallfahrt und im Kreise der Gesellschaft sein Ohr willig leihet. Schon zu Mohammeds Zeit kam ein persischer Kaufmann mit angenehmen Erzählungen unter die Araber, von denen der Prophet befürchtete, daß sie die Märchen seines Koran übertreffen möchten; wie in der Tat die angenehmsten Dichtungen der orientalischen

1 Epopöe, Epos. – 2 (provenzal.) fröhliche Wissenschaft; die Poesie der 1324 in Toulouse gegründeten Meistersingerschule.

Phantasie persischen Ursprungs zu sein scheinen. Die fröhliche Geschwätzigkeit und Prachtliebe der Perser gaben ihren alten Sagen mit der Zeit eine eigne romantische Heldenform, die durch Geschöpfe der Einbildungskraft, meistens von Tieren des ihnen nahen Gebürges genommen, sehr erhöht ward. So entstand jenes Feenland, das Reich der Peri und Neri[1] (für welche die Araber kaum einen Namen hatten), das auch in die Romane der mittleren Zeiten Europas[2] reichlich kam. Von den Arabern wurden diese Märchen in sehr später Zeit zusammengereihet, da denn insonderheit die glänzende Regierung ihres Kalifen Harun al Raschid die Szene der Begebenheiten und diese Form für Europa ein neues Muster ward, die zarte Wahrheit hinter das Fabelgewand unglaublicher Begebenheiten zu verbergen und die feinsten Lehren der Klugheit im Ton der bloßen Zeitkürzung zu sagen.

Vom Märchen wenden wir uns zu seiner Schwester, der *Philosophie* der Araber, die sich, nach Art der Morgenländer, eigentlich über dem Koran gebildet und durch den übersetzten Aristoteles nur eine wissenschaftliche Form erlangt hat. Da der reine Begriff von *einem* Gott der Grund der ganzen Religion Mohammeds war, so läßt sich schwerlich eine Spekulation denken, die nicht mit diesem Begriff von den Arabern verbunden, aus ihr hergeleitet und in metaphysische Anschauung, auch in hohe Lobsprüche, Sentenzen und Maximen wäre gebracht worden. Die Synthese der metaphysischen Dichtung haben sie beinahe erschöpft und mit einer erhabnen Mystik der Moral vermählet. Es entstanden Sekten unter ihnen, die im Streit gegeneinander schon eine feine Kritik der reinen Vernunft übten, ja der Scholastik mittlerer Zeiten kaum etwas übrigließen als eine Verfeinerung der gegebenen Begriffe nach europäischen, christlichen Lehren. Die ersten Schüler dieser theologischen Metaphysik waren die Juden; späterhin kam sie auf die neuerrichteten christlichen Universitäten, auf welchen sich Aristoteles zuerst ganz nach arabischer, nicht nach griechischer Sehart zeigte und die Spekulation, Polemik und Sprache der Schule sehr gewetzt und verfeint hat. Der ungelehrte Mohammed teilt also mit dem gelehrtesten griechischen Denker die Ehre, der ganzen Metaphysik neuerer Zeiten ihre Richtung gegeben zu haben; und da mehrere arabische Philosophen zugleich Dichter waren, so ist in den mittlern Zeiten auch bei den Christen die Mystik der Scholastik stets zur Seite gegangen; denn beider Grenzen verlieren sich ineinander.

Die *Grammatik* ward von den Arabern als ein Ruhm ihres Stam-

1 Überirdische Wesen der altpersischen Sage. – 2 Die Versepen des Hochmittelalters.

mes getrieben, so daß man aus Stolz über die Reinheit und Schönheit der Sprache alle Worte und Formeln derselben aufzählte und schon in frühen Zeiten jener Gelehrte[1] gar sechzig Kamele mit Wörterbüchern beladen konnte. Auch in dieser Wissenschaft wurden die Juden der Araber erste Schüler. Ihrer alten, viel einfachern Sprache suchten sie eine Grammatik nach arabischer Weise anzukünsteln, die bis auf die neuesten Zeiten auch unter den Christen in Übung blieb; dagegen man eben auch von der arabischen Sprache in unsern Zeiten ein lebendiges Vorbild genommen hat, zum natürlichen Verstande der ebräischen Dichtkunst zurückzukehren, was Bild ist, als Bild zu betrachten und tausend Götzenbilder einer falschen jüdischen Auslegungskunst hinwegzutun von der Erde.

Im Vortrage der *Geschichte* sind die Araber nie so glücklich gewesen als Griechen und Römer, weil ihnen Freistaaten, mithin die Übung einer pragmatischen Zergliederung öffentlicher Taten und Begebenheiten fehlte. Sie konnten nichts als trockne, kurze Chroniken schreiben oder liefen bei einzelnen Lebensbeschreibungen Gefahr, in dichterisches Lob ihres Helden und ungerechten Tadel seiner Feinde auszuschweifen. Der gleichmütige, historische Stil hat sich bei ihnen nicht gebildet: ihre Geschichten sind Poesie oder mit Poesie durchwebt; dagegen ihre Chroniken und Erdbeschreibungen von Ländern, die sie kennen konnten und wir bis jetzt noch nicht kennengelernt haben, vom innern Afrika z. B., für uns noch nutzbar sind.

Die entschiedensten Verdienste der Araber endlich betreffen die Mathematik, Chemie und Arzneikunde, in welchen Wissenschaften sie mit eignen Vermehrungen derselben die Lehrer Europas wurden. Unter Al Mamon schon wurde auf der Ebne Sanjar bei Bagdad ein Grad der Erde gemessen; in der Sternkunde, ob sie gleich dem Aberglauben sehr dienen mußte, wurden von den Arabern Himmelskarten, astronomische Tafeln und mancherlei Werkzeuge mit vielem Fleiß gefertigt und verbessert, wozu ihnen in ihrem weiten Reich das schöne Klima und der reine Himmel dienten. Die Astronomie wurde auf die Erdkunde angewandt; sie machten Landkarten und gaben eine statistische Übersicht mancher Länder lange vorher, ehe daran in Europa gedacht ward. Durch die Astronomie bestimmten sie die Zeitrechnung und nutzten die Kenntnis des Sternenlaufs bei der Schiffahrt; viele Kunstwörter jener Wissenschaft sind arabisch, und überhaupt steht der Name dieses

1 Dies wird über den Wesir As-Sâhib Ismaîl ben Abhâd (gest. 1007) berichtet.

Volks unter den Sternen mit dauerndern Charakteren geschrieben, als es irgend auf der Erde geschehen konnte. Unzählbar sind die Bücher ihres mathematischen, insonderheit astronomischen Kunstfleißes; die meisten derselben liegen noch unbekannt oder ungebraucht da; eine ungeheure Menge hat der Krieg, die Flamme oder Unachtsamkeit und Barbarei zerstöret. Bis in die Tatarei und die mogolischen Länder, ja bis ins abgeschlossene Tsina drangen durch sie die edelsten Wissenschaften des menschlichen Geistes; in Samarkand sind astronomische Tafeln verfaßt und Zeitepochen bestimmt worden, die uns noch jetzo dienen. Die Zeichen unsrer Rechenkunst, die Ziffern, haben wir durch die Araber erhalten; die Algebra und Chemie führen von ihnen den Namen. Sie sind die Väter dieser Wissenschaft, durch welche das menschliche Geschlecht einen neuen Schlüssel zu den Geheimnissen der Natur, nicht nur für die Arzneikunst, sondern für alle Teile der Physik, auf Jahrhunderte hin erlangt hat. Da sie, ihr zugut, die Botanik minder trieben und die Anatomie, ihres Gesetzes halben, nicht treiben dorften, so haben sie durch Chemie auf die Arzneimittel und auf die Bezeichnung der Krankheiten und Temperamente durch eine fast abergläubige Beobachtung der Äußerungen und Zeichen derselben desto mächtiger gewirket. Was ihnen Aristoteles in der Philosophie, Euklides und Ptolemäus in der Mathematik waren, wurden Galenus und Dioskorides in der Arzneikunst; obwohl nicht zu leugnen ist, daß hinter den Griechen die Araber nicht nur Bewahrer, Fortpflanzer und Vermehrer, sondern freilich auch hie und da Verfälscher der unentbehrlichsten Wissenschaften unsres Geschlechts wurden. Der morgenländische Geschmack, in welchem sie von ihnen getrieben waren, hing auch in Europa den Wissenschaften eine lange Zeit an und konnte nur mit Mühe von ihnen gesondert werden. Auch in einigen Künsten, z. B. der Baukunst, ist vieles von dem, was wir gotischen Geschmack nennen, eigentlich arabischer Geschmack, der sich nach den Gebäuden, die diese rohen Eroberer in den griechischen Provinzen fanden, in ihrer eignen Weise bildete, mit ihnen nach Spanien herüberkam und von da weiterhin sich fortpflanzte.

4. Endlich sollten wir noch von dem glänzenden und romantischen *Rittergeist* reden, den ohne Zweifel auch sie zu dem europäischen Abenteuergeist mischten; es wird sich dieser aber bald selbst zeigen.

(Neunzehntes Buch · Fünftes Kapitel)

EPIGRAMME

DAS GESETZ DER NATUR

Alle tragen wir in uns den Keim zu unserm Verblühen;
Blühn und Verblühen ist nur *eine* Entwicklung der Zeit.
In dem Schoße der großen Mutter empfangen wir Kräfte,
Auszuwirken uns selbst und zu verleben damit.
Und du murrest, o Klügling, daß du nicht ewig hier sein kannst?
Warest du ewig hier: wirst du's in andern nicht sein.
Also gehorche der Kette der Wesen, die dich ziehet und abstößt,
Was zur Blüte dich trieb, gab dir Vollendung und Frucht.

REFORMATION

„Wären der Teufel so viel auch als hier Stein' auf den Dächern,
Dennoch wagen wir es." Also sprach Luther und ging
Vor den Kaiser. Gelang's? Ich zweifle. Der Teufel an Höfen
Waren mehrere, fein wie der apulische Sand.
Lehren bessertest du, nicht Sitten. Sitten zu bessern,
War der selber zu schwach, der auch die Teufel besiegt.

AN DAS KRUZIFIX IM KONSISTORIUM

O du Heiliger, bleibt dir immer dein trauriges Schicksal,
Zwischen Schächer gehängt, sterbend am Kreuze zu sein?[1]
Und zu deinen Füßen erscheint das Wort des Propheten
Von der Ochsen und Farrn feisten geselligen Schar.
Heiliger, blick auf mich und sprich auch mir in die Seele:
„Vater, vergib! denn *die* wissen ja *nie*, was sie tun."[2]

DAS VON UND ZU

Von und *zu*, so nannten sich einst von eigenen Höfen
Deutschlands Edle; das *Zu* ist mit den Höfen entflohn;
Aber das *Von* ist blieben; und alle gehören die Herrn jetzt
Einem Hofe: Du weißt, was in dem Hofe sich nährt.

1 Jesus wurde gleichzeitig mit zwei verurteilten Schächern, d. h. Räubern oder Mördern, gekreuzigt. – 2 Abwandlung eines der Worte Jesu am Kreuze.

ROSEN

Fliehest du mich denn, Chloë, so nimm statt meiner die Rosen,
Flicht in Kränze sie dir; streue die lieblichen dir
Auf dein Bette; die weichste Decke, zärter als Purpur,
Wollust atmend und voll, voll von ambrosischer Glut.
Denn ich befahl den Rosen, um deinen Nacken zu spielen,
Dir zu küssen die Brust, alles, dir alles zu sein,
Was du erlaubtest. Glückliche Rosen, erflehet mir Mitleid,
Und erhört sie euch nicht: o so seid Nesseln um sie.

DIE GESCHMINKTE

Warum entstellst du dich mit fremden Farben, o Schöne;
Wangen und Lippe, gemalt, reizen den Kuß nicht mehr,
Denn sie verraten den welken Mund, die verblühete Wange.
Mädchen, sei, die du bist, oder ich halte dich alt.

MOND UND SONNE

Knabe, bringe die Becher und fülle sie alle mit Wein an,
Mit erquickendem Wein fülle sie oben hinan.
Wein ist der Lieb Arznei. Der Wein heilt Jugend und Alter,
Bring uns die Sonn und den Mond, Wein und den Becher hieher.
Und erleuchte den Mond mit der Sonne, den Becher mit Weine,
Strahl ihm leuchtende Glut, flüssige Flammen hinein.
Wenn die Rose verblüht, so glühn uns Rosen der Traube;
Schweiget die Nachtigall, klinget der Becher umher.
Freunde, betrübt euch nicht; entgegen den traurigen Zeiten,
Rufet das Saitenspiel, rufet die Zither herbei.

AN KARL LUDWIG VON KNEBEL

Rom, 13. Dezember 1788

Ihre beiden Briefe, lieber Knebel, und Ihre kleinen Denkverse sind mir höchst erfreulich gewesen, ob ich sie gleich so lange nicht beantwortet habe. Sie wissen aber, der Brief an einen Freund ist wie eine Rechenschaft, zu der man, ehe das Caput[1] geschlossen ist, ungern geht; im Gewühl endlich und in der Menge solcher Gegenstände, als Rom enthält, läßt sich eigentlich gar nicht schreiben. Desto fleißiger habe ich an Sie gedacht und bin oft mit Ihnen meine große Stube durchwandelt.

Wahrlich, lieber Knebel, Götter und Genien wandeln und spielen mit unserm Schicksal, obgleich zuletzt alles von natürlichen Ursachen, von den Leidenschaften und Phantasien, der Vernunft und Unvernunft der Menschen etc. abhängt. So bin ich nach Italien gekommen; so lebe ich darin; so werde ich zurückkehren; und das Beste, das man allenthalben davonbringt, ist oder sind wir selbst. Gleichviel, ob man wie der St. Bartholomäus in Angelos[2] „Jüngstem Gericht“ seine geschundene Haut oder wie die Venus den schönen Hintern[3] vorweiset. Allenfalls ist's gut, wenn man sich auf beides gefaßt macht und das Beste in sich selbst verwahrt.

Ich lebe in Rom fort, gesund und, seit ich in meiner Freiheit bin, ziemlich glücklich, wenigstens so beschäftigt, daß ich nicht weiß, wie Tage und Wochen entfliehen, ob ich sie gleich nicht immer nach barem Gewinst berechnen kann. Im Vatikan zum Exempel ist's mir noch nicht geglückt, etwas zu finden; ich kann aber auch nicht sagen, daß ich darin hätte suchen mögen, auf die Art, wie es mir daselbst zu suchen vergönnt ist. Man hat Befehl, mir vorzulegen, was ich begehre; den Katalog aber habe ich nicht in meiner Gewalt, er soll auch sehr unvollständig sein, und da läßt sich nicht viel begehren. Man verliert Zeit, und wo nähme ich Zeit her, auch nur gehörig abzuschreiben, wenn ich was fände? Aus dem Vatikan wird kein Manuskript verabfolgt, und der Vatikan ist eine halbe deutsche Meile von mir. Also, wenn das Glück mich nicht zu guter Letzt sonderbar heimsucht, werde ich diese meine Hoffnung, die vielleicht auch eine kleine Eitelkeit war, wohl aufgeben und andern, Glücklichern überlassen müssen. Ja, wenn ich zwei, drei Jahre hier bliebe, da ließe sich was suchen und finden.

In der Kunstbetrachtung bin ich nach meiner Weise fleißiger, und ich gebe Goethen in allem recht, was er darüber sagt. Das einzige Schlimme dabei ist – aber ich will nicht einreden. Ich studiere, sooft ich kann, täglich drei Stunden an diesen Gestalten der alten Welt und betrachte sie als einen Kodex der Humanität in den reinsten, ausgesuchtesten, harmonischen Formen. Mir verschwindet da-

1 (lat.) Kapitel. – 2 Michelangelos. – 3 Anspielung auf die Venus Kallipygos (griech. mit dem schönen Hintern).

bei Raum und Zeit; ich habe die Idee, aus der alles ward, aber ich habe keine Sprache, sie herzustammeln. Sie läßt sich, wie alles in der Welt, nur durch Tat, durch Schöpfung zeigen; in meiner Seele indes soll sie bleiben. – Ich lese jetzt ein spanisches Manuskript vom Ideal-Schönen und sehe, was es mit dem Schreiben für ein elendes Ding ist.

Die lebendige, große, mittlere und kleine Welt in Rom, die ich genug zu sehen Gelegenheit habe, ist auch ein Bild, das ich nicht so leicht vergessen werde. Auch hierin ist Rom einzig in seiner Art, ein sonderbares Wesen: man kann und muß in ihm, wenn man's recht sehen will, sich durch alle Zeiten durchleben. Man sieht in ihm Ägypten, Griechenland, den alten römischen Staat, das Juden- und endlich das päpstliche Christentum durch alle Zeiten. Wer nur Augen und Zeit hätte, alles zu finden, alles zu erfassen und – zu ordnen. Ich bin aber ein armer Wicht; meine Augen reichen nicht weit, und mein Glas ist dunkel. . . .

. . . Und wie geht's Ihnen, Lieber, mit Ihren Studien, mit Ihrer Philosophie usw.? O wenn Sie mich einmal mit einem oder einigen Aufsätzen der Art erfreuten! Sie versprachen es mir, haben mir aber nicht Wort gehalten. Wüßten Sie, wie unphilosophisch man hier lebt, wie abgeschnitten man hier auch sogar von allen Büchern der Art sei und wie schön sich doch hier unter dem blauen Himmel bei Sonnen- und Mondlicht philosophieren ließe, gewiß, Sie besuchten mich wie ein stiller Geist mit Ihren Phantasien, die mir immer so wert waren. Leben Sie wohl, liebe Seele, und vor allen Dingen, alter Philosoph, lebe heiter. Heiterkeit ist das höchste Gut des Lebens, und nur Gleichmütig- und Gleichgültigkeit vermögen uns sie zu geben. Nur ein Hirtenknabe teilt den Apfel der Schönheit aus, und die nackteste Göttin empfängt ihn.[1] Lebe wohl, Lieber, ein gutes Christkindlein und glückliches 1789 zum neuen Jahr. – Der Brief ist zu weit beschrieben; er muß offen bleiben, was schadet's auch? Meine Frau darf ihn zwar, aber sie wird ihn nicht lesen. Vale![2]

H.

1 Anspielung auf das Urteil des Paris, der der Liebesgöttin Aphrodite den Schönheitspreis zusprach. – 2 (lat.) Lebe wohl!

Der Weimarer Musenhof um Anna Amalia

AN JOHANN WOLFGANG GOETHE

Rom, 27. Dezember 1788

Ich kann das alte, krumme Jahr 88 nicht beschließen, ohne daß ich Dir noch von Rom aus ein Lebenszeichen gebe, mein Lieber. Wir haben hier dummes Wetter und einen erbärmlichen Winter; das macht nun jeden unmutig und unlustig, der nicht daran gewohnt ist, die Herzogin[1] ausgenommen, die immer gesund, vergnügt und guter Laune ist, wie es ihr denn auch in allem recht wohl gehet. Gestern hat ihr der Papst[2] ein Präsent gemacht, das sie denn wohl selbst beschreiben wird; weil ich's, da ich gestern den ganzen Tag im Bett zubrachte, selbst noch nicht gesehen habe, kann ich nichts davon sagen, als daß es jedermann lobt und daß sie darüber sehr vergnügt sein soll. Außerdem beschäftigt sie sich sehr mit der Musik, wie ihr denn auch schöne und, ich möchte sagen, die trefflichsten Sachen gegeben werden, die Italien besitzet. Außer dem Konzert bei Bernis, wo zu viel Geräusch ist, sind vier Konzerte bei Ruspoli gegeben worden, in denen man die ausgesucht schönsten Sachen hörte, von denen sie denn auch das Beste sammlet. Dies bringt mich auf einen Gedanken, oder vielmehr, ich sage ihn nur nach meiner Weise, und Einsiedel hat mich eigentlich darauf gebracht. Du weißt, wie es einem ist, der aus Italien soll, und Du kannst denken, wie es ihr sein wird, die in Weimar nichts Lockendes vor sich findet. Könnte ihr nicht ein Reiz dadurch verschafft werden, wenn man ihr vorstellte, daß *sie* diese Stücke dort wieder aufführen könnte und sie eine Art von Intendanz über Musik und Theater bekäme? Einsiedel meint, daß ihr dies sehr schmeicheln und sie dort amüsieren wird, damit sie ihre Reise nach Italien dort einigermaßen anzuwenden hätte. Da Klinkowström nicht da ist und entweder gar nicht oder so bald nicht wiederkommen wird, steht diesem Kompliment keiner im Wege; der Herzog macht sich ja auch nichts daraus und weiß an sich selbst am besten, wie es einem zumut ist, der wieder in die Enge nach Hause soll. Im ganzen will ja auch jeder etwas haben, was ihn reize; und wenn ihr dies Kompliment schön und *unvermerkt* gesagt würde, könnte es, zur rechten Zeit gesagt, ihr nicht anders als schmeicheln. Überlege das, Lieber, und tue das Beste; fast, fürchte ich, wird ihr die Abreise im Frühlinge schwer werden, denn es geht ihr hier zu wohl, und sie hat in Weimar nichts, das sie hiegegen auf die Waage lege.

Mir ist's nun freilich nicht ganz so, und ich kann mich, in dem,

1 Anna Amalia von Sachsen-Weimar-Eisenach (1739–1807). – 2 Pius VI. (1717–1799).

was ich suchte und erwartete, des guten Glückes nicht so ganz rühmen. Da aber in der Natur der Dinge nichts vergebens ist, so wird auch dies übelgeratne Impromptu meiner Reise nicht ganz vergebens sein, wenigstens dadurch, daß es mich vor jedem ähnlichen bewahre. Ich will nur dagegen kämpfen, daß ich nicht in Deine Fußtapfen trete und eine „Gleichgültigkeit gegen die Menschen“[1] nach Hause mitbringe, die mir übler bekommen würde als Dir, weil ich keine Kunstwelt, wie Du, an die Stelle des Erloschenen zu setzen wüßte. Fast möchte ich sagen, daß ich von der Kunst nie kühler gedacht habe als hier, da ich sie in ihrem Werden, Tun und Wirken dem ganzen Umfange nach vor mir sehe; einst war's eine schöne Blüte des menschlichen Bestrebens, jetzt aber ist's eine Blumenfabrik[2] wie unsrer Freunde Kraus' und Bertuchs. Auch sonst läßt die römische Welt meine Seele entsetzlich leer, wozu Du Dir die Ursachen wohl ausfinden wirst. Nicht der geringsten ist diese eine, daß den armen Tom[3] hier entsetzlich friert, und wenn man friert, mag man weder sprechen noch denken noch empfinden, kaum sehen und hören und, am wenigsten von allem, sprechen *lernen.*

Mit Dir war's in allem anders, weil Du ein artifex[4] bist, und mich freuet's, daß Du Deinem Beruf treu bleibst und dort Dein Werk fortsetzest. Wenn ich aus Italien komme, will ich mir von Dir erzählen lassen, was Du gesehen hast und ich hätte *sehend* sehen sollen, und meinen Mund dazu nicht auftun. Denn wollen wir Dich in den Wagen setzen und wieder nach Rom senden. Ich fürchte, ich fürchte, Du taugst nicht mehr für Deutschland; ich aber bin nach Rom gereist, um ein echter Deutscher zu werden, und wenn ich könnte, würde ich eine neue Irruption[5] germanischer Völker in dies Land, zumal nach Rom, veranlassen. Die Italiener sollten mir dienen, und in Rom wollte ich insonderheit *werben.* Wenn ich nach Hause komme und wieder warm werde, will ich einen Aufsatz schreiben, wie Rom im Jahr Christi 1800 aussehen wird, und ich wollte, daß ich Hand anlegen könnte, diesen Plan, der trefflich ausgedacht ist, zu realisieren. So lange lebe wohl, Lieber, denn ich kann für Kälte nicht mehr schreiben; mein Herz ist ganz zugefroren, und auf meiner Seele tauet nur Glatteis. Lebe wohl und grüße alle, den Herzog, die Herzogin[6] und wer sich sonst meiner noch etwa erinnert. Lebe wohl, Lieber.

H.

1 Diese Wendung klingt wieder an in einem Briefe Goethes an Charlotte von Stein vom 1. Juni 1789. – 2 Bertuch und Kraus betrieben eine Werkstatt zur Herstellung künstlicher Blumen. – 3 Figur aus Shakespeares „König Lear“. – 4 (lat.) Künstler. – 5 Einfall, Eroberung. – 6 Karl August von Sachsen-Weimar-Eisenach und seine Frau.

Humanität –
der „Charakter der Menschheit“

AUF DEN 14. JULI 1790[1]

Rings um den hohen Altar siehst du die Franken zu Brüdern[2]
Und zu Menschen sich weihn; göttliches, heiliges Fest!
Wie spricht Jehova zum Volk? Spricht er in Donner und Blitzen?
Milder kommt er hinab; Wasser des Himmels entsühnt
Weihend die Menge zum neuen Geschlecht mit der Taufe der Menschheit.
Vierzehnter Julius, dich sehn unsre Enkel einmal!

AN LUISE VON SACHSEN-WEIMAR-EISENACH

Aachen, 30. Juni 1792

Das Bild Euer Herzoglichen Durchlaucht am Tauftage ist mir so tief und erfreulich in der Seele geblieben, daß es mich längs den Ufern des Rheins begleitet hat und mich in den Aachner Auen noch oft besucht. Nie habe ich, so dünkt mich's wenigstens, Eure Durchlaucht so heiter, unbefangen, vergnügt und auf die edelste, rührendste Weise gleichsam außer sich selbst gesehen als in diesen Minuten. Eine Jugend dünkte mir auf Ihrem holden Gesicht zu blühen, wie ich sie (verzeihen Euer Durchlaucht einer Erinnerung, die mir der frappierende Augenblick gewährte) das erstemal, da ich vor so vielen, vielen Jahren[3] Eure Durchlaucht in einem Konzert in Darmstadt sah, bemerkte. Dank dem Himmel dafür, und ewig sei diese Jugend, diese Heiterkeit und Freude in der edlen, schönen Seele der würdigsten Fürstin, die ich kenne auf Erden!

Auf dem Rhein haben wir unsre Reise nicht machen können, teils meiner Gesundheit wegen, da ich noch ausnehmende Schmerzen litt, teils des Wetters wegen, das eben damals kalt und unfreundlich war. Wie der Weise indessen vom Ufer den Gefahren des

1 Am 14. Juli 1789 begann mit dem Sturm auf die Bastille in Paris die Französische Revolution. – 2 Anspielung auf die Losung der Französischen Revolution: „Freiheit, Gleichheit, Brüderlichkeit!" – 3 Im Jahre 1770.

Schiffbruchs ruhig zusieht, so dachte sich vor und hinter Koblenz bis nach Köln zu der Kranke die Schönheiten der Wasserfahrt vom schönen Ufer, und das Andenken an Eure Durchlaucht kam uns oft im Gespräch dabei wie eine belebende Stimme zurück, ohne daran zuerst durch das Schild oder den Namen des Wirtshauses oder durch Nachrichten des Wirts erinnert werden zu dürfen. Hier in Aachen ist die Madame Grogen[?] noch eine untertänigste Verehrerin Eurer Durchlaucht, und sie wußte es sogleich anzuführen, daß sie dabei gelernt hätte zu unterscheiden, was eine deutsche Herzogin und der Troß so vieler andern sei, die jetzt hier herumspazieren oder umherfahren.

Unvermerkt komme ich also auf diese teuren oder wenigstens teuermachenden Gäste, die Exfranzosen[1], dies sonderbare Geschlecht, das jetzt gegen sein Vaterland Messe betet. Achtung flößen sie nicht ein, wenigstens nicht, wie sie sich öffentlich zur Schau stellen, am wenigsten die Männer. Die große Schar weißer Kokarden und roter Knopflochorden spielt mit Pferden und Hunden, sieht unabsehlich nach Beinen und Schnallen, kurz, eine Blüte des 18. Jahrhunderts von Ducs[2], Marquis, Grafen und Rittern, die das Heilige Grab schwerlich erobern dörften. Unglückliche und Rechtsinnige mögen ohne Zweifel auch unter ihnen sein; diese aber schwimmen nirgend oben. Allenthalben gibt der Troß der Sache den Namen, und so verzeihen Eure Durchlaucht mir, daß ich die französische Nation, wie sie hier erscheint, nicht liebens- und noch weniger achtungswürdig finde; doch dazu bin ich auch nicht nach Aachen gereiset.

Die warme Nymphe[3] gefällt mir um so mehr. Kaum zwei Tage war ich hier, so ging ich aufrecht; die warmen Bäder, in denen ich mich äußerst wohl befinde, haben meine Schmerzen dem größten Teil nach vertrieben, und den Rest werden die Dampfbäder heben. Ich mache der Nymphe meine Aufwartung mit so vieler Achtsamkeit, Ehrfurcht und Treue, als irgendein Sterblicher getan hat, und ich hoffe, sie wird mich nach Thüringen verjüngt zurücksenden. Gestern bin ich schon zu Fuß über die schönen Wiesen nach Burtscheid promeniert, und das Bild hintennach war mir erquickender als eines. Schade, daß wir vierzehn Tage hier kaltes, unfreundliches Wetter gehabt haben, ohne dies wäre ich schon weiter.

Jedes kleine Wort, das wir von Eurer Durchlaucht Wohlbefinden gehört haben, ist uns ein wahres Evangelium gewesen; wir hoffen,

1 Die nach Ausbruch der Revolution aus Frankreich geflohenen Anhänger des Feudalabsolutismus. – 2 (franz.) Herzöge. – 3 Die Heilquellen in Aachen.

daß bei währender kurzen Witwenschaft[1] Eurer Durchlaucht sich diese guten Nachrichten fortsetzen werden. Wenn man Koblenz, den Rhein und Aachen passiert hat, kann man den Feldzug gegen und für diese Franzosen für nichts als eine drollichte Lustpartie halten; die Franzosen in Kriegs- und Friedenssachen sind die Marionetten von Europa. Ich glaube, daß auch nach dem, was neulich geschehen ist, sie bald zur Ordnung zu bringen sein werden, minder aber durch Waffen als durch billige, strenge Vernunft und Weisheit.

Genießen Eure Durchlaucht die Rosenzeit in Weimar als eine neuaufgeblühete Rose, und das holde Dreiblatt Ihrer Kinder sei Ihnen Freude und Stärkung. Meine besten Wünsche umschweben Sie, holde gnädigste Fürstin, und meine Frau knüpft ihre devoteste herzlichste Anhänglichkeit zu denselben. Sie ist meine treue Pflegerin gewesen und hofft im Himmel dadurch einmal eine ansehnliche Charge zu verdienen. Beide küssen wir Euer Herzogliche Durchlaucht untertänigst die Hand, und ich verharre mit tiefster Ehrerbietung und Liebe [. . .]

AUS: BRIEFE, DIE FORTSCHRITTE DER HUMANITÄT BETREFFEND

10.

Was *Geist* ist, läßt sich nicht beschreiben, nicht zeichnen, nicht malen; aber empfinden lässet es sich, es äußert sich durch Worte, Bewegungen, durch Anstreben, Kraft und Wirkung. In der sinnlichen Welt unterscheiden wir Geist vom Körper und eignen jenem alle das zu, was den Körper bis auf seine Elemente beseelet, was Leben in sich hält und Leben erwecket, Kräfte an sich zieht und Kräfte fortpflanzet. In den ältesten Sprachen also ist *Geist* der Ausdruck unsichtbarer strebender Gewalt, dagegen *Leib, Fleisch, Körper, Leichnam* entweder die Bezeichnung toter Trägheit oder einer organischen Wohnung, eines Werkzeuges, das der einwohnende Geist als ein mächtiger Künstler gebrauchet.

Die *Zeit* ist ein Gedankenbild nachfolgender, ineinander verketteter Zustände; sie ist ein Maß der Dinge nach der Folge unsrer Gedanken; die Dinge selbst sind ihr gemessener Inhalt.

1 Der Herzog Karl August beteiligte sich am Feldzug gegen Frankreich.

Geist der Zeiten hieße also die Summe der Gedanken, Gesinnungen, Anstrebungen, Triebe und lebendigen Kräfte, die in einem bestimmten Fortlauf der Dinge mit gegebnen Ursachen und Wirkungen sich äußern. Die Elemente der Begebenheiten sehen wir nie; wir bemerken bloß ihre Erscheinungen und ordnen uns ihre Gestalten in einer wahrgenommenen Verbindung.

Wollen wir also vom *Geist unsrer Zeit* reden, so müssen wir erst bestimmen, was *unsre* Zeit sei, welchen Umfang wir ihr geben können und mögen. Auf unsrer runden Erde existieren auf einmal alle Zeiten, alle Stunden des Tages und Jahres, vielleicht auch alle Zustände des menschlichen Geschlechts; wenigstens können wir voraussetzen, daß sie existiert haben und existieren werden. Alle Modifikationen wechseln auf ihr, haben gewechselt und werden wechseln, nachdem[1] der Strom der Begebenheiten langsamer oder schneller die Wellen treibet.

Wenn wir uns demnach *auf Europa* bezirken, so ist Europa auch nur ein Gedankenbild, das wir uns etwa nach der Lage seiner Länder, nach ihrer Ähnlichkeit, Gemeinschaft und Unterhandlung zusammenordnen. Denken wir uns das einst oder jetzt katholische oder überhaupt das *christliche Europa*, so ist auch in ihm nach Ländern und Situationen der Geist der Zeit sehr verschieden. Um also diesen Proteus[2] (Geist der Zeiten) zur Rede zu bringen, müssen wir ihn binden und fragen: Was für Gesinnungen und Grundsätze herrschen seit einer gegebnen Zeit in dem Teil von Europa, den man den gedankenreichsten, tatenvollesten, herrschenden nennt? Was für gemeinschaftliche Anstrebungen und Bewegungen werden in ihm trotz des verschiednen Charakters der Völker sichtbar? Bei welchem Teil dieser Völker und seit wann regen sie sich? Was unternahmen sie? brachten sie es schon zustande? worauf gehen sie los und mit welchem wahrscheinlichen Erfolge?

Die gemeinschaftliche Begebenheit, die Europa gründete, war vom fünften bis zum zehnten oder dreizehnten Jahrhundert die *Anpflanzung wilder oder barbarischer Völker in diesem Weltteil, ihre politische Organisation und sogenannte Bekehrung.* Auf diese Hauptbegebenheit ist, mit wenigen Modifikationen, die die folgende Zeit gab, die jetzige Einrichtung von Europa, der Besitzstand der Mächte und Eigentümer, die verschiednen Rechte und Befugnisse der Menschengeschlechter gegründet. Die Frage ist also: Was denkt die jetzige Zeit von diesem Erwerb, von diesen Befug-

1 je nachdem, wie. – 2 Griechischer Meeresgott, der die Gabe der Weissagung und der Verwandlung besaß.

nissen und Rechten? wie werden diese Dinge gebraucht, und wie sind sie Jahrhunderte hinab gebraucht worden? Ist ihr jetziger Zustand billig, erlaubt, dem Allgemeinen, d. i. dem einzelnen in der Mehrheit, zuträglich oder nicht?

Über *einen* Zweig dieser Fragen, das *Religions- und Kirchenwesen*, hat vom eilften, zwölften, funfzehnten, am meisten aber vom sechzehnten Jahrhunderte an die Geschichte großenteils heut entschieden. Das Murren der Gemeine[1] über den Heuchelschein, die Leerheit und Last der Zerimonien, über die Anmaßungen, den Stolz, die Üppigkeit und unterdrückende Herrschaft der Kirchendiener erhob sich in mehreren Ländern; man antwortete mit Verfolgung und Martern; Ströme Blutes flossen; dadurch aber ward die Stimme der Gemeinheit[2] nicht erstickt, der Geist der Wahrheit nicht getötet. Immer leiteten mehrere, Weise und Verständige, den Haufen; einsehende oder eigennützige Fürsten schlugen sich endlich selbst zu ihnen; nach vielen Kämpfen siegte in einem großen Teil Europas der *Geist der Zeiten.* In andern Ländern ward er vorjetzt unterdrückt; die Finsternis rottete sich zusammen und baute sich fester. Daß er aber auch dort nicht immer unterdrückt bleiben kann, liegt klar am Tage. Kein Nebel, keine Heuchelei, keine Ordnung oder vielmehr Unordnung der Dinge, die auf Wahn gebauet ist, kann ewig sich halten; die dickste Finsternis weicht dem Lichte. Daß dahin nun seit Wiederauflebung der Wissenschaften in allen Ländern Europas der Zeitgeist *strebe*, ist offenbar. Notwendig kommen von Tage zu Tage mehr Folgen der Unordnung ans Licht; mehrere Bedrückungen machen sich fühlbar. Die protestantischen Länder sind fortgeschritten; die zurückgebliebenen wollen und müssen ihnen nach; gelingt der Gang nicht auf rechtmäßigen Wegen, so kann es nicht fehlen, daß er auf den gewaltsamsten Abwegen versucht werde. Das verhehlte, vernachlässigte Gift schleicht und wütet im Innern, dem beunruhigten Körper zu einem desto grauenvolleren, gewisseren Tode. Es kommt, es kommt eine Zeit, der die Klerisei, auch wie sie jetzt ist, und das Pfaffenregiment so wenig bestehen kann, als sich der weit ehrwürdigere Stand der alten Druiden in ihren dunkeln Hainen halten konnte; die Pflicht also jedes Verständigen ist, dem größern Übel vorzubauen und die heuchellose Wahrheit auf dem gelindesten Wege in die Welt zu fördern; denn was vermag *eine* Zunft gegen die ganze andringende Zahl lebender und zukünftiger Geschlechter?

Wenn über diesen, den kirchlichen Zweig der menschlichen Ein-

1 Hier: Die große Menge der Laien. – 2 Hier: Allgemeinheit.

richtung, die Zeit schon entschieden hat, so dörfte über den andern, den Zweig politischer Einrichtung, ihre Stimme uns auch nicht mehr zweifelhaft scheinen, sobald die dort geltenden Grundsätze auch hier Anwendung finden. Ist Heuchelei und Bedrückung, sind Üppigkeit, Hohn und leere Anmaßung, sind Unbilligkeiten und ein wirklicher status in statu[1], er heiße *Hof* oder Zunft der *Edelinge* (so hießen sie in den alten Zeiten), sind sie dadurch weniger ungereimt, werden sie dadurch weniger schädlich, daß sie an *Ungeistlichen* haften? da ja eben der geistliche Stand vorzüglich und offenbar so viele gute Vorurteile zum Besten des menschlichen Geschlechts *für* sich hatte und sie durch Wohltaten, die ihm nie gnug verdankt werden können, sehr nützlich erprobte. Wäre nun wohl ein leidiges Eroberungs- und Kriegssystem, auf einen Troß barbarischer Lehnleute gegründet, das zum Glück der Welt in Europa größtenteils gar nicht mehr existieret, wäre dies ein festerer Felsen gegen die Fluten der Zeit als ein Kirchensystem, das dem Anschein, großenteils auch der Tat nach zur Beruhigung und Bildung der Gemüter, zur Ruhe der Völker, mithin zum eigentlichen und edelsten Zweck der Humanität mit unsäglicher Kunst und einer jahrtausendlangen Mühe gegründet war? Daß wir im fünften, neunten, eilften Jahrhunderte nicht mehr leben, ist gewiß; daß die damals mächtigen Vasallen nicht mehr die unsrigen sind, ist erwiesen; daß das alte Lehn- und Eroberungssystem in unsere Zeiten nicht passe, ist klar; daß das Recht des Bluts weder Geschick zu den wichtigern Geschäften noch mehrere Treue und Redlichkeit gebe, ist durch Geschichte und Erfahrung leider zu sehr erprobet; warum denn wollen wir unsre Augen dem Mittage nebst allem, was um uns her ist und geschieht, verschließen im Wahn, als lebten wir wirklich noch in den Zeiten der Befehdungen, der Hunnen- und Kreuzzüge? Alles, was in der Menschheit Großes, Gutes und Edles ist, arbeitet darauf, daß diese Zeiten nie mehr wiederkommen sollen und können, und wir wollten glauben, daß das alte Gerüst dieser Zeiten, neu getüncht und bemalet, von ewiger Natur sei? Nur *ein* Stand existiert im Staate, *Volk* (nicht Pöbel), zu ihm gehört der König sowohl als der Bauer, jeder auf seiner Stelle, in dem ihm bestimmten Kreise. Die Natur schafft edle, große, weise Männer, Erziehung und Geschäfte bilden sie aus; diese sind von Gott und dem Staat geordnete Vorsteher und Führer des Volks (Aristodemokraten). Jede andre Anwendung und Teilung dieses vortrefflichen Namens ist und bleibe ewig ein Schimpfwort.

1 (lat.) Staat im Staate.

Daß nun diese unwiderlegbare Begriffe immer mehr zum Wort kommen, immer klarer und heller gesagt werden, daß einsehende Fürsten sie selbst anerkennen und ihnen, soweit ihre Hand reicht, Anwendung geben, daß der zurückgedrängte oder gar noch unterdrückte Teil der menschlichen Gesellschaft immer lauter und lauter ruft: Wir leben am Ende des achtzehnten, nicht mehr im eilften Jahrhundert! das ist freilich *Stimme der Zeit*, des alten und neuen Kalenders[1]. Ich wüßte auch nicht, wer diesen Genius der Lüge strafen oder den Almanach widerlegen könnte. – Gnug für mich! ein andrer meiner Freunde schreibe weiter.

11.

Ich ergreife die Feder und schreibe fort. In einem weitern Gesichtskreise, als den mein Freund nahm, wird, dünkt mich, die Sache noch klärer.

Die Natur sorgt fürs Ganze und verwandelt die Teile; sie zieht die Kette der Geschlechter und läßt die Individuen fallen; so allein besteht ihre immer wechselnde und immer dauernde Haushaltung. Wie sie anders bestehen könne, davon ist uns im ganzen Kreise der Dinge kein Fall gegeben.

Die enge Haushaltung der Menschen kann nicht anders als diesem allwaltenden Gesetz der Natur folgen. Der Jüngling und die Jungfrau weihen sich dem Altar der Ehe, Eltern dem Wohl ihrer Kinder, der Mann seinem Geschäft, einzelne Klassen von Geschäften dem Staate; jeder bringt sein Individuum mit hinein und läßt es zum Wohl des Ganzen hinsinken – wer ist dieses Ganze? Das Individuum eines Königes ist's nicht; auch *er* ist ein Diener des Staats in seiner hohen glänzenden Sphäre. *Ein Teil des Menschengeschlechts ist's, in eine gewisse Gestalt organisiert, mit einem Namen bezeichnet.* Da es nun am Namen nicht liegt, so muß die *Gestalt des Ganzen organisiert* sein oder nach dem unabänderlichen Gange der Natur sich immer mehr organisieren. Was als Individuum, als Stand, für sich allein, andern zum Nachteil figurieren wollte, muß der Analogie der Natur zufolge früher oder später untergehn; nur als ein mitwirkendes, lebendiges Glied im Staate kann's fortdauern. Im großen Gange der Zeit werden ihm seine breiten Ecken notwendig abgerieben, seine leeren Höhlen gefüllt;

1 Der Julianische bzw. der Gregorianische Kalender; in Rußland galt noch der im Datum damals um elf Tage zurückgebliebene Julianische Kalender.

das Individuum und Geschlecht muß sich zum Ganzen fügen. Man verfolge die Geschichte; und die Fortschritte der Natur hierin werden unverkennbar. Je mehr Menschen in Gemeinschaft zusammenwirken, je mehr sich die Masse ihrer Verstandeskräfte, ihrer Erfindung und Wirksamkeit mehrt, desto größer wird der Nenner, desto kleiner für jeden einzelnen der Zähler; der Exponent ihrer Verhältnisse[1] aber ist eine feste Naturregel.

Und unstreitig gewinnt dadurch, daß alle Glieder des Ganzen belebt werden, nicht nur das Ganze, das ja nur in seinen Gliedern lebet, sondern am Ende jeder einzelne Teil selbst. Was hilft dem Könige eine willkürliche Gewalt? Eine gesetzlose Gewalt ist das Abscheulichste unter der Sonne, eine Schmach für den, der sie hat, weil er damit aller Moralität, allem wahren Verdienst entsaget. Ist's denn in aller Welt Ehre, seinen Namen ewig gemißbraucht und kompromittiert zu sehen? da ja kein absoluter Landesherr wissen kann, was *in seinem Namen* geschieht, ja nicht immer, was er selbst unterzeichnet. Welcher ehrliche Mann gibt nun seinen Namen einem Dummkopf oder Bösewicht her, daß er damit schalte, und deckt nicht der Name des Landesherrn in absoluten Staaten das ganze Labyrinth seelenloser oder verdorbener Gänge und Unordnung? Ohne gesetzmäßige Aufopfrung sein selbst kann dies Labyrinth auch der einsehendste und billigste Fürst nicht zerstören; er müßte es wieder durch Machtsprüche tun, und das Übel würde ärger. Eigne Verantwortlichkeit muß also die ganze Kette der Glieder des Staats durchlaufen; oder an die Glieder, die über der Verantwortung sind, hängt sich alle Unordnung des Staates. Für jeden Mann von Ehre ist's die höchste Beruhigung, zu wissen, daß, was er tun sollte, er mit Einsicht und Treue getan habe; ein absoluter Fürst, der despotisch für sich oder durch andre handelt, kann dies nie wissen, noch je sich dieser Beruhigung freuen. Er schläft auf sinkendem Meeresschlamm und weiß nie, wie tief er jeden Augenblick sinke. Schon die Bestimmung, einst ein absoluter Fürst zu sein, und die damit notwendig verbundene Art der Erziehung macht die dazu bestimmten Subjekte meistens aufs ganze Leben hin zu den unglücklichsten Geschöpfen.

Nur durch freie Konkurrenz mit andern lernen wir unsre Kräfte kennen und gebrauchen; nur in werktätiger, gegenseitiger Gemeinschaft lebt und gedeihet das Menschengeschlecht. Alle abgesonderte Glieder sind tote Glieder; wen Geburt oder Stand über die Sphäre der Menschen heben, hat kein Menschenblut mehr, hat Götterblut

1 des Verhältnisses des Ganzen zu dem Einen.

(Ichor) in seinen Adern. Heil also dem Gange der Menschheit, daß sie großen Gesetzen der Natur nach in allen ihren Teilen gesunde Menschen zu schaffen strebet! Die Bürde jedes einzelnen wird vermindert, indem sie sich unter mehrere verteilet; nichts als eine leere Personalität ist verschwunden.

Es war eine Zeit, da einzelne Männer vor den Riß treten mußten, und in jeder großen Gefahr findet sich diese Zeit wieder. Daß man alsdann aber nicht durchs Erbrecht oder durch ein Pergament zu einer so seltnen, großen Individualität von Gott und der Natur bestimmt werde, ist aus der Geschichte klar; und wann, auch nach dem seltensten Verdienst, das große Individuum fortan sich einbildete, daß es auf ewige Zeiten hinab in seiner ganzen Abkunft, samt Dienern, Rossen und Hunden, dies ehemalige Verdienst repräsentiere, darstelle und in sich vereine, so wäre dies eine seltsame Einbildung. Wir müssen es dem Geist der Zeit danken, daß er diese kranken und kränkenden Einbildungen mehr und mehr zerstöret, dergestalt zerstöret, daß, solange es in Europa verständige und herzhafte Männer gibt, solche in alter Art und Kunst nie wieder aufkommen werden. Vielmehr geht alles dahin, daß jedes Rad in der Maschine das Seinige tue und *ein* lebendiger Geist sowohl Haupt als Glieder belebe. – Hier lege auch ich die Feder nieder; wer will, schreibe weiter.

14.

Gerne geben wir Ihnen, mein Freund, den größesten Teil Ihrer Klagen über die Zeit zu; aber was folgt daraus? Sollen wir nur klagen, die Hände in den Schoß legen, verzweifeln? Oder sollen wir behutsam ans Steuer, mutig ans Ruder greifen, nach dem Kompaß und Himmel fleißig sehen und, *wo* wir auf dem Meer treiben, auf unsrer Zeitenkarte wenigstens richtig *zeichnen*? Der Zeit zuviel, der Zeit zuwenig zutrauen, beides ist nicht weise.

Daß es auch zu unsrer Zeit edle, aufopfernde Seelen gebe, diesen Glauben soll mir selbst der Tod nicht rauben; denn ich habe ihn während meines Lebens in der Erfahrung erprobet. Daß diese Großmut aber, wie alles andre, die Farbe der Zeiten tragen müsse, kann uns nicht unerwartet sein. Weil wir so gar viel bedürfen, sind wir von gar viel Fesseln gebunden; und daß diese drückende Fesseln wenigstens der Großmut entnommen oder doch ihr loser gemacht werden möchten: wer wünscht dies mehr als die *Humanität* selbst? Der Erfüllung ihres Wunsches kann sie auch fast nicht ungewiß sein, da die Natur der Dinge das nämliche zu fodern scheinet; denn ginge bei ungeänderter alter Verfassung der neue Wert neuer Erfordernisse ins Unermeßliche fort: wo blieben Familien? wo blieben die meisten Stände und Ämter, ohne die doch der Staat, wie er jetzt ist, nicht sein kann? Daß auf dies traurige Mißverhältnis seit Jahrhunderten fast keine Rücksicht genommen worden, wollen wir bedauren – nicht aber die darunter Leidenden deshalb verachten und verhöhnen. Alle Unbilligkeit straft in der Folge sich selbst; auch diese hat sich gestraft und wird sich strafen; eben aber in dieser Verwesung sehe ich den *Keim zu etwas Besserm und Neuen.* Wenn jeder fühlt, er könne in seinem Verhältnis der allgemein leidenden Menschheit nicht zu Hülfe kommen, so müssen diese Verhältnisse geändert werden; denn sie sind doch immer nur der Einschlag zum Gewebe, nur das Gefäß zu dem darin aufbewahrten und zirkulierenden Saft der Menschengüte und Menschengröße. Findet sich alsdenn, wie es sich so oft findet, daß das Salz, das den ganzen Körper würzen soll, abgeschmackt und tumm[1] ist – wozu ist's, selbst nach dem Evangelium, nütz, als daß man es hinauswerfe und lasse es die Leute zertreten? An ihm geht nichts verloren; durch seinen Verlust aber wird das Ganze gerettet und erhalten.

Auch darüber wollen wir uns also nicht wundern, daß gewisse alte Äste der Verfassung zu unsrer Zeit nicht soviel Kultur mehr erhalten als ehmals: Man fühlt, daß sie dürre Äste sind, und wünscht junge Sprossen an ihre Stelle. So ist's mit dem geistlichen, selbst dem wissenschaftlichen und manchem andern Stande. Lasset uns die beklagen, die als fruchtbare Augen eben zu jetziger Zeit auf dieser dürren Stelle stehn; lasset uns aber auch den Geist des Zeitalters nicht verwünschen, wenn er die Dürre ihres Standes bemerkt und eine neue Einimpfung wünschet. Auf denen ruhe das Unheil, die diese Äste und Zweige also verdorren ließen, die ihnen selbst den Saft entzogen! Auch dafür werden sie mit einer strengen Strafe büßen. Die Verachtung der Wissenschaften, der Landesreligion, aller Institute zur bessern Erziehung und Beschäftigung, zur Genesung und rechtlichen Beschützung der Menschen, rächet sich fürchterlich an ihren Verächtern, weil eben in dieser Gattung versäumter Pflichten sich das unterdrückte Geschrei am lautesten zum Himmel erhebet. Glauben Sie, daß der Adel, daß die katholische oder akatholische Klerisei sich selbst dadurch wehe gnug getan

1 dumm, dumpf.

haben oder noch tun, wenn sie die Wissenschaften verachten. Es ist lächerlich, wenn einige in diesen Ständen glaubten, daß *sie* die Wissenschaft ehrten, falls sie über das ABC zu kommen sich bemühten, da sie sich darüber äußerst hätten freuen sollen, wenn eben in ihrem Kreise die Wissenschaft *ihre* Barbarei aufklärte. Zu unsrer Zeit glaubt niemand mehr, daß die Geburt gelehrt, edel, geschickt oder verdient mache; ein wahrer Phrygier[1] ist der, der warten will, bis mit Spott und Verachtung dieser Nichtglaube ihm in die Hand kommt.

Was Sie, mein Freund, vom Veralten der Stände sagen, ist auch meine Meinung; mein Glaube ist aber auch, daß im großen Gange der Natur aus dem Alten etwas Neues werde, solange im Alten irgend noch etwas Brauchbares zu finden ist. Freilich ist auch der Spruch des Evangeliums wahr: *„Ein neues Stück auf einen alten Lappen geflickt, macht den Riß nur ärger. Neuen Most fasse man in neue Schläuche, so werden sie beide erhalten.“* Um so vorsichtiger müssen wir also in der jetzigen Krise urteilen und handeln. Daß jetzt manches Edle nicht geschieht, beweiset eben, daß es geschehen werde, jetzt aber zu seinem Werden die Zeit noch nicht da sei.

Die kränklichen Philosophen verschonen Sie mir ja auch – ist nicht der kränkliche Teil des Körpers am meisten der Witterung empfindlich? Der Hygrometer muß zart, das Quecksilber muß in einer engen gläsernen Röhre verschlossen sein, damit sie, was sie anzeigen sollen, anzeigen.

Welch ein Unglücksprophet sind Sie aber, daß Sie das barbarische Kriegs- und Eroberungssystem für die einzige, unverrückbare Base[2] aller Staaten Europas halten! Wenn das ist, so gehe zum Frieden der Menschheit das unglückselige Europa unter. Hat es nicht lange gnug sich selbst und die Welt beunruhigt? nicht lange gnug der Religion oder der Familiensukzession wegen unsinnige Kriege geführet? triefen nicht alle Weltteile vom Blut derer, die es erschlug, vom Schweiß derer, die es als Sklaven quälte? Auf den Tafeln der Natur stehet das große Gesetz der Billigkeit und Wiedervergeltung geschrieben: *„Es mache gut, was es böse gemacht hat, oder es büße durch seine eignen Verbrechen und Laster.“* Ich hoffe das erste. Es wird gut machen, was es böse gemacht hat; die klare Vernunft, selbst das Gesetz des Kalküls, des Einmaleins, wirket dahin, gesetzt, daß wir die Stimme der Billigkeit auch nicht hören wollten. Die Torheit der Kriege, sowohl der Religions- und

1 Den Phrygiern wurde in der Antike Dummheit und Trägheit nachgesagt. – 2 Basis.

Sukzessions- als der Handels- und Ministerkriege, wird offenbar werden, und ist es schon jetzt; schuldlose, fleißige Völker werden für die Pflicht und Ehre danken, andre schuldlose, ruhige, fleißige Völker zu würgen, weil der Regent oder sein Minister verlockt ist, einen neuen Titel, ein Stück Landes zu denen Ländern, die er schon nicht regieren kann, mehr zu erhalten. Es wird Europa abscheulich vorkommen, für einige Familien, die das Regierungsgeschäft der Länder als einen genealogischen Pachtbesitz ansehen, sich zu verbluten oder in Hospitälern und Kasernen elend zu verwelken. Regenten selbst werden erleuchtet werden, die Torheit darin anzuerkennen und über eine Anzahl fleißiger Bürger lieber herrschen zu wollen als über ein Heer einander mordender Tiere; denn wenn außer dem Menschengeschlecht, das *sich selbst* regieren soll, es in der Natur eine Gattung von Geschöpfen gäbe, die nicht Hungers, sondern der Kunst oder des Spaßes wegen auf Befehl sich selbst aufriebe – was würden wir vom Urheber der Natur gedenken? Lassen Sie mich also glauben, mein Freund, daß das tolle, wütige Eroberungssystem die Grundverfassung Europas nicht sei, wenigstens nicht sein dörfe und auch nicht ewig sein werde. Speremus atque amemus.[1]

17.

Für mich will ich es nicht leugnen, daß unter allen Merkwürdigkeiten unsres Zeitalters die Französische Revolution mir beinah als die wichtigste erschienen ist und meinen Geist oft mehr beschäftiget, selbst beunruhiget hat, als mir selbst lieb war. Oft wünschte ich sogar, diese Zeiten nicht erlebt zu haben und ihre zweifelhaften Folgen den Meinigen nicht nachlassen zu dörfen; mit hüpfender, kindischer Freude nahm ich an ihr nie teil. Indessen tröstete mich der Gedanke, daß wir unter *einer höheren Haushaltung* leben, die auch aus dem Bösen das Gute, oft aus dem Schlimmsten das Beste zu ihrer Zeit zu bereiten weiß.

Also zum Grunde gesetzt, daß seit Einführung des Christentums und seit Einrichtung der Barbaren in Europa[2] außer der Wiederauflebung der Wissenschaften und der Reformation meines Wissens sich nichts ereignet hat, das diesem Ereignis an Merkwürdigkeit und Folgen gleich wäre (die Kreuzzüge und der Dreißigjährige Krieg stehen wahrscheinlich hinter demselben), so bringt es die *Natur der Sache* mit sich, darüber zu denken und die Folgen davon

1 (lat.) Laßt uns hoffen und lieben. – 2 seit der Völkerwanderung (ab 375).

vernünftig zu überlegen. Diese Macht kann uns niemand nehmen, als der sie uns gegeben hat: Gott; seiner weiseren Leitung durch Tatenerfolge und durch Menschengedanken unterwirft sich gern jede forschende Mutmaßung. Aus Menschenseelen und menschlichen Gesprächen aber kann dies große Zeitenereignis auf keine Weise ausgestrichen oder ausgeschlossen werden, da es ja im Buch Gottes, der großen Weltgeschichte, und selbst in den Zeitungen unverkennbar dastehet.

Und warum dörften wir Deutsche es auch ausschließen wollen, da ja, wie Sie selbst, mein Freund, bemerken, der deutsche und französische Nationalcharakter voneinander so verschieden sind wie die bisherigen Verfassungen und Schicksale beider Nationen. Ist es wahr, daß Deutschland nie unter Übeln gelitten hat, die Frankreich so lange gutwillig ertrug, ist's wahr, daß seine tausend Regierungen so gerecht, billig, gütig, menschenfreundlich sind, wie die französische nach dem allgemeinen Bekenntnis aller Nationen es nicht war? Welcher Regent in Deutschland dörfte fürchten und zweifeln? Der Zweifel selbst wäre eine Beleidigung der Nation, die sich durch gutwillige Treue und fast blinden Gehorsam gegen ihre Landesherren seit Jahrtausenden in der Geschichte bemerkbar gemacht hat, daher auch Deutschland selbst vom päpstlichen Hofe mit dem Ehrennamen eines *Landes des Gehorsams* vorzüglich benannt und diesem Namen gemäß behandelt wurde. –

Die Sprache drückt den Charakter einer Nation aus; welche Sprachen in Europa sind von verschiedenerm Gehalt und Genius als die französische und deutsche? Die feinsten Wendungen der ersten, die Gestalt ihrer eigentümlichsten Produkte kann ohne völlige Umwandlung in unsrer Sprache nicht dargestellt werden; ein großer Teil ihrer Abstraktionen und Deklamationen[1], ihr ganzer Persiflage[2] bleibt ihr eigen; dagegen auch die Produkte des *deutschen* Geistes, der *deutschen* Kraft entweder ganz unübersetzbar sind oder eine neue Zubereitung nötig haben, um dem französischen Gaum gefällig zu werden. Wie wenig z. B. schlug das französische Trauerspiel in Deutschland an! wie entsetzlich verdeutscht erscheint ihre Komödie auf unsern Bühnen! – Und die Behandlung öffentlicher Geschäfte in Kabinetts-, Rechts-, Kirchen-, Polizei- und Finanzsachen, wie anders ist sie im größeren Teil von Deutschland gegen die ehemalige französische Behandlungsweise! Dem bedächtigen, gewissenhaften, wir wollen nicht sagen, langsamen und trägen Charakter der Deutschen geschähe gewiß kein Gefalle,

1 Begriffe und Redewendungen. – 2 Hier: Spottlust, Ironie.

wenn er zu Behandlung gerichtlicher oder politischer Geschäfte nach neuer französischer Art und Kunst gezwungen und in das drückendere Joch der Volksherrschaft zahlloser Munizipalitäten[1] gesteckt würde. Dazu ist er weder vorbereitet, noch hat er dazu Gewandtheit, Lust und Zeit, von allen diesen Seiten ist also nichts zu fürchten. Wir können der Französischen Revolution wie einem Schiffbruch auf offnem, fremden Meer vom sichern Ufer herab zusehen, falls unser böser Genius uns nicht selbst wider Willen ins Meer stürzte.

Und da gewähret uns der Anblick allerdings so interessante Betrachtungen, als während meines Lebens mir irgendein Vorfall gewährte. Die *rechtliche* Seite des Streits gebe ich ganz auf, über die mag das Schicksal entscheiden; denn *wir* kennen den Zustand der Sache an beiden Teilen im Innern doch nicht; wir können keine Zeugen prüfen und abhören, und am Ende gehört der ganze Handel gar nicht vor unsern Richtstuhl. Auch über *historische* Veranlassungen und Umstände kann die Zeit allein Auskunft geben. Uns bleiben also nur die *Grundsätze* übrig, nach denen gehandelt oder zu handeln vorgegeben wird und die jetzt mit der ganzen Kraft einer Nation, der zahlreichsten Nation Europas, in Übung gesetzt werden sollen. Da kommt natürlicherweise zur lautesten Sprache, was sonst nie oder nur sehr still und leise als Zweifel, als frommer politischer Wunsch oder gar nur als Spekulation des Philosophen gleichsam zum Seufzer kam. In einer Versammlung von mehr als tausend großenteils erlesenen Köpfen, vorm Ohr des ganzen Europa, in der bekanntesten, geläufigsten, blühendsten Sprache werden Aufgaben, Sachen, Zweifel behandelt, die nichts Geringeres als die Einrichtung der ganzen Nation, ihre völlige Organisation und Wiedergeburt von Grund aus betreffen, mithin die interessantesten für alle Völker Europas, ja in Folgen fürs ganze menschliche Geschlecht sind, sofern dies von Europa aus berührt oder regiert wird.

Je verdorbner die französische Nation sein mag, desto interessanter werden diese Bemühungen; denn welche unsrer Nationen wäre es, die an der französischen Verderbnis nicht Anteil genommen hätte? Da ja, zumal in Deutschland, seit Ludwigs XIV. Zeiten, fast auch der kleinste Regent sich Mühe gegeben, ein *Souverän wie Ludwig XIV. zu sein und seinen Hof nach französischer Weise zu gestalten.* Der hohe Adel folgte dem Beispiele nach, schämte sich, fernerhin ein deutscher Adel zu sein, und ließ die deutsche als

1 Gemeinden.

eine wendische Sprache[1] seinen *gebornen Knechten*, den Bürgerlichen und Sklaven. Wie nun? Hätten die Höfe, hätte der Adel so gar umsonst das Französische gelernt? Hätte er's so lange umsonst *parlieret*? Er folgte ja sonst, mit tiefer Verachtung der deutschen Nation, der französischen Mode in Begriffen, Ausdruck, Einrichtung und Kleidern; warum wollte er jetzt diese aufgeklärteste, geschmackvolleste Nation in der wichtigsten Sache, die sie je unternahm, denn nicht wenigstens anhören und prüfen? Die Konstitution, an der die Nationalversammlung arbeitet[2], ist ein unaufgelösetes, ein noch nicht vorgekommenes Problem; mögen die, die es auflösen wollen, ihrem Geschäft unterliegen, oder mögen sie es besiegen, *der* Kampf, *der* Sieg, selbst die Niederlage unter dem verwickeltsten, schwersten Problem der Menschheit, ist für alles, was nicht Tier sein will, doch wohl der Aufmerksamkeit wert? Und da die Vorsehung uns diese Szene selbst vor Augen stellt, da sie solche nach langen Zubereitungen in unsre Zeiten fallen ließ, daß wir sie sehen, daß wir an ihr lernen *sollen*; wer wollte an ihr nicht lernen und Gott danken, daß sie außer unsern Grenzen geschieht, daß wir an ihr, falls uns, wie gesagt, ein böser Genius nicht freventlich hineinstürzte, nur als an einer Zeitungssage Anteil nehmen dörfen? Da bleibt es uns erlaubt, unsern deutschen gesunden Verstand zusammenzuhalten, alles prüfend zu sehen, das Gute vernünftig zu nützen, gerecht und billig das Verwerfliche zu verwerfen.

So sehe ich die Sache an, mein Freund, und Ihre meisten Fragen sind dadurch an meinem Teile beantwortet. Wer es strenger nehmen will, der zeige seinen Beruf dazu auf, daß er als kompetenter Richter zu Entscheidung der Sache gesetzliche Vollmacht habe. Meines Wissens ist kein Deutscher ein geborner Franzose, der Verpflichtung und Beruf habe, für die alte Ehre des Königs der Franzosen auch nur einen Atem zu verlieren. Kein Deutscher ist Franzose, um, wenn diese ihren alten Königsstuhl, den ältsten in Europa, nach mehr als einem Jahrtausend säubern wollen (welches längst die Reinlichkeit erfordert hätte), den Geruch davon mitzutragen oder ihn in persona und corpore[3] zu säubern hätte. Einem deutschen Fürsten wird dies nie einfallen wollen; und die französischen princes, ducs, marquis et nobles[4] würden sich mit dem spöt-

1 Im 18. Jahrhundert hielt man die slawischen Sprachen für ungeeignet, anspruchsvolle Gedanken auszudrücken. – 2 Der französische Nationalkonvent beriet im September 1792 über eine neue Verfassung, die an die Stelle der 1789 verkündeten, noch die Gewaltenteilung bestätigenden Konstitution treten sollte. – 3 (lat.) persönlich und in Gemeinschaft. – 4 Französische Adelstitel.

tischsten Hohn freuen, wenn ein deutscher Prinz, Herzog, Fürst und Markgraf sich für ihresgleichen erkennete und sie der Sache ihres Vaterlandes halben in Schutz nähme. Die Franzosen haben Deutschland seit Jahrhunderten nie anders als Schaden gebracht; sie haben viel zu vergüten, da sie wider und für das östreichische Haus[1] sich lange dran versündigt haben. Keine Schlange muß es also sein, die uns die Rose bringt. Wir wollen an und von Frankreich lernen; nie aber und bis zur letzten großen Nationalversammlung der Welt am Jüngsten Tage wird Deutschland ein Frankreich werden wollen und werden.

18.

Die Probleme, die ich mir aus der ungeheuren Revolution Frankreichs ruhig und in Frieden abziehe, auf deren Auflösung oder Nichtauflösung ich, ohne Parteigeist und Zank, mit banger und froher Sehnsucht warte, sind:

1. Welches ist die *bessere Verfassung*, die sich Frankreich gibt und zu geben vermag? Ist's eine gemäßigte Monarchie (ein zweifelhafter Name!)? oder muß es wider Willen, so sehr es dem alten Wahne nach am vorigen Namen hängt, zur Republik, d. i. *dem jedermann gemeinsamen Wesen*, zurückgebracht werden? Je früher dies geschieht, desto besser dünkt mich's; denn nur Despotismus oder gemeines Wesen[2] sind die beiden Endpunkte, die Pole, um welche sich die Kugel drehet; gemäßigte Monarchie ist bloß das unregelmäßige Wanken von einem zum andern Pole.

2. *Kann dieses Gemeinwesen*, der gewöhnlichen Theorie zuwider, *auch in einem so großen Bezirk von Ländern und ehemaligen Provinzen, als Frankreich ist, stattfinden?* Machen Berge und Täler, alte Gewohnheiten und Vorrechte hierin keinen Unterschied? Wird dies Problem aufgelöset, und sämtliche Teile der Republik finden sich dabei wohl, so ist praktisch ein großer Schritt in der Spekulation über die Verwaltung der Staaten geschehen; es ist ein neuer, höherer Kanon gegeben, als der seit Aristoteles[3] anerkannt worden. Ich sehe auch nicht, warum er nicht existieren könnte, da die größesten Reiche unter der elendesten Verfassung, dem Despotismus, oder, was noch ärger ist, dem Aristokrat-Despotismus lange, obwohl unglücklich, existiert haben.

1 Das Herrscherhaus der Habsburger. – 2 Hier: Demokratie. – 3 In seiner „Politik“ hält Aristoteles für den „durchschnittlich besten Staat“ eine Verfassung für nützlich, die den breiten Mittelschichten das Hauptgewicht zuteilt.

3. *Wiefern vermag Frankreich sich hierüber mit andern Staaten Europas abzufinden?* indem es, leider! nicht in Amerika liegt noch wie Britannien vom Meere begrenzt ist. Wird Europa ohne Feindseligkeit und Blutvergießen es aus seiner sogenannten Waagschale, die eben nicht die Waagschale des Rechts, sondern der Eroberungssucht und alter Familienrechte ist, fallenlassen? Zwar hat dem Könige von Frankreich nie jemand sein Reich oder die Usurpationen desselben verbürgt, auch nicht verbürgen können und dürfen; auch hat der König deshalb niemanden anrufen können und mögen, weil er sich keiner Garantie deshalb bewußt war, um so mehr ist's aber zu erwarten, daß die Politik Europas, kraft der fruchtbaren Dichtung eines Gleichgewichts, das nie existiert hat noch ohne Sklaverei und Lähmung existieren kann und wird, etwas dergleichen erfinde und Frankreich seinen alten, völlig eigenmächtigen Königsstuhl zu säubern weigre.

Was dürfte aber aus dieser sonderbaren, höchst angespannten Krise, da fremde Hausherren ohne Recht und Vollmacht sich in die Verwaltung eines ihnen fremden Hauses mischen, dessen Überläufer und Verräter beherbergen und rüsten, zu unsern Zeiten werden?

4. *Wie würde sich Frankreich seinen Grundsätzen nach, nach welchen es dem Eroberungssystem entsagt hat, bei erfolgtem Widerstande nehmen*[1]? Je großmütiger, fester und edler, desto besser. Es gäbe damit das erste Beispiel eines gerechten und billigen Krieges, über dessen Verwaltung sich seine eigne Konstitution zum Unterpfande und Wächter gemacht hat.

5. *Wie wird es seine gesetzgebende, gerichtliche und ausübende Gewalt verteilen?* Notwendig müßte die Vernunft, Billigkeit und Ordnung eine augenscheinliche, daurende Übermacht erhalten, wenn in einem so großen Reich eine solche Verteilung ohne Despotismus bestehen könnte. Ein gewaltiger Schritt in der Anordnung der Dinge unter dem Gesetz einer gemeinsamen Ordnung! Damit er gemacht oder versucht werden könne, müßten wir wünschen, daß keine fremde Macht sich in das freie Experiment einer eignen Nation, die es an sich selbst versucht, mische oder durch voreilige Weisheit und Zwischenkunft es störe.

6. *Keine Nation, die ein politisches Ganze konstituiert, kann ohne Auflagen sein; wie werden diese gerecht verteilt, wie aufs schonendste erhoben werden?* Wird das ekonomistische[2] System, gegen welches mit dem größesten Anschein viele Zweifel erhoben sind, bestehen? oder wird es auch in Frankreich Änderung leiden?

1 benehmen. – 2 ökonomisches.

Wird Frankreich dadurch als Handelsstaat sinken oder steigen? wie und worin wird's gewinnen, indem es als solcher sinkt und steiget? – In Deutschland können wir die Auflösung dieser Fragen mit großer Ruhe erwarten, da die wenigsten unsrer Länder eigentliche Handelsstaaten und unsre Auflagen, Erwerb und Produkte ganz andrer Art sind, als die in Frankreich gewesen. Nur die *reinste Theorie* kann für uns dienen, und diese wird weder durch Zank ausgemacht noch in zwei Jahren erprobet.

7. *Wie wird es Frankreich in Ansehung des Kultus halten*? und was werden die Folgen dieser neuen Einrichtung der Dinge sein? Wir leben nicht mehr im sechzehnten Jahrhunderte, und wie unter Heinrich VIII. in England reformiert ward, kann jetzt nicht mehr reformiert werden. Desto besser, je ursprünglicher und tiefer die Sache betrieben wird, für andre ein desto lehrreicheres Unternehmen. Man hat lange gestritten, ob Unglaube oder Aberglaube bösere Folgen gebe; in so vielen Zeiten und Ländern hat die Gottheit schändliche Abgöttereien, den frevelhaftesten Aberglauben geduldet; ihr also können wir's auch ruhig überlassen, ob sie einen europäischen Sineserstaat[1], eine Gattung Konfuzius-Religion dulden werde. Wir Protestanten wollen für die verfallenen Altäre, die säkularisierten Nonnenklöster, die eidbrüchigen Priester keine Kreuzzüge tun; oder der Papst sowohl als die hohe Klerisei der Franzosen würde über uns lachen, daß wir rächen wollen, was wir selbst getan haben und in dessen Besitz wir uns forterhalten. Prüfend wollen wir diese Reformation mit der, die vor 200 Jahren geschah, vergleichen und uns auch hieraus das Beste merken.

8. *Die Literatur* endlich: lasset uns nicht glauben, daß in drei oder vier, in sechs oder sieben Jahren Frankreich ein unliterarisches Affenland, ein Grönland oder Siberien werde. Vor vielen, ja den meisten Ländern Europas, die doch auch poliziert[2] heißen wollen, hat es so entschiedne Vorschritte voraus; seine Sprache ist auch im Munde des gemeinen Volks so fein und gebildet; es sind so viele Begriffe der Philosophie, des sittlichen Anstandes und selbst des zarten Geschmacks allen Klassen der Nation seit einem Jahrhunderte zu einem so festen, gewohnten Besitz worden, daß es wahrlich eine unnötige Furcht ist, dies alles möchte durch drei oder vier Jahre verdränget werden. Überdem hörte ja auch bis jetzt der Gebrauch der Kultur und Literatur nichts weniger als auf; ebendiese werden bei allen Klassen des Volks in Bewegung gesetzt und an den wichtigsten Gegenständen des menschlichen Wissens jetzt

1 Staat nach Art der Chinesen. – 2 Hier: zivilisiert.

mächtig geübet. Unter großem Elende ist also wenigstens eine allgemeine Schule der Vernunft- und Redekunst der ganzen Nation praktisch eröffnet worden; wer sprechen kann, spricht und wird von Europa gehört. Kinder und Jünglinge empfangen diesen Eindruck, und die zweite Generation wird gewiß weiter sein, als die erste war. Die Buchdruckerei feiert nicht, und Männer von entschiednem Wert in Betreibung der Wissenschaften sind mit andern jetzt an der Spitze der Geschäfte. In ruhigern Zeiten werden sie zu ihren Musen wiederkehren, nachdem sie in stürmischen Zeiten den Göttern des Vaterlandes gefahrvolle Opfer gebracht haben. Lassen Sie die alte Schönrednerei auf Kanzeln und Richterstühlen, in Akademien und auf der tragischen Bühne sterben; mich dünkt, wir haben alle Meisterstücke, deren diese Gattungen fähig waren, schon in Händen, und manche Gattung hatte sich bereits selbst überlebet. Eine neue Ordnung der Dinge fängt jetzt auch in diesen Künsten an; Wort werde Tat, die Tat gebe Worte. Was nun stehe oder sinke, was verwese oder wiedergeboren werde? – Die Auflösung dieses Problems kann uns nicht anders als heilsam und lehrreich sein; denn wir Deutsche leben ja nicht einzig und allein von Frankreichs literarischen Produkten. Nur mische sich kein fremder Schiedsrichter in diesen einheimischen Streit, und keine Gefahr bedrohe oder zerstöre die alten Sitze und Heiligtümer der französischen Muse. Unter allen neueren Sprachen Europas war sie die erste, die dem rohen Weltteil feinere Vernunft, Witz, Geschmack, Artigkeit verlieh; selbst Italiens Sprache ging sie hierin vor, und in allen Wissenschaften, den schwersten und nutzbarsten sowohl als den gefälligen und leichten, hat Frankreich unsterbliche Verdienste. Wie Alexander in dem eroberten Thebe Pindars Haus schonte, wie alle wilde Barbaren, die Hunnen nicht ausgenommen, die alte Herrlichkeit Roms scheuend verehrten, so vergesse auch im wütendsten Aufstande niemand der Glorie alter Zeiten, oder sein eigner Name würde dadurch auf eine schreckliche Weise unsterblich.

Ich stimme also meinem Freunde M. bei, daß jeder, der sich rein fühlet, auch über dies alles ruhig urteilen könne und werde. Kein Inquisitionsgericht ist schimpflicher als ein Gericht über Meinungen von *historischen Dingen*, die unser Urteil nicht ändern kann, deren rechte Gestalt wir kaum wissen, deren Ausgang wir noch zu erwarten haben, in einem fremden Lande. Mir ist selbst kein Negerkönig bekannt, der sich einer solchen Inquisition angemaßet hätte. Wir, mein Freund, wollen, wie wir's bisher getan haben, uns aller Zeitungsklätschereien über einzelne Begebenheiten enthalten und auf die *Grundsätze und Folgen der Dinge*, aus welchem Lande sie uns auch zukommen mögen, desto unparteiischer merken. Die Menschheit ist älter und größer als Frankreich; sie wird genannt werden, wenn von der Ephemere dieser Revolution nicht mehr die Rede sein wird.

24.

Ihr Brief, mein Freund, über den Kreisgang des Menschengeschlechts und daß es mit seinem Fortgange nur Wahn und Traum sei, hätte mich fast betrübet, wenn ich nicht beim zweiten Lesen desselben im Grunde Sie mit uns übereinstimmend und die erregten Zweifel als bloße Mißverständnisse bemerkt hätte.

Soll und kann der Mensch mehr als Mensch, ein Über-, ein Außermensch werden? Das soll und kann er nicht; das hoffet und wünschet von uns niemand. Nur aber Mensch soll er sein; in allen Gliedern des Geschlechts soll *Menschlichkeit (Humanität)* anerkannt werden, wirken und leben. Dies Ziel liegt so wenig außer seiner Sphäre, daß es vielmehr *seine Art, das Gesetz seiner Natur* ist, auf welches Vernunft, Wille, Bedürfnis ihn hinweisen, selbst Neigungen und Leidenschaften ihn ziehen müssen, oder die äußerste Not wird ihn dahin beugen. – Verschwindet Ihnen nicht schon bei dieser kurzen Erläuterung der Streitfrage eine Menge Zweifel? Ich hoffe, nach Ende meines Briefes soll sie Ihnen gar nicht mehr als Streitfrage erscheinen.

Vollkommenheit einer Sache kann nichts anders sein, als daß ein Ding sei, was es sein kann und soll; mithin ist die Vollkommenheit eines einzelnen Menschen die, daß er im Kontinuum seiner Existenz er selbst sei und werde, daß er seine Kräfte als Stammgut betrachte und damit wuchere, daß er sie als Saat aussäe, damit er und andre davon Früchte ernten. Sich allein kann er nicht leben, wenn er auch wollte; die Fertigkeiten, die er sich erwirbt, die Tugenden, die er ausübt, kommen in einem kleinern oder größern Kreise, nah oder fern, auch andern zugute. In seiner Familie, im Staat in Völkern und Geschlechtern, die mit seinem Volk in Verhältnis stehen oder auch nur der Sprache nach verwandt sind, bleibt das hinterlassene Gut seines einzelnen Daseins einem größern Teil des Geschlechtes. Wenn er rückwärts geht, wenn er stirbt, treten andre mit jungen Kräften an seine Stelle; sie fangen eine frische Laufbahn an, damit sie ihr Dasein gleichfalls dem Ganzen vermachen und für sich freilich nichts ins Grab nehmen als die Beruhigung, daß sie mehr oder minder ihre Pflicht, Mensch zu sein, erfüllt haben. Diese Pflicht ist fortgehend für das Ganze und von immer wachsenden Folgen. Durch Übung vermehren sich die Kräfte teils einzelner, teils mehrerer mit- und nacheinander. Sie schaffen sich immer mehrere und bessere Werkzeuge; sie lernen sich einander selbst immer mehr und besser als Werkzeug gebrauchen. Die Macht der Menschheit nimmt also zu, wenn auch die physischen Kräfte einzelner Menschen dieselbe blieben. Der Ball des Fortzutreibenden wird größer, die Maschinen, die es forttreiben, ausgearbeiteter, zusammengesetzter, mächtiger, schneller.

Wird aber auch die *Selbstbestimmung* des Menschen vernünftiger, redlicher, besser? Mich dünkt, dieses müsse sie werden, sosehr sich die *brutale* Natur unsres Geschlechts dagegen sträube und wehre. Eine vernunftlose, blinde Macht ist zuletzt immer eine ohnmächtige Macht; der Verstand, stärker als sie, zwingt sie am Ende doch, Regel anzunehmen und sich der Ordnung zu unterwerfen. Nun ist der wahre Verstand immer auch mit Güte verbunden; er führet auf sie, sie führet auf ihn; Verstand und Güte sind die zwei Pole, an deren gemeinschaftlichen Achse sich die Kugel der Humanität umherdrehet. Beide scheinen einander entgegengesetzt; sie wirken aber auf- und zueinander, so daß eine ohne die andre nicht sein kann. Der Politik nach wird der Mensch als Mittel gebraucht; in der Moral ist er Zweck; beide Wissenschaften müssen mehr und mehr ineinandergreifen, weil sie sonst ewig unvollkommen nur gegeneinander wirken. *Wer nicht mit mir ist, ist wider mich*, heißt es im Reich der reinen, allumfassenden Wahrheit.

Dahin, des bin ich überzeugt, müssen und werden alle Triebfedern der Natur, selbst die widrigsten, wirken; der Mensch muß immer mehr in seine Sphäre beengt, auf seinen Mittelpunkt zurückgestoßen werden, damit er diesen klar erkenne und würdiger gebrauche. Alle Hoffnungen, die jenseit des Grabes liegen, so aufmunternd, stärkend und tröstend sie, recht verstanden, der menschlichen Natur sind, so feindlich und schädlich werden sie ihr, wenn sie uns diesseit des Grabes reine und redliche Vernunft, Ausübung der Billigkeit und wahren Herzensgüte, rechten Gebrauch unseres jetzigen Daseins rauben. Hier auf Erden wollte Christus ein Reich Gottes führen; er wies es nicht in den Himmel, und worauf gründete er's als auf allgemeine, echte Humanität und Menschengüte? Wer also seine Religion annimmt, muß auch eine mögliche Verbesserung [des] Menschengeschlechts annehmen und zu ihr im Sinne des Stifters nicht anders als auf und durch *Humanität* wirken. Denn einen lieblichern Namen kannte Christus für sich nicht, als daß er sich den Menschensohn, d. i. den Menschen, nannte.

Jeden redlichen Menschen führet die Gottheit selbst dahin, daß er dem großen Gesetz der Humanität gehorchen lerne. Er muß immer mehr ablegen und seine selbstische Neigungen dämpfen lernen; dadurch wird das Licht seiner Augen heller, er wird freier, wirksamer ins Größere, edler – kurz, er wird Mensch. Jedem hat die Vorsehung eigne Anlagen, eigne Situationen und eine Seite des Herzens gegeben, das Schwache, Mangelhafte, Gedrückte der menschlichen Natur in dieser oder jener Lage besonders und charakteristisch zu fühlen; er hat also die Pflicht, sich ihrer von dieser Seite anzunehmen, und, wenn es ihm gelang, eine ihm selbst fühlbarste Freude. So arbeiten die verschiedensten Tätigkeiten an *einem* Bau; so wirken die verschiedensten Neigungen und Kräfte zu einem fortgehenden, sich immer stärker und allgemeiner fortbreitenden Besten. Wir, mein Freund, wollen also die Hand nicht in den Schoß legen und an den Hefen unsres Brudergeschlechts verzweifeln; es gäret zu einem heilsamen Tranke. Hebet eure Augen auf: allenthalben ist die Saat gesäet, hier verweset und keimt sie noch, dort wächset sie; der großen Naturordnung nach muß endlich die Zeit kommen, daß sie reife.

Auch die Übel, die dem menschlichen Geschlecht begegnen, Freunde, auch sie sind gut, ja einstweilen noch notwendig. Regen, Stürme und Ungewitter machen das Feld fruchtbar; der Schnee decket die Saat, und wenn hie und da Hagel und Schloßen die Halme zerschlagen – andre Gegenden, und vielleicht in kurzem diese Gegend selbst, blü[hen] desto reicher und schöner. Agamus atque speremus.[1]

AUS: BRIEFE ZU BEFÖRDERUNG DER HUMANITÄT

25.

Alle Ihre Fragen über den Fortgang unsres Geschlechts, die eigentlich ein Buch erforderten, beantwortet, wie mich dünkt, ein einziges Wort: *Humanität, Menschheit.* Wäre die Frage, ob der Mensch mehr als Mensch, ein Über-, ein Außermensch werden

1 (lat.) Laßt uns handeln und hoffen.

könne und solle, so wäre jede Zeile zuviel, die man deshalb schriebe. Nun aber, da nur von den *Gesetzen seiner Natur, vom unauslöschlichen Charakter seiner Art und Gattung* die Rede ist, so erlauben Sie, daß ich sogar einige Paragraphen schreibe.

Über den Charakter der Menschheit

1.

Vollkommenheit einer Sache kann nichts sein, als daß das Ding sei, was es sein soll und kann.

2.

Vollkommenheit eines *einzelnen* Menschen ist also, daß er im Kontinuum seiner Existenz *er* selbst sei und werde, daß er die Kräfte brauche, die die Natur ihm als Stammgut gegeben hat, daß er damit für sich und andre wuchere.

3.

Erhaltung, Leben und *Gesundheit* ist der Grund dieser Kräfte; was diesen Grund schwächet oder wegnimmt, was Menschen hinopfert oder verstümmelt, es habe Namen, wie es wolle, ist unmenschlich.

4.

Mit dem Leben des Menschen fängt seine *Erziehung* an; denn Kräfte und Glieder bringt er zwar auf die Welt, aber den Gebrauch dieser Kräfte und Glieder, ihre Anwendung, ihre Entwicklung muß er lernen. Ein Zustand der Gesellschaft also, der die Erziehung vernachlässigt oder auf falsche Wege lenkt oder diese falschen Wege begünstigt oder endlich die Erziehung der Menschen schwer und unmöglich macht, ist insofern ein unmenschlicher Zustand. Er beraubt sich selbst seiner Glieder und des Besten, das an ihnen ist, des Gebrauchs ihrer Kräfte. Wozu hätten sich Menschen vereinigt, als daß sie dadurch vollkommenere, bessere, glücklichere Menschen würden?

5.

Unförmliche also oder *schiefausgebildete* Menschen zeigen mit ihrer traurigen Existenz nichts weiter, als daß sie in einer unglücklichen Gesellschaft von Kindheit auf lebten; denn Mensch zu werden, dazu bringt jeder Anlage gnug mit sich.

6.

Sich allein kann kein Mensch leben, wenn er auch wollte. Die Fertigkeiten, die er sich erwirbt, die Tugenden oder Laster, die er ausübt, kommen in einem kleinern oder größeren Kreise *andern* zu Leid oder zur Freude.

7.

Die gegenseitig wohltätigste Einwirkung eines Menschen auf den andern jedem Individuum zu verschaffen und zu erleichtern, nur dies kann der *Zweck aller menschlicher Vereinigung* sein. Was ihn stört, hindert oder aufhebt, ist unmenschlich. Lebe der Mensch kurz oder lange, in diesem oder jenem Stande, er soll seine Existenz genießen und das Beste davon andern mitteilen; dazu soll ihm die Gesellschaft, zu der er sich vereinigt hat, helfen.

8.

Gehet ein Mensch von hinnen, so nimmt er nichts als das Bewußtsein mit sich, seiner Pflicht, Mensch zu sein, mehr oder minder ein Gnüge getan zu haben. Alles andre bleibt hinter ihm, den *Menschen.* Der Gebrauch seiner Fähigkeiten, alle Zinsen des Kapitals seiner Kräfte, die das ihm geliehene Stammgut oft hoch übersteigen, fallen *seinem Geschlecht* anheim.

9.

An seine Stelle treten junge, rüstige Menschen, die mit diesen Gütern *forthandeln*; sie treten ab, und es kommen andre an ihre Stelle. Menschen sterben, aber die Menschheit perenniert unsterblich. Ihr Hauptgut, der Gebrauch ihrer Kräfte, die Ausbildung ihrer Fähigkeiten, ist ein gemeines, bleibendes Gut und muß natürlicherweise im fortgehenden Gebrauch *fortwachsen.*

10.

Durch Übung *vermehren* sich die Kräfte, nicht nur bei einzelnen, sondern ungeheuer mehr bei vielen nach- und miteinander. Die Menschen schaffen sich immer mehrere und bessere Werkzeuge; sie lernen sich selbst einander immer mehr und besser als Werkzeuge gebrauchen. *Die physische Gewalt der Menschheit* nimmt also zu: der Ball des Fortzutreibenden wird größer; die Maschinen, die es forttreiben sollen, werden ausgearbeiteter, künstlicher, geschickter, feiner.

11.

Denn die Natur des Menschen ist *Kunst*[1]. Alles, wozu eine Anlage in seinem Dasein ist, kann und muß mit der Zeit Kunst werden.

12.

Alle *Gegenstände*, die in seinem Reich liegen (und dies ist so groß als die Erde), laden ihn dazu ein; sie können und werden von ihm, nicht ihrem Wesen nach, sondern nur zu seinem Gebrauch erforscht, gekannt, angewandt werden. Niemand ist, der ihm hierin Grenzen setzen könne, selbst der Tod nicht; denn das Menschengeschlecht verjünget sich mit immer neuen Ansichten der Dinge, mit immer jungen Kräften.

13.

Unendlich sind die Verbindungen, in welche die Gegenstände der Natur gebracht werden können; der Geist der Erfindungen zum Gebrauch derselben ist also *unbeschränkt* und *fortschreitend.* Eine Erfindung weckt die andre auf; eine Tätigkeit erweckt die andre. Oft sind mit *einer* Entdeckung tausend andre und zehntausend auf sie gegründete, neue Tätigkeiten gegeben.

14.

Nur stelle man sich die *Linie dieses Fortganges* nicht gerade noch einförmig, sondern nach allen Richtungen, in allen möglichen Wendungen und Winkeln vor. Weder die Asymptote noch die Ellipse

1 Durch Übung gewonnenes Können, Kunstfertigkeit.

und Zykloide mögen den Lauf der Natur uns vormalen. Jetzt fallen die Menschen begierig über einen Gegenstand her; jetzt verlassen sie ihn mitten im Werk, entweder seiner müde oder weil ein andrer, neuerer Gegenstand sie zu sich hinreißt. Wenn dieser ihnen alt geworden ist, werden sie zu jenem zurückkehren, oder dieser wird sie gar auf jenen zurückleiten. Denn für den Menschen ist alles in der Natur verbunden, eben weil der Mensch nur Mensch ist und allein mit *seinen* Organen die Natur siehet und gebrauchet.

15.

Hieraus entspringt ein *Wettkampf* menschlicher Kräfte, der immer *vermehrt* werden muß, je mehr die Sphäre des Erkenntnisses und der Übung zunimmt. Elemente und Nationen kommen in Verbindung, die sich sonst nicht zu kennen schienen; je härter sie in den Kampf geraten, desto mehr reiben sich ihre Seiten allmählich gegeneinander ab, und es entstehen endlich gemeinschaftliche Produktionen mehrerer Völker.

16.

Ein *Konflikt aller Völker* unsrer Erde ist gar wohl zu gedenken; der Grund dazu ist sogar schon geleget.

17.

Daß zu diesen Operationen die Natur viel Zeit, mancherlei Umwandlungen bedarf, ist nicht zu verwundern; ihr ist keine Zeit zu lang, keine Bewegung zu verflochten. *Alles*, was geschehen kann und soll, mag nur in *aller* Zeit wie im *ganzen* Raum der Dinge zustande gebracht werden; was heute nicht wird, weil es nicht geschehen kann, erfolgt morgen.

18.

Der Mensch ist zwar das erste, aber nicht das einzige Geschöpf der Erde; er beherrscht die Welt, ist aber nicht das Universum. Also *stehen ihm oft die Elemente der Natur entgegen*, daher er mit ihnen kämpfet. Das Feuer zerstört seine Werke; Überschwemmungen bedecken sein Land; Stürme zertrümmern seine Schiffe, und Krankheiten morden sein Geschlecht. Alles dies ist ihm in den Weg gelegt, *damit er's überwinde.*

19.

Er hat dazu die Waffen *in sich.* Seine Klugheit hat Tiere bezwungen und gebraucht sie zu seiner Absicht; seine Vorsicht setzt dem Feuer Grenzen und zwingt den Sturm, ihm zu dienen. Den Fluten setzt er Wälle entgegen und geht auf ihren Wogen daher; den Krankheiten und dem verheerenden Tode selbst sucht und weiß er zu steuren. Zu seinen *besten Gütern* ist der Mensch durch *Unfälle* gelangt, und tausend Entdeckungen wären ihm verborgen geblieben, hätte sie die Not nicht erfunden. Sie ist das Gewicht an der Uhr, das alle Räder derselben treibet.

20.

Ein Gleiches ist's mit den Stürmen in unsrer Brust, den *Leidenschaften der Menschen.* Die Natur hat die Charaktere unseres Geschlechts so verschieden gemacht, als diese irgend nur sein konnten; denn alles Innere soll in der Menschheit herausgekehrt, alle ihre Kräfte sollen entwickelt werden.

21.

Wie es unter den Tieren *zerstörende* und *erhaltende Gattungen* gibt, so unter den Menschen. Nur unter jenen und diesen sind die zerstörenden Leidenschaften die *wenigern*; sie können und müssen von den erhaltenden Neigungen unsrer Natur eingeschränkt und bezwungen, zwar nicht ausgetilgt, aber unter eine Regel gebracht werden.

22.

Diese Regel ist *Vernunft*, bei Handlungen *Billigkeit und Güte.* Eine vernunftlose, blinde Macht ist zuletzt immer eine ohnmächtige Macht; entweder zerstört sie sich selbst oder muß am Ende dem Verstande dienen.

23.

Desgleichen ist der wahre Verstand immer auch mit *Billigkeit und Güte* verbunden; sie führet auf ihn, er führet auf sie. Verstand und Güte sind die beiden Pole, um deren Achse sich die Kugel der Humanität beweget.

24.

Wo sie einander entgegengesetzt scheinen, da ist's mit einer oder dem andern nicht richtig; eben *diese Divergenz* aber macht *Fehler sichtbar* und bringt den Kalkül des Interesse unsres Geschlechts immer mehr zur Richtigkeit und Bestimmtheit. Jeder feinere Fehler gibt eine *neue, höhere Regel der reinen allumfassenden Güte und Wahrheit.*

25.

Alle Laster und Fehler unsres Geschlechts müssen also *dem Ganzen endlich zum Besten* gereichen. Alles Elend, das aus Vorurteilen, Trägheit und Unwissenheit entspringt, kann den Menschen seine Sphäre nur mehr kennen lehren; alle Ausschweifungen rechts und links stoßen ihn am Ende auf seinen Mittelpunkt zurück.

26.

Je unwilliger, hartnäckiger, träger das Menschengeschlecht ist, desto mehr tut es sich selbst Schaden; diesen Schaden muß es tragen, büßen und entgelten; desto später kommt's zum Ziele.

27.

Dies Ziel ausschließend *jenseit* des Grabes setzen ist dem Menschengeschlecht nicht förderlich, sondern schädlich. Dort kann nur wachsen, was hier gepflanzt ist, und einem Menschen sein hiesiges Dasein rauben, um ihn mit einem andern außer unsrer Welt zu belohnen, heißt, den Menschen um sein Dasein betrügen.

28.

Ja, dem ganzen menschlichen Geschlecht, das also verführt wird, seinen Endpunkt der Wirkung verrücken heißt, ihm den Stachel seiner Wirksamkeit aus der Hand drehn und es im Schwindel erhalten.

29.

Je reiner eine *Religion* war, desto mehr mußte und wollte sie die Humanität befördern. Dies ist der Prüfstein selbst der Mythologie der verschiednen Religionen.

30.

Die *Religion Christi*, die *er* selbst hatte, lehrte und übte, war die *Humanität* selbst. Nichts anders als sie; sie aber auch im weitsten Inbegriff, in der reinsten Quelle, in der wirksamsten Anwendung. Christus kannte für sich keinen edleren Namen, als daß er sich den *Menschensohn*, d. i. einen Menschen, nannte.

31.

Je besser ein Staat ist, desto angelegentlicher und glücklicher wird in ihm die *Humanität gepfleget*, je inhumaner, desto unglücklicher und ärger. Dies geht durch alle Glieder und Verbindungen desselben von der Hütte an bis zum Throne.

32.

Der Politik ist der Mensch ein *Mittel*; der Moral ist er *Zweck*. Beide Wissenschaften müssen *eins* werden, oder sie sind schädlich widereinander. Alle dabei erscheinende Disparaten indes müssen die Menschen belehren, damit sie wenigstens durch eigenen Schaden klug werden.

33.

Wie jeden aufmerksamen *einzelnen* Menschen das Gesetz der Natur zur Humanität führet – seine rauhen Ecken werden ihm abgestoßen, er muß sich überwinden, andern nachgeben und seine Kräfte zum Besten andrer gebrauchen lernen –, so wirken die *verschiedenen Charaktere und Sinnesarten* zum Wohl des größeren Ganzen. Jeder fühlt die Übel der Welt *nach seiner eigenen Lage*; er hat also die Pflicht auf sich, sich ihrer von dieser Seite anzunehmen, dem Mangelhaften, Schwachen, Gedruckten[1] an dem Teil zu Hülfe zu kommen, da es ihm *sein* Verstand und *sein* Herz gebietet. Gelingt's, so hat er dabei in ihm selbst die eigenste Freude; gelingt's jetzt und ihm nicht, so wird's zu anderer Zeit einem andern gelingen. Er aber hat getan, was *er* tun sollte und konnte.

1 Niedergedrückten.

34.

Ist der Staat das, was er sein soll, *das Auge der allgemeinen Vernunft, das Ohr und Herz der allgemeinen Billigkeit und Güte*, so wird er jede dieser Stimmen hören und die Tätigkeit der Menschen nach ihren verschiednen Neigungen, Empfindbarkeiten, Schwächen und Bedürfnissen aufwecken und ermuntern.

35.

Es ist nur *ein Bau*, der fortgeführt werden soll, der simpelste, größeste; er erstrecket sich über alle Jahrhunderte und Nationen; wie physisch, so ist auch moralisch und politisch die *Menschheit im ewigen Fortgange und Streben.*

36.

Die *Perfektibilität* ist also keine Täuschung; sie ist Mittel und Endzweck zu Ausbildung alles dessen, was der Charakter unsres Geschlechts, *Humanität*, verlanget und gewähret.

Hebet eure Augen auf und sehet. Allenthalben ist die Saat gesäet; hier verweset und keimt, dort wächset sie und reift zu einer neuen Aussaat. Dort liegt sie unter Schnee und Eise; getrost! das Eis schmilzt, der Schnee wärmt und decket die Saat. Kein Übel, das der Menschheit begegnet, kann und soll ihr anders als ersprießlich werden. Es läge ja selbst an ihr, wenn es ihr nicht ersprießlich würde; denn auch Laster, Fehler und Schwachheiten der Menschen stehen als Naturbegebenheiten unter Regeln und sind, oder sie können berechnet werden. Das ist mein Credo. Speremus atque agamus.[1]

27.

Sie fürchten, daß man dem Wort Humanität einen Fleck anhängen werde; könnten wir nicht das Wort ändern? *Menschheit, Menschlichkeit, Menschenrechte, Menschenpflichten, Menschenwürde, Menschenliebe?*

Menschen sind wir allesamt und tragen sofern die *Menschheit* an uns, oder wir gehören zur *Menschheit.* Leider aber hat man in

1 (lat.) Laßt uns hoffen und handeln.

unserer Sprache dem Wort *Mensch* und noch mehr dem barmherzigen Wort *Menschlichkeit* so oft eine Nebenbedeutung von Niedrigkeit, Schwäche und falschem Mitleid angehängt, daß man jenes nur mit einem Blick der Verachtung, dies mit einem Achselzucken zu begleiten gewohnt ist. *„Der Mensch!"* sagen wir jammernd oder verachtend und glauben einen guten Mann aufs lindeste mit dem Ausdruck zu entschuldigen, „es habe ihn die *Menschlichkeit* übereilet". Kein Vernünftiger billigt es, daß man den Charakter des Geschlechts, zu dem wir gehören, so barbarisch hinabgesetzt hat; man hat hiemit unweiser gehandelt, als wenn man den Namen seiner Stadt oder Landsmannschaft zum Ekelnamen machte. Wir also wollen uns hüten, daß wir zu Beförderung solcher *Menschlichkeit* keine Briefe schreiben.

Der Name *Menschenrechte* kann ohne *Menschenpflichten* nicht genannt werden; beide beziehen sich aufeinander, und für beide suchen wir *ein* Wort.

So auch *Menschenwürde* und *Menschenliebe.* Das Menschengeschlecht, wie es jetzt ist und wahrscheinlich lange noch sein wird, hat seinem größesten Teil nach keine Würde; man darf es eher bemitleiden als verehren. Es soll aber zum *Charakter seines Geschlechts*, mithin auch zu dessen *Wert* und *Würde* gebildet werden. Das schöne Wort *Menschenliebe* ist so trivial worden, daß man meistens die Menschen liebt, um keinen unter den Menschen wirksam zu lieben. Alle diese Worte enthalten Teilbegriffe unseres Zwecks, den wir gern mit *einem* Ausdruck bezeichnen möchten.

Also wollen wir bei dem Wort *Humanität* bleiben, an welches unter Alten und Neuern die besten Schriftsteller so würdige Begriffe geknüpft haben. Humanität ist der *Charakter unsres Geschlechts*; er ist uns aber nur in Anlagen angeboren und muß uns eigentlich angebildet werden. Wir bringen ihn nicht fertig auf die Welt mit; auf der Welt aber soll er das Ziel unsres Bestrebens, die Summe unsrer Übungen, unser *Wert* sein; denn eine *Angelität*[1] im Menschen kennen wir nicht, und wenn der Dämon, der uns regiert, kein humaner Dämon ist, werden wir Plagegeister der Menschen. Das *Göttliche* in unserm Geschlecht ist also *Bildung zur Humanität*; alle großen und guten Menschen, Gesetzgeber, Erfinder, Philosophen, Dichter, Künstler, jeder edle Mensch in seinem Stande, bei der Erziehung seiner Kinder, bei der Beobachtung seiner Pflichten, durch Beispiel, Werk, Institut und Lehre hat dazu mitgeholfen. Humanität ist der Schatz und die Ausbeute aller menschlichen Be-

1 Engelhaftigkeit.

mühungen, gleichsam die *Kunst unsres Geschlechtes.* Die Bildung zu ihr ist ein Werk, das unablässig fortgesetzt werden muß, oder wir sinken, höhere und niedere Stände, zur rohen Tierheit, zur *Brutalität* zurück.

Sollte das Wort Humanität also unsre Sprache verunzieren? Alle gebildete Nationen haben es in ihre Mundart aufgenommen; und wenn unsre Briefe einem Fremden in die Hand kämen, müßten sie ihm wenigstens unverfänglich scheinen; denn *Briefe zu Beförderung der Brutalität* wird doch kein ehrliebender Mensch wollen geschrieben haben.

32.

Aus Ihren Briefen, meine Freunde, ziehe ich mir folgendes:

1. Das weiche Mitgefühl mit den Schwächen unsres Geschlechts, das wir gewöhnlicherweise *Menschlichkeit* nennen, macht die ganze Humanität nicht aus. Zu rechter Zeit, am rechten Ort ziert es den Menschen allerdings, da Sympathie in reinem Verstande, d. i. eine lebhafte, schnelle Versetzung in den Zustand des Fehlenden, Irrenden, Leidenden, Gequälten, der zarteste Kitt der Vereinigung ähnlicher Geschöpfe und unter Menschen das lindeste Band ihrer Verbindung ist. Nichts stößt mehr zurück als gefühllose, stolze Härte. Ein Betragen, als ob man höheren Stammes und ganz andrer oder gar eigner Art sei, erbittert jeden und ziehet dem Übermenschen das unvermeidliche Übel zu, daß sein Herz ungebrochen, leer und ungebildet bleibt, daß jedermann zuletzt ihn hasset oder verachtet.

So notwendig indessen eine menschliche *Lindigkeit und Milde* gegen die Fehler und Leiden unsrer Nebengeschöpfe bleibt, so muß sie doch, wenn sie zu weich und ausschließend wird, den Charakter erschlaffen und kann eben dadurch die härteste Grausamkeit werden. Ohne Gerechtigkeit bestehet Billigkeit nicht; eine *Nachsicht* ohne *Einsicht* der Schwächen und Fehler ist eine Verzärtelung, die eiternde Wunden mit Rosen bedeckt und eben dadurch Schmerzen und Gefahr mehrt.

2. Auch ist Humanität Ihnen nicht bloß jene leichte *Geselligkeit,* ein sanftes *Zuvorkommen im Umgange,* so viel Reize dies auch dem täglichen Leben gewähret. Vielmehr ist sie, subjektiv betrachtet,

3. ein *Gefühl der menschlichen Natur in ihrer Stärke und Schwäche, in Mängeln und Vollkommenheiten, nicht ohne Tätig-*

keit, nicht ohne Einsicht. Was zum Charakter unsres Geschlechts gehört, jede mögliche Ausbildung und Vervollkommnung desselben, dies ist das Objekt, das der humane Mann vor sich hat, wornach er strebet, wozu er wirket. Da unser Geschlecht selbst aus sich machen muß, was aus ihm werden kann und soll, so darf keiner, der zu ihm gehört, dabei müßig bleiben. Er muß am Wohl und Weh des Ganzen teilnehmen und seinen Teil Vernunft, sein Pensum Tätigkeit mit gutem Willen dem Genius seines Geschlechts opfern.

4. Zum Besten der gesamten Menschheit kann niemand beitragen, der nicht *aus sich selbst macht, was aus ihm werden kann und soll*; jeder also muß den Garten der Humanität zuerst auf dem Beet, wo er als Baum grünet oder als Blume blühet, pflegen und warten. Wir tragen alle ein Ideal in und mit uns, was *wir* sein sollten und nicht sind; die Schlacken, die wir ablegen, die Form, die wir erlangen sollen, kennen wir alle. Und da, was wir werden sollen, wir nicht anders als durch uns und andre, von ihnen erlangend, auf sie wirkend, werden können, so wird notwendig unsre Humanität mit der Humanität andrer *eins* und unser ganzes Leben eine Schule, ein Übungsplatz derselben. „*Was wahrhaftig, was ehrbar, was gerecht, was keusch, was lieblich ist, was wohllautet, ist etwa eine Tugend, ist etwa ein Lob, dessen befleißigt euch*", sagt selbst ein Apostel.

5. Alle Einrichtungen der Menschen, alle Wissenschaften und Künste können, wenn sie rechter Art sind, keinen andern Zweck haben, als uns zu *humanisieren*, d. i. den Unmenschen oder Halbmenschen zum Menschen zu machen und unserm Geschlecht zuerst in kleinen Teilen die Form zu geben, die die Vernunft billigt, die Pflicht fodert, nach der unser Bedürfnis strebet. Daß die Wissenschaften, die man humaniora[1] nennt, zum leeren Zeitvertreib oder zu eitelm Putz ausgeartet sind, ist ein Mißbrauch, den schon ihr Name strafet. Ursprünglich war dies nicht also. Vollends Künste und Wissenschaften, die den angebornen Stolz, die freche Anmaßung, das blinde Vorurteil, die Unvernunft und Unsittlichkeit stärken, verschleiern, schmücken, beschönen, sollte man *brutalisierende* Künste und Wissenschaften nennen, wert, von Sklaven getrieben zu werden, damit auf ihnen die menschliche Tierheit ruhe.

Es freuet mich, daß Sie den Dichter, der den unmenschlichen Achill besang[2], aus der Reihe *humanisierender Weisen* nicht aus-

1 (lat.) die menschlicheren, gebildeteren. – 2 Homer, der Dichter der Ilias, deren Grundmotiv der Zorn des Helden Achilleus ist.

schließen wollen; das Theater der Alten und ihre Gesetzgebung wird davon gewiß auch nicht ausgeschlossen sein. Das Gemüt läutert, hebet und stärkt sich durch die Betrachtung: „Wir sind Menschen. Nichts mehr, aber auch nichts Minderes, als dieser Name saget."

119.

Meine große *Friedensfrau* hat nur einen Namen: sie heißt *allgemeine Billigkeit, Menschlichkeit, tätige Vernunft.*

Ich habe ein sehr sinnreiches Manuskript[1] gelesen, in dem der Menschengeschichte folgende Sätze zum Grunde lagen: 1. Menschen sterben, um Menschen Platz zu machen. 2. Und da ihrer weniger sterben, als geboren werden, so macht die Natur durch gewaltsame Mittel Raum. 3. Dahin gehören nicht nur Pest, Mißwachs, Erdbeben, Erdrevolutionen, sondern auch Völkerrevolutionen, Verwüstungen, Kriege. 4. Wie eine Tierart die andre vermindert, so setzt das Menschengeschlecht sich selbst in Proportion und wehrt der Überzahl. 5. Es gibt in ihm also *erhaltende* und *zerstörende* Charaktere. –

Schreckliches System, das uns vor unsrem eignen Geschlecht Schauder und Furcht einjagt, indem wir nach ihm jedem ins Angesicht, auf seinen Gang und auf seine Hände sehen müssen, ob er ein fleisch- oder grasfressendes Tier sei, ob er einen *erhaltenden* oder *zerstörenden* Charakter an sich trage. Gewiß hat uns die Natur an Mitteln nicht entblößt, uns vor dieser *zerstörenden* Gattung unseres eignen Geschlechts zu sichern; nur sie gab uns diese Mittel als Waffen nicht in die Hände, sondern in Kopf und Herz. Die *allgemeine Menschenvernunft und Billigkeit* ist die Matrone, die Öl und Arznei am Arm, die einen Fruchtstengel in der Hand trägt, nicht etwa nur als Symbole, sondern als die still wirkenden Mittel, wo nicht zu einem ewigen Frieden, so gewiß doch zu einer allmählichen Verminderung der Kriege. Lassen Sie mich, da wir hier auf des ehrlichen St.-Pierre Wege geraten, auch seiner Methode uns nicht schämen und die große *Friedensfrau* (pax sempiterna[2]) mit festen Grundsätzen in ihr Amt weisen. Sie ist dazu da, ihrem Namen und ihrer Natur nach *Friedensgesinnungen* einzuflößen.

1 Die „Ideen" des mit Herder befreundeten Johann August von Einsiedel (1754–1837). – 2 (lat.) ewiger Frieden.

Erste Gesinnung

Abscheu gegen den Krieg

Der Krieg, wo er nicht erzwungene Selbstverteidigung, sondern ein toller Angriff auf eine ruhige, benachbarte Nation ist, ist ein unmenschliches, ärger als tierisches Beginnen, indem er nicht nur der Nation, die er angreift, unschuldigerweise Mord und Verwüstung drohet, sondern auch die Nation, die ihn führet, ebenso unverdient als schrecklich hinopfert. Kann es einen abscheulichern Anblick für ein höheres Wesen geben als zwei einander gegenüberstehende Menschenheere, die unbeleidigt einander morden? Und das Gefolge des Krieges, schrecklicher als er selbst, sind Krankheiten, Lazarette, Hunger, Pest, Raub, Gewalttat, Verödung der Länder, Verwilderung der Gemüter, Zerstörung der Familien, Verderb der Sitten auf lange Geschlechter. Alle edle Menschen sollten diese Gesinnung mit warmem Menschengefühl ausbreiten, Väter und Mütter ihre Erfahrungen darüber den Kindern einflößen, damit das fürchterliche Wort Krieg, das man so leicht ausspricht, den Menschen nicht nur verhaßt werde, sondern daß man es mit gleichem Schauder als den St. Veitstanz, Pest, Hungersnot, Erdbeben, den schwarzen Tod[1] zu nennen oder zu schreiben kaum wage.

Zweite Gesinnung

Verminderte Achtung gegen den Heldenruhm

Immer mehr muß sich die Gesinnung verbreiten, daß der ländererobernde *Heldengeist* nicht nur ein Würgengel der Menschheit sei, sondern auch in seinen Talenten lange nicht die Achtung und den Ruhm verdiene, die man ihm aus Tradition von Griechen, Römern und Barbaren her zollet. So viel Gegenwart des Geistes, so viel zusammenfassende Vorsicht und Voraussicht und schnellen Blick er fodern möge, so wird der edelste Held vor und nach der Schlacht nicht nur das Geschäft beweinen, dem er seine Gaben aufopfert, sondern auch gern gestehen, daß, um *Vater eines Volks* zu sein, wenn nicht mehr, so doch edlere Gaben in *fortgehender Bemühung* und ein *Charakter* erfodert werde, ein *Charakter*, der seinen Kampfpreis weder *einem* Tage zu verdanken hat noch ihn mit dem Zufall oder dem blinden Glück teilet. Alle Verständige sollten sich vereinigen, durch echte Kenntnis alter und neuer Zeiten den falschen Schimmer wegzublasen, der um einen Marius, Sulla,

1 Vermutlich die schwarzen Pocken.

Attila, Gengischan, Tamerlan[1] gaukelt, bis endlich jeder gebildeten Seele Gesänge auf sie und auf Lips Tullian[2] gleich heroisch erschienen.

Dritte Gesinnung

Abscheu der falschen Staatskunst

Immer mehr muß sich die *falsche Staatskunst* entlarven, die den Ruhm eines Regenten und das Glück seiner Regierung in Erweiterung der Grenzen, in Erjagung oder Erhaschung fremder Provinzen, in vermehrte Einkünfte, schlaue Unterhandlungen, in willkürliche Macht, List und Betrug setzt. Die Mazarins, Louvois, Du Terrai[3] und ihresgleichen müssen nicht nur im Angesicht des ehrlichen Volks, sondern der Weichlinge selbst, wie sie sind, erscheinen, so daß es wie das Einmaleins klar wird, daß jeder Betrug einer falschen Staatskunst am Ende *sich selbst betrüge.* Die allgemeine Stimme muß über den Wert des bloßen *Staatsranges* und seiner *Zeichen*, selbst über die aufdringendsten Gaukeleien der Eitelkeit, selbst über früh eingesogene Vorurteile siegen. Mich dünkt, man sei im Verachten einiger dieser Dinge jetzt schon weit und vielleicht zu weit fortgeschritten; es kommt darauf an, daß man das Schätzenswerte bei allem, was uns der Staat auflegt, auch redlich und um so höher achte, je mehr es die Menschheit der Menschen fördert.

Vierte Gesinnung

Geläuterter Patriotismus

Der *Patriotismus* muß sich notwendig immer mehr von Schlakken reinigen und läutern. Jede Nation muß es fühlen lernen, daß sie nicht im Auge andrer, nicht im Munde der Nachwelt, sondern nur in sich, in sich selbst groß, schön, edel, reich, wohlgeordnet, tätig und glücklich werde und daß sodann die fremde wie die späte Achtung ihr wie der Schatte dem Körper folge. Mit diesem Gefühl muß sich notwendig Abscheu und Verachtung gegen jedes leere Auslaufen der Ihrigen in fremde Länder, gegen das nutzlose Einmischen in ausländische Händel, gegen jede leere Nachäffung und Teilnehmung verbinden, die unser Geschäft, unsre Pflicht, unsre

1 Feldherren und kriegerische Könige, die sich durch besonders blutige Siege auszeichneten; Gengischan ist Dschingis-Khan. – 2 Anführer einer Räuberbande, der 1715 in Dresden hingerichtet wurde. – 3 Französische Staatsmänner des 17. Jahrhunderts, die eine intrigante, aggressive Außenpolitik betrieben.

Ruhe und Wohlfahrt stören. Lächerlich und verächtlich muß es werden, wenn Einheimische sich über ausländische Angelegenheiten, die sie weder kennen noch verstehen, in denen sie nichts ändern können und die sie gar nicht angehn, sich entzweien, hassen, verfolgen, verschwärzen und verleumden. Wie fremde Banditen und Meuchelmörder müssen die erscheinen, die aus toller Brunst für oder gegen ein fremdes Volk die Ruhe ihrer Mitbrüder untergraben. Man muß lernen, daß man nur auf dem Platz etwas sein kann, auf dem man stehet, wo man etwas sein *soll.*

Fünfte Gesinnung

Gefühl der Billigkeit gegen andre Nationen

Dagegen muß jede Nation allgemach es unangenehm empfinden, wenn eine andre Nation beschimpft und beleidigt wird; es muß allmählich ein *gemeines*[1] *Gefühl* erwachen, daß jede sich an die Stelle jeder andern fühle. Hassen wird man den frechen Übertreter fremder Rechte, den Zerstörer fremder Wohlfahrt, den kecken Beleidiger fremder Sitten und Meinungen, den prahlenden Aufdringer seiner eignen Vorzüge an Völker, die diese nicht begehren. Unter welchem Vorwande jemand über die Grenze tritt, dem Nachbar als einem Sklaven das Haar abzuscheren, ihm seine Götter aufzuzwingen und ihm dafür seine Nationalheiligtümer in Religion, Kunst, Vorstellungsart und Lebensweise zu entwenden, im Herzen *jeder* Nation wird er einen Feind finden, der in seinen eignen Busen blickt und sagt: „Wie, wenn das mir geschähe?" – Wächst dies Gefühl, so wird unvermerkt eine *Allianz aller gebildeten Nationen* gegen jede einzelne anmaßende Macht. Auf diesen stillen Bund ist gewiß früher zu rechnen als nach St. Pierre auf ein förmliches Einverständnis der Kabinette und Höfe. Von diesen darf man keine Vorschritte erwarten; aber auch sie müssen endlich ohne Wissen und wider Willen der *Stimme der Nationen* folgen.

Sechste Gesinnung

Über Handelsanmaßungen

Laut empört sich das menschliche Gefühl gegen freche Anmaßungen im Handel, sobald ihm unschuldige frönende Nationen um einen Gewinn, der ihnen nicht einmal zuteil wird, aufgeopfert wer-

1 gemeinsames, alle angehendes.

den. Handel soll, wenn auch nicht aus den edelsten Trieben, die Menschen *vereinigen*, nicht trennen; er soll sie, wenngleich nicht im edelsten Gewinn, ihr gemeinschaftliches und eigenes Interesse wenigstens als Kinder kennen lehren. Dazu ist das Weltmeer da; dazu wehen die Winde; dazu fließen die Ströme. Sobald *eine* Nation allen andern das Meer verschließen, den Wind nehmen will, ihrer stolzen Habsucht wegen, so muß, je mehr die Einsicht ins *Verhältnis der Völker gegeneinander* zunimmt, der Unmut aller Nationen gegen eine Unterjocherin des freiesten Elements, gegen die Räuberin jedes höchsten Gewinnes, die anmaßende Besitzerin *aller* Schätze und Früchte der Erde erwachen. Ihrem Stolz, ihrer Habsucht zu dienen, wird kein fremder Blutstropfe willig fließen, je mehr der wahre Satz eines vortrefflichen Mannes anerkannt wird, *„daß die Vorteile der handelnden Mächte einander nicht durchkreuzen und daß diese Mächte von einem gegenseitigen allgemeinen Wohlstande und von der Erhaltung eines ununterbrochenen Friedens vielmehr den größten Nutzen haben würden“*.

Siebente Gesinnung

Tätigkeit

Endlich der *Kornstengel* in der Hand der *indischen Frau* ist selbst eine Waffe gegen das Schwert. Je mehr die Menschen Früchte einer nützlichen Tätigkeit kennen und einsehen lernen, daß durchs Kriegsbeil nichts gewonnen, aber viel verheert wird, je mehr die schmähenden Vorurteile von einer mit göttlichem Beruf zum Kriege geborenen Kaste, in der von Vater Kain[1], Nimrod und Og zu Basan[2] an *Heldenblut* fließe, verächtlich und lächerlich werden, desto mehr Ansehen wird der Ährenkranz, der Apfel- und Palmzweig vor dem traurigen Lorbeer[3] erhalten, der neben dunkeln Zypressen[4] wächst und samt Nesseln und Dornen nur Lazerten[5] und Bubonen[6] unter sich liebet.

Die sanfte Verbreitung dieser Grundsätze sind das *Öl* und die *Arznei* der großen Friedensgöttin *Vernunft*, deren Sprache sich endlich niemand entziehen kann. Unvermerkt wirkt die Arznei, sanft fließt das Öl hinunter. Leise tritt sie zu diesem und jenem Volk und spricht in der Sprache der Indianer: „Bruder, Enkel, Vater, hier bringe ich dir ein Bundeszeichen und Öl und Arznei.

1 Der ältere Sohn Adams, der seinen Bruder Abel erschlug. – 2 Gewalttätige Machthaber des Alten Testaments. – 3 Hier: Symbol des Sieges, der in einer Schlacht erkämpft wurde. – 4 Der Totenbaum. – 5 Eidechsen. – 6 Eulen.

Damit will ich deine Augen reinigen, daß sie scharf sehen; ich will damit deine Ohren säubern, daß sie recht hören; ich will deinen Hals glätten, daß meine Worte geschmeidig hinuntergehen; denn ich komme nicht umsonst; ich bringe Worte des Friedens."

Und der Angeredete wird antworten: „Schwester, dieser *String of Wampum*[1] soll dich willkommen heißen. Ich will die Dornen aus deinen Füßen ziehen, die dir etwa möchten hineingefahren sein. Ich will die Müdigkeit, die dich auf der Reise befallen hat, wegschaffen, daß deine Knie wieder stark und mutig werden. Das rote Kriegsbeil und die Keule sollen in die Erde verscharret sein, und über sie wollen wir einen Baum pflanzen, der bis in den Himmel wachse. Solange Sonne und Mond scheinen und auf- und niedergehen, solange die Sterne am Himmel stehen und die Flüsse mit Wasser fließen, soll unsre Freundschaft dauren." –

Wenn, wie ich fast glaube, ein ewiger Friede *förmlich* erst am Jüngsten Tage geschlossen werden wird, so ist dennoch kein Grundsatz, kein Tropfe Öl vergebens, der dazu auch nur in der weitsten Ferne vorbereitet.

DER DEUTSCHE NATIONALRUHM

Eine Epistel

Bist du, Geliebter, noch so neu und jung,
Daß ein Gespenst, der *Nationenruhm*,
Dich äffet und betrübt? O sage mir,
Wo ist denn unsre Nation? Und du,
Ich, er und wir, wir alle, sind wir sie?

„Da", sagst du, „lies im Briefe Winckelmanns,
Des Deutschen, wie der deutsche Reichsbaron
In Rom sich stolz und dumm gebärdet!" – Gut!
So der Baron; das sind gottlob nicht wir.

„Da", sagst du, „lies, wie ein Tanzmeister einst
(Helvétius[2] erzählt's) den Deutschen anfuhr:
‚Ihr ein Engländer, Herr? Das seid Ihr nicht;
Ein deutscher Fürstendiener seid Ihr. Das

1 Ein aus aufgereihten Schneckenhäusern bestehender Schmuck der Indianer; er wurde beim Friedensschluß überreicht. – 2 Die Begebenheit wird in seinem Buch „Vom Geist" (1758) geschildert.

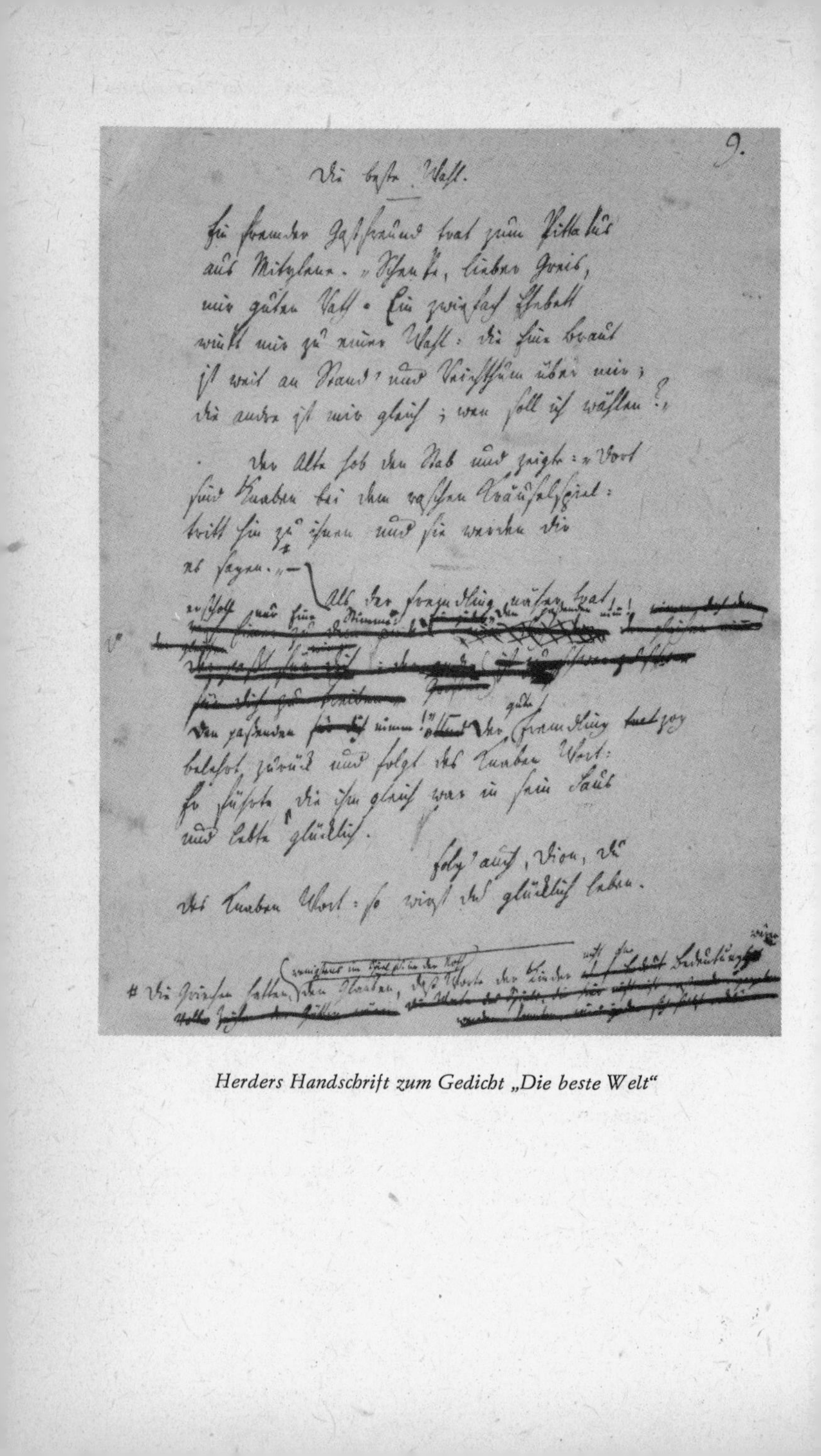

Herders Handschrift zum Gedicht „Die beste Welt“

Seh ich an Eurem Gang, an Eurem Blick!' "
Und jedem Deutschen, der sich in Paris
Für einen kecken, stolzen Briten gibt,
Und jedem Unverschämten in der Zunft
Der Fürstendiener wünsch ich den Marcel[1]. –
Doch was soll uns das?

„Wie? gelüstet nicht
Dem Deutschen stets, der Vorderste zu sein?
Und weil es ihn gelüstet, dünkt er sich
Voran. Ein Shakespeare, Milton, Swift und Young –
O hier ist mehr als Shakespeare, Milton, Young
Und Swift und Thomson! Lies einmal!"

Du tust
Dem Deutschen unrecht. Wenn ein Tor so spricht,
Spricht darum so die deutsche Nation?
Doch wenn ein armer Wicht das Präparat
Von Lieberkühn, von Meckel[2] sieht und murrt
Bescheiden-traurig: „Ach, das könnt ich auch!
Mir fehlet's nur am Besten!" – wolltest du
Den Jüngling tadeln, daß er in sich fühlt,
Was *er* sein könnte und wohl nie sein wird,
Weil's ihm am *Besten* fehlet? – Wolltest du
Den Knaben schelten, der: „Das kann ich auch!"
Mit kühner Freude ruft, indes der Arm
Ihm schwach versaget? Denn er kann noch nicht
Den Bogen spannen. – „Knabe!" rufet ihm
Der Vater zu, „noch sieben Jahre, und
Du spannest ihn; sei wacker! übe dich!"

Wir Deutsche sind der arme Jüngling, wir
Der schwache Knabe. Ach, wir könnten wohl!
Du weißt, woran es liegt; wir können nicht.
Doch nicht verzweifelt! Gibt es Zeit und Glück,
So können wir dereinst.

Sieh rings umher!
Wer sind die Fleißigen, die Künstler in

1 So heißt der zitierte Tanzmeister. – 2 Deutsche Anatomen des 18./19. Jahrhunderts.

Britannien und Rußland, Dänemark
Und Siebenbürgen, Pennsylvanien
Und Peru und Granada? – Deutsche sind's,
Nur nicht in Deutschland. Vor dem Hunger flohn
Sie nach *Saratow*, in die *Tatarei.*

Du sahest *Augsburg, Nürnberg*; blutete
Dein Herz dir nicht, wenn du aus alter Zeit
Die Dürers und Sankt Sebald[1], Sankt Johann[2],
Die alten Drucke, Holz- und Kupferstich'
Und Fensterscheiben und so manche Kunst
Der Nürenberger, der Augsburger sahst
Und dann die hungernd Arbeitseligen
Der jetz'gen Zeit besuchtest[3]? – Lies einmal
Mit Winckelmanns auch Lamberts Briefe, was
In Deutschland die *Erfindung* gilt!

In Rom
Sah ich den Fleißigsten der Deutschen. „Ah,
Il povero Tedesco!“[4] sprach zu mir
Der Römer. „Warum povero?“ – „Warum?
Santa Maria! Dieser junge Mann,
So fleißig (und er lebet fast von nichts!),
Kommt er mit aller seiner Kunst dereinst
Dort über die Gebürge, spricht zu ihm
Sein Landesherr: ‚Ich mag des Zeugs nicht mehr!‘,
So muß er betteln!“ – Ah, il povero! –

Du kennst doch unsern Luther, Freund, und hast
Den armen Bettelbrief gelesen, den
Bald nach dem Tode des großmütigen,
Wohltät'gen Mannes seine Ehefrau,
Die Mutter vieler Kinder, dürftig schrieb?
Wohin? nach Deutschland? Nein, nach Deutschland nicht!
An Seine Majestät von Dänemark[5]
Schrieb sie demütig: Da doch auch *sein* Reich
Lutherisch heiße, möchte gnädigst er

1 Kirche des Schutzpatrons von Nürnberg. – 2 Kirche in Nürnberg aus dem 14. Jahrhundert. – 3 Herder, der 1788/89 Italien besuchte, hatte auf der Hinreise auch Nürnberg und Augsburg kennengelernt. – 4 (ital.) „Ah, der arme Deutsche!“ – 5 Christian III. von Dänemark (1503–1559) hatte in seinem Lande die Reformation durchgesetzt.

Des Luthers armer Witwe und den Kindern
Etwas verleihen. – Und der König tat's.

Du kennst auch Keplers Leben? Lies, o Freund!
Es ist merkwürdig: er verhungerte! –
Dann lies auch Newtons Leben zum Vergleich! –
Willt du noch mehr der Leben?

„Warum schrein
Die Deutschen nicht?" Ja, schrei und schrei und schrei!
Der Wald hat keine Ohren. Kennst du nicht
Das Epigramm: „Dem unglücksel'gen Pan
Ist Echo selbst auch in der Welle stumm!"[1] –

„Und doch sind sie in ihrer Herren Dienst
So *hündisch-treu*! Sie lassen willig sich
Zum Mississippi und Ohiostrom,
Nach Candia[2] und nach dem *Mohrenfels*[3]
Verkaufen. Stirbt der Sklave, streicht der Herr
Den Sold indes, und seine Witwe darbt;
Die Waisen ziehn den Pflug und hungern. – Doch
Das schadet nicht; der Herr braucht einen Schatz."

Grausam genug! Doch sollten darum dann
Die Väter treulos werden? Liegt das Ach
Der Witwen und der Waisen Seufzer, liegt
Des Vaters Leben und *sein* Seufzen dann
Nicht auch in seines Herren Schatz? – Geduld!

„Armselig Volk! *Wie's einer macht, so hat er's!*"
Nicht also, Freund: *„Wie einer ist, so tut er"*,
So heißt's. Der gute Deutsche tue Guts! –
Was sollte Rache? Und was hälfe sie?
Stockprügel und die Kugel vor den Kopf – –
Er lasse Gott es über! –

„Gott! Der hat
Was anderes zu tun, als für den Deutschen
Zu sorgen, der die Sache nicht versteht." –

1 In der griechischen Sage flieht die Nymphe Echo vor dem Hirtengott Pan, der sie mit seiner Liebe verfolgt, sogar aus dem Wasser. – 2 Kreta. – 3 Vermutlich der Tafelberg bei Kapstadt.

So muß sie Gott verstehen! Oh, es flammt
Kein brennender Altar wie dieser! Sieh,
Der Witwen Angstgebet ist Weihrauch; sieh,
Des Vaters und der Waisen Seufzer fachen
Die Glut an. Wie die Flamme steigt! Sie sprüht!
Die Kohlen glühn auf des Verkäufers Haupt. –

„Moral der alten Zeiten! Doch wohin
Sind wir verirrt? Vom *Nationenruhm*
Zu deutschen Negern!“ –

Wohl! der *erste* Ruhm
Der Nation ist *Unschuld*; nie die Hand
Im Blut zu waschen, auch gezwungen es
So zu vergießen als sein eignes Blut. –

Der *zweite* Ruhm ist *Mäßigung*. Es ruft
Der *Hindus* und der *Peruaner* Not,
Die Wut der *Schwarzen* und der *Mexikaner*
Gebratner Montezuma[1] rufen noch
Zum Himmel auf und flehn Entsündigung! –
O glaube, Freund, kein Zeus mit seinem Chor
Der Götter kehrt zu einem Volke, das,
Mit solcher Schuld- und Blut- und Sündenlast
Und Gold- und Demantlast beladen, schmaust!
Er kehrt bei stillen Äthiopiern
Und Deutschen ein, zu ihrem armen Mahl.

Der *dritte* Nationenruhm ist *Weisheit*;
Nicht schlaue Truglist, schöne Worte nicht.
Die Welt mit Worten äffen, ist ein Dunst
Des Dämons, der den Blendenden erstickt.
Wer alle Welt zum Toren hat, ist selbst
Der größte Tor; er spielt die blinde Kuh. –
Aufrichtigkeit ist Weisheit; Billigkeit
Und Rechttun ist Verstand.

1 Nicht der Aztekenkönig Montezuma, sondern sein Nachfolger Guatimozia wurde von den Spaniern nach der Rückeroberung Mexikos 1521 verbrannt.

„Doch du verschweigst
Die Grazien des Lebens. Gilt die *Kunst*,
Witz und *Genie* für nichts?"

Für vieles, Freund,
Doch nicht für alles. Kunst, Genie und Witz
Ist nicht der Nationen einziger
Und höchster Ruhm, es sei denn jene Kunst,
Die Kunst der Künste, *Weisheit*. – Daß ein Narr
Mit *angeborner* Kunst sich vor mir spielt
Und jene singt und diese liebend tanzt,
In Ohnmacht sinket und mit Reiz erwacht,
Daß auf der Bühne jener auf dem Seil
Das Herz der Weiber regt, ein andrer dort
Den Brummbaß streichet und durch Löcher bläst
Und dieser Verse drechselt, jener Punsch
Zu Eis bereitet: *gut* mag es zwar sein,
Doch nicht das Beste, das Notwendigste.
Pythagoras, Konfuz und Sokrates,
Sie wußten nichts davon und rechneten
Auch nicht darauf. Ein gar armselig Volk,
Das sein Verdienst nur auf der Bühne, nur
Auf Brettern hat und es aus Löchern bläst! –

„Und dennoch ist's Verdienst!" –

Ein örtliches!
Der Himmel teilt die Gaben, wie er will.
Nicht jedes Klima, jeder Boden gibt
Dieselben Früchte; nicht auch jede Zeit,
Noch jeder Baum und Wurzel, Halm und Strauch
Dieselbe. Wer vom Baume Most, vom Eis
Die Ananas begehret, ist –

„Ereifre
Dich nicht, o Freund! Es bleibet *Ananas*
Und Schlehbeer unterschieden. Shakespeare,
Homer und Ossian und Raffael
Sind doch wohl *Nationenruhm*?" –

Mitnichten!
Dem Menschengeist gehören sie und nicht
Der Nation. Mir ist es Greuel, wenn
Der gröbste Brite Shakespeares sich rühmt,
Als sei *er's selbst*, als hätt *er* ihn gezeugt
Und zimmern helfen. Ihn geschmähet hat
Die Nation durch manche Äfferei
Und blinden Stolz. – Des Dichters Auge, das
In schönem Wahnsinn über Meer und Land
Und Erd und Himmel flog und jede Welt
In ihrer Schönheit sah – dies Auge war
Nicht in Cambridge, auch von Dollond nicht
Geschliffen; *Auge* war es *der Natur*.
Die göttliche Idee, die Raffael
Begeisterte, war eines Engels Traum,
Kein Urbinatsches Töpferwerk[1]. Und ist
Urbino denn Italien? – Der Ruhm,
Der auf den Farbenreiber überging
Vom Maler, ist ein wahrerer als der,
Wenn hundert Jahre drauf der Römer ruft:
„Wir hatten einen Raffael!“ Warum,
Ihr guten Römer, habt ihr ihn nicht mehr?

Der Glanz, o Freund, der von dem göttlichsten
Genie die Nation bestrahlet, ist
Ein Götterglanz, der nur die Würdigsten
Erleuchtet und verklärt; dem Schwachen nimmt
Er seiner Augen Licht; dem Toren, oft
Der Nation enthüllt er wie ein Blitz
Nur ihre Niedrigkeit. Verschmachtete
Der Kanzler Baco nicht und lechzete
Umsonst im Sterben nur nach besserm Bier?

Der *vierte* Nationenruhm ist *Tat
Zum Wohl der Menschen*. Was ein ganzes Volk
Gezwungen und in Trunkenheit getan,
Das tat es nicht. Und was die Königin
Titania, die *Zeit*, durch ihren Puck[2]

1 Urbino, die Geburtsstadt Raffaels, war durch Töpferwaren, insbesondere Majoliken, berühmt. – 2 Gestalten aus Shakespeares „Sommernachtstraum“.

Im Scherz hinspielte, noch viel weniger.
Das Werk der einzelnen zum Wohl der Welt,
Jetzt in Erfindung, auch im Willen nur –
Heil ihnen, wenn es einst die Nation
Mit dankendem Gefühl begrüßet, bis
Es allen Völkern zum Gedeihen kommt! –
Wer diesen Äther des Verdienstes trinkt,
Wie schwinden ihm die Namen! Hoch aufgehn
Läßt er die Sonn auf eine halbe Welt
Und regnet allen Nationen Heil. –

„Mich wundert, daß du nicht die Druckerei
Der Deutschen rühmest; sie sind stolz darauf!" –

Nicht stolz, nur dankbar. Gibt sie nicht dem
Wort
Allgegenwart, Gemeinnutz, Ewigkeit?
An Zeiten bindet sie die Zeiten, knüpft
Gedanken an Gedanken, Fleiß an Fleiß;
Ein *Genius* der wachsenden Vernunft,
Das Band getrennter Seelen, sie, die Schrift
Der Schriften, einigt aller Menschen Herz
Und Sinn und Geist; sie wehrt der Barbarei
Und spottet des Naturgesetzes, das
Jedweden einzelnen so bald begräbt.
In Schriften lebt von ihm der beßre Teil,
Durch sie unsterblich. –

Aber hör, o Freund,
Das alles ist im Nationenruhm
Das Höchste nicht!

„Und gäb's ein Höheres?"
Ein Höchstes: *nützende Verborgenheit*!
Wenn dein Verdienst der leichte Nachbar dir
Entwendet und der reichere genießt;
Wenn bettelnd du zu ihm hinwandern mußt
Und flehen ihm, daß er dein Gutes doch
Als seines nütze; wenn dein Weib und Kind
Zu Hause darbt und du mit Leibsgefahr
Dich aus dem Lande stahlest, das dir nichts

Als eine rote Binde[1] zum Geschenk
Zu geben hatte, dennoch dir das Herz
Vor Freude schlägt zu deinem Werk und du
Den kalten Hohn der Toren trägest, liebst
Dein Vaterland, in ihm die tausend guten
Mitduldenden, du liebst das deutsche Weib,
Den deutschen Mann und Freund und Untertan
Und Bürger und Arbeiter, liebest selbst
Die deutsche *Dumpfheit* und *Verlegenheit*
Und *Treu* und *Einfalt* mehr als jeden Stolz
Begüterter Barbaren: bleibe der!
So wohnt in *dir* die deutsche Nation.

„Da wohnt sie eng und sehr inkognito.
Ich merk, es geht aufs alte Sprüchwort aus:
‚*So ihr, doch nicht für euch*!‘ “[2]

Ein hohes Wort,
Wenn uns die Schickung wert hält, nicht für uns,
Für andere zu sein. Es wendet sich
Der Zeiten Blatt. Was sinket, ist darum
Das Schlechtre nicht! Wir lernen jetzt und stets,
Stets laßt uns lernen! Laßt uns fröhlich sä'n
Im Nebel auch; die Ernte kommt gewiß.

NEGER-IDYLLEN

DIE FRUCHT AM BAUME

Ich ging im schönsten Zedernhain
Und hörete der Vögel Lied,
Bewundernd ihrer Farben Glanz,
Bewundernd ihrer Bäume Pracht –
Als plötzlich aus der Höhe mich
Ein Ächzen weckte. Welch Gesicht! –
Ein Käfig hing am hohen Baum,

1 Anspielung auf die rote Halsbinde der preußischen Uniform oder die rote Armbinde der angeworbenen Rekruten. – 2 Gemeint ist der lateinische Spruch: Sic vos non vobis! Er bezieht sich auf Leistungen, die man zu fremdem Nutzen erbringt.

Umlagert von Raubvögeln, schwarz
Umwölket von Insekten. –

Als
Die Kugel meines Rohres sie
Verscheucht, sprach eine Stimme: „Gib
Mir Wasser, Mensch! Es dürstet mich." –

Ich sah den menschenwidrigsten
Anblick. Ein Neger, halb zerfleischt,
Zerbissen; schon ein Auge war
Ihm ausgehackt. Ein Wespenschwarm
An offnen Wunden sog aus ihm
Den letzten Saft. Ich schauderte.

Und sah umher. Da stand ein Rohr
Mit einem Kürbis, womit ihn
Barmherzig schon sein Freund gelabt.
Ich füllete den Kürbis. – „Ach!"
Rief jenes Ächzen wieder, *„Gift*
Darein tun, Gift! du weißer Mann!
Ich kann nicht sterben."

Zitternd reicht
Ich ihm den Wassertrank: „Wie lang,
O Unglücksel'ger, bist du hier?" –
„Zwei Tage, und nicht sterben! Ach,
Die Vögel! Wespen! Schmerz! o Weh!"

Ich eilte fort und fand das Haus
Des Herrn im Tanz, in heller Lust.
Und als ich nach dem Ächzenden
Behutsam fragte, höret ich,
Daß man dem Jünglinge die Braut
Verführen wollen und wie *er*,
Das nicht ertragend, sich gerächt.
Dafür dann büße nun sein Stolz
Die Keckheit und den Übermut.

„Und der Verführer?" fragt ich.
„Trinkt
Dort an der Tafel."

Schaudernd floh
Ich aus dem Saal zum Sterbenden.
Er war gestorben. – Hatte dich,
Unglücklicher, mein Trank zum Tode
Gestärket, o so gab ich dir
Das reichste, süßeste Geschenk.

DIE RECHTE HAND

Ein edler Neger, seinem Lande frech
Entraubet, blieb auch in der Sklaverei
Ein *Königssohn*, tat edel seinen Dienst
Und ward der Mitgefangnen Trost und Rat.

Einst als sein Herr, der weiße Teufel, wütend
Im Zorn der Sklaven einem schnellen Tod
Aussprach, trat Fetu bittend vor ihn hin
Und zeigte seine Unschuld. „Widersprichst
Du mir? Du selbst, *du* sollst sein Henker sein!“

„Sogleich!“ antwortet Fetu, „nur noch einen,
Noch einen Augenblick!“ Er flog hinweg
Und kam zurück, in seiner linken Hand
Die abgehaune rechte haltend, die
Den Henkersdienst vollführen sollte. Tief
Gebückt, legt' er sie vor den Herrn: „Fodre,
Gebieter, von mir, was du willst, nur nichts
Unwürdiges!“

Er starb an seiner Wunde,
Und seine Hand ward auf sein Grab gepflanzt.

Wie manche Arme lägen! – Nein doch, nein!
Gar viele lägen nicht; die Willkür wird
Ohnmächtig, wenn es ihr am Werkzeug fehlt.

Sprichst du hingegen: „Wie der Herr gebeut!“
Und: „Tu ich's nicht, so tut's ein anderer;
Lieb ist ja jedem seine rechte Hand!“,

So henken Sklaven (das Gefühl des Unrechts
In ihrem Herzen) andre Sklaven frech
Und scheu und stolz, bis sie ein dritter henkt.

DIE BRÜDER

Mit seinem Herren war ein Negerjüngling
Von Kindheit an erzogen; *eine* Brust
Hatt sie genährt. Aus seiner Mutter Brust
Hatt afrikan'sche Bruderliebe Quassi
Zu seinem Herrn gesogen, hütete
Sein Haus und lebte, lebte nur in *ihm.*

Der Neger glaubte sich von seinem Herrn
(Einst seinem Spielgesellen) auch geliebt,
Tat, was er konnte, lebend nur für *ihn.*

Und – bittre Täuschung! – einst um ein Vergessen,
Das auch dem Göttersohn begegnen kann,
Ergrimmete sein Herr und sprach zu ihm
Von Karrenstäupe[1].

Wie vom Blitz gerührt,
Stand *Quassi* da, der treue Freund, der Bruder,
Der liebende Anbeter seines Herrn.
Das Wort im Herzen, deckte schwarzer Gram
Die ganze Schöpfung ihm. Verstummt entzog
Er sich des Herren Anblick. – Meinet ihr,
Er floh? Mitnichten! Sicher hoffend noch,
Daß ihn ein Freund, daß die Erinnerung
Der Jugend ihn versöhne, rettet' er
Sich in der niedern Sklaven Hütte, die
Ihn hoch verehreten. Da wartet' er
Ein nahes Fest ab, das sein Herr dem Neffen
Bereitet' und ein Tag der Freude war.
„Dann", sprach er bei sich selbst, „wird ihm die Zeit
Der Jugend wiederkehren. Billigkeit
Und meine Unschuld, meine Lieb und Treu
Wird für mich sprechen. Er vergaß sich; doch
Er wird sich wiederfinden." –

1 Die entehrendste Strafe für Neger.

Jetzt erschien
Der Tag; das Fest ging an, und *Quassi* wagte
Sich auf den Hof.

Doch als sein Herr ihn sah,
Ergrimmet wie ein Leu, der Blut geleckt,
Sprang er auf ihn. Der Arme floh. Der Tiger
Erjagt ihn; beide stürzen; stampfend kniet
Sein Herr auf ihm, ihm jede Marter drohend.

Da hub mit aller seiner Negerkraft
Der Jüngling sich empor und hielt ihn fest
Danieder, zog ein Messer aus dem Gurt
Und sprach: „Von Kindheit an mit Euch erzogen,
In Knabenjahren Euer Spielgesell,
Liebt ich Euch wie mich selbst und glaubte mich
Von Euch geliebet. Ich war Eure Hand,
Eur Auge. Euer kleinster Vorteil war
Mein eifrigster Gedanke Tag und Nacht;
Denn das Vertraun auf Eure Liebe war
Mein größter Schatz auf dieser Welt. Ihr wißt,
Ich bin unschuldig; jene Kleinigkeit,
Die Euch aufbrachte, ist ein Nichts. Und Ihr,
Ihr drohtet mir mit *Schändung meiner Haut.*
Das Wort kann *Quassi* nicht ertragen; denn
Es zeigt mir Euer Herz.“

Er zog das Messer
Und stieß es – meint ihr in des Tigers Brust?
Nein! selbst sich in die Kehle. Blutend stürzt'
Er auf den Herren nieder, ihn umfassend,
Beströmend ihn mit warmem Bruderblut.

Wie manche Kugel in Europa fuhr
In des Beleidigten gekränktes Hirn,
Die den Beleidiger fromm verschonete!
Wie manches „Ich der König“ fraß das Herz
Des Dieners auf mit langsam-schnellem Gift!
O wenn Gerechtigkeit vom Himmel sieht,
Sie sah den Neger auf dem Weißen ruhn.

DER GEBURTSTAG

Am Delaware feierte ein Freund[1],
Ein Quacker, Walter Miflin, seinen Tag
Des Lebens so:
„Wie alt bist du, mein Freund?"
„Fast dreißig Jahre", sprach der Neger.
„Nun,
So bin ich dir neun Jahre schuldig; denn
Im einundzwanzigsten spricht das Gesetz
Dich mündig. Menschheit und Religion
Spricht dich gleich allen weißen Menschen frei.
In jenem Zimmer schreibet dir mein Sohn
Den Freiheitbrief; und ich vergüte dir
Das Kapital, das in neun Jahren du
Verdienetest, landüblich, acht Prozent.
Du bist so frei als ich, nur unter Gott
Und unter dem Gesetz. Sei fromm und fleißig!
Im Unglück oder Armut findest du
An Walter Miflin immer deinen Freund."

„Herr, lieber Herr!" antwortet Jakob, „was
Soll ich mit meiner Freiheit tun? Ich bin
Bei Euch geboren, ward von Euch erzogen,
Arbeitete mit Euch und aß wie Ihr.
Mir mangelt nichts. In Krankheit pflegete
Mich Eure Frau als Mutter, tröstete
Mich liebreich. Wenn ich denn nun krank bin" –
„Jakob!
Du bist ein freier Mann, arbeite jetzt
Um höhern Lohn; dann kaufe dir ein Land,
Nimm eine Negerin, die dir gefällt,
Die fleißig und verständig ist wie du,
Zur Frau und lebe mit ihr glücklich. Wie
Ich dich erzogen, zieh auch deine Kinder
Zum Guten auf und stirb in Friede. – Frei
Bist du und mußt es sein. Die Freiheit ist
Das höchste Gut. Gott ist der Menschen, nicht

1 Anrede unter den Quäkern, einer 1650 in England gegründeten protestantischen Sekte, die sich für die Abschaffung der Sklaverei in Nordamerika einsetzte.

Allein der Weißen Vater. Gäb er doch
In aller meiner Brüder Sinn und Herz,
Nach Afrika zu handeln, nicht daraus
Euch zu entwenden, euch zu kaufen und
Zu quälen!“ – „Guter Herr, ich kann Euch nicht
Verlassen; denn nie war ich Euer Sklav.
Ihr fodertet nicht mehr von mir, als andre
Für sich arbeiten. Ich war glücklicher
Und reicher als so viele Weiße. Laßt
Mich bei Euch, lieber Herr!“
„So bleibe dann
In meinem Dienst, du guter Jakob, doch
Als freier Mann! Du feierst diese Woche
Dein Freiheitfest, und dann arbeitest du,
Solange dir's gefällt, um guten Lohn
Bei mir, bis ich dich treu versorge. Sei
Mein Freund, Jakob!“
Der Schwarze drückt' die Hand
Des guten Walter Miflins an sein Herz:
„Solange dieses schläget, schlägt's für Euch!
Nur heute feiren wir, und morgen frisch
Zur Arbeit! Freud und Fleiß ist unser Fest.“

Ging schöner je die Sonne nieder als
Denselben Tag am Delawarestrom?
Jedoch ihr schönster Glanz war in der Brust
Des guten Mannes, der für kein Geschenk,
Der nur für Pflicht hielt seine gute Tat.

LEGENDEN

DIE AMEISE

Ein Müßiggänger sah die Lilie
Des Feldes blühn und hört' der Vögel Chor
Lobsingen. „Bin ich denn nicht mehr als sie?“
Sprach er. „Wohlan, so sei mein Leben auch
Blühn und Verblühen, Anschaun und Gesang!“

Er ging zur einsam-frommen Wüstenei
Und harrete auf Offenbarung. Da
Rief eine Stimme: „Schau zur Erd hinab,
Simplicius[1]!“ – Er sah. Ein wimmelnd Nest
Ameisen war vor ihm in lebender
Bewegung. Diese trugen eine Last,
Viel größer als sie selbst. Ein andrer Hauf'
Hielt Kräutersamen in dem Munde, fest
Wie mit der Zange. Jene holten Erd
Herbei und dämmten ihren breiten Strom.
Die andern trugen für den Winter ein
Und schroteten die Körner künstlich ab,
Daß ihre feuchte Wohnung nicht mit Kraut
Verwüchse. Diese hielten einen Zug;
Sie trugen einen Toten aus der Stadt.
Und keiner stört' den andern; jeder wich
Beim Ein- und Ausgang seinem Nachbar aus.
Wer unter seiner Last erlag und wer
Die steile Straße nicht erklimmen konnte,
Dem half man auf, man bot den Rücken dar.

Simplicius sah's mit Verwunderung
Und sähe noch, hätt ihm die Stimme nicht
Gerufen: „Bist du nicht viel mehr als sie?“

Und vor ihm stand ein Greis. „Verlorner Sohn,
Wie, hast du keinen Vater, keine Mutter
Und keinen Freund und Armen, dem du jetzt
Beispringen könntest? Bist vom Himmel du
Entsprossen, keinem Menschen auf der Welt
Verbunden oder wert, daß ihm ein Teil
Von dir gehöre? Sieh das kleine Volk
Ameisen! Jede wirket ingemein,
Und ohne Eigentum hat jede gnug.“

Belehret kehrt' Simplicius zurück
Zur muntern Tätigkeit und sah fortan
Im großen Ameishaufen dieser Welt

1 (lat.) der Einfältige; Anspielung auf die Titelfigur des Romans von Grimmelshausen.

Die Gottesstadt, die, oft sich unbewußt,
Im Wirken fürs Gemeine[1] lebt und webt,
Niemand für sich, für alle jedermann.

ROSEN

Eine Legende

In einer tötend-schweren Hungersnot
Versagte *Rosa von Viterbo* sich
Den kleinsten Überfluß und bracht ihn still
Den Armen. Einst traf unversehen sie
Der karge Vater auf dem Wege: „Kind!
Was hast du da?“

„Es sind nur Rosen, Vater.“ –
„So zeige sie.“ Voll Schrecken tat das Kind
Die Schürze auf; und sieh, es waren Rosen.
Kaum aber hatt der Karge sich gewandt,
War, was ihm Rose schien, erquickend Brot.

Ihr kargen Väter, die ihr auch nur Rosen
Verleihn und Rosen, Rosen sehen wollt
In harter Hungersnot, seht, was ihr wünschet!
Dem Armen werde jede Rose Brot.

DIE WIEDERGEFUNDENE TOCHTER

„Sagt, wo find ich meine süße Tochter?
Meines Alters Trost, des Lebens Perle,
Die mich nie verließ, mich nie betrübte.
Einen Bräut'gam hatt ich ihr gelobet,
Der in tiefem Schmerz nun mit mir trauret.
Suchten wir sie nicht zu Land und Meere,
Bei Verwandten, Freunden und Bekannten,
In den Klöstern aller heil'gen Jungfraun;
Riefen sie auf Felsen und in Höhlen,
‚*Euphrosyne!*‘ Nirgend eine Stimme;
Nirgend ihrer sanften Stimme Rückhall.

1 für die Allgemeinheit.

Auf! ich will zu jenem Kloster wandern,
Wo der Abt mit dreimal hundertfunfzig
Brüdern betet, will ihn weinend anflehn,
Daß der heil'ge Mann von Gott erfahre,
Wo mein einzig-liebes Kind ist."

Sehnlich
Hülfesuchend eilt' er in das Kloster,
Warf in Trauerkleidern vor dem heil'gen
Mann sich nieder. „Heil'ger Mann, ich flehe,
Daß du oder deiner Brüder einer
Emsig-betend es von Gott erfahre,
Wo mein einzig-liebes Kind ist."

„Morgen",
Sprach der Abt, „komm morgen frühe wieder,
Will es Gott, so soll dir Antwort werden."

Morgen, über-über-übermorgen
Kam der Mann und hört' in tiefstem Jammer,
Keinem Bruder sei die Antwort worden.
Endlich sprach der Abt, gerührt vom Greise:
„Geh noch etwa hin zu unserm jüngsten,
Eifrigsten und frömmsten Bruder. Einsam
Und entfernt lebt er in seiner Zelle;
Wohl vielleicht, daß er's dir sagen werde,
Wo dein liebes Kind sei. Er, der jüngste,
Er, der Edelstein in unserm Kloster,
Heißt *Smaragdus.*"

Eilig sucht der Vater
Den Gottseligsten, den jüngsten Bruder,
Der entfernt in seiner Zelle lebte
Und ihn, fast verdeckt das Antlitz, hörte.

Abgehärmt, unkenntlich seinem Vater
(Denn er selbst war die verlorne Tochter),
Blickt *Smaragd* ihn an, voll tiefen Mitleids.

Weinend endlich stürzen beide nieder,
Daß Gott selbst, die Quelle reichen Trostes,

Dem Verlassenen Erquickung sende.
Dann erhebt er sich, der Unerkannte,
Tröstet und belehret seinen Vater,
Daß man Gott auch über seine liebsten
Kinder lieben müsse, müsse lieben
Über selbst sein einzig Kind. (Mit lautem
Weinen sprach er es.) Erzählt dem Vater
Abrahams Geschichte[1], und wie Gott uns,
Gott uns seinen ein'gen Sohn geschenket.

Wie ein sanfter Tau auf dürre Fluren
Sank ins Herz des Alten jedes Trostwort:
Denn er hört' als eines Engels Stimme.
„Wird mir Gott mein Kind auch wiederschenken,
Wie dem Abraham?“ so fragt' er gläubig.
„Ja, Gott wird dein Kind dir wiederschenken
(Spricht der Bruder) und dir's lassen sehen,
Ehe du zu seiner Mutter heimgehst.“

Neu gestärket zog der Mann von dannen,
Hofft' erkrankend lang und lange Jahre,
Bis auf einmal von *Smaragd* ein Bote
Ihn ins Kloster rief. „Werd ich sie sehen?
Wiederfinden“, sprach er, „meine Tochter?“

In die Zelle trat er, fand den Armen
Abgezehrt auf seinem Krankenlager,
Seine letzte Rettungsstund erwartend.

„Ach, wo sind sie, deine süßen Worte?
Daß, eh ich zu ihrer Mutter gehe,
Ich noch die Verlorne wiederfinde –
Und nun gehest Du“ –

„Zu meiner Mutter“,
Sprach der Kranke, „die mir oft in Träumen
Zusprach, fragend mich: ‚Wo ist dein Vater?‘
Ach, ich folgte ihrem leisen Wink nicht,
Festgebunden durch ein hart Gelübde.

1 Im Alten Testament wird erzählt, wie Abraham Gott seinen Sohn Isaak opfern sollte, jedoch im letzten Moment anstelle des Sohnes einen Widder darbringen durfte.

Letzte Nacht erschien sie mir so ernster,
Fragt: ‚Wo ist dein sorgenvoller Vater?
Hast du ihn gepfleget? Denn statt meiner
Ließ ich dich in dieser Welt. Geliebet
Hatt ich dich; du solltest's ihm vergelten.'
Ich erzitterte. Sie wandte traurig
Sich und sprach: ‚Dein Leben ist verloren.'
Vater, Vater, ich bin Eure Tochter." –

„Euphrosyne?" Weinend sank er nieder
Auf die Sterbende.

„Ja, Euphrosyne;
Und mit diesem Namen will ich sterben.
Und niemand berühre meinen Körper
Als mein Vater. Kindespflichten gehen
Über Klosterpflichten. Man verführte
Mich hieher; ich und mein reiches Erbe
Sollte Gott gehören. Gib's den Armen,
Vater! *Mir* verzeih! Verzeih der raschen,
Leicht betrognen Jugend. Ach, gebüßet
Hab ich mein Gelübd und es gehalten.
Lebe wohl! Vergib, vergib mir, Vater,
Jenseit, jenseit, dort, wo man den Eltern
Nicht entführt wird, um nur Gott zu dienen,
Findest du mich bald bei meiner ernsten –
Mutter. – Steht sie nicht vor mir? – Sie ist es.
‚Komm!' Ich komme."

Sie verschied. Ihr letzter
Blick hing an dem Vater: „Ach, Verzeihung!"

Euphrosyne, jedes Christenjahres
Anfang ist dein Fest. Dein schöner Name
Deutet *Freud* an, *guten Sinn* und *Klugheit.*
Wärst du doch das erst und letzte Opfer
Jugendlich-betrogner falscher Andacht,
Wärest du, dem väterlichen Boden
Schlau Entrissene, die erst und letzte
Zart-verwelkte Blume du gewesen!

Johann Gottfried Herder 1796

VOM FORTSCHREITEN EINER SCHULE MIT DER ZEIT

1798

Wir leben in der Zeit; folglich müssen wir auch mit ihr und für sie leben und leben lernen. Da sich die Zeit stets verändert und aus ihrem Schoß immer Neues, Gutes und Böses, ans Licht bringt, dessen Zufällen wir unterworfen sind, an denen wir wider Willen mit Beifall oder Abneigung, mit Leid oder Freude teilnehmen müssen, so folgt notwendig daraus, daß wir uns um das, was die Zeit hervorbringt, bekümmern, das Gute, das sie uns darbeut[1], nützen, dem Bösen, das sie uns droht, zuvorkommen, das Übel, womit sie uns belästigt, mindern, und zwar durch eben die Kraft mindern müssen, die allezeit neben diesem Bösen zu seiner Überwindung wohnete. Denn einmal ist das die gute Einrichtung unsrer Erdenwelt, daß sie zwei Pole hat und nur durch beide bestehen kann, daß jedem Gift ein Gegengift von den Händen der Mutter Natur selbst zugeordnet ist, daß jedes Streben, sobald es über seine Schranken tritt, eine gegenseitige Bestrebung erweckt, die es einhält und zum Besten des Ganzen ordnet. Wir müssen also der Zeit dienen, damit wir sie nicht verlieren oder von ihr unterdrückt und vom Vater Saturn[2] aufgefressen werden; vielmehr sie auf eine geschickte Art täuschen und über sie herrschen lernen. Zu beidem ist uns die Vermahnung gegeben, der Zeit zu dienen, doch also, daß nicht sie uns, sondern daß wir ihr gebieten.

Wenn dies in allen Geschäften des Lebens, bei allen Einrichtungen für Menschen gilt, sofern sie Kinder der Zeit sind und unter ihren Einflüssen stehen; so gilt's auch von den Einrichtungen zur Bildung der Menschen, von öffentlichen und Privatschulen. Keine muß sich außerhalb der Grenzen des Raums und der Zeit befinden; sonst steht sie an unrechtem oder gar keinem Ort. Keine muß veraltet sein oder veralten; sonst geht sie unter. Sollen diese Einrichtungen Menschen für die Zeit, die jetzige und künftige, bilden, sollen sie diese jungen Menschen den Gebrauch und die Anwendung jetziger und künftiger Zeit lehren und sie dazu gewöhnen; so müssen sie in ihrer Zeit für die zukünftige sein und mit der Zeit fortleben. Wie dies zu unsrer Zeit, am Ausgang unsres so merkwürdigen Jahrhunderts geschehen müsse, davon will ich einige Worte sagen. Unsre Zeit ist ein großer

1 darbietet. – 2 Hier: Verkörperung der Zeit.

Wecker! Die grobe eiserne Wanduhr rasselt und ruft mit gewaltigen Schlägen.

1. *Seine Muttersprache* verstehen, recht und andringend reden, gescheut und vernünftig schreiben lernen muß jetzt ein jeder. Es ist ein redendes und schreibendes Jahrhundert; das folgende wird es nach allen gegebnen Anlagen nicht minder werden. Wie ungeheuer viel, Gutes und Böses, ist in den letzten zehn Jahren durch Sprechen und Schreiben ausgerichtet worden; nicht das Schwert, sondern die Zunge hat alles in Gang gesetzt, so daß diesem neuen Zuge auch Schwerter nicht zu widerstehen vermochten; die Waffen sanken vor der in Gang gebrachten Zunge nieder. Noch mehr beförderte und wirkte das geschriebene, das gedruckte Wort; wie Schießpulver flog es in einzelnen Blättern umher und zündete allenthalben. Alle Zeitungsblätter sind jetzt voll sprechender, einander widersprechender, erörternder, ratgebender, beschließender Versammlungen; zu alle diesem gehört Sprache und Aufsatz, fertige, promte[1] Rede und eine Geschicklichkeit zu Entwürfen, d. i., Begriffe aus dem Nebel zu ziehen und ins Licht zu stellen, Klugheit und Mut, Mäßigung und Feuer der Rede, Vortrag. Dies ist Geist der Zeit; wir können ihm nicht widerstreben, noch weniger dürfen wir ihm entsagen und im Schlummer mit einer gebundnen Zunge und einem schlaftrunknen Auge zurückbleiben. Das große Hephata[2] ist gesprochen; auch wir müssen, statt pedantisch zu stammeln und zu stottern, vernünftig sprechen und schreiben lernen. Der Deutsche ist von kurzen Worten; die Zunge ist ihm schwer; er greift lieber zur Tat; dies hat ihm genutzt und geschadet. In einer Zeit, wo der Schade davon überwiegend an den Tag kommt, muß jede Schule, jede Erziehungsanstalt sich aufmachen, den Verstand und das Urteil, den patriotischen Verstand und das rechtschaffene Urteil jedes fähigen Jünglings zu schärfen, daß er einst in seinem Kreise von Geschäften richtig denken, fertig sprechen und auch in Schriften und Aufsätzen geschickt sich auszudrücken vermöge. Wie weit zurück wir in diesen Fertigkeiten sind, davon liegen die Erweise mit ihren traurigen Folgen am Tage: man behandelt uns als eine schwerköpfige Nation, die noch nicht weiter gekommen ist, als langsam zu buchstabieren, und der man als einer Sklavin das Haupt zu scheren im Werk ist, damit im geschornen Kopf die Lebensgeister etwas freier zirkulieren. – Wie wenig der Deutsche Deutsch kann, liegt am Tage; nicht der Bauer, nicht der

1 prompte. – 2 (griech.) Tue dich auf! So soll Jesus bei der Heilung eines Taubstummen gerufen haben.

Handwerker allein reden größtenteils, zumal wenn sie sich gut ausdrücken wollen, ein verworrenes, abscheuliches, verruchtes Deutsch, sondern je höher hinauf, da geht's oft desto schlechter, bis man auf der Spitze des Bergs sich des Deutschen, das man nur mit Dienstboten und Kammerjungfern spricht, gar schämet. Ein schmaler Streif an diesem deutschen Helikon und Pindus[1] ist allein ausgenommen, auf welchem man die Muttersprache rein zu sprechen und vernünftig zu schreiben wert hält; ein schmaler Streif. Lernt Deutsch, ihr Jünglinge, denn ihr seid Deutsche; lernt es reden, schreiben, in jeder Art schreiben! Lernt erzählen, berichten, fragen und antworten, zusammenhängend, andringend, klar, natürlich schreiben, vernünftig Auszüge, Tabellen, Expositionen und Deduktionen der Begriffe machen; lernt, was ihr denkt und wollt, sagen. Die Zeit gebietet's, die Zeit fodert's; wir wollen nicht länger *ἄλαλοι* und *μογιλάλοι*[2] sein und bleiben.

2. Die Welt verändert sich. Nicht nur das südliche Europa, Frankreich, Italien, die Niederlande, Holland, die Schweiz haben ein andre, großenteils vorderhand traurige Gestalt angenommen, der wir wünschen, daß sie sich in eine freudige Gestalt verwandeln möge, sondern die Metamorphose schreitet fort, über einen Teil von Deutschland, und wer weiß, wohin weiter? Schon vorher nahm Nordamerika eine andre Gestalt an; ein andrer Teil von Indien, öst- oder westlich, wird sie wahrscheinlich auch annehmen. Die Weltkarten verändern sich in Grenzen, Staatsverfassungen, Religionen, in politischen Grundsätzen, Sitten und Gebräuchen; sie werden neu illuminiert. – Offenbar muß der Schulunterricht nicht nur hievon Kunde nehmen, sondern auch in die Ursachen dieser Weltveränderungen eingehn; Geschichte und Geographie bekommen eine andre Gestalt: denn die Grundsätze, auf die man das Studium der Geschichte und Geographie sonst bauete, haben sich verändert. In der Geschichte z. B. liegen uns die Namen der Könige und ihrer geführten Staats- oder Familienkriege nicht mehr mit dem Interesse an wie ehemals, da man bloß rohe Kriegstaten oder hinterlistige Staatsoperationen bewunderte und eine langweilige falsche Bewunderung derselben den Jünglingen aufzwang. Der Schleier ist weggefallen oder vielmehr mit gewaltsamer Hand weggerissen; die Augen sind uns geöffnet, um in der Geschichte und Geographie etwas Nützlicheres zu lernen. Den Bau der Erde, ihre Reichtümer

1 Gebirge in Mittelgriechenland, hier bildlich bezogen auf die feudal-absolutistische Kultur im Deutschland des 18. Jahrhunderts. Der Helikon galt als Sitz der Musen. – 2 (griech.) stumm und stammelnd.

der Natur und Kunst, wer zu diesen etwas Großes und Gutes durch Erfindungen, durch nützliche Bestreben und Einrichtungen beigetragen, wer die Erde und das auf ihr waltende Menschengeschlecht verschönert oder entstellt habe, die Engel oder Dämonen der Menschen sollen wir in der Geschichte mit reifem Urteil kennenlernen. Mit *reifem* Urteil: denn wozu läsen wir sonst die Geschichte? wozu läse sie die Jugend? Um einen falschen Glanz anzustaunen? um Missetaten, die – wer es auch sei – Griechen, Römer, Deutsche, Franken, Kalmuken, Hunnen und Tatern als Menschenwürger und Weltverwüster begangen, gedankenlos oder mit knechtischer Ehrfurcht chronologisch herzuerzählen? Die Zeiten sind vorüber. Urteil, menschliches Urteil soll durch die Geschichte gebildet und geschärft werden; sonst bleibt sie ein verworrenes oder wird ein schädliches Buch. Auch Griechen und Römer sollen wir mit diesem Urteil lesen. Alexander der Welterobrer, der Trunkenbold, der Grausame, der Eitle, und Alexander der Beschützer der Künste, der Förderer der Wissenschaften, der Erbauer der Städte, der Ländervereiniger, sind in derselben Person nicht *eine* Person, nicht zwei Personen von *einem* Wert. So mehrere vielköpfige oder vielgesichtige Ungeheuer in der Geschichte: Augustus, Karl, Ludwig u. a. Die Geschichte ist ein Spiegel der Menschen und Menschenalter; ein Licht der Zeiten, eine Fackel der Wahrheit. Eben in ihr und durch sie müssen wir bewundern lernen, was zu bewundern, lieben lernen, was zu lieben ist; aber auch hassen, verachten, verabscheuen lernen, was abscheulich, häßlich, verächtlich ist; sonst werden wir veruntreuende Mörder der Menschengeschichte. – Die Grundsätze der Völkerregierungen, der Sittenveränderungen, der Religionen, Wissenschaften, Handlungsweisen, Künste, die in der Geschichte erscheinen, sollen zu unserm Geist und Herzen sprechen und unsern Verstand schärfen. Allein auf diesem Wege ist auch das Lesen der Alten ersprießlich, vom Phädrus und Nepos an bis zum Terenz, Virgil und Horaz, Cicero, Sueton und Tacitus. Gute und böse Taten sprechen in ihnen, falsche Grundsätze und gerechte, häßliche Larven und Gesichtergesichte. Unsre Zeit ruft sie in neuern Beispielen auf, stellt schreckliche und tröstende Ähnlichkeiten auf; durch Unternehmungen, Reisen, durch Taten und Untaten belebt sie die gesamte Geographie und Geschichte. Wir wollen ihr Erweckungswort hören; auch in unsern Schulen *lebe* Geographie und Geschichte; Geschichte in dieser räsonierenden, d. i. vernünftigen Darstellung; das Lesen der Alten nach den Grundsätzen der Alten, verglichen mit den Grundsätzen unsrer Zeit.

3. Unsre Zeit dringt auf die sogenannten festen, nützlichen Wissenschaften und Künste, auf Mathematik, d. i. Arithmetik, Geometrie in allen ihren Anwendungen, auf Naturlehre und Naturgeschichte, abermals in allen ihren Anwendungen und Zergliederungen der Natur; die bloßen Wortstudien hat sie vielleicht mit zu großer Sprödigkeit seitwärts geschoben, und außer der alleinseligmachenden Kantischen Philosophie, die sich dies Privilegium ausschließend erworben, verachtet sie Wortgrübeleien als sogenannten Unsinn der Schulen. – In Übertreibungen dörfen wir der Zeit nicht, in dem, wo sie wahr und nützlich hinweiset, müssen wir ihrem gebietenden Finger gehorchen. Die Zeit tauber Wortschälle ist vorüber; auch den blendenden Wortschällen der französischen Sprache wollen wir nicht, jedem Wink aber auf das, was die Zeit gebietet, das Anwendbare, Nützliche, deutlich Wahre, Erforderliche, Notwendige müssen wir folgen. Rechnen muß ein Knabe lernen, damit er nicht nur Erwerb und Einkünfte, sondern auch seine Zeit, seine Kräfte, seinen Wert, den Wert jeden Geschäfts, damit er sein Leben berechne; denn die gesamte Vernunft, zumal in Führung menschlicher Dinge, heißt Rechnen. Geometrie muß ein Knabe lernen, daß er ein Augenmaß, richtige Geschicklichkeit in der Hand, Intuition des Beweises und endlich die Neigung bekomme, in welcher praktischen Wissenschaft und Übung es auch sei, nicht oberflächlich, sondern gründlich zu verfahren und dem Vaterland nützlich zu werden. Naturwissenschaft und Naturlehre muß ein Knabe lernen, damit er sich seines Lebens erfreue, die Wohltaten der Natur erkenne und recht gebrauche und endlich einmal so mancher Aberglaube und Irrtum verschwinde, der das menschliche Geschlecht nie glücklich gemacht hat und in unsre Zeit gar nicht gehört. Vorzüglich müssen auch die, die einst die Lehrer andrer werden sollen, jene Wissenschaften, die zur Kultur des Verstandes, zu reiner Ansicht und Anwendung der Dinge dienen, selbst kultivieren. Nicht Wortgelehrte, sondern gebildete, nützliche, geschickte Menschen will unsre Zeit; die Bedürfnisse derselben, ein steigender Mangel, eine größere Konkurrenz, vielleicht auch bald die drückende Not selbst wollen diese Bildung zu vielseitigem praktischen gemeinen Nutzen. In ruhigen Zeiten darf man vielleicht träumen; unsre Zeit, ein unruhiger Argus mit hundert Augen, ein Briareus[1], mit hundert Händen bewaffnet, rüttelt vom Schlaf auf. – Ja die Jünglinge selbst, von diesen Zeitumständen geweckt, wollen nicht träumen; sollen sie also zu falschen Anwendungen ihrer Kräfte nicht verführt wer-

1 Gigant der griechischen Sage, der hundert Arme und fünfzig Köpfe besaß.

den (wozu unser Zeitalter so viele Gelegenheiten darbeut), so müssen sie geführt und zu rechter Anwendung derselben geleitet werden. „Beschäftigt sie!" ruft uns der Äon[1] zu, „beschäftigt sie früh, fortgehend, gewählt, nützlich; es kommt eine Zeit, in der sie geübt sein müssen; ihrer Geschicklichkeit werden sie bedürfen."

4. *Religion* – darf man ihrer zu unsrer Zeit noch erwähnen? Mit Recht: denn Religion, wahrhafte Religion wird unausgetilgt bleiben; die Pforten der Hölle werden sie nicht überwältigen, und der Antichrist selbst muß sie fördern. Da wir zu unsrer Zeit aber so viel und manche äußere Formen untergehen sehen, was spricht dieser Untergang zu uns: „Alles prüfe! prüfe, was dem Geist und Herzen des Menschen wahrhaft Religion sei. Diese rette aus dem Schiffbruch; sie bewähre!" – Und was die Zeit jedem zuspricht, ruft sie besonders den Schulen zu: „Befestigt, gründet, was wahrhaft Religion ist, in jungen Gemütern: denn es ist eine Zeit der Gefahr, der Prüfung." Was ihr aber befestigt und gründet, werde nicht bloß Theorie, sondern Sinnesart, Handlungsweise, Praxis.

Da ausführlich hierüber zu reden die Zeit mir verbeut[2], so sei mir erlaubt, bloß einige Götzen zu bemerken, die aller Herzensreligion zerstörende Feinde sind. Sie sind:

Erstens der *Egoismus.* Egoismus ist in der Welt immer dagewesen, und beinahe ist der Name Mensch (d. i. Mänsk, Männlein) und Egoist eins; fast zweifle ich aber, ob er je so laut geredet, so frech gedacht, so unbewunden gehandelt als jetzt; er herrscht in Zeitläuften, Zeitschriften, Zeitbegebenheiten, in der ganzen Zeitkrise. Vielleicht herrscht er statt mancher andrer Abweichungen in den Schulen jetzt: denn eine an sich sehr löbliche Ehrbegierde wird leicht Egoismus. Und doch hat die menschliche Gesellschaft beinah keinen gefährlicheren Erbfeind als diesen Herren, den Egoismus. Er hat eine aufblähende Kraft und treibt böse Winde von sich; bald aber wird im Innern alles hohl und leer, Form ohne Materie, Schein ohne Sein und, wie die alte deutsche Sprache es nannte, ein Schemen: denn er verstopft ungemein, daß nichts äußeres Gutes in uns und im lieben Ego gar bald alle Seelenkräfte stillstehen; bewahre der Himmel jeden Christenjüngling vor diesem aufblähenden, verstopfenden bösen Ismus! Ein Jüngling muß bescheiden sein in seinem Wissen und in der Äußerung desselben, nicht aufgeblasen, nicht ruhmredig und verachtend. Der arme Mänsk, wie viel ist, was er noch nicht weiß! Ein Egoist wird's nie lernen. Siehe die wachsende, blühende, duftende Pflanze an; sie gibt und nimmt, mit

1 Der Gott der Zeit. – 2 verbietet.

allen Elementen zusammenhängend, nimmt sie von allen Elementen, von Licht, Luft, Wasser, Erde, verarbeitet es in sich selbst und gibt es würzhaft der Welt wieder. In der Finsternis selbst neigt sie sich nach dem Lichte, mit ihren Wurzeln sucht sie die Feuchtigkeit in der Erde; mit ihren Blättern trinkt sie die Luft und gibt sie verarbeitet wieder. Sie ist, was sie ist, und kündigt sich durch ihr Dasein, durch ihre Kräfte und Äußerungen still an, nicht ruhmredig; der Naturcharakter ist in sie stille gepräget. Ahmet diese Kinder der Natur auch durch sittsame Bescheidenheit nach, ihr Jünglinge; nichts verunziert einen Jüngling mehr als Dünkel; er macht starrsinnig, widersprechend, stolz, überlästig, grob und unerträglich.

Ein zweites Übel, das alle praktische wahre Religion aufhebt, ist die in unsrer Zeit überhandnehmende *Schlenderei*, jene Losgebundenheit von festen Grundsätzen, von richtiger Ordnung, von strenger Mühe und Arbeit. – Unter dem Vorwande, daß man sich die Arbeit und das Leben leicht mache, daß man sich so genau nicht an Regel, Zeit, Ordnung halten dürfe, daß der Geist, das *Genie* uns treibe, entwöhnet man sich aller Anstrengung seiner Kräfte, mithin auch ihres besten Gebrauchs, ihrer höchsten Wirkung: denn nur durch einen schärferen Fleiß, durch eine schwerere Übung, durch eine nicht gemeine Anspannung der Kraft wird das weitere Ziel, das höhere Vortreffliche errungen; dem Schlummernden, Schlendernden bleibt es ungesehen oder unerreicht; er liegt am Boden oder taumelt fort auf dem alten ausgetretnen Wege. Und doch, wie sehr ruft uns die Zeit eben zu dieser größeren und längeren Anstrengung, zu dieser unablässigen Munterkeit und Gewandtheit durch alles, was um uns vorgeht, auf! Von allen Seiten ruft sie uns zu: Die Stunden des Schlafs und der schlaftrunknen Schlenderei sind vorüber! Hinweg also auch aus den Heften der Jünglinge jene schlendernde, nachlässig-ohnmächtige Handschrift im Nachschreiben und in eigner Ausarbeitung, der man sogleich ansiehet, daß es dem Schreibenden kein Ernst war und daß er davonwollte. Hinweg jene alte Schlenderei, sich in Gesängen von Wein und Liebe, von Liebe und Wein, von süßem Empfinden, von Blumen und Blüten, Blüten und Blumen zu üben. Einem wackern Jüngling bietet die Zeit wohl andre Themata zu seiner Übung dar; mit Verstand wird er sie wählen, mit Feuer und angestrengtem Mut ausführen: denn wodurch haben sich die großen Geister, die festen Seelen aller Zeiten ausgezeichnet? Wesentlich waren sie nicht anders gebaut wie andre Seelen; aber sie hatten ihre innere Organisation geregelt, gestärket; sie konnten einen Gedanken länger festhalten und von allen Seiten verfolgen, eine und dieselbe Arbeit länger, kräftiger treiben; sie hatten sich mehr geübet. Diese stärkere und längere Intensität der Seelenkräfte machte jenen Roger und Franz Bacon, Kepler und Newton, Leibniz, Haller, Euler, Linné, Buffon[1] und in politischen Geschäften alle vor andern tüchtige, erfahrne, nützliche Leute. Schwierigkeiten, Gefahren, Hindernisse, ihr Geschäft selbst besiegten sie; so wurden sie Überwinder. Der Schlendernde, der sich alles leicht und kurz macht, gelangt zu nichts; und wer von Jugend auf schlendert, nichts als schlendert, setzt, wenn ihn nicht das Unglück aufrüttelt, dies Schweben fort bis an sein unrühmliches seliges Ende.

Das ärgste Zeitlaster endlich, vor dem sich ein Jüngling zu hüten hat, ist die *Schamlosigkeit*, der Trotz, die Vermessenheit unsrer Zeiten. – Nicht daß man in früheren Zeiten nicht etwa gröber geredet hätte; man war zuweilen sehr grob und legte die Worte nicht auf die Waage; aber daß man so scheu- und schamlos allen angenommenen Grundsätzen der Anständigkeit und Ehrbarkeit, des allgemeinen und besondern Rechts der Völker und Menschen, offenbaren gegenseitigen Pflichten und Beziehungen entsagt, sie verlacht und verhöhnt hätte, davon ist in der Geschichte schwerlich eine gleiche Probe. Wenigstens suchte man zu bemänteln, zu umwinden; jetzt spricht man alles frei heraus, schreibt alles frei heraus, handelt vor den Augen der Welt, als ob keine dergleichen Grundsätze da wären, und damit ich mich eines pythagoräischen Ausdrucks bediene, man tut der Sonne gerade ins Antlitz. Hüte sich jeder edle Jüngling vor dieser abscheulichen Zeitenfrechheit, hüte er sich vor aller wilden Leserei, die zu ihr führet. Ein Jüngling, der seine Scham verloren hat, hat alles verloren; wer sich zu lesen getraut, worüber gleichsam das Blatt errötet, wer stolz, frech, unbescheiden sich zu schreiben getraut, was er in einer ehrbaren Versammlung oder einem Mann, dem er Hochachtung schuldig ist, nicht sagen dörfte, hat seine edle Bildung verleugnet, er ist oder wird in- und auswendig ein Ungeheuer, ein Scheusal. Schütze sein Genius jeden jungen Mann vor diesem Gift der Zeiten.

Und nun wohlauf, erwache Examen! mit Munterkeit und Freude! zur Freude, zur Ehre.

1 Zeitgenössische Naturforscher, die Herders Weltbild entscheidend beeinflußten.

AN JOHANN GEORG MÜLLER

Weimar, 18. Oktober 1802

Vor wenig Tagen kamen wir, liebster Müller, von unsrer langen Reise zurück, auf welcher wir uns um Zeitungen zu bekümmern wenig Gelegenheit gehabt haben. Hier erfuhren wir die neue Verwirrung Ihres Vaterlandes[1] mit Schmerz und Scheu, indessen auch nur in dunkeln Gerüchten.

Nun kommt Ihr Brief; ich nehme das erste Blatt der eben auch kommenden Zeitung und finde Bonapartes Deklaration an die Schweiz. Da, dünkt mich, ist nun eben Antwort gnug: ein mächtiger Wille, der von einigen 100 000 Mann Truppen unterstützt wird. Da nach seinem Aufruf in Paris die Sache ausgemacht werden soll, so dünkt mich:

1. muß der brave Reding dahin, den Sie mit so warmem Eifer nennen, und einige der bessern Bürger! Stopf [?] allein scheint mir zu schwach.

2. Preußische und russische Mediation[2] muß von der bessern Partei gesucht werden, wenn es noch Zeit ist. Ich weiß nicht, was in der Sache geschehn ist, kenne auch den ganzen Zustand des jetzigen Helvetiens nicht, weder lokal noch personell; also schreibe ich nur ins Blinde, Blaue, und in solches läßt sich nicht hineinraten, zumal über einen so vielgliedrigen, mit sich selbst uneinigen Körper in einer so verzwickten Lage. Was man Euch allgemein vorwirft, ist Mangel an Einigkeit und an Entschluß oder Hartsinn, Beschränktheit und die parteilichen Leidenschaften, deren Sie selbst erwähnen. Was hilft's aber, daß Ihr dieses wisset; wohl, wenn Ihr das Bessere tut und bald tut, solange es Zeit ist.

Daß alle die kleine Meutereien und Aufstände nichts helfen und viel schaden, siehet jeder selbst. Könnten Bonaparte und jene beiden Höfe für die gute Sache gewonnen werden, wohlan! Vielleicht hätte längst ein biederer, geist- und herzvoller Aufruf an Bonaparte geschehen können, der nicht ohne Wirkung gewesen wäre; jetzt sitzt Euch das Messer an der Kehle.

3. Von Anfange an sagte mir immer mein Geist: Die französische Schweiz wird ein annexe[3] von Frankreich werden; wenn sich nur die deutsche retten könnte! Daß diese sich rette, ist mein sehnlicher Wunsch, und ich halte es beinah für natürlich. Beide Teile sind an

1 Die Regierung der „Helvetischen Republik", 1798 auf französischen Druck hin gegründet, wurde 1802 aus Bern vertrieben, worauf Napoleon Bonaparte die Restauration der föderativen Verhältnisse in der Schweiz von vor 1798 veranlaßte. – 2 Vermittlung. – 3 (franz.) Teil, Anhang.

Sitten, Lebensart, Bildung etc. zu verschieden. Ich weiß nicht, wiefern auch hierin vorgearbeitet sei; denn ich bin mit Eurer ganzen neuern Geschichte von Verhandlungen etc. so unbekannt als mit Verhandlungen im Monde. Wer könnte Zeitungsnachrichten darüber trauen oder daraus klug werden. Verzeihen Sie also auch jetzt, lieber Müller, meinen fast leeren Brief. Wer kann raten, wo man weder siehet noch weiß. An Ihrem Bruder haben Sie ja den Ratgeber, der Sache, Land und Zeit bis auf den Grund kennet.

Wohl Ihnen, daß Sie am Ende Helvetiens[1] sitzen! Sie sind wenigstens am fernsten dem Schuß. Sie können sich klug und weise betragen; denen, die im Feuer sind, wird es schwerer –

Ihrem Bruder viel Glück zu seinem Glück[2] und zu seiner Reise, vorzüglich aber zu einem solchen Freunde. Ein solcher Freund ist selten. Lebt wohl, liebe beide! Ich werde alt und unschmackhaft, mir selbst und andern. Lebt wohl! Die Frau wird selbst einige Reihen schreiben. Behaltet uns lieb, lebt wohl! Und Sie, liebster Müller, handeln nicht rasch, sondern weise. Was es auch werde, die Revolution will ein Ende; denn alles hat sein Ziel. Gott helfe Euch und verzeih Euch Euer bisheriges Wirrwarr – Säumen und Eure Kleinfügigkeit! Lebt wohl!

AUS: DER CID[3]

GESCHICHTE DES DON RUY DIAZ, GRAFEN VON BIVAR, UNTER KÖNIG FERDINAND DEM GROSSEN

1.

Traurend tief saß Don Diego[4],
Wohl war keiner je so traurig;
Gramvoll dacht er Tag' und Nächte
Nur an seines Hauses Schmach.[5]

1 In Schaffhausen. – 2 Johannes von Müller (1752–1809) hatte eine Berufung nach Berlin bekommen. – 3 Die hier ausgewählten ersten 13 Romanzen (von insgesamt 70) erschienen noch zu Lebzeiten Herders im neunten Heft der Zeitschrift „Adrastea“, Mai 1803. – 4 Diego Lainez, in den Romanzen der Vater des Cid. – 5 Don Diego soll von Gormaz Grafen von Lozano geohrfeigt worden sein.

An die Schmach des edlen alten
Tapfern Hauses der von Lainez,
Das die Inigos an Ruhme,
Die Abarcos übertraf.

Tief gekränket, schwach vor Alter,
Fühlt er nahe sich dem Grabe,
Da indes sein Feind Don Gormaz
Ohne Gegner triumphiert.

Sonder Schlaf und sonder Speise,
Schläget er die Augen nieder,
Tritt nicht über seine Schwelle,
Spricht mit seinen Freunden nicht,

Höret nicht der Freunde Zuspruch,
Wenn sie kommen, ihn zu trösten;
Denn der Atem des Entehrten,
Glaubt' er, schände seinen Freund.

Endlich schüttelt er die Bürde
Los des grausam-stummen Grames,
Lässet kommen seine Söhne,
Aber spricht zu ihnen nicht;

Bindet ihrer aller Hände
Ernst und fest mit starken Banden;
Alle, Tränen in den Augen,
Flehen um Barmherzigkeit.

Fast schon ist er ohne Hoffnung,
Als der jüngste seiner Söhne,
Don Rodrigo, seinem Mute
Freud und Hoffnung wiedergab.

Mit entflammten Tigeraugen
Tritt er von dem Vater rückwärts.
„Vater", spricht er, „Ihr vergesset,
Wer Ihr seid und wer ich bin.

Hätt ich nicht aus Euren Händen
Meine Waffenwehr empfangen,
Ahndet ich mit einem Dolche
Die mir jetzt gebotne Schmach."

Strömend flossen Freudentränen
Auf die väterlichen Wangen.
„Du", sprach er, den Sohn umarmend,
„Du, Rodrigo, bist mein Sohn.

Ruhe gibt dein Zorn mir wieder,
Meine Schmerzen heilt dein Unmut!
Gegen mich nicht, deinen Vater,
Gegen unsres Hauses Feind

Hebe sich dein Arm!" – „Wo ist er?"
Rief Rodrigo, „wer entehret
Unser Haus?" Er ließ dem Vater
Kaum, es zu erzählen, Zeit.

2.

Angehört den Schimpf des Hauses,
Geht gedankenvoll Rodrigo,
Denkt an seine jungen Jahre,
Denkt an seines Feindes Macht.

„In Asturiens Gebürgen
Zählet Gormaz tausend Freunde,
Er, in Königs Rat der erste,
Er, der erste in der Schlacht."

Aber wenn er die dem Vater
Zugefügte Schmach bedenket,
Was bedeutet alles andre?
Recht will er vom Himmel nur.

Bravheit ist er seiner Ehre
Schuldig; schadet der die Jugend?
Für sie stirbt aus echtem Stamme
Selbst das neugeborne Kind.

Eilig langet er den Degen
Sich herab, den einst Mudarra[1]
Führte, jener tapfre Bastard.
(Traurig hing der Degen da,

Als ob er, vor Alter rostend,
Seines Herren Tod betraure.)
Eh er noch ihn an sich gürtet,
Redet er den Degen an:

„Dir gesagt sei es, du edler
Degen, daß ein Arm dich fasset
Gleich des Bastards Arm, und fühlest
Du, daß ihm noch Stärke fehlt;

Rückwärts wird er niemals weichen,
Wenn er dich im Kampfe führet;
Edler, du von gutem Stahle!
Doch von besserm ist sein Herz.

Wert wird dessen, dem du dientest,
Der sein, dem fortan du dienest;
Würd er jemals unwert deiner,
Nun, so dienst du keinem mehr.

Tief in seine Eingeweide
Birgt er dich – – Hinaus ins Freie!"
Rief er, „denn die Stund ist kommen,
Der gerechtsten Rache Zeit."

Heimlich, daß es niemand wußte,
Ging er aus des Vaters Hause;
Und noch war es keine Stunde,
Traf er seinen stolzen Feind.

3.

Auf dem Platze des Palastes
Traf Rodrigo auf Don Gormaz.
Einzeln, niemand war zugegen,
Redet' er den Grafen an:

1 Dieser uneheliche Sohn eines spanischen Edlen rächte seine sieben Brüder an deren Mörder.

„Kanntet Ihr, o edler Gormaz,
Mich, den Sohn des Don Diego,
Als Ihr Eure Hand ausstrecktet
Auf sein ehrenwert Gesicht?

Wußtet Ihr, daß Don Diego
Ab von Layñ Calvo stamme?
Daß nichts reiner und nichts edler
Als sein Blut ist und sein Schild?

Wußtet Ihr, daß, weil[1] ich lebe,
Ich, sein Sohn, kein Mensch auf Erden,
Kaum der mächt'ge Herr des Himmels
Dies ihm täte ungestraft?“

„Weißt du“, sprach der stolze Gormaz,
„Was wohl sei des Lebens Hälfte,
Jüngling?“ – „Ja“, sprach Don Rodrigo,
„Und ich weiß es sehr genau.

Eine Hälfte ist, dem Edlen
Ehr erzeigen, und die andre,
Den Hochmütigen zu strafen,
Mit dem letzten Tropfen Bluts

Abzutun die angetane
Schande.“ – Als er dies gesagt,
Sah er an den stolzen Grafen,
Der ihm diese Worte sprach:

„Nun, was willst du, rascher Jüngling?“ –
„Deinen Kopf will ich, Graf Gormaz“,
Sprach der Cid, „ich hab's gelobet!“ –
„Streiche willst du, gutes Kind“,

Sprach Don Gormaz, „eines Pagen
Streiche hättest du verdient.“
O Ihr Heiligen des Himmels,
Wie ward Cid auf dieses Wort!

1 solange.

4.

Tränen rannen, stille Tränen
Rannen auf des Greises Wangen,
Der, an seiner Tafel sitzend,
Alles um sich her vergaß,

Denkend an die Schmach des Hauses,
Denkend an des Sohnes Jugend,
Denkend an des Sohns Gefahren
Und an seines Feindes Macht.

Den Entehrten flieht die Freude,
Flieht die Zuversicht und Hoffnung;
Alle kehren mit der Ehre
Froh und jugendlich zurück.

Noch versenkt in tiefer Sorge,
Sieht er nicht Rodrigo kommen,
Der, den Degen unterm Arme
Und die Händ auf seiner Brust,

Lang ansieht den guten Vater,
Mitleid tief im Herzen fühlend,
Bis er zutritt, ihm die Rechte
Schüttelnd. „Iß, o guter Greis!"

Spricht er, weisend auf die Tafel;
Reicher flossen nun Diego
Seine Tränen: „Du, Rodrigo,
Sprachst du, sprichst du mir dies Wort?"

„Ja, mein Vater! Und erhebet
Euer edles, wertes Antlitz!" –
„Ist gerettet unsre Ehre?" –
„Edler Vater, er ist tot."

„Setze dich, mein Sohn Rodrigo!
Gerne will ich mit dir speisen.
Wer *den* Mann erlegen konnte,
Ist der Erste seines Stamms."

Weinend knieete Rodrigo,
Küssend seines Vaters Hände;
Weinend küßte Don Diego
Seines Sohnes Angesicht.

5.

Heulen und Geschrei und Rufen,
Rossetritt und Menschenstimmen
Mit Geräusch der Waffen tönte
Zu Burgos vor Königs Hof.

Niederstieg aus seiner Kammer
Don Fernando[1], er, der König;
Alle Großen seines Hofes
Folgten ihm bis an das Tor.

Vor dem Tore stand Ximene,
Aufgelöst das Haar in Trauer,
Und in bittern Tränen schwimmend,
Sank sie zu des Königs Knie.

Gegenseits kam Don Diego
Mit dreihundert edeln Männern,
Unter ihnen Don Rodrigo,
Er, der stolze Kastellaner[2].
Auf Maultieren ritten alle,
Er allein auf einem Roß.
Bisamhandschuh[3] trugen alle,
Er allein den Reiterhandschuh;
Alle reich in Gold und Seide,
Er allein in Waffenwehr.

Und das Volk, den Zug ersehend,
Und der Hof, als an sie kamen,
Alle riefen: „Schaut den Knaben,
Der den tapfern Gormaz schlug!“

Rings umher sah Don Rodrigo
Ernst und fest: „Ist euer einer,

1 Ferdinand I. – 2 Kastilier. – 3 Parfümierte Handschuhe.

Den des Grafen Tod beleidigt,
Freund, Verwandter, wer er ist,

Sei's zu Fuße, sei's zu Rosse,
Stell er sich!" Sie riefen alle:
„Dir mag sich der Teufel stellen,
Er nur, wenn es ihm beliebt!"

Ab von ihren Mäulern stiegen
Die dreihundert edle Knappen,
Ihres Königs Hand zu küssen;
Sitzen blieb auf seinem Roß

Don Rodrigo. „Steige nieder,
Sohn Rodrigo", sprach der Vater,
„Deines Königs Hand zu küssen!" –
„Wenn Ihr es befehlt, o Vater,
Eurethalben tu ich's gern."

6.

Mit zerrißnem Trauerschleier
Sprach Ximene jetzt zum König;
Tränen schwollen ihre Augen,
Wie war sie in Tränen schön!

Schön wie die betaute Rose
Glänzte sie in ihren Tränen;
Schöner blühten ihre Wangen,
Glühend in gerechtem Schmerz.

Ihre Worte singt der Sänger,
Doch nicht ihre Blick und Seufzer.
„König", sprach sie, „edler König,
Schaffe mir Gerechtigkeit!

Er erstach mir meinen Vater,
Er erstach ihn, eine Schlange,
Meinen Vater, der, o König,
Denk es, dir dein Reich beschützt!

Meinen Vater, der von Helden
Stammte, die mit ihren Fahnen
Einst Pelagius[1], dem ersten
Christenkönig, folgeten.

Meinen Vater, der den Christen-
Glauben selbst mit Macht beschirmte,
Ihn, das Schrecken der Almanzors[2],
Ihn, der Ehre deines Reiches
Ersten Sproß, in deiner Krone
Ihn, den ersten Edelstein.

Recht nur fleh ich, nicht Erbarmen;
Recht muß beistehn jedem Schwachen.
Unwert ist ein ungerechter
Fürst, daß ihm der Edle diene,
Daß die Königin ihn liebe,
Keines ihrer Küsse wert.

Und du wildes Tier, Rodrigo,
Auf, durchbohr auch diesen Busen,
Den ich hier in tiefster Trauer
Dir eröffne! Mord auch mich!

Warum nicht die Tochter töten,
Der du ihren Vater raubtest?
Warum nicht die Feindin morden,
Die dir's jetzt und ewig sein wird?
Rache fodert sie des Himmels
Und der ganzen Erde Rache
Gegen dich!“ – Rodrigo schwieg.

Und des Rosses Zaum ergreifend,
Kehret langsam er den Rücken
Allen Feldherrn, allen Kriegern,
Wartend, ob ihm einer folge;
Aber keiner folget' ihm.

1 Pelayo; altspanischer Nationalheld, gründete um 718 nach Abwehr der Mauren das christliche Königreich Asturien. – 2 Al-Mansor (arab. dem Gott hilft), Beiname vieler arabischer Fürsten.

Als Ximene dieses sahe,
Rief sie lauter noch und lauter:
„Rache, Krieger, blut'ge Rache!
Ich selbst bin des Rächers Preis!“

7.

An der Tafel saß Fernando,
Zu Burgos im Königspalast,
Als Ximene tief in Trauer
Und in Tränen vor ihm kniete.

Mit bescheidener Gebärde
Sprach sie jammernd diese Worte:
„König, eine arme Waise
Komm ich, suchend Euren Schutz.

Eben starb auch meine Mutter
Gramvoll, die mir unsres Hauses
Schmähung nachließ; denn der Mörder
Unsres Hauses lebet noch.

Täglich darf er sich mir zeigen,
Der großsinnig-stolze Lainez,
Reitet täglich mir vor Augen,
Seinen Falken auf der Hand,

Der mir meine Tauben würget,
Alt und jung. Schau her, o König,
Sieh das Blut auf meiner Schürze,
Meiner jüngsten Taube Blut!

Oft hab ich's ihm untersaget;
Und was gab er mir für Antwort?
Lies, o König! Diese Zeilen
Sandt er heute mir zum Hohn“:

„An Doña Ximena.

Du klagest, einzige, verehrte, schöne
Ximene,
Daß täglich Dir mein Falk die Tauben
Komme zu rauben.

Sein Herr begleitet ihn –
Oh, dürft er kühn
Die einmal sehn, der auf so harte Art
Vom Schicksal und vom Falk er angemeldet ward!“

Als der König dies gelesen,
Stand er auf von seiner Tafel,
Schrieb sofort an Don Diego;
Heimlich sandt er ihm den Brief.

Wissen will den vollen Inhalt
Don Rodrigo. „Nein, bei Gott nicht
Und bei seiner heil'gen Mutter“,
Sprach er, „laß ich Euch, o Vater,
Euch allein nach Hofe ziehn!“

8.

Eingefallen in Kastilien
Waren Könige der Mauren
Fünf. Verwüstung, Lärm und Feuer,
Mord und Tod zog ihnen vor[1].

Über Burgos schon hinüber,
Montes d'Oca, Belforado,
San Domingo und Naxara
Steht verheeret alles Land.

Weggetrieben werden Herden,
Schafe, Christen, Christenkinder,
Männer, Weiber, Knaben, Mädchen;
Jene weinen, diese fragen:
„Mutter, wohin ziehen wir?“

Ruhmreich sammlen schon die Mauren
Ihren Raub, zurückzukehren;
Denn niemand begegnet ihnen,
Niemand, auch der König nicht.

1 zog vor ihnen her.

Zu Bivar auf seinem Schlosse
Hörte diese Not Rodrigo;
Noch war er nicht zwanzig Jahre,
Doch an Mut war er ein Mann.

Auf sein Roß, es hieß Babieça[1],
Stieg er, wie hoch in den Wolken
Gott auf seinen Donnerwagen,
Und durchrannte rings das Land.

Die Vasallen seines Vaters
Bot er auf; sie waren alle
Angelangt zu Montes d'Oca
Und erwarten ihren Feind.

Guter Himmel! Von den Mauren
Zog fortan nicht einer weiter –
Aber die geraubten Herden,
Männer, Weiber, Christenkinder,
Alle ziehen ihres Weges
Froh und frei. Die fünf gefangnen
Mohrenkönige – dem König
Don Fernando schickt Rodrigo
Die Gefangnen zum Geschenk.

9.

Auf dem Throne saß Fernando,
Seiner Untertanen Klagen
Anzuhören und zu richten,
Strafend den und jenen lohnend –
Denn kein Volk tut seine Pflichten
Ohne Straf und ohne Lohn –,

Als mit langer Trauerschleppe,
Von dreihundert edlen Knappen
Still begleitet, ehrerbietig
Vor den Thron Ximene trat.

1 (span.) Dummkopf.

Auf des Thrones tiefste Stufe
Kniete sie demütig nieder;
Tochter sie des Grafen Gormaz,
Hub sie so zu klagen an:

„Sechs Monate sind es heute,
Sechs Monate, großer König,
Seit von eines jungen Kriegers
Hand mein edler Vater fiel.

Viermal kniet ich Euch zu Füßen,
Viermal gabt Ihr, großer König,
Euer Wort mir, mir zusagend
Rächende Gerechtigkeit.

Noch ist sie mir nicht geworden;
Jung und frech und übermütig
Spottet Eurer Reichsgesetze
Don Rodrigo von Bivar.

Und Ihr schützt ihn, edler König,
Ihr! Denn wer von Euren Männern
Seiner sich bemächtigt hätte,
Übel wär es ihm gelohnt.

Gute Kön'ge sind auf Erden
Gottes Bild; die ungerechten
Sind undankbar ihren treuen
Dienern, nähren Faktionen[1],
Haß, Verfolgung, ew'ge Feindschaft,
Seufzer und Verzweifelung.

Denkt daran, o großer König,
Und verzeihet einer Waise,
Der die Klag auf ihren Lippen
Schmerzlich Euch ein Vorwurf wird!“

„Was Ihr spracht, sei Euch verziehen“,
Sprach der König; „doch, Ximene,
Gnug geredet und nicht weiter!

1 Hier: Parteienbildung.

Euch erhalt ich den Rodrigo;
Wie um seinen Tod Ihr jetzo,
Werdet bald Ihr um sein Leben
Und um seine Wohlfahrt flehn."

10.

Nie erscholl ein Ruhm gerechter,
Größer nie als Don Rodrigos;
Denn fünf Könige der Mauren,
Mauren aus der Moreria[1],
Waren ihm Gefangene.

Und nachdem er mit Vereidung
In Vasallenpflicht und Zinspflicht
Sie genommen, sandt er alle
Wieder in ihr Land zurück.

Als nach sieben langen Jahren
(Nie wär er von ihr gewichen)
Don Fernando jetzt die feste
Stadt Coimbra, fest durch Mauren[2]
Und durch Türme, überwand,

Weihet' er der Mutter Gottes
Die prachtvollste der Moscheen;
Hier in diesem heil'gen Tempel
Hielt Rodrigo Ritterwacht.

Hier mit eignen Königshänden
Gürtet ihm das Schwert der König,
Und die Königin, sie führet
Selber ihm den Zelter zu.

Die Infantin, Doña Uraca,
Schnallt' ihm an die goldnen Sporen.
„Mutter", sprach sie, „welch ein Ritter!
Einen schönern sah ich nie!

1 Von den Mauren beherrschte Landesteile Spaniens. – 2 Mauern.

Glücklich ist das Bauermädchen,
Die ihn ohne Scheu des Vorwurfs
Unanständig-niedrer Sitte
Lang anschauen nach Gefallen,
Ohne Scheu ihn sehen darf.
Glücklicher ist die Gemahlin,
Die ihm zuführt seine Mutter,
Ihm, dem Schönsten, den ich sah.“

Also sprach die Königstochter;
Doch nicht mit der Rosenlippe,
Tief nur im verschwiegnen Busen
Sprach also ihr stilles Herz.

11.

„Edler Ritter, Don Rodrigo,
Jung und kühn und klug und tapfer,
Strafe dich mit Schmach der Himmel,
Daß du mir mein Herz bekämpft,
Kühner, ohne zu bedenken,
Wer du bist und wer ich bin!

Daß du eine Stadt bezwungen,
Daß fünf Könige der Mauren
Du in deine Fesseln zwangest,
Daß den stolzen Grafen Gormaz
Du in früher Jugend schlugest,
Macht dich dieses so verwegen?
Welcher Spanier, o Ritter,
Tät es nicht? und wohl noch mehr!

Edel zwar bist du geboren,
Auszuüben schöne Taten;
Dem, der einzig seine Pflicht tut,
Dem ist keinen Dank man schuldig,
Und gebührt er dir, so wisse,
Diese Pflicht ist nicht die meine,
Sie ist meines Vaters Pflicht.

Wenn ein Mangel an Vermögen
Mich dir anzunähern scheinet,
Mich, die meine Königsabkunft
Über dich so hoch erhebt,
Oh, so wisse: Königstöchter
Sind deswegen arm an Gütern,
Weil der Adel ihres Stammes
Ihnen mehr als Reichtum gilt.
Armut ist an mir kein Flecke;
Sie ist meiner Hoheit Ruhm.

Reich, das weiß ich, ist Ximene,
Darum ist's, daß du sie liebest;
Nein, nicht darum; denn, Rodrigo,
Unrecht will ich dir nicht tun.
Sie auch liebt dich – Nun, so liebet!
Mir macht es den kleinsten Kummer,
Daß der Cid Ximenen liebt.

Eines reichen Grafen Tochter
Gnüget dir, du kleiner Ritter;
Ich bin arm – bedarf ein edler
Diamant, bedarf er Gold?

Schön bist du, wie einst Narcissus;
Weise – Salomon war weiser;
Edel – deren gibt es viele;
Tapfer – Spanien erziehet
Keine Memme, Don Rodrigo!
Reich – das sind so viele Narren;
Weit berühmt – das waren viele
Mehr als du und starben dennoch,
Eingehüllet in die Tücher
Menschlicher Vergessenheit.

Ritter, wenn dein eigner Spiegel
Dir nur deine Schönheit vorhält,
So tritt her vor meinen Spiegel!
Er erniedert deinen Stolz.
Geh dann hin zu deinesgleichen,
Ritter, eine Königstochter
Blicke nur mit Ehrfurcht an!"

Also sprach die eifersücht'ge
Königstochter Doña Uraca;
Und der Cid, er stand und schwieg.
Denn sie liebt' ihn tief im Herzen;
Und als sie nun ausgeredet,
Fuhr sie fort, mit ihrer Nadel
Ihm zu nähn die schönste Schärpe,
Die er – nicht begehrete.

12.

In dem blühnden Ostermonat,
Da die Erde neu sich kleidet,
Da die weißbehaarte Mutter
Sich wie eine Fee verwandelt
In die schönste junge Nymphe,

Da lustwandelte der König
Von Kastilien, Don Fernando,
Er mit seinem ganzen Hofe
Vor Burgos im schönen Tal.

Und von seinem ganzen Hofe
Nahm er keinen als Rodrigo
Hin zu einer Silberquelle,
Glänzend schöner als Kristall.
Mit ihm sprach er an der Quelle;
Aller Augen sahn ihn sprechen,
Aber keines Ohr vernahm,
Was zu Cid der König sprach.

Dies sprach er: „Ich lieb Euch, Ritter!
Jung seid Ihr und brav und tapfer,
Aber noch nicht welterfahren,
Und am wenigsten versteht Ihr
Euch aufs weibliche Geschlecht.

Alle wollen sie regieren,
Und regieren denn auch wirklich;
Leider wir sind nur ihr Werkzeug;
Unsre männlichsten Gedanken,
Oft zerstörte sie – ein Weib.

Gleich als hätte Gott zuletzt noch
In sein schönes Haus, die Schöpfung,
Deshalb nur die Frau geführet,
Daß *durch sie* und *für sie* alles,
Alles je geschehen sollte,
Sonder Schein, daß *sie* es tut.

Junger Mann, die Frauen kennen
Ist dir nützlich; dieses Wissen
Übersteiget jedes andre;
Doch – *zu* weithin forsche nicht!

Dir sonst könnt es auch so gehen
Wie dort jenem alten Weisen:
Weil er ihn nicht fassen konnte,
Stürzet' er sich in den Schlund.[1]

Das Geheimnis ist – der Weiber
Macht auf unsre Männerherzen.
Dies Geheimnis steckt in ihnen
Tief verborgen, Gott dem Herren,
Glaub ich, selber unerforschlich.
Wenn an jenem großen Tage,
Der einst aufsucht alle Fehle,
Gott der Weiber Herzen sichtet,
Findet er entweder alle
Sträflich oder gleich unschuldig;
So verflochten ist ihr Herz.

Ungeheur ist die Entfernung
Zwischen einem Mann und Mädchen
Und durchaus zum Vorteil dieser;
Junger Mann, weißt du, warum?

Darum: Männer gehen vorwärts;
Und das Weib – es sieht sie kommen.
Er veranschlagt; sie begegnet
Seinen Planen – weißt du, wie?

1 Vermutlich Anspielung auf den griechischen Philosophen Empedokles (495–435), der nach der Legende durch einen Sprung in den Krater des Ätna starb.

Sieh dort jenen leichten Vogel,
Der von Zweig zu Zweige hüpfet!
Necken wird er lang den Jäger,
Der ihm folget Schritt vor Schritt;

Vor dem Angesicht des Eigners
Wird er seine schönsten Früchte
Naschen, weil er ohne Waffen
Ihn da vor sich stehen sieht.
Und was haben gegen Weiber
Wir, die Männer, wohl für Waffen?
Deshalb dann regieren sie.

Und hiebei ist keine Ausnahm;
Jede gleicht hierin der andern.
Junger Mann, der Weisheit Regel
Rät, sich zu vermählen – nie.“

Also sprach zu Cid der König,
Der dadurch ihn prüfen wollte;
Hört, was er antwortete!

13.

An dem Rand der Silberquelle,
Als der König ausgesprochen,
Nahm der Cid also das Wort:

„Freilich bin ich jung, o König,
Für die Regeln alter Weisheit;
Aber, das Gesetz der Ehre
Zu verstehen, nicht zu jung.

Denn aus gutem Blut erzeuget
Und genährt in guter Schule,
Spricht die Ehre mir: Erhalten
Muß ein Edler sein Geschlecht;

Muß dem Vaterlande dienen,
Muß in Rat und Tat dem Herren
Hold und treu sein und gewärtig,
Muß ihm beistehn mit Gewicht;

Dazu also einen Namen,
Einen hohen Baum sich pflanzen,
In des Schatten auch der Fremde
Ruh und Schutz und Rettung sucht.

Muß der Kirche, muß dem Staate
Kinder geben, die ihm gleichen;
Dies ist mein Gesetz der Ehre,
Das Vermählung mir gebeut[1].

Wer das heil'ge Band der Ehe
Flieht, o König, der verleugnet
Feige, wie ein Überläufer,
Väter und Religion.

Er zerreißt den Zaum der Ehre,
Trennt das Band, das ihn an Menschen,
Das an sein Geschlecht ihn knüpfet
Und an andere Geschlechter;
Dafür wird er hart gestraft.

Den entlaufenen Verächter
Straft Verachtung aller Edeln;
Jedermann erscheint er nutzlos
Und unwürdig seines Stamms. –

Was das Regiment der Frauen
Anbetrifft, o großer König,
So ist meine Meinung dies:

Sie regieren wie die Diener
Über fehlerhafte Herren.
Wer zur Decke seiner Mängel
Ihrer nicht vonnöten hat,
Gegen eine Welt von Feinden
Ist er stark und stehet sicher.
Sonderlich im Punkt der Ehre
Gab kein Weib dem Mann Gesetze,
Durft auch nie ihm solche geben;
Das Vergnügen ist ihr Feld,

1 gebietet.

Und da mögen sie regieren;
Sie verstehn darauf sich besser,
Besser, dünkt mich, als die Männer –
Dies ist meine Meinung, Herr.

Und was anlangt ihre Gleichheit,
Unterwerf ich mich der Meinung
Meines Lehnherrn. Alle taugen
Nicht, sobald der Mann nicht taugt.

Also nehm ich's gegen alle
Auf, zu Roß und auch zu Fuße;
Nur behaupt ich: jedes Weibes
Fehler ist des Mannes Schuld.

Eine Bitte noch, o König,
Vor dem Ende des Gespräches:
Zur Vermählung mit Ximenen,
Waise jetzt des Grafen Gormaz,
Bitt aus königlicher Gnade
Ich mir die Bewilligung.“

An dem Rand der Silberquelle
Gingen jetzt sie auseinander,
Don Fernando und der Cid.

ZUEIGNUNG DER VOLKSLIEDER

Die ihr in Dunkel gehüllt der Menschen Sitte durchwandelt,
Ihre Taten erspäht, ihre Gedanken umwacht
Und den Verbrecher ergreift, wenn er am mindsten es ahnet,
Und den Verwegenen stürzt dicht an der Krone des Ziels;
Die ihr den Übermut dämpft, den Tollen über die Schnur[1] jagt,
Tief in die eigene Gruft seines umflammenden Wahns,
Die ihr aus Gräbern hervor die Untat bringet, dem Seufzer,
Der in der Wüste verstummt, Atem gewährt und Geschrei –
Euch weih ich die *Stimme des Volks*, der zerstreueten *Menschheit*,
Ihren verhohlenen Schmerz, ihren verspotteten Gram

1 über das normale Maß hinaus.

Und die Klagen, die niemand hört, das ermattende Ächzen
Des Verstoßenen, des niemand im Schmuck sich erbarmt,
Laßt in die Herzen sie dringen, wie wahr das Herz sie hervordrang,
Laßt sie stoßen den Dolch in des Entarteten Brust,
Daß er mit Angst und Wut sich selbst erkenne, verwünschend,
Und mit Lästerung nur täusche der *Pöna*[1] Gewalt,
Hoch verachtend und frech (o Wahnsinn)! Alles, was Mensch ist,
Unwert, daß er es seh, er, der erhabene Gott. –
Stürzt ihn! – – – Aber ich weih euch auch die Liebe, die Hoffnung
Und den geselligen Trost und den unschuldigen Scherz
Und den fröhlichen Spott und die helle Lache des Volkes
Über erhabnen Dunst, über verkrüppelnden Wahn,
Weih die Entzückungen euch, wenn Seel an Seele sich anschließt
Und sich wieder vereint, was auch die Parze nicht schied,
Weih euch die Wünsche der Braut, der Eltern zärtliche Sorge,
Was in der Brust verhallt, was in der Sprache verklingt:
Denn nicht blickt ihr umsonst in euren Busen; der Finger
Drückt mit liebendem Wink euren verschlossenen Mund.

(Adrastea VI, 2)

DER AFRIKANISCHE RECHTSSPRUCH

Alexander aus Makedonien kam einst in eine entlegne goldreiche Provinz von Afrika; die Einwohner gingen ihm entgegen und brachten ihm Schalen dar, voll goldner Äpfel und Früchte. „Esset ihr diese Früchte bei euch?" sprach Alexander; „ich bin nicht gekommen, eure Reichtümer zu sehen, sondern von euren Sitten zu lernen." Da führeten sie ihn auf den Markt, wo ihr König Gericht hielt.

Eben trat ein Bürger vor und sprach: „Ich kaufte, o König, von diesem Manne einen Sack voll Spreu und habe einen ansehnlichen Schatz in ihm gefunden. Die Spreu ist mein, aber nicht das Gold; und dieser Mann will es nicht wiedernehmen. Sprich ihm zu, o König, denn es ist das Seine."

Und sein Gegner, auch ein Bürger des Orts, antwortete: „Du fürchtest dich, etwas Unrechtes zu behalten; und ich sollte mich nicht fürchten, ein solches von dir zu nehmen? Ich habe dir den

1 Personifizierte Gottheit der Bestrafung.

Sack verkauft, nebst allem, was drinnen ist; behalte das Deine. Sprich ihm zu, o König."

Der König fragte den ersten, ob er einen Sohn habe. Er antwortete: „Ja." Er fragte den andern, ob er eine Tochter habe, und bekam Ja zur Antwort. „Wohlan", sprach der König, „ihr seid beide rechtschaffene Leute: verheiratet eure Kinder untereinander und gebet ihnen den gefundenen Schatz zur Hochzeitgabe; das ist meine Entscheidung."

Alexander erstaunte, da er diesen Ausspruch hörte. „Habe ich unrecht gerichtet", sprach der König des fernen Landes, „daß du also erstaunest?" – „Mitnichten", antwortete Alexander, „aber in unserm Lande würde man anders richten." – „Und wie denn?" fragte der afrikanische König. „Beide Streitende", sprach Alexander, „verlören ihre Häupter, und der Schatz käme in die Hände des Königes."

Da schlug der König die Hände zusammen und sprach: „Scheinet denn bei euch auch die Sonne? und läßt der Himmel noch auf euch regnen?" Alexander antwortete: „Ja". – „So muß es", fuhr er fort, „der unschuldigen Tiere wegen sein, die in eurem Lande leben: denn über solche Menschen sollte keine Sonne scheinen, kein Himmel regnen."

EPILOGUS[1]

In *einem* Wort, ihr Freunde, liegt das Glück
Des Menschenlebens wie der Wesen Ordnung
Und innigster Zusammenhang. *Ein* Wort
Enträtselt uns des Weltalls Labyrinth
In Lust und Schmerz, im Lohne süßer Müh
Und freudiger Aufopferung, im Streben
Der schwersten Tugend – *Was* ist schwer und leicht?
Was Lust und Pein? *Ein* Wort vermischt die Grenzen
In süßester Verwirrung, macht den Schmerz
Zur *höhern* Lust, den Mangel zum Genuß,
Den Tod zum Leben, zum Triumph die Qual –
Es ist das süße Zauberwort: *„Für Dich!"*

1 Das Gedicht stand am Ende eines kleinen Dramas, „Admetus' Haus" (1802); es sollte Herders Dank an seine Frau Karoline zum Ausdruck bringen und bediente sich dabei der griechischen Sage von der Königin Alkestis, die bereit ist, für ihren Gatten Admetos ihr Leben hinzugeben.

„*Für Dich!*" ruft eine Mutter aus und stirbt
Für ihre Kinder. Für den Ehgemahl
Arbeitet, duldet, mühet sich das Weib;
Für Weib und Kinder der Gemahl, der Vater;
Für seinen Freund der Freund; für Vaterland
Und alles Gute, was die Zukunft birgt,
Der Tapfere, der Weise; für die Nachwelt
Auch wider Willen lebt und stirbt der Mensch.

Entfesseln wollt uns die Natur, befrein
Von engen Schranken unsres armen Selbst,
Als sie das Wort aussprach: „In andern, nicht
In dir, o Mensch, sei deines Daseins Reiz
Und Seligkeit und deines Wirkens Ziel."
Vom Element, vom kleinesten Atom
Erhebt sich dies Gesetz der Einigung,
Des Füreinanderseins und Wirkens, bis
Zur reinsten Flamme, die auf Erden glüht,
Der ehlich-mütterlichen Zärtlichkeit.

Oft fragt ihr, welch Geschlecht am stärksten liebe?
Gewiß nur das, was sich des andern Glück
Großmütig, freudig, willig, zart ergibt,
Das keine Qualen achtet, seine Pflichten
Als Lust ausübet; im Geliebten lebt,
Von sich entfesselt, wer wahrhaftig liebt.

Glaubt ihr, die Götter mischten ungerecht
Des Schicksals Lose? War's in ihrer Macht?
Da unser Herz die Urn ist, die sie mischt
Und schüttelt und jetzt dies, jetzt jenes zieht
An Freud und Schmerz, wozu es selbst sie macht.

Niemand ist glücklich als der Liebende,
Noch glücklicher, wer sich in Liebe müht,
Am glücklichsten, wer seiner Mühe Lohn
Im andern froh und unerkannt genießt:
So (glaubt es) und nicht anders mischten droben
Die Götter unsre Lose. Äußres Glück
Entscheidet nie; für die Empfindung ordnen,
Für Herzen mischen, schmelzen, wechseln sie

So Glück als Unfall; und die höchste Lust
(*Ihr* wißt es, die des Lebens Schauspiel mit
Verstand und Herz erwägen) – die höchste Lust
Erschufen weise sie aus Lieb und Schmerz.

Dank euch, ihr hohen Götter, daß ihr uns
Das Rätsel löstet und des Schicksals Faden
Treu in die Hand gabt! Wer in sich erliegt,
Ist elend; wer für andre wirkt, in ihnen
Genießt und lebt, er ist der Selige.
Im Lebensbecher mischen sich die Seelen,
Im Lebensringe tauschen sich die Lose,
Das Zauberwort der Liebe heißt: „*Für Dich!*“

DIE ERDE

Ich grüße dich, o Mutter Erde, dich,
Du Vielgebärerin, in deren Schoß
Der Vater aller Welt welch Samenheer
Lebendiger verbarg, die alle du
Zum Leben ausgebierst, sie mütterlich
Ernährst und trägest und denn friedlich sie
In deinen Schoß begräbst. Wie nenn ich dich,
Du güt'ge Alte, du Langmütige,
Die Bös und Gutes, Gift und Arzenei
Mit gleicher Sorg erzieht und gleiches Muts
Hier Wohlgerüche für die Sterblichen
In tausend Blumen aushaucht und dort Tod.

Du Immer-Jungfrau, du der Sonne Braut,
Die ewig unermüdet, rastlos sich
Kehrt um sich selbst, sich an des Bräutigams
Strahlvollen Blicken zu erwärmen, und
In sich entschläft und wieder neu erwacht
Und prangt in süßen Jugendträumen! Du
Demütige, die unser Fuß zertritt
Und unser Blick verachtet, die sich selbst
In dunkles Grau, wie oder in das Kleid
Des kalten Winters, hüllet, bis sie sich

Mit neuen Farben, ihren Kindern, schmückt,
Nicht sich, nur ihnen zur Erquickung und
Zur Wohlgestalt und Freude! Herrliche,
Ehrwürdige! du Tausendkünstlerin,
Penelope[1], die ihren Schleier stickt
Und trennet, die des Menschen sauren Schweiß,
Der Brüder Blut und aller ihrer Kinder
Geliebte Asche sammlet und sie treu
An ihren Busen drückt, mit Tränen sie
Erquickend und mit warmem Seufzer sie
Einst neu beseelend.
Ich umfasse dich,
Auch meine Mutter, meine Nährerin
Und einst mein Grab; ich faß, so weit ich kann,
Ein kleiner Raum, doch mehr als Raumes gnug
Zu meiner Ruhestätte.
Doch mein Blick
Reicht auf dir weiter; nur mein träger Fuß
Ist es, der an dir klebt; mein edles Herz
Schlägt freier, und mein Geist denkt höher auf.
Gabst du mir den, o Erde? Gabst du ihn,
So Dank dir des Geschenkes! Zieh ihn auf,
O gute Mutter! Du erfüllst ihn nie.
Du leitest seine Kindheitschritte, beutst[2]
Ihm deine Mutterbrust, gewährest ihm
Aus deinem Vorrat nur ein Bilderhaus
Aufwachender Gedanken, weckst in ihm
Durch gut' und böses Schicksal deiner Sturm-
Und Sonnentage, deiner Frühlinge
Und Winter, ach, Empfindungen von Wohl
Und Weh, von Qual und von Genuß,
Von Wechsel und der Allvergänglichkeit.

Ja, heil'ge Mutter, oft lag ich auf dir
Und weinte. Tröstend kühletest du dann
Mit deinen Blumen, deinem Grase, das
Wie ich verwelket, meine Stirn voll Glut.

1 Die Gemahlin des griechischen Helden Odysseus; sie hatte zugesagt, nach Vollendung einer Webarbeit aus der Schar der Freier, die nach dem Ausbleiben ihres Mannes um sie warben, einen Gatten zu wählen. Um diesen Zeitpunkt hinauszuzögern, trennte sie nachts auf, was sie tagsüber gewebt hatte. – 2 bietest.

Teil der Grabplatte in der Stadtkirche zu Weimar

Erquickend stieg aus dir ein Atem auf.
War es ein Seufzer, zu beklagen mich?
War es ein Mutterkuß? O Zärtliche,
Wie viele Klagen hast du schon gehört
Und nie gestillt. Wie viele Seufzer sind
In deiner Brust verborgen. Und du wirst
Nicht matt und müde, deine Lebenskraft
Geschöpfen mitzuteilen, freuest dich
Des Schattengaukelwerks, das auf dir spielt,
Der Trümmer von zerbrochnen Königreichen
Und Menschenherzen, all des leichten Volks
Der bunten Träume, das sich auf dir jagt? –

Mir öffnet sich der Erde weites Reich!
Vorüber gehen mir Jahrhunderte
Und Völker. – Welch ein weiter Schattenzug!
Ich sehe Könige, mit ihren Kronen
Ins Grab hinsinkend, sehe Schar auf Schar;
Sie streiten, bluten, morden, quälen sich –
Um eine Handvoll Erde, um ihr Grab.
Ameisen seh ich, kämpfend um den Halm,
Der ihnen nicht gehört und sonder den
Sie auch nicht leben können. Löwen seh ich
Und Tiger – welche Brut! –, zerreißend den
Unschuldig-Armen! Arme betteln Brot,
Sie lesen auf verstohlne Ähren, die
Du uns so reichlich zollest, liebe Erde,
Und grämen sich und betteln um ihr Grab.

O Schattenspiel der Welt! Du Schaugerüst
Fruchtloser Wünsche, leerer Eitelkeit!
Ist auf dir Ewiges? Kann Ewiges
Der Geist sich auf dir träumen? Und doch bebt
Das bange Herz, dich zu verlassen, schlägt,
Unruhig wie ein Fisch, dicht überm Meer.

Und bin ich denn an dich gebunden? Ich,
Den zu beseligen du nie vermagst!
Brennt das, was in mir brennt, als Flamme nur
Des Aschehaufens in der Erde Dunst?
O nein, o nein! Der Dunst der Erde flammt

Nicht auf der Seele Feuer; er vertilgt's,
Und Geister fesselt ihre Schwere nicht!

Wie wird mir sein, o Sphäre[1], wenn ich dich
Tief unter meinen Füßen sehe, dich,
Den kleinen Wandelstern, mit Dampf und Nacht
Umgeben, fern der Sonne, dem Bezirk
Des kalten Mondes nah? Wie wird mir sein,
Wenn ich, ein Genius, mich über dich
Erhebe, atmend ganz im Ätherstrom?
Denn fesseln mich nicht deine Seufzer mehr,
Denn rufen deine Tränen nie zurück
Den Frohentkommenen! Es eilt mir nach,
Was mein ist, und ich segne, segne dich,
Du meiner Kindheit väterliche Flur.

Und so denn will ich dich genießen, will
Dich jetzt auch ansehn, mütterliches Land.
Du reichst mir Blumen, doch nur für den Tag,
Erquickst mit Früchten nur den Wanderer,
Der nacket auf dir ankam und dich nackt
Verlassen wird, wenn seine Stunde schlägt.
Dann lebe wohl, du liebes Erdenrund,
Du Tropfe Stein und Leimen[2], der dem Schoß
Des Chaos einst entfloß und festgerann
Und sich begrünte, dann ein großes Heer
Von Lebenden gebar und sie begrub
Und wieder wegschmilzt in des Chaos Nacht.

1 Hier: Erdkugel. – 2 Lehm.

Erläuterungen zu Personennamen

Alexander (Alexandros III., der Große; 356–323 v. u. Z.), ab 336 v. u. Z. König von Makedonien; er unterwarf die griechischen Stadtstaaten, eroberte Persien und Ägypten und drang bis Indien vor.

Alkibiades (um 450–404 v. u. Z.), athenischer Staatsmann und Feldherr; nach dem mißglückten Sizilienfeldzug Athens (415–413 v. u. Z.) wurde er angeklagt und floh nach Sparta, wo er entscheidende Ratschläge zum Kampf gegen Athen gab.

Al Mansor (Abu Dschafar ibn Muhammad; 712–775), ab 754 der zweite abbasidische Kalif.

Al Mamon, siehe Mamon.

Aristophanes (um 445 bis um 386 v. u. Z.), griechischer Komödiendichter, bedeutendster Repräsentant der politisch engagierten alten attischen Komödie.

Aristoteles (384–322 v. u. Z.), griechischer Philosoph, Schüler Platons, Begründer der Schule der Peripatetiker; er schuf das reifste System der antiken Philosophie. In seiner „Poetik" hatte er für die Tragödie die Regel von den drei Einheiten (der Zeit, des Ortes und der Handlung) aufgestellt, die von den französischen Klassizisten des 17. Jahrhunderts weitgehend als starres Dogma befolgt wurde.

Äschylus (Aischylos; 525–456 v. u. Z.), ältester der drei klassischen griechischen Tragödiendichter.

Augustus (Gaius Iulius Caesar Octavianus; 63 v. u. Z. bis 14 u. Z.), erster römischer Kaiser, unter dessen Herrschaft sich die Sklavereigesellschaft in Rom nach Beendigung der Bürgerkriege erneut konsolidierte.

Baco, siehe Bacon.

Bacon, Francis (Baco of Verulam; 1561–1626), englischer Philosoph und Staatsmann; mit seiner Lehre vom Ursprung aller Erkenntnis aus der Erfahrung wurde er zum Begründer des englischen Empirismus und der experimentellen Wissenschaft.

Bacon, Roger (um 1215–1252), gelehrter englischer Franziskanermönch.

Baumgarten, Alexander Gottlieb (1714–1762), Philosoph; er versuchte die Ästhetik als selbständige Wissenschaft zu begründen.

Bayle, Pierre (1647–1706), französischer Philosoph; sein „Historisches und kritisches Wörterbuch" (1695–1697) ist ein Vorläufer der großen „Enzyklopädie" Diderots und d'Alemberts.

Beaumelle, Laurent Anglívil de La (1726–1773), französischer Schriftsteller.

Berkeley, George (1685–1753), englischer idealistischer Philosoph.

Bernis, François-Joachim de Pierres de (1715–1794), französischer Kardinal, Diplomat und Schriftsteller.

Bertuch, Friedrich Justin (1747–1822), Unternehmer, Schriftsteller und Verleger, Geheimsekretär des Herzogs Karl August von Weimar.

Bolingbroke, Henry Saint-John, Viscount (1678–1751), englischer Staatsmann und Schriftsteller.

Bonaparte (Napoleon I. Bonaparte; 1769–1821), 1799 Erster Konsul, 1804 bis 1814/15 Kaiser von Frankreich.

Bonifacius VIII. (vorher Benedetto Caëtani; um 1235–1303), ab 1294 Papst der römisch-katholischen Kirche.

Brucker, Johann Jakob (1696–1770), Philosophiehistoriker.

Buffon, Georges-Louis Leclerc, Comte de (1701–1788), französischer Naturforscher, Verfasser der „Naturgeschichte der Tiere“ und der „Epochen der Natur“.

Calvin, Johann (1509–1564), Schweizer Reformator.

Cartesius, siehe Descartes.

Chrysostomus, Johannes (um 345–407), Heiliger und Kirchenvater, einer der bedeutendsten Prediger des christlichen Altertums.

Cicero, Marcus Tullius (106–43 v. u. Z.), römischer Staatsmann, Redner und philosophischer Schriftsteller.

Claudius, Matthias (1740–1815), volkstümlicher Lyriker und Publizist.

Corneille, Pierre (1606–1684), französischer Dramatiker, Begründer der klassizistischen französischen Tragödie.

Crébillon, Prosper Jolyot de, der Ältere (1674–1762), französischer Dramatiker, der durch die Häufung grausamer Details aus der antiken Mythologie und Geschichte Wirkung zu erzielen suchte.

Dalberg, Karl Theodor Reichsfreiherr von (1744–1817), 1772–1787 kurmainzischer Statthalter in Erfurt.

Darius (Dareios I.), 522–486 v. u. Z. persischer Großkönig.

Demosthenes (384–322 v. u. Z.), athenischer Redner und Staatsmann, der sich leidenschaftlich gegen die makedonische Oberherrschaft über Griechenland wandte.

Descartes, René (Cartesius; 1596–1650), französischer Philosoph, Mathematiker und Physiker, Begründer der neueren rationalistischen Philosophie.

Diaz de Vivar, Rodrigo (Ruy; um 1040–1099), kastilischer Grande; seine Heldentaten brachten ihm den Ehrennamen Cid (Herr, Gebieter) ein.

Diderot, Denis (1713–1784), französischer materialistischer Philosoph der Aufklärung, Kunsttheoretiker, Mathematiker und Schriftsteller.

Diogenes aus Sinope (um 412 bis um 323 v. u. Z.), griechischer Philosoph; er lebte der Legende nach in einem Faß, um seine Lehre von der Bedürfnislosigkeit als erstrebenswertem Zustand des menschlichen Daseins zu demonstrieren.

Dionys (Dionysios II., der Jüngere; 367–344 v. u. Z.), Tyrann von Syrakus; er wurde wegen staatsmännischer Unfähigkeit vertrieben und lebte danach angeblich als Schulmeister in Korinth.

Dioskorides (Dioskurides Pedanios; 2. Hälfte des 1. Jh. u. Z.), griechischer Arzt, der in Rom wirkte; er verfaßte u. a. ein Lehrbuch „Über Arzneistoffe".

Dollond, John (1706–1761), englischer Optiker; er verbesserte das Teleskop.

Eberhard, Johann August (1739–1809), Theologe, ab 1778 Professor der Philosophie in Halle.

Einsiedel, Friedrich Hildebrand von (1750–1828), Kammerherr in Weimar.

Euklides (Eukleides; um 365 bis um 300 v. u. Z.), griechischer Mathematiker in Alexandria.

Euripides (um 480–406 v. u. Z.), jüngster der drei klassischen griechischen Tragödiendichter.

Euler, Leonhard (1707–1783), Schweizer Mathematiker, Physiker und Astronom.

Ferdinand I. (der Große; um 1016–1065), ab 1035 König von Kastilien.

Friedrich II. (1194–1250), ab 1208 König von Sizilien, ab 1212 deutscher König und ab 1220 römisch-deutscher Kaiser.

Galenus (Galenos; 129–199), griechischer Arzt, der lange Zeit in Rom als Leibarzt mehrerer römischer Kaiser wirkte; er galt über ein Jahrtausend hinweg als die höchste medizinische Autorität.

Geiler von Kaisersberg, Johann (1445–1510), Prediger in Basel und Straßburg.

Gellert, Christian Fürchtegott (1715–1769), Schriftsteller der deutschen Aufklärung, der besonders mit seinen Fabeln und Liedern nachhaltigen Einfluß ausübte; vor allem in seinen Lustspielen ist der Bürgerstand im Gegensatz zur lasterhaften Hofgesellschaft positiv dargestellt.

Gleim, Johann Wilhelm Ludwig (1719–1803), Dichter der Aufklärung, Hauptvertreter der deutschen Anakreontik.

Goeze, Johann Melchior (1717–1786), orthodoxer lutherischer Theologe, ab 1755 Hauptpastor in Hamburg, Gegner Lessings.

Gregor VII. (vorher Hildebrand; um 1020–1085), ab 1073 Papst der römisch-katholischen Kirche.

Haller, Albrecht (1708–1777), schweizerischer Naturforscher und Arzt, Dichter der frühen deutschen Aufklärung; sein episches Lehrgedicht „Die Alpen" galt zu seiner Zeit als Höhepunkt des poetischen Schaffens.

Hamann, Johann Georg (1730–1788), irrationalistischer philosophischer Schriftsteller, der „Magus aus Norden" (Goethe); er war mit Herder seit dessen Königsberger Studienzeit eng befreundet.

Harun al Raschid (Harun ar-Raschid; um 765–809), ab 786 der fünfte abbasidische Kalif in Bagdad.

Heinrich VIII. von England (1491–1547), ab 1509 englischer König; er vollzog 1534 den Bruch mit der römisch-katholischen Kirche und machte sich zum obersten Kirchenherrn in England.

Heliodorus (Heliodoros; 3. Jh. u. Z.), griechischer Romanschriftsteller; sein Roman „Äthiopische Abenteuer" wurde zum Vorbild für zahlreiche Romanschriftsteller des 16./17. Jahrhunderts.

Helvétius, Claude-Adrien (1715–1776), französischer Philosoph der Aufklärung, Vertreter des mechanischen Materialismus.

Heraklius (Herakleios I.; 575–641), ab 610 byzantinischer Kaiser.

Herodot (Herodotos aus Halikarnassos; um 484–425 v. u. Z.), griechischer Geschichtsschreiber, der „Vater der Geschichte"

Herschel, Friedrich Wilhelm (1738–1822), Astronom; er entdeckte den Uranus samt zweier Monde und zwei Saturnmonde sowie viele Sternhaufen und Nebel.

Hiob, Gestalt aus dem biblischen Buch Hiob, Inbegriff von Geduld und Frömmigkeit, die sich im Unglück bewähren.

Hippokrates von Kos (um 460–377 v. u. Z.), griechischer Arzt, er begründete die wissenschaftliche Heilkunde.

Hobbes, Thomas (1588–1679), englischer Philosoph; in seiner Gesellschafts- und Staatslehre geht er von der ursprünglichen Gleichheit aller Menschen aus. Nach seiner Auffassung führen die natürlichen Triebe zu einem „Krieg aller gegen alle", der nur durch einen Gesellschaftsvertrag beendet werden könne.

Holberg, Ludwig (1684–1754), norwegisch-dänischer Dichter und Historiker, Hauptvertreter der skandinavischen Aufklärung; in seinen Lustspielen kritisierte er die feudale Rückständigkeit.

Horaz (Quintus Horatius Flaccus; 65–8 v. u. Z.), römischer Dichter.

Hume, David (1711–1776), englischer Philosoph, Historiker und Ökonom; seine „Britannische Geschichte" erschien 1754–1762.

Hus, Jan (um 1371–1415), tschechischer Reformator.

Hutten, Ulrich von (1488–1523), Reichsritter, führender Vertreter des Humanismus, Publizist und Dichter; er trat für die Reformation und eine Reform der Reichsverfassung ein.

Innozenz III. (um 1160–1216), ab 1198 Papst der römisch-katholischen Kirche.

Iselin, Isaak (1728–1782), Schweizer Philosoph der Aufklärung, Historiker und Pädagoge; er verfaßte ein geschichtsphilosophisches Werk mit dem Titel „Geschichte der Menschheit" (1764–1770).

Jacobi, Friedrich Heinrich (1743–1819), Schriftsteller und Philosoph; er war in jüngeren Jahren mit Goethe und Herder befreundet, entfremdete sich ihnen aber später durch seine allein das Gefühl betonende Glaubensphilosophie.

Johnson, Samuel (1709–1784), englischer Schriftsteller und Lexikograph; 1755 erschien sein „Wörterbuch der englischen Sprache"

Kant, Immanuel (1724–1804), Philosoph, erster Vertreter der klassischen bürgerlichen deutschen Philosophie.

Kanter, Buchhändler in Riga.

Karl der Große (742–814), ab 768 König der Franken, 800 in Rom zum Kaiser gekrönt.

Kästner, Abraham Gotthelf (1719–1800), Naturwissenschaftler und satirischer Schriftsteller der deutschen Aufklärung; er trat vor allem als Aphoristiker und Epigrammatiker hervor.

Kepler, Johannes (1571–1630), Astronom; er entdeckte die Gesetze der Planetenbewegung (Keplersche Gesetze)

Klinkowström, Leonard Freiherr von (1741–1821), Hofmarschall in Weimar.

Klotz, Christian Adolf (1738–1771), Philologe und Altertumswissenschaftler.

Knebel, Karl Ludwig von (1744–1834), preußischer Offizier, ab 1774 Erzieher des Prinzen Konstantin in Weimar, Schriftsteller und Übersetzer.

Konfuzius (Kung-fu-tse; 551–475 v. u. Z.), chinesischer Philosoph; seine sittlichen Lehren waren von großem Einfluß auf das gesellschaftliche Leben im alten China.

Konradin (eigentlich Konrad; 1252–1268), Herzog von Schwaben.

Kopernikus, Nikolaus (1473–1543), Astronom; auf ihn geht die Lehre vom heliozentrischen (Kopernikanischen) Weltsystem zurück.

Korthold, Christian (1633–1694), Theologe.

Kraus, Georg Melchior (1733–1806), Zeichner, Maler und Kupferstecher, ab 1780 Direktor des Freien Zeicheninstituts in Weimar.

Lambert, Johann Heinrich (1728–1777), Naturwissenschaftler und Philosoph.

Leibniz, Gottfried Wilhelm (1646–1716), Philosoph, Mathematiker und Staatsmann.

Lindner, Johann Gotthelf (1729–1776), Rektor in Riga, Professor der Dichtkunst in Königsberg.

Linné, Karl von (1707–1778), schwedischer Naturforscher.

Locke, John (1632–1704), englischer Philosoph; seine Philosophie, ein „positives antimetaphysisches System“ (Marx), war der erste klassische Ausdruck der bürgerlichen Aufklärungsideologie.

Longin (Longinos; 3. Jh. u. Z.), griechischer Rhetor und Philosoph; er wurde fälschlich für den Autor einer aus dem 1. Jahrhundert u. Z. stammenden „Schrift über das Erhabene“ gehalten.

Ludwig XIV. (1638–1715), ab 1643 König von Frankreich, der „Sonnenkönig“.

Luise Auguste (1757–1830), geborene Prinzessin von Hessen-Darmstadt; ab 1775 Gattin von Karl August von Sachsen-Weimar-Eisenach.

Lukian (Lukianos von Samosata; um 120–180), griechischer Satiriker; seine Reisen führten ihn durch große Teile des Römischen Reiches.

Lykurgus (Lykurgos), Gesetzgeber Spartas, der zwischen dem 9. und dem frühen 7. Jahrhundert v. u. Z. wirkte.

Lyncker, Karl Friedrich Ernst Freiherr von (1726–1801), Oberkonsistorialpräsident in Weimar.

Lysippos (um 370 bis um 300 v. u. Z.), griechischer Bildhauer am Hofe Alexanders des Großen.

Mamon (Mamun, Abul-Abbas Abdallah al; 786–833), ab 813 der siebente abbasidische Kalif.

Mandeville, Sir John (um 1300–1372), englischer Reisender; sein „Reisbuch des heiligen Lands" enthält viele abenteuerliche Sagen, u. a. kommen in ihm Teufel vor, die den Reisenden auf den Kopf speien.

Mendelssohn, Moses (1729–1786), Popularphilosoph der Aufklärung und Schriftsteller, Gegner des Spinozismus, dessen materialistische und atheistische Konsequenzen er verurteilte.

Merck, Johann Heinrich (1741–1791), Schriftsteller und Kritiker; als Herausgeber und Mitarbeiter literarischer Zeitschriften förderte er die Emanzipationsbestrebungen des Bürgertums.

Michelangelo (Michelagniolo Buonarroti; 1475–1564), italienischer Maler, Bildhauer und Baumeister der Renaissance.

Milton, John (1608–1674), englischer Dichter; in seinem Epos „Das verlorene Paradies" schilderte er den Sündenfall als den Kampf der himmlischen gegen die satanischen Heerscharen.

Moawija, Gründer der Stadt Kairwan, später Kahira (Kairo)

Molière (eigentlich Jean Baptiste Poquelin; 1622–1673), französischer Komödiendichter.

Monboddo, James Burnett Lord (1714–1799), englischer Schriftsteller, Verfasser des Werks „Von dem Ursprunge und Fortgange der Sprache" (1773).

Montaigne, Michel Eyquem de (1533–1592), französischer humanistischer Moralphilosoph und Essayist.

Montesquieu, Charles-Louis de Secondat, Baron de la Brède et de (1689 bis 1755), französischer Philosoph der Aufklärung, Staatstheoretiker und politischer Schriftsteller.

Moses, legendärer Begründer der israelitisch-jüdischen Religion; er soll die Israeliten aus Ägypten ins „Gelobte Land" Mittelpalästina geführt haben.

Müller, Johann Georg (1759–1819), Theologe und Schriftsteller.

Nepos, Cornelius (um 100 bis um 32 v. u. Z.), römischer Schriftsteller, Verfasser von Lebensbeschreibungen „Berühmter Männer".

Newton, Sir Isaac (1643–1727), englischer Mathematiker und Physiker, Begründer der klassischen Mechanik; seine Entdeckungen auf dem Gebiete der Optik und Astronomie waren bahnbrechend für die neuere Naturwissenschaft.

Nicolai, Christoph Friedrich (1733–1811), Schriftsteller und Verlagsbuchhändler in Berlin, aufklärerischer Literaturkritiker; in der zweiten Hälfte seines Lebens begegnete er der fortschreitenden Entwicklung der klassischen Literatur zunehmend mit Unverständnis.

Ninon (Anne, Ninon de Lenclos; 1620–1705), vornehme französische Kurtisane, in deren Salon zu Paris sich auch die gebildete Welt traf.

Nollet, Jean-Antoine (1700–1770), Entdecker der physikalischen Diffusion.

Omar (Omar I. bin al-Chattab; um 592–644), ab 634 Kalif; er dehnte sein Herrschaftsgebiet zum Großreich aus.

Opitz, Martin (1597–1639), Dichter, Literaturtheoretiker und Übersetzer; er machte sich um die Förderung der deutschen Sprache und der deutschen Nationalliteratur im 17. Jahrhundert verdient.

Orpheus, mythischer Sänger der Griechen.

Ossian (3. Jh. u. Z.), sagenhafter gälischer Held und Dichter; der Schotte James Macpherson gab 1760–1763 seine Nachbildungen gälischer Volksdichtungen als Werke Ossians aus, sie wurden von den Dichtern und Theoretikern des Sturm und Drangs begeistert aufgenommen.

Perikles (um 495–429 v. u. Z.), bedeutendster athenischer Staatsmann, Führer der demokratischen Partei; unter seiner Verwaltung erlebte Athen seine höchste Blüte (Perikleisches Zeitalter).

Perrault, Charles (1628–1703), französischer Schriftsteller; er wurde bekannt durch seine Nacherzählung europäischer Volksmärchen in der Sammlung „Die Märchen des Gänsemütterchens".

Phädrus (Phaedrus. Mitte des 1. Jh. u. Z.), römischer Fabeldichter.

Phidias (Pheidias; 5. Jh. v. u. Z.), bedeutendster griechischer Bildhauer.

Philipp (Philippos II.; 382–336 v. u. Z.), ab 359 v. u. Z. Regent, ab 356 v. u. Z. König von Makedonien.

Pindar (Pindaros; 522 bis um 446 v. u. Z.), bedeutendster griechischer Chorlyriker.

Plato (Platon; 427–347 v. u. Z.), griechischer Philosoph, Schüler von Sokrates; er gründete eine philosophische Schule in Athen, die „Akademie". In seiner Lehre wird die Vollkommenheit der Ideenwelt hervorgehoben, hinter der die materielle Wirklichkeit zurückbleibe.

Pope, Alexander (1688–1744), englischer Dichter und Essayist; er wurde vor allem durch sein komisches Epos „Der Lockenraub" (1714) bekannt.

Postel, Christian Henrich (1658–1705), niedersächsischer Dichter.

Praxiteles (Mitte des 4. Jh. v. u. Z.), griechischer Bildhauer.

Ptolemäus, Claudius (Klaudios Ptolemaios; um 83 bis um 161), bedeutendster Astronom der Antike, Astrologe, Mathematiker und Geograph; auf ihn geht die Lehre vom geozentrischen (Ptolemäischen) Weltsystem zurück.

Pythagoras von Samos (um 580 bis um 496 v. u. Z.), griechischer Mathematiker und Philosoph.

Racine, Jean-Baptiste (1639–1699), französischer Dramatiker, Repräsentant der klassizistischen französischen Tragödie.

Raffael (Raffaello Santi, 1483–1520), italienischer Maler der Hochrenaissance.

Reding, Aloys (1765–1818), Schweizer Staatsmann, 1801–1802 erster Landammann der Helvetischen Republik.

Riedel, Friedrich Justus (1742–1785), Ästhetiker und Altertumsforscher, Professor der Philosophie.

Rosa von Viterbo (1234–1252), Bußpredigerin gegen die Häretiker ihrer Vaterstadt, 1457 heiliggesprochen.

Rousseau, Jean-Jacques (1712–1778), schweizerisch-französischer Philosoph; als Ideologe des revolutionären Kleinbürgertums entwickelte er in seiner Gesellschaftslehre die Idee der Volkssouveränität. Mit seiner Forderung nach echtem Naturgefühl und seiner Losung „Zurück zur Natur!“ wirkte er nachhaltig auf die europäische geistige Entwicklung.

Ruspoli, Familie in Rom.

Saint-Pierre, Charles Irénée Chastel Abbè de (1658–1743), französischer Philosoph; er trat mit Projekten für eine Art Völkerbund und einen ewigen Frieden hervor.

Salomon (um 950 v. u. Z.), jüdischer König; ihm werden das „Hohelied“ und die „Sprüche Salomonis“ im Alten Testament der Bibel zugeschrieben.

Schlegel, Gottlieb (1739–1810), Theologe in Riga.

Search, Edward (eigentlich Abraham Tucker); er gab eine Abhandlung „Licht der Natur“ (1768–1777) heraus.

Sesostris, Name ägyptischer Könige; der bedeutendste von ihnen, Sesostris III., herrschte etwa von 1877 bis 1839 v. u. Z.; seine Person wurde zum Vorbild für die gleichnamige Gestalt bei dem griechischen Historiker Herodot.

Sévigné, Marie de Rabutin-Chautal Marquise de (1626–1696), französische Schriftstellerin, die vor allem ihrer Briefkorrespondenz wegen berühmt wurde.

Shaftesbury, Anthony Ashley-Cooper, Earl of (1671–1713), englischer Philosoph; er lehrte die Einheit eines organisch gegliederten, harmonisch geordneten Kosmos. Sittlichkeit gründet sich für ihn auf den dem Menschen angeborenen moralischen Sinn: das Gute ist mit dem Schönen identisch.

Sickingen, Franz von (1481–1523), Reichsritter; er wurde von Ulrich von Hutten für die humanistische Bewegung und die Reformation gewonnen und kämpfte 1522 als Führer der aufständischen Reichsritterschaft Schwabens und des Rheinlandes gegen den Erzbischof von Trier.

Sokrates (470–399 v. u. Z.), griechischer Philosoph; er sah seine Lebensaufgabe in der Aufklärung der Menschen und ihrer Erziehung zur Tugend, wurde als Verführer der Jugend angeklagt und zum Tode durch den Giftbecher verurteilt.

Sophokles (496–406 v. u. Z.), der mittlere der drei klassischen griechischen Tragödiendichter.

Spinoza, Benedictus (eigentlich Baruch; 1632–1677), niederländischer Philosoph; mit seiner materialistisch-pantheistischen Lehre, nach der Natur und Gott *eine* Substanz seien, wirkte er nachhaltig auf die Aufklärungsphilosophie.

Sueton (Gaius Suetonius Tranquillus; um 70 bis um 140), römischer Schriftsteller, Verfasser von Kaiserbiographien.

Sulzer, Johann Georg (1720–1779), Philosoph und Ästhetiker, Pädagoge in Berlin.

Swift, Jonathan (1667–1745), englischer Schriftsteller; sein satirisches Werk „Gullivers Reisen“ (1726) prangert politische, soziale und kirchliche Mißstände seiner Zeit an.

Tacitus, Publius Cornelius (um 55 bis um 120), römischer Geschichtsschreiber.
Terenz (Publius Terentius Afer; um 190–159 v. u. Z.), römischer Komödiendichter.
Thespis (6. Jh. v. u. Z.), Begründer der griechischen Tragödie.
Thomson, James (1700–1748), schottisch-englischer Dichter; er schrieb u. a. das klassizistische Versepos „Die Jahreszeiten“ (1726–1730).
Tizian (eigentlich Tiziano Vecellio; 1476/77 oder 1487–1576), italienischer Maler, Hauptmeister der venezianischen Malerschule in der italienischen Hochrenaissance.
Trescho, Sebastian Friedrich (1733–1804), Diakon in Mohrungen, Verfasser von religiösen moralisierenden Erbauungsschriften; der junge Herder lebte kurze Zeit in seinem Hause.
Turgot, Anne-Robert, Baron de l'Aulne (1727–1781), französischer Staatsmann.
Tyrtaios (7. Jh. v. u. Z.), griechischer Lyriker; er begeisterte mit seinen Elegien auf den spartanischen Staat während des zweiten Messenischen Krieges die Spartaner zur Ausdauer im Kampf.

Virgil (Publius Vergilius Maro; 70–19 v. u. Z.), römischer Dichter der Augusteischen Ära.
Voltaire (eigentlich François-Marie Arouet; 1694–1778), führender Philosoph und Dichter der französischen Aufklärung; er schrieb polemisch-satirische Schriften gegen klerikale Intoleranz und feudale Unterdrückung, zeitkritische Romane und Erzählungen; Herders Kritik richtete sich gegen den strengen Rationalismus seiner Geschichtsauffassung und die klassizistische Doktrin seiner dramatischen Dichtungen.
Vossius (Johann Heinrich Voß; 1751–1826), Dichter der deutschen Aufklärung, bedeutender Homer-Übersetzer.

Walid (Welid I.), von 705 bis 715 Kalif.
Winckelmann, Johann Joachim (1717–1768), Begründer der klassischen Archäologie; er schuf in seinen beiden Hauptwerken „Gedanken über die Nachahmung der griechischen Werke in der Malerei und Bildhauerkunst“ (1755) und „Geschichte der Kunst des Altertums“ (1764) das deutsche klassische Griechenideal und begründete damit die klassizistische Kunstauffassung.

Xerxes, Sohn und Nachfolger Dareios' I., 486–465 v. u. Z. persischer Großkönig.

Young, Edward (1681–1765), englischer Dichter.

Zeno (Zenon von Kition; um 335 bis um 262 v. u. Z.), griechischer Philosoph, Begründer der Stoa.
Zwingli, Ulrich (1484–1531), Schweizer Reformator.

Verzeichnis der Abbildungen

Literaturhinweise

Herders Sämtliche Werke, herausgegeben von Bernhard Suphan, Berlin 1877 bis 1913

Herders Werke in fünf Bänden, ausgewählt und eingeleitet von Regine Otto, Bibliothek deutscher Klassiker, Berlin und Weimar 1978

Herders Briefe, ausgewählt und erläutert von Regine Otto, Bibliothek deutscher Klassiker, Berlin und Weimar 1970

Johann Gottfried Herder, Ideen zur Philosophie der Geschichte der Menschheit, herausgegeben von Heinz Stolpe, Berlin und Weimar 1965

Johann Gottfried Herder, Briefe zu Beförderung der Humanität, herausgegeben von Heinz Stolpe, Berlin und Weimar 1971

Lyrik der Antike in klassischen Nachdichtungen, herausgegeben von Herbert Greiner-Mai und Manfred Wolter, Berlin und Weimar 1968

Johann Gottfried Herder, von Viktor Maximowitsch Schirmunski. Aus dem Russischen übersetzt von Heinz Stolpe, Berlin 1963